FOLIO POLICIER

DOA

Pukhtu

Primo

Gallimard

DOA (Dead On Arrival) est romancier et scénariste. Il est l'auteur à la Série Noire de *Citoyens clandestins* (Grand Prix de littérature policière 2007), du *Serpent aux mille coupures* et de *L'honorable société*, écrit avec Dominique Manotti (Grand Prix de littérature policière 2011). En 2015, il publie *Pukhtu : Primo* dans cette même collection, et en 2016, *Pukhtu : Secundo*. À l'ère du Big Brother planétaire, il aime qu'on n'en sache pas trop sur lui.

La C. est mon héroïne.

Si la guerre n'est pas une chose sainte l'homme n'est qu'une poussière grotesque.

CORMAC MCCARTHY
Méridien de sang

Le Pukhtun se dresse solidement sur le Pukhtu. L'épouse pukhtun n'acceptera pas de mari pukhtun qui n'a pas de Pukhtu.

DICTON PUKHTUN

Avant-propos

L'Afghanistan est un pays au relief et au climat brutaux, d'une superficie proche de celle de la France, coincé entre le Pakistan, à l'est et au sud, l'Iran, à l'ouest, et le Tadjikistan, l'Ouzbékistan et le Turkménistan au nord. Sa population est d'environ trente millions d'habitants (hors réfugiés sur les territoires pakistanais et iraniens, plusieurs millions de plus) répartie en différents groupes ethniques : les Pachtounes, environ 40 % de la population, les Tadjiks, un peu moins de 30 %, les Hazâras et les Ouzbeks, environ 10 % chacun, et une myriade de minorités. Ethnie dominante, les Pachtounes sont également présents au Pakistan voisin et s'ils pèsent à peine plus de 15 % de la totalité des habitants de cet État-là, ils y sont plus nombreux qu'en Afghanistan, environ vingt-huit millions de personnes. Le dari, proche du perse, et le pachto sont les deux langues officielles de la République islamique d'Afghanistan.

Ce qui suit est une fiction, avec ses raccourcis et ses approximations. Par une confortable convention avec lui-même, l'auteur a décidé de différencier le singulier et le pluriel du vocable *taliban* et, dans un souci de clarté, a inclus en fin d'ouvrage différentes annexes : un récapitulatif des personnages, un glossaire des principaux sigles, termes techniques ou étrangers employés dans le texte et une *playlist*.

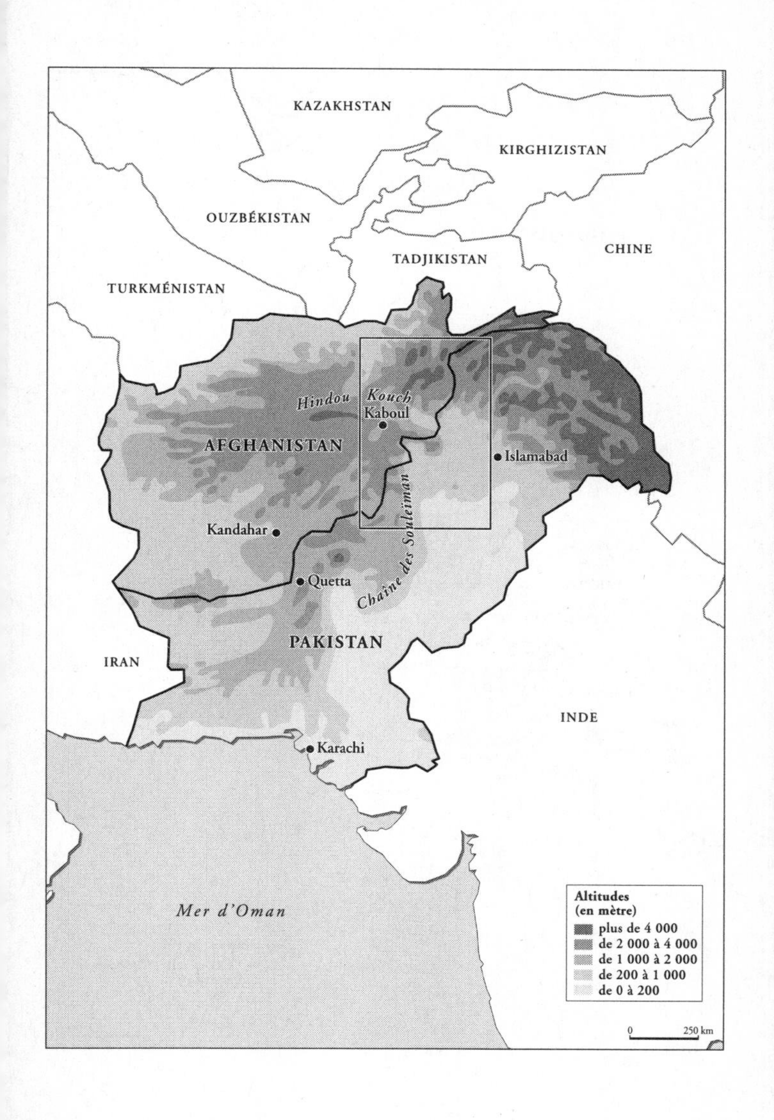
KAZAKHSTAN
KIRGHIZISTAN
OUZBÉKISTAN
TADJIKISTAN
CHINE
TURKMÉNISTAN
Hindou Kouch
Kaboul
AFGHANISTAN
Islamabad
Kandahar
Chaîne des Souleïman
Quetta
PAKISTAN
IRAN
INDE
Karachi
Mer d'Oman
Altitudes
(en mètre)
plus de 4 000
de 2 000 à 4 000
de 1 000 à 2 000
de 200 à 1 000
de 0 à 200
0
250 km

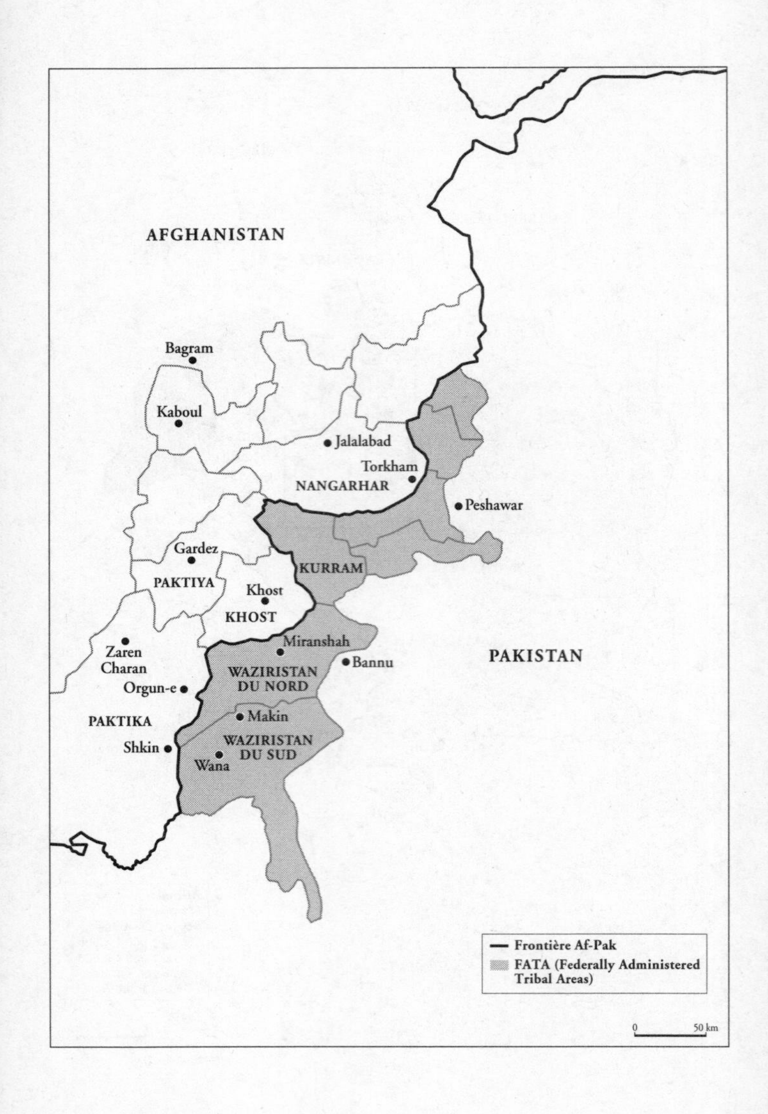

AFGHANISTAN
PAKISTAN
Bagram
Kaboul
Jalalabad
Torkham
NANGARHAR
Peshawar
Gardez
KURRAM
PAKTIYA
Khost
KHOST
Miranshah
Bannu
Zaren
Charan
WAZIRISTAN
DU NORD
Orgun-e
Makin
PAKTIKA
WAZIRISTAN
DU SUD
Shkin
Wana
Frontière Af-Pak
FATA (Federally Administered
Tribal Areas)
0
50 km

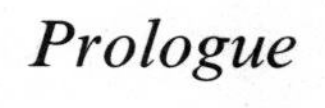

Ubi solitudinem faciunt, pacem appellant.

Où ils font un désert, ils disent qu'ils font la paix.

TACITE

Un doigt. Un doigt bariolé de rouge et de noir. Elle se dit *pareil à ceux de papa quand il peint*. Puis *papa n'est pas là*. Puis *papa est mort*. Puis *à qui est ce doigt*. Collé sur une vitre. Le doigt bariolé de rouge et de noir est collé sur une vitre. Il a glissé de quelques centimètres, laissé une trace. Sur la vitre. Trace du doigt collé sur la vitre. De voiture. Un 4 × 4. Blanc. Sale. C'est la seule vitre intacte. La jeune Norvégienne a beau réfléchir, elle ne comprend pas. Ne pige pas. À qui est ce doigt. Et pourquoi la voiture est couverte de suie. Et pourquoi toutes ses vitres sont brisées. Sauf une. Dans le parking de l'hôtel. Un cinq étoiles, ça la fout mal. *Je suis dans le parking. Non. Je suis allée dans le jardin. Je m'en souviens très bien, il était dix-sept heures. Passées. J'ai regardé ma montre.* C'était il y a quelques minutes à peine. Sortie à la pause pour fumer une cigarette. Il faisait encore jour. Après. Après. Après. D'abord trouver à qui appartient ce doigt. Bariolé de rouge et de noir. *Papa.* Son cœur se serre quand elle pense à son père, il lui manque tellement. Les larmes montent mais ne coulent pas. Elle fixe le doigt bariolé de rouge et de noir collé sur la vitre. Trace glissée cramoisie sur la vitre. Intacte. Du 4 × 4. La seule. Seule. Il fait nuit. La jeune Norvégienne se creuse la tête pour savoir comment elle est arrivée dans le parking, la nuit, après le jardin, le jour. Dans cet hôtel. Une pause. Pendant la réunion avec le ministre. Elle accompagne un ministre de son pays. À Kaboul. L'hôtel est à Kaboul. C'est le meilleur, le plus sécurisé. La pause. Pendant la réunion. La clope. Après la clope, elle se souvient être rentrée. Le grand hall de marbre. Le thé. Elle est allée se chercher un thé. Dans la maison de thé. De l'hôtel. La jolie *Chai Khana*. Elle donne sur le hall. Et le parking. Où il fait nuit. Quelques minutes à peine. Le doigt bariolé de rouge et de noir est encore là. Personne ne le réclame. Il a glissé plus bas, sur sa vitre. Il va tomber, se salir par terre. Il faut vite le rendre. Son propriétaire va en avoir besoin. Propriétaire, le mot ne lui plaît pas. Elle ne sait pas s'il faut dire propriétaire lorsqu'on parle d'une partie du corps. La jeune Norvégienne sent alors ses doigts, les siens, à elle. Réalise qu'ils serrent très fort une tasse en grès émaillé. Ébréchée. Vide. Elle sursaute, c'est incontrôlable. Tout aussi incontrôlable que lorsqu'elle a sursauté quand le serveur lui a donné cette tasse par-dessus le comptoir, en lui disant de faire attention de ne pas se brûler, c'est chaud, dans son anglais approximatif, et qu'elle s'est brûlée tout de même parce qu'elle a sursauté. À cause de la première explosion. Elle revient au doigt collé sur le 4 × 4. Ne voit pas qu'elle lâche la tasse. Qui se brise à ses pieds. Dans le parking. La première explosion a fait vibrer toutes les vitres de l'hôtel. Comme tout le monde, elle a sursauté, tourné la tête. Le verre de la façade étant épais, impossible de savoir si c'était près ou loin. Elle a sursauté, tourné la tête, s'est figée. Ça ruisselle maintenant, sur ses joues couvertes de poussière grasse et cramée. La même que celle sur la voiture et le doigt ensanglanté. Ça lui revient, d'un coup, tout, en rafales, en cris, en fuites désordonnées. La seconde explosion. Dehors, encore. Plus près de l'entrée principale. Et du 4 × 4. Quelqu'un l'a bousculée, elle est tombée à la renverse entre des chaises. Des clients, vers une porte dérobée, au fond de la *chai khana*. Jolie. Tirs, gémissements, troisième explosion. Moins puissante. À l'intérieur. Dans le hall. De marbre. De l'hôtel. Cinq étoiles. Le meilleur de Kaboul. Le plus sécurisé. Il y a de la fumée partout. Ils. Sont. Entrés. Nouvelle déflagration. La jeune Norvégienne s'est abritée sous une table. Elle a aperçu un homme en uniforme jeter quelque chose dans sa direction. Il y a eu un tintement, un *poc* sur le sol, une petite boule de métal a roulé, roulé, roulé vers elle et s'est arrêtée finalement derrière une grosse vasque. Qui l'a sans doute sauvée. Même si elle s'est pris la table dans la tronche, avec la dépression, le souffle, la chaleur, les résidus de combustion. Et a perdu connaissance. C'était il y a quelques minutes, il faisait jour. À présent, dans le parking, il fait nuit. Le monde s'agite autour d'elle. Un soldat lourdement équipé la soutient, lui sourit, prononce des mots qu'elle ne comprend pas, suppose doux, rassurants, elle ne les entend pas. Elle n'entend plus rien qu'un sifflement. Ça ne l'inquiète pas. Le soldat a les yeux très bleus, un drapeau américain sur l'épaule, ne s'occupe pas du doigt, essaie de la propulser gentiment vers l'avant. La jeune Norvégienne a du mal à respirer, elle sent juste son nez, trop gros, tout plein, rien d'autre. Aucune odeur, ça ne l'inquiète pas. Elle a du mal à avancer, c'est pénible. Elle veut téléphoner chez elle, à Oslo, à sa mère. Elle lui manque elle aussi, autant que son père. Mais lui, il est mort. Elle trouve son mobile dans sa poche de pantalon. Il fonctionne, elle se détend. L'horloge, à l'écran, indique vingt heures dix-neuf, elle s'étrangle. Inerte, elle se laisse alors pousser par le militaire. Marche sur une masse molle, humide. Son regard file vers le sol, un réflexe. Elle a un morceau de bois enfoncé dans le genou, a perdu une chaussure, piétine un bout d'homme. Manche d'uniforme saturée de sang d'où dépasse une main. Il manque un doigt. À ce moment-là seulement, la jeune Norvégienne se met à gueuler.

14 JANVIER 2008 – ATTENTAT CONTRE L'HÔTEL SERENA DE KABOUL. Six personnes, dont un citoyen américain et un journaliste norvégien, ont trouvé la mort au cours d'une attaque menée par des kamikazes contre un hôtel de luxe principalement fréquenté par des diplomates, des coopérants et des journalistes. Selon le secrétaire général des Nations unies, la cible de cet attentat était probablement le ministre des Affaires étrangères de Norvège, en visite en Afghanistan. Il s'en est tiré indemne. Zabiboullah Moujahid, porte-parole des talibans, a aussitôt déclaré : « Nos martyrs, qui portaient des uniformes de la police, ont attaqué l'hôtel avec des gilets d'explosifs, des AK47 et des grenades. Ils étaient prêts à sacrifier leurs vies pour tuer les envahisseurs étrangers. » Six autres personnes, dont deux clients de l'hôtel, ont également été blessées. La plupart des victimes sont des membres du personnel et des gardes de l'établissement [...] **15 JANVIER 2008 – EXPLOSIONS À**

L'HÔTEL SERENA : HUIT MORTS, une dizaine de blessés et plusieurs arrestations. La capture de l'un des auteurs de l'attentat perpétré hier contre un hôtel de luxe de la capitale a conduit à quatre nouvelles interpellations, dont celle de l'un des lieutenants de Mollah Abdoullah. Ce chef taliban, réfugié au Waziristan du Nord, est un proche de Sirajouddine Haqqani, allié d'Al-Qaïda. Zabiboullah Moujahid, porte-parole des insurgés, a précisé ce matin que l'« homme qui a accompli son devoir sacré venait de la province de Khost et s'appelait Farouk ». Depuis que la coalition internationale emmenée par les États-Unis a renversé leur gouvernement en 2001, les talibans ont revendiqué de nombreuses attaques-suicides en Afghanistan, principalement contre des soldats afghans et étrangers. Celle menée hier dans le centre de Kaboul, contre des civils, marque un tournant dans le conflit [...]

PRIMO

LE LION ET LE RENARD

I have a rendezvous with Death
At some disputed barricade,
When Spring comes back with rustling shade
And apple-blossoms fill the air
I have a rendezvous with Death
When Spring brings back blue days and fair.
It may be he shall take my hand
And lead me into his dark land
And close my eyes and quench my breath
It may be I shall pass him still.
I have a rendezvous with Death
On some scarred slope of battered hill,
When Spring comes round again this year
And the first meadow-flowers appear.

J'ai rendez-vous avec la Mort
Sur quelque barricade âprement disputée,
Quand le printemps revient avec son ombre frémissante
Et quand l'air est rempli des fleurs du pommier.
J'ai rendez-vous avec la Mort
Quand le printemps ramène les beaux jours bleus.
Il se peut qu'elle prenne ma main
Et me conduise dans son pays ténébreux
Ferme mes yeux, éteigne mon souffle.
Il se peut qu'elle passe sans me toucher.
J'ai rendez-vous avec la Mort
Sur quelque colline par les balles scarifiée
Quand le printemps reparaîtra cette année
Et qu'écloront les premières fleurs des prairies.

ALAN SEEGER
« I have a Rendezvous with Death », in *Poems*

1

L'entreprise Shenzhen Lianyou Chemicals, basée en périphérie de Shenzhen, vend plusieurs types de produits chimiques. Début janvier 2008, comme toutes les semaines ou presque, sept mille litres d'anhydride acétique, un liquide incolore, quittent ses usines en direction de la zone portuaire. Avec ses cent quarante bassins, ses millions d'EVP de fret et de voyageurs en transit annuel, ses centaines de navires de passage chaque mois, c'est l'une des plus dynamiques d'Asie, une véritable fourmilière. Ces sept tonnes, à une poignée de kilos près, licites, accompagnées de tous les manifestes idoines, sont prises en charge par l'une des trente compagnies maritimes implantées localement et embarquées sur un porte-conteneurs. Elles vont s'agréger aux quelque six cent mille autres tonnes de ce composant, un tiers de la production mondiale, vendues légalement tous les ans sur les marchés internationaux par les principaux pays producteurs, dont la Chine fait partie. Conditionné en barils polyéthylène bleus de cent litres, étiquetés selon la réglementation sur l'emballage et le transport des substances dangereuses, cet anhydride acétique vogue ensuite jusqu'à

Jebel Ali, aux Émirats arabes unis, où le cargo qui le transporte fait une première escale le 19 janvier, après une douzaine de jours en mer.

Principal port du golfe Persique, Jebel Ali est une zone franche où tout est fait pour simplifier la vie des sociétés et des hommes d'affaires désireux d'y installer leurs activités. Législation, taxation, contrôles : symboliques. Inexistants même, avec la bonne devise et le volume adéquat. Dollars ou dirhams, enveloppe, sac plastique ou mallette. Parfois, cette souplesse administrative, combinée à une hyperactivité de jour comme de nuit, provoque des erreurs. Ainsi le conteneur de la Shenzhen Lianyou Chemicals est-il malencontreusement débarqué avant d'être rembarqué, une fois la fausse manœuvre constatée, deux heures plus tard. Rien de grave. Même si les scellés ont été brisés puis reconstitués et que dix barils se sont volatilisés sur le quai. Mille litres. Une tonne. Personne n'a rien vu. Il n'y avait rien à voir. Tout le monde était très occupé. Tout le monde est toujours très occupé à Jebel Ali, c'est le premier port du Moyen-Orient. D'ailleurs, cette bourde ne sera jamais inscrite nulle part, ce genre de choses n'arrive pas ici.

Tandis que le reste du chargement s'apprête à poursuivre sa route normalement, la tonne qui n'existe plus est conduite dans un entrepôt anonyme, perdu au milieu d'un tas d'autres entrepôts similaires. À l'abri des regards, des employés philippins, indonésiens, yéménites ou soudanais, sous-payés, surexploités, très mal protégés par des masques chirurgicaux contrefaits et des gants de vaisselle totalement inefficaces contre les risques de corrosion, intoxication, contamination, combustion, explosion encourus, sont chargés de transvaser notre composé fugueur dans des bonbonnes de vingt et quarante litres, toujours en polyéthylène, semblables à celles utilisées pour les fontaines d'eau minérale des bureaux du monde entier. Et de les ranger ensuite, le cul marqué d'une virgule rouge indélébile, au milieu de denrées destinées à l'import-export, dans un coin vaguement aéré, à peine abrité de la chaleur et de la lumière, en attendant leur réexpédition prochaine.

L'anhydride acétique est largement utilisé partout, par différentes industries. Pour la production des amidons acétylés employés par la filière agroalimentaire par exemple, ou pour réaliser la synthèse de l'aspirine, ou dans le cadre de divers procédés de conservation du bois. Mais son commerce est très surveillé. Depuis 1988, il figure en effet dans la Convention des Nations unies contre le trafic illicite de stupéfiants et de substances psychotropes en qualité de précurseur indispensable à la fabrication de l'héroïne. Très surveillé donc difficile à acheter sans attirer l'attention. Donc cher lorsqu'il disparaît des radars. Celui que contiennent les fausses bonbonnes d'eau coûtait quelques cents le litre à son départ de Chine. Le même litre vaut maintenant plusieurs dizaines de dollars, davantage que son prix légal au détail n'importe où sur la planète.

Moins d'une journée après avoir été détournée, la tonne fantôme quitte à nouveau les Émirats arabes unis. Le 25 janvier, peu après minuit, au milieu d'une livraison adressée à la société Pak Beverages Ltd., spécialisée dans la distribution de sodas et autres boissons sans alcool, elle arrive à Karachi. Ouvert sur l'océan Indien, le port est le cœur de cette métropole de seize millions d'habitants et rarement le mot artère n'a été aussi pertinent pour décrire les principales routes qui, de ses quais, irriguent la ville, le reste du pays et, au-delà, certains de ses voisins. À l'instar de l'Afghanistan, totalement enclavé et depuis longtemps tributaire du bon vouloir du Pakistan pour ses approvisionnements.

Par commodité – impossible de venir du nord par les républiques d'Asie centrale, toujours sous influence russe, ou de l'Iran, à l'ouest – et dans un souci d'économie, le soutien matériel de la guerre déclarée fin 2001 contre Al-Qaïda et ses alliés talibans se fait surtout par voie terrestre, selon deux itinéraires au départ de Karachi. Le premier, au sud, est le moins important. Il rejoint Quetta, au Baloutchistan, cachette actuelle supposée du Mollah Omar, motard borgne Commandeur des croyants, puis via la passe de Chaman traverse Spin Boldak, Kandahar et termine à Kaboul. Le second, plus actif, file jusqu'à Peshawar, capitale symbolique du djihad et de la résistance afghane depuis 1979, ironie de la géopolitique locale, emprunte la passe de Khyber, principal point de jonction entre les deux États, franchit la frontière à Torkham et, après Jalalabad, arrive lui aussi à Kaboul. L'offensive lancée après les événements du 11-Septembre a ainsi généré des flux de dizaines de milliards de dollars de logistique militaire à travers le Pakistan et dopé de façon incontrôlable l'ancienne mafia des transports, par une alliance opportuniste entre les multinationales sous contrat avec l'OTAN et le Pentagone, leurs riches sous-traitants penjabis à la tête des sociétés de convoyage, divers réseaux criminels transfrontaliers, et la réserve inépuisable de pauvres chauffeurs descendus des contreforts de l'Hindou Kouch pour conduire leurs *jingle trucks*, ces camions fatigués aux cabines décorées de bois, de fer-blanc, de clochettes et de mille couleurs, sur des trajets extrêmement dangereux. Un vrai raz-de-marée d'hommes, de marchandises et de capitaux, transitant par des provinces mal, ou trop bien c'est selon, tenues par les autorités, au milieu duquel il est très facile de se glisser en douce.

Dollars ou roupies, enveloppe, sac plastique ou mallette.

Ahmad a lui choisi de ranger les épaisses liasses de billets remises par l'entrepreneur qui loue son camion dans la poche aux motifs vert pomme d'une chaîne de supérettes. L'argent est destiné aux différents péages du voyage à venir : policiers, militaires, talibans locaux, bandits, militaires déguisés en bandits, bandits déguisés en talibans, talibans bandits. Et *bis repetita* une fois en Afghanistan. Premier prélèvement à la sortie du port cette fois-ci, par un officier des douanes, et ensuite à la jonction avec l'autoroute d'Hyderabad, en pleine circulation, à l'occasion d'un simulacre de vérification d'identité par cinq types en uniforme, entassés dans une bagnole trop petite et trop vieille, aux couleurs passées. Ahmad et son cadet Najib n'ont pas quitté Karachi que déjà mille trois cents roupies, une fortune ici, un peu plus de dix dollars, ont été discrètement extraites du plastique pour être glissées entre permis de conduire et bordereau des marchandises transportées. Avant de se volatiliser. Ahmad reste philosophe, même s'il est toujours anxieux quand il prend la route. Tant qu'on les arrête pour leur ponctionner un peu d'argent, tout va bien. Ce n'est pas leur argent. Mais il est d'autres aléas contre lesquels les billets, leurs racines pachtounes et l'omniprésence de représentants de leur tribu, les Afridis, tout le long du parcours ne peuvent les prémunir à coup sûr : les embuscades, pillages et exécutions sommaires, monnaie courante sur le chemin de Kaboul.

Alors, lui et son frère avalent les kilomètres, aussi vite que leur vieux bahut et l'état de la chaussée le permettent, en s'arrêtant le moins possible et en général longtemps après le coucher du soleil. Lorsque la fatigue commence à se faire sentir, que dos et bras agonisent mais qu'il n'est pas encore l'heure de dormir, Najib se met à rouler cigarette de hasch sur cigarette de hasch, et ils fument jusqu'à épuisement, dans l'andante plaintif des craquements de la cabine et des efforts du moteur, les yeux égarés sur la portion de route éclairée par les phares. Sur les bas-côtés aussi, d'où le danger peut surgir à tout instant.

Après trois jours et deux courtes nuits dans des relais amis, où ils ont croisé pas mal d'autres camionneurs en quête d'un peu de sérénité, ils font halte à Bannu, un important comptoir de commerce et un carrefour stratégique d'où part la principale voie d'accès aux agences du Waziristan du Nord et du Waziristan du Sud, épicentres des zones tribales, les fameuses FATA[1], paradis inexpugnables pour les pires fous de Dieu d'Asie centrale. Sûrement pas pour les gens comme Ahmad, son frère et une grande majorité de Pakistanais. Voilà pourquoi ils préfèrent toujours s'arrêter avant Bannu. Ou bien après. Pourtant, ce 28 janvier, vers une heure du matin, ils ont rendez-vous ici. Pas le choix. Refuser signifiait prendre le risque de ne plus obtenir de livraisons et de quoi payer les traites du camion.

1. Pour rappel, le lecteur pourra se référer au glossaire se trouvant en fin d'ouvrage (p. 783) et définissant les principaux sigles, termes techniques ou étrangers.

Plus d'argent pour le reste de la famille non plus, la fin de l'avenir, leur mort à tous. Mais Ahmad n'est pas mécontent de boucler cette étape, il va pouvoir se débarrasser des quarante bonbonnes d'eau bien rangées au fond de la benne qui le tiennent en souci depuis le départ. Il se tord déjà suffisamment le bide à chaque périple pour ne pas avoir à s'angoisser en trimballant en plus une cargaison dissimulée, illégale et surtout valant près de deux cent mille dollars. Un truc à se faire égorger par des policiers ou des soldats gourmands.

Emmitouflés dans des couvertures trop usées pour être efficaces contre le froid, Ahmad et Najib patientent quatre joints, assis côte à côte sur un *charpoy*, ces châlits de bois laissés à la disposition des routiers de passage, avant que les hommes qu'ils attendent ne se pointent, en retard, dans un minuscule Suzuki de chantier. Ils sont trois dans l'habitacle du Carry, serrés, avec leurs kalachnikovs bien en évidence. Najib n'est pas serein mais Ahmad connaît l'un des arrivants. Il l'a déjà vu à Karachi dans les bureaux de son patron et ça le rassure. Il est lui aussi pachtoune, vient d'Afghanistan et appartient à une tribu qui a essaimé dans tout l'est du pays jusqu'ici, au Pakistan. A priori, elle n'est pas en conflit avec celle d'Ahmad et Najib. Les salutations sont brèves mais chaleureuses, dans le respect de l'étiquette, précédées d'un *salâm* et ponctuées par la légère pression d'une main au niveau de l'épaule de l'interlocuteur et ensuite sur le cœur. Une fois les politesses échangées, les deux frères, rapides, précis, grimpent sur leur attelage, en retirent partiellement la bâche et aident à transférer l'anhydride acétique détourné à Jebel Ali sur le plateau du Suzuki. Une demi-heure plus tard, l'opération est terminée et, après avoir regardé les trois hommes disparaître dans la nuit, Ahmad, satisfait, entraîne Najib vers la *dera*, la maison d'hôtes qui jouxte le parking de l'aire de repos. Il ne leur reste qu'à se faire une place au milieu des autres chauffeurs ronflant à poings fermés, serrés les uns contre les autres par terre, sur des tapis.

Les deux frères dorment depuis longtemps lorsque le Carry pénètre dans la cour d'une *qalat* perchée sur les hauteurs dominant Miranshah, la principale ville du Waziristan du Nord, à quarante kilomètres à l'ouest de Bannu. Construite en lisière de hameau, la ferme fortifiée, un *compound* dans la terminologie anglo-saxonne héritée de l'Empire britannique, est imposante avec ses épais murs de briques et de torchis hauts de plusieurs mètres, et sa tour de guet. Mais à part sa grande taille rien ne la distingue des édifices du même type s'élevant alentour et dans toutes les campagnes pakistanaises, afghanes ou iraniennes, conçues pour loger et protéger plusieurs générations d'une même famille. Il y a bientôt vingt-cinq ans que plus aucun paysan n'habite cette qalat-là. Après avoir servi de caserne improvisée au moment de la lutte contre les Soviétiques, elle a été rachetée par un moudjahidine en 1990 pour devenir la base arrière du petit commerce traditionnel de son *khel*, son clan : la contrebande. Elle appartient aujourd'hui au seul de ses trois fils ayant survécu aux soubresauts chaotiques et violents de cette région du monde.

Le jour qui se lève, bien après l'arrivée du camion, révèle la silhouette d'une sentinelle postée sur la tour. Turban gris sombre rayé de rouge sur la tête, vêtu du traditionnel *salwar khamis*, cet ensemble composé d'un pantalon bouffant et d'une longue tunique à col de chemise, et d'un vieux parka d'hiver de l'armée pakistanaise, le garde observe la piste desservant le village, AKM en bandoulière. Derrière lui, dans l'enceinte de la ferme, des caravaniers habillés à la même mode s'affairent autour d'une vingtaine de baudets. Ils doivent partir tout à l'heure pour l'Afghanistan et traverser la frontière à la nuit, par des chemins enneigés uniquement praticables à pied, connus d'eux seuls. Avant cela, il leur faut harnacher solidement leurs bêtes pour transporter le précieux anhydride acétique chinois, dont chaque litre vaudra demain, à destination, dans les quatre cents dollars.

En retrait contre le mur de l'écurie, Qasâb Gul, le Boucher en pachto, surveille avec attention les préparatifs. Il n'est pas très grand, plutôt trapu et, à part ses petits yeux enfoncés dans leurs orbites et soulignés de noir, menaçants en toutes circonstances, il a un visage rond, quelconque, dévoré par la même barbe folle que tous ses compagnons. Un châle de laine beige, qu'on appelle ici *patou*, couvre ses épaules et dissimule partiellement un brêlage lifchik approvisionné avec trois chargeurs sur le devant et quatre grenades, deux fois deux, dans des poches latérales. Qasâb Gul n'est pas le plus vieux des hommes ici présents, il a peut-être trente-six ans, ou trente-sept, personne n'en est certain, pas même lui, personne n'est jamais sûr de son âge dans ces contrées, mais après Sher Ali Khan, leur chef, il est le plus respecté. Voisins à la naissance, amis de toujours, ils ont fait tous les deux, à la sortie de l'enfance, le djihad contre les Russes, se sont perdus de vue après la guerre, le père de Sher Ali l'ayant envoyé à Karachi pendant quelques années, et se sont retrouvés ensuite, à l'apogée du régime taliban.

Ils habitent depuis le même village, celui où ils ont vu le jour, à quelques kilomètres de Sperah, dans la province de Khost, territoire ancestral de leur tribu, les Zadrans.

Un garçon d'une quinzaine d'années, grand, encore frêle, va d'un contrebandier à l'autre pour vérifier les chargements, appliqué, impliqué. Les hommes le laissent faire de bon cœur, l'aident même, patients et fiers de lui. C'est Adil, fils du *khan*, chargé de s'assurer que l'expédition nocturne à venir sera prête dans les temps. Qasâb Gul ne le perd pas de vue, véritable mère poule à l'air sévère et au poing toujours prêt. L'adolescent se pavane avec un AK47 sanglé devant lui, canon vers le bas, à la façon des *Amrikâyi*, cherchant à se démarquer autant qu'à se rassurer par cette attitude inutilement coquette. Tous ici connaissent l'histoire de cette arme, offerte à Adil pour son douzième anniversaire. Elle a longtemps appartenu à Sher Ali. Il avait lui aussi douze ans le jour où il l'a prise sur le cadavre d'un soldat blond, tué par un éclat d'obus au cours d'une embuscade, avant d'exécuter son premier communiste avec. Un officier. Il y a quatre ans, il l'a exhumée de la cache où il l'avait enterrée pour l'emporter au grand marché aux armes de Darra, sur la route de Peshawar. En plus d'une révision complète, sa crosse et sa garde, rongées par la pourriture, ont été remplacées par de nouvelles pièces en bois rehaussées d'inserts en argent massif et gravées avec des charmes contre les mauvais esprits. Puis, il l'a donnée à son fils.

Un cadeau précieux, statutaire.

Occupé à sa tâche, Adil ne voit pas Qasâb Gul se rapprocher et sursaute quand il sent le souffle de sa voix derrière lui.

« Où est Sher Ali ? »

D'un geste empressé, Adil indique les pentes boisées, au-delà des murs. « Avec Badraï. » Le ton révèle à la fois sa surprise et, sous-jacent, son agacement. Il est jaloux. Unique enfant mâle de sa famille, il ne vit pas bien les faveurs accordées à Nouvelle Lune, la plus jeune de ses deux sœurs. Elle ne devrait pas être là aujourd'hui. Sa place n'est pas avec eux mais à la maison, avec sa mère et Farzana. Depuis toujours, il entend les hommes de son entourage dire : « Nos femmes sont là pour faire du pain et des enfants, rien d'autre. Ce sont des vaches dans leur étable. » Pourtant, son père n'est pas ici avec lui, fier de lui. Il a préféré partir marcher dans la montagne en compagnie de Badraï. Que font-ils là-haut ensemble, il se le demande.

« Me laissera-t-il partir avec toi, *kâkâji* ? » Ils n'ont aucun lien de parenté mais Adil s'est adressé à Qasâb Gul en l'appelant oncle, une marque de tendresse destinée à l'amadouer. « Lui as-tu parlé, kâkâji ? »

Le Boucher répond d'un froncement de sourcils. Il sait les émotions, l'impatience d'Adil. Il sait également qu'il conduira seul hommes et bêtes cette nuit. *Il est trop tôt, il n'est pas prêt.* La veille, Sher Ali s'est montré inflexible, en dépit du rappel de leurs propres exploits, déjà nombreux à l'âge de l'adolescent. L'époque est différente. Qasâb Gul n'a pas insisté. Cependant, il ne comprend pas et, dans le secret de son cœur, il n'est pas d'accord. Son propre fils aîné, Jan, âgé d'à peine treize ans, fait partie de l'expédition. Il n'approuve pas plus l'escapade de son ami avec sa benjamine. Mais il n'est pas Sher Ali et, hier soir, il n'a pas eu envie de le contrarier. « Tu couines comme une fille. » Avec force, le Boucher gifle la nuque découverte du garçon. « Ton père fera ce qui est bien. Et tu obéiras. »

Adil baisse la tête et acquiesce, sans conviction, pour éviter de nouveaux coups. Les yeux sur le portail ouvert de la qalat, il se met à bougonner, « pourquoi ne rentre-t-il pas pour me le dire », avant de s'éloigner rapidement lorsque Qasâb Gul lève à nouveau la main.

Accroupi sur un gros rocher plat que la neige n'a pas recouvert, Sher Ali observe le village quelques centaines de mètres en contrebas. Le soleil, d'un blanc hivernal, rasant, étire les ombres de toutes les maisons. De la plupart des toits s'élèvent, paresseuses, des volutes de fumée. Çà et là, à l'abri des regards croient-elles, il aperçoit des femmes, feux follets de couleur dans le monde pierre et sable des hommes, occupées à leurs tâches quotidiennes dans le sanctuaire de leurs cours. Il n'y a pas de vent, quasiment aucun bruit. Il est au bon endroit pour réfléchir.

La marchandise rapportée cette nuit de Bannu va lui faire gagner entre soixante et quatre-vingt mille dollars une fois rétribués intermédiaires et complices. Une belle affaire. Pas la première, la période est propice. Depuis l'invasion des étrangers il y a sept ans, l'argent coule sans s'arrêter et les trafics prolifèrent. *Bhatta ! Bhatta ! Ma part !* dans la langue dominante au Pakistan, l'ourdou, résonne tout le long de la frontière. Ceux qui remercient le plus Allah pour cette guerre sont les marchands d'opium. Les récoltes sont tellement bonnes qu'il est devenu plus simple de faire l'héroïne sur place. Et pour fabriquer cette drogue, il faut des produits chimiques, de l'équipement, des hommes pour le transport, des armes pour protéger les hommes. Ça rentre et ça sort de partout. Sher Ali n'habite pas une région de culture du pavot, ni de laboratoires, juste une zone de transit, un carrefour plus confidentiel, avec ses pistes discrètes et ses sentiers de montagne perdus. Une zone de combats également. Lentement, la violence est réapparue entre ici et chez lui, un territoire difficile à surveiller, impossible à contrôler tout à fait. Les Russes l'ont appris à leurs dépens et la résistance, qui se réorganise petit à petit autour de Miranshah, a bien l'intention d'infliger la même leçon à la grande Amérique. Un vent mauvais se lève, chargé des effluves métalliques du sang.

À point nommé, un souffle mordant vient agiter les aiguilles des pins bleus sous lesquels Sher Ali a trouvé refuge. Il frissonne, joint les mains devant sa bouche pour les réchauffer. De l'air s'échappe entre ses doigts et condense aussitôt dans le froid matinal. Distraits, ses yeux vont se poser sur les sommets qui encerclent la vallée où est établie la petite capitale du Waziristan du Nord.

J'aimerais que tu sois là, Spin Dada, *pour me parler encore. Je suis revenu pour toi. C'était écrit, tu me l'as dit. Papa Blanc, tu m'as quitté trop vite.* Sher Ali et son père, Zadran Aqal Khan, étaient venus tous les deux prendre place sur cette pierre lors du dernier voyage d'Aqal de ce côté de la frontière. Un rituel ancien, partagé depuis le djihad anticommuniste avec l'un ou l'autre de ses fils, au gré de leurs convois, et maintenu coûte que coûte, en dépit des années et des épreuves de la vie. Ce jour-là, Aqal avait gardé le silence un long moment, absorbé par la contemplation du panorama. Sher Ali était resté sans rien dire à ses côtés, à observer son vieux visage marqué par l'effort de la montée à pied.

Jusqu'à ce que l'ancien ouvre enfin la bouche. « Dieu est généreux, il m'a donné trois garçons. » Avec un ton surprenant de mélancolie. « Un jour de printemps, il y a bien longtemps, il nous a même laissés nous asseoir ici tous ensemble. » Pachtoune, chef, il n'était pas homme à manifester ses émotions. « Malgré toutes mes fautes, il ne m'en a repris que deux. » Ou à s'apitoyer sur son passé.

Après avoir participé à la défaite de l'envahisseur soviétique, Aqal avait choisi de ne pas se mêler aux disputes des différents chefs de guerre victorieux, déçu par la tournure des événements, et de ne se préoccuper que de ses affaires. Une période difficile, incertaine, très violente. Lucrative. Jusqu'à l'avènement des talibans. Bien que très pieux et soucieux du bien-être de son clan, Aqal n'avait pas essayé de profiter de leur accession au pouvoir. Moudjahidine respecté, il aurait alors pu, suivant l'exemple de Jalalouddine Haqqani, un de ses compagnons d'armes, se rallier à eux. Il avait préféré garder ses distances et tenter de maintenir autant que possible des liens avec les uns et les autres.

Ne pas partir avait cependant été une erreur et elle s'était révélée fort coûteuse.

Basir, frère aîné de Sher Ali, héritier, était mort dans la province de Badakhchan en 1997, assassiné par des combattants de l'Alliance du Nord ayant confondu son convoi avec une troupe talibane. Une excuse pour se réapproprier à bon compte les pierres précieuses qu'il venait de leur acheter. Un an plus tard, les talibans s'en étaient pris directement à Aqal Khan et ses hommes, dans leur fief de Sperah. Rahim, son troisième fils, le préféré, avait péri lors de cette agression. Sans l'intervention de Jalalouddine, alors ministre des Frontières, Aqal lui-même aurait été tué. La blessure de cette perte ne s'était jamais refermée et Aqal avait longtemps soupçonné des rivaux d'avoir proféré de fausses accusations de trahison et d'impiété contre lui. Sher Ali sait que son père avait accepté à regret le *nanawati* des meurtriers, la repentance, à l'issue d'une assemblée réunie par Jalalouddine. Même s'il s'était abstenu de le verbaliser jusqu'à la fin de ses jours. Son refus aurait entraîné le clan dans un cycle de représailles sans fin. Une initiative suicidaire, contre les talibans et leurs inféodés.

Sher Ali habitait alors à Karachi, avec sa femme, Kharo, et leurs deux premiers enfants, Adil et Farzana. Son père l'y avait envoyé en 1986, après trois ans sur le front, pour étudier. Depuis longtemps, l'idée d'installer là-bas l'un de ses fils, pour développer autrement les activités de la famille, lui trottait dans la tête. Sher Ali était le choix idéal, le garçon du milieu, presque aussi courageux que Basir et curieux comme Rahim. Il avait vite appris et était entré à l'université l'année de son mariage, à dix-neuf ans, en 1991. Il travaillait alors déjà dans une entreprise de transport routier créée par son père et un vieil ami penjabi, pour se familiariser avec les ficelles du commerce transfrontalier. Mais sept ans plus tard, au décès de son second frère, Sher Ali avait dû revenir dans la province de Khost. Finis les rêves d'émancipation paternels qu'il avait faits siens, il lui fallait reprendre en main les activités de contrebande. Son destin était scellé. Aqal, usé, était mort peu de temps après son retour. Sher Ali, devenu Sher Ali Khan Zadran, *Shere Khan*, le Roi Lion, avait pris la tête de près de huit cents hommes.

Au gré des dynamiques tribales, il s'était rapproché avec prudence des talibans et avait tissé de nouveaux liens financiers au-delà du Pakistan, avec les cousins du Golfe des djihadistes réfugiés dans son pays, ralliés à la bannière d'Al-Qaïda.

Pendant la guerre sainte, les affaires continuent.

Sher Ali soupire longuement dans ses mains engourdies. À l'heure de prendre une décision lourde de conséquences, terriblement seul sur ce rocher, il se demande si, au moment de le faire, son père a hésité à rappeler à lui son dernier fils, le privant ainsi d'un avenir autre, ailleurs.

L'histoire familiale offre à Adil un destin prévisible. Périlleux. Les bons jours, Sher Ali se dit que lui-même a traversé trois conflits. Il est fortuné, possède quantité de terres et de maisons mais, fidèle aux enseignements d'Aqal Khan, a su rester simple et généreux avec les siens. Adil, après tout, pourrait suivre le même chemin. Les mauvais jours, et ils sont de plus en plus nombreux, Sher Ali ne peut se résoudre à condamner son aîné au chaos imminent ; les Américains finiront par partir et ce sera une fois de plus l'affrontement de tous contre tous. Il se souvient alors de ses années pakistanaises et du monde auquel il a dû renoncer après en avoir deviné les merveilles, par-delà les quais du port de Karachi.

Parce que c'était écrit.

Sher Ali peut ouvrir les portes de ce monde à Adil. Il doit le faire maintenant, sans attendre et sans se préoccuper du clan, accepter la perte de son *izzat*, l'honneur, la force de son nom, pour lui et toute sa famille, prix d'une vie meilleure, trop élevé peut-être, pour deux de ses enfants. Tout aurait été plus simple si son premier fils n'avait pas été mort-né. Sher Ali aurait eu le choix, garder l'un de ses garçons auprès de lui et éloigner l'autre, pour le mettre à l'abri.

Avec Badraï.

Un cri aigu et le bruit mat d'une chute. Sher Ali se tourne brusquement vers l'endroit où sa fille jouait l'instant d'avant, son angoisse redoublée. Il s'apaise aussitôt. Elle rit à gorge déployée, sa petite diablesse. Elle est tombée le cul dans la neige, surprise par un oiseau. Et elle peine à se relever, submergée par la poudreuse, gênée par ses vêtements trop amples.

Sher Ali laisse Badraï se débrouiller et l'observe, sourire aux lèvres. Le voile pourpre que sa mère la force désormais à porter est descendu sur ses épaules. Ses cheveux sont teints couleur de rouille. Ils descendent bas sur sa nuque, moins sur le devant, où une frange irrégulière lui couvre le front jusqu'aux sourcils. Un halo noir de *surma*, le khôl des gens d'ici, entoure ses yeux et amplifie leur clarté émeraude, éblouissant Sher Ali qui se tient pourtant à plusieurs mètres d'elle.

Un nouveau frisson le parcourt. Cette fois cependant, le vent ou le froid ne sont pas responsables. C'est la peur. Incontrôlable, indicible, identique à celle ressentie quelques semaines après la naissance de Badraï en croisant son regard pour la première fois. Enroulée dans un linge, elle pépiait aux pieds de Farzana, quatre ans à l'époque. Fragile et vulnérable. Souriante. Magnifique. *Allah, loué soit Son Nom, brille dans les yeux de mon bébé, c'est un miracle*, avait alors pensé Sher Ali. Avant de se reprendre, terrorisé à l'idée d'avoir commis le péché de blasphème. Émerveillé et bouleversé, terrassé par cette lumière insoutenable braquée sur lui, il avait été pris d'une fièvre maligne et incurable, paternelle et protectrice.

Sher Ali aime son fils et son clan. Mais depuis ce jour-là, il aime Badraï plus encore. Une hérésie. C'est elle la vraie raison de son tourment.

La petite s'est relevée et fixe son père. Il a les traits crispés, il a peut-être mal. Inquiète, elle fait un pas vers lui. Sher Ali s'en aperçoit et tourne la tête dans sa direction. Il essaie de chasser la tristesse de son visage, attrape l'AKSU posé à sa droite et se redresse d'un mouvement souple. Très grand, large d'épaules, le corps asséché et endurci par les années passées à courir les montagnes, il a le visage fin, tout en angles et en creux, prolongé par la pointe d'une barbe noire, fournie mais soignée.

D'un geste, Sher Ali intime à Badraï de se couvrir. Dès qu'elle a remis le voile sur sa tête, l'air toujours sévère, il lui tend la main. Son cœur se déchire au contact des petits doigts. Il serre trop vite, trop fort, panique du manque annoncé. Sa fille gémit doucement. Il relâche sa pression, malheureux de lui avoir fait mal. Malheureux. Quelle que soit la décision qu'il prendra demain, cette escapade est la dernière qu'ils feront ensemble.

Badraï a presque huit ans, se trouver ainsi au milieu des hommes n'est plus convenable pour elle. Dans le fief de Sher Ali, les gens commencent à parler dans son dos, questionnent sa façon d'élever ses enfants. « Il n'est pas naturel de l'aimer ainsi », disent-ils, son père devrait la protéger des regards au lieu de la traiter comme un fils. Certains ont même suggéré la tenue d'une *jirga*, une assemblée d'anciens. Adil et Farzana désespèrent, envieux. Son épouse désapprouve, honteuse. Ses fidèles également, ils ont essayé de le mettre en garde à plusieurs reprises. Personne cependant n'a encore osé le défier. Il est toujours le khan, ils craignent sa colère.

Grâce à lui, le clan survit confortablement en marge du conflit, libre, ennemi d'aucun camp. Tant que les poches des uns et des autres sont pleines, il est tranquille.

Sher Ali se met en route vers la qalat. La caravane doit partir bientôt, il lui faut aller annoncer la mauvaise nouvelle à Adil. Il va passer ici la nuit prochaine, avec son père et sa sœur. Au matin, ils iront ensemble à Bannu, rencontrer Sangin, un vieil ami de Karachi, successeur de feu l'associé penjabi d'Aqal Khan. Un homme fiable, sincère, bon père. Si Sher Ali choisit de lui confier la garde de ses enfants, il sait qu'ils seront élevés et éduqués avec respect et amour, et qu'Adil pourra veiller sur Badraï lorsqu'elle fera ses premiers pas dans une nouvelle vie, plus riche et plus libre, loin d'ici, sa lumière à l'abri. *Mon fils, tu m'en voudras beaucoup. Je te comprends mais tu obéiras et feras ce qui doit être fait.*

C'est écrit.

Miranshah n'est pas une très grande ville. Construite sur les rives de la rivière Tochi, à environ mille mètres d'altitude, dans une vallée encaissée et fertile, elle regroupe plusieurs villages collés les uns aux autres le long d'un axe formé par la route Bannu-Ghulam Khan. À l'endroit où celle-ci finit de traverser le bazar local, un quadrilatère de ruelles étroites coincé entre le stade et la mosquée, et forme un coude pour filer à l'ouest en longeant l'aérodrome militaire, il y a un immeuble d'angle que rien ne distingue des bâtiments voisins. Ses façades sont grises nuancées de poussière et donnent pour l'une sur la Bannu-Ghulam Khan, et pour l'autre sur une piste pavée au relief irrégulier qui s'enfonce dans le marché. On y pénètre par la devanture sans vitrage d'une épicerie de conserves barrée la nuit d'un rideau métallique. À l'étage, il y a un appartement vétuste, peu meublé, agrémenté d'un balcon dont la rambarde rouillée est couverte de publicités colorées vantant, dans une calligraphie dérivée de l'arabe, les mérites de la lessive Brite et le fort pouvoir rafraîchissant des boissons 7-Up.

Arrivés d'Afghanistan, quatre hommes s'y sont réfugiés juste avant l'aube.

Dans la petite salle commune du premier, l'un d'eux se tient debout à côté de l'unique fenêtre. Elle est fermée, les rideaux sont tirés. Les remugles de ses vêtements et de ceux de ses compagnons, imprégnés par leur cavalcade nocturne, se mêlent aux fumées dégagées par le poêle à mazout et rendent l'atmosphère irrespirable. Il a chaud, aimerait sortir pour profiter de l'air frais de cette fin de matinée. Il ne peut pas.

De temps en temps, il jette discrètement un œil à l'extérieur, pour surveiller l'activité de la rue, autour des étals des marchands disposés sous des auvents de fortune. Une foule en majorité masculine navigue au milieu des pickups, motos, animaux, jingle trucks et quelques rares burqas, dont la cacophonie de voix, cris et klaxons lui parvient à travers la vitre. Scène et rumeur de la vie quotidienne dans les provinces pakistanaises. Sauf que dehors fusils d'assaut et lance-roquettes s'affichent sans complexe. Les visages, quand ils ne sont pas dissimulés sous des cagoules, sont fermés, agressifs. Les turbans noirs pullulent. Dans le coin, à part des fruits et des légumes, on produit surtout des talibans. Anti-américains, anti-pakistanais ou les deux. Ici, ils font la loi, pas l'armée. Elle est trop occupée à essayer de désamorcer une situation explosive après de récents accrochages au Waziristan du Sud, prolongations d'un conflit déclenché en 2004. Cette année-là, les États-Unis ont décidé d'accentuer leur pression sur le président du Pakistan, Pervez Moucharraf, officiellement acquis à leur cause mais jugé beaucoup trop timoré dans sa poursuite des éléments d'Al-Qaïda réfugiés sur le sol de son pays, notamment dans les régions tribales. Ont suivi grandes manœuvres, affrontements, bombardements, morts, déplacements de populations, reculades politiques, cessez-le-feu et accords de paix fragiles ou avortés.

Et beaucoup de frustration à Washington.

L'homme près de la fenêtre ressemble à s'y méprendre à ceux qui croisent en bas, qualifiés indifféremment de militants, insurgés ou rebelles. Comme eux, son visage est marqué par les épreuves et les difficultés. La vie à la dure a grisé sa peau mate, renforcé le carré desa mâchoire, aiguisé les saillies, creusé les rides et atténué le vert de ses yeux. Avec l'âge, ils tirent sur le jaune. Il porte également une barbe, ce symbole de virilité et de piété chez les Pachtounes. La sienne est longue mais peu touffue. Ses cheveux bruns ondulés cascadent sur ses épaules et si, en guise de couvre-chef, il a plutôt opté pour un *pakol*, le bonnet de laine typique de cette partie du monde, il est habillé du salwar khamis de rigueur. Seule entorse au style local, ses pompes. Il a gardé ses bottines d'intervention Oakley SI de couleur coyote, ce brun tirant vers le beige. Il les traîne depuis l'Irak, elles sont usées mais toujours confortables. Et passe-partout. Il en a aperçu quelques paires dans la rue. Les talebs les adorent, ils les piquent à la première occasion sur les cadavres des soldats de la coalition. En porter est pour eux une marque de prestige, et ça les change de leurs baskets, pompes de ville en similicuir et autres claquettes pourries, peu adaptées à la guerre et à la course en montagne. Il leur ressemble, il est au milieu d'eux mais il n'est pas avec eux. Il parle leur langue pour mieux travailler contre eux, à chasser leurs chefs et les djihadistes étrangers que ceux-ci planquent, soi-disant au nom des sacro-saintes règles d'hospitalité et de protection dictées par le *pachtounwali*, le code tribal commun à tous les Pachtounes. Mieux vaut donc que personne ne sache que Fox, c'est son indicatif, se trouve dans cet appartement avec ses trois compagnons.

L'un des hommes venus avec lui garde l'accès à la pièce. C'est Akbar, leur guide. Il a bientôt vingt-cinq ans, une tête d'adolescent plantée sur un corps solide, même s'il n'est pas très imposant à première vue. Très bon tireur, excellent traqueur, il appartient à la tribu des Wazirs, l'une des plus représentées dans cette partie des FATA. Lui est né en Afghanistan, mais sa très grande famille est disséminée de part et d'autre de la frontière. L'Agence l'a enrôlé il y a trois ans, principalement parce qu'il déteste les Haqqani.

Les autres membres de leur petite bande de clandestins, Tiny, un Américain, et Hafiz[1], un autre Afghan, sont installés sur des coussins, par terre, devant un samovar de thé noir et des fontes de selle, fermées pour le moment.

Tiny est, contrairement à ce que son nom de guerre – Minuscule – pourrait laisser penser, physi-

1. Pour rappel, une liste des principaux personnages se trouve dans les annexes, en fin d'ouvrage (p. 671).

quement intimidant. Malgré son mètre quatre-vingt-quatre, Fox a l'air ridicule à côté de lui, presque fluet. Ancien sous-officier du 24th STS de l'US Air Force, spécialisé dans le contrôle aérien tactique interarmes, Tiny a rejoint leur bande de bras cassés il y a un mois. Né d'un père pakistanais naturalisé et d'une mère texane aux racines chicanos, il a la peau sombre et la bonne gueule pour, avec sa maîtrise de l'ourdou et ses notions de pachto, se fondre dans le décor. C'est un mec calme, structuré, curieux du monde et d'une nature joviale. Et puisqu'il en avait marre d'être sous-payé par l'armée de l'air, il était mûr pour leur job. Fox l'aime bien.

« Comment il s'appelle ? » La voix grave d'Hafiz résonne dans la pièce, puissante, à son image. Il est à peine moins grand que Tiny, a des épaules plus larges. Les jambes repliées en tailleur, il est penché en avant vers son interlocuteur et ses grosses pattes sont posées sur ses genoux, avec son AKMS. Les deux billes noires perdues sous l'épaisse barre de ses sourcils fixent deux hommes assis en face de lui.

Leur hôte, Younous Karlanri, lui répond. « Hamidoullah. » Âgé d'une cinquantaine d'années, sa physionomie est délicate et son expression douce. Il garde son épaisse chevelure grise et sa barbe bien taillées, une provocation en ces terres intégristes. Le *topi* sur sa tête, un calot de prière, est brodé de rouge et légèrement échancré sur le devant. Propriétaire terrien, agriculteur, marchand, Younous est une figure politique régionale, un ancien respecté par ses pairs wazirs et très écouté. À cet égard, en héritier de la vieille tradition du nationalisme pachtoune, il dérange à la fois les représentants du pouvoir pakistanais et les factieux islamistes qui s'agitent dans les zones tribales. Younous se retourne vers un gamin chétif, accroupi jusque-là dans son dos, contre le mur. D'un geste amical, il l'invite à s'avancer. « Approche. »

Hamidoullah, enroulé malgré la chaleur dans une couverture grise remontée jusque devant sa bouche, hésite puis, d'un bond semblable à celui d'un oisillon malhabile, il vient se positionner à côté du *malik*.

« Raconte ce qui est arrivé à ton père.

— Il a acheté le téléphone portable. » Le gosse a parlé tout doucement, avec un accent marqué rendant son pachto dialectal incompréhensible pour Fox et Tiny.

Hafiz traduit la suite. « Des hommes des Haqqani l'ont tué. Parce que l'appareil a fait de la musique en sonnant. Les talibans ont interdit la musique. Ils ont cassé le téléphone, son père a protesté et ils l'ont battu et pendu pour faire un exemple. »

Lorsque Hamidoullah achève son récit, Younous précise : « Ils l'ont laissé accroché à un poteau électrique à l'entrée de son village pendant une semaine. » Il explique que la famille est allée supplier les chefs des meurtriers de la laisser enterrer son défunt au plus vite, en accord avec les usages. Ses représentants ont reçu des coups de trique et des menaces en guise de réponse.

Le regard de l'adolescent, fuyant l'instant d'avant, brûle maintenant de haine. Son honneur, celui des siens réclame *badal*, la vengeance. C'est le commandement suprême du pachtounwali, il ne peut s'y soustraire.

« Il veut nous aider ? Tu te portes garant de lui ? »

Younous hoche la tête et Hafiz se tourne vers Fox. Il acquiesce à son tour.

Une nouvelle recrue pour les États-Unis. Des yeux et des oreilles, discrets, précieux, au cœur des ténèbres. Une balance, totalement prisonnière de ses obligations ancestrales et donc à peu près fiable. L'ennemi de mon ennemi est mon ami. Ironique, dans les années quatre-vingt, ce type de raisonnement a fait de Jalalouddine Haqqani, adversaire des Soviétiques, un allié de l'Amérique. Qui pâtit et bénéficie tout à la fois d'une situation qu'elle a contribué à créer, voire aggravée, mais dont elle ne porte pas seule la faute, loin de là.

Fox le sait, l'histoire afghane est celle d'une succession d'invasions plus ou moins marquantes et dévastatrices, d'Alexandre le Grand à nos jours, qui n'ont jamais débouché sur des conquêtes durables. Elles ont juste servi à agacer l'autochtone à intervalles irréguliers. Difficile donc de pointer du doigt un coupable unique. Cependant, il pense comme beaucoup d'autres que ces connards d'Anglais ont été les premiers à participer massivement au foutoir actuel. Obsédés par leur Grand Jeu contre les Russes, ils établissent à la fin du XIXe siècle une frontière artificielle entre le Raj, les Indes britanniques, et l'Afghanistan, rabaissé au rang d'État tampon. Appelée ligne Durand, du nom du diplomate qui en négocia le tracé, cette démarcation coupe alors en deux le monde pachtoune, jusque-là naturellement réparti le long de l'Hindou Kouch, la *Montagne qui tue les Hindous*, et de la chaîne de Soulaïman, son prolongement méridional. Elle s'accompagne de l'annexion de six régions montagneuses déclarées *zones tribales*, par opposition aux *zones pacifiées*, c'est-à-dire le reste du Pakistan, l'Inde, le Bangladesh et une partie de la Birmanie. Dans chacune de ces six enclaves, l'Empire dépêche un administrateur dont le pouvoir repose sur un système de règles exclusives, simplistes, et de punitions collectives.

En cas de problème avec un individu ou un groupe d'individus, il s'adresse aux anciens. À charge pour eux d'interpeller les fauteurs de troubles pour les remettre aux autorités. Si les maliks refusent ou échouent, des milices, les *Frontier Corps*, recrutées dans les tribus rivales, sont lâchées sur les FATA et s'en prennent à tous sans discrimination. Les racines du nationalisme du peuple pachtoune, rude et libre, se trouvent là, dans cette scission contre nature et le régime d'exception l'ayant suivi.

Lorsque le Pakistan obtient son indépendance en 1947, il ne change pas le statut des zones tribales. La nouvelle constitution ne s'y applique pas et le droit de participer aux élections nationales n'est pas accordé aux populations locales. Personne ne parle en leur nom au parlement. La pauvreté s'aggrave, les maigres subventions étant pour l'essentiel captées par les représentants de l'État, l'illettrisme ne recule pas et l'isolement s'accentue. Jusqu'à l'invasion de l'Afghanistan par l'URSS. Dernier avatar du Grand Jeu, elle relègue une fois encore ce pays au rôle de tampon entre l'est et l'ouest. Les FATA, à sa frontière est, se transforment alors en base arrière pour les moudjahidines. Les dollars américains et saoudiens, une douzaine de milliards en neuf ans, à parité, commencent à s'y déverser pour soutenir le djihad anticommuniste. À la demande d'Islamabad, c'est l'ISI, le renseignement militaire, qui assure seul la distribution de ces fonds. Les espions de l'armée pakistanaise deviennent faiseurs de rois du jour au lendemain et étendent ainsi durablement leur emprise sur la région, notamment à travers des agents d'influence.

« Jalalouddine est toujours leur créature, il est protégé. Un jour les soldats se mettent à s'agiter, ils se donnent en spectacle », la voix de Younous Karlanri a pris une intonation cassante, « mais ils tuent surtout des villageois et des fermiers. Le lendemain, s'ils ont capturé des militants, ils les relâchent secrètement, sur ordre de l'ISI. Hamidoullah est jeune, pauvre, isolé, comment sauver son honneur contre les Haqqani et leurs maîtres ? »

Cette schizophrénie nationale se manifeste à l'intérieur même des services secrets. Quand certaines directions luttent contre les terroristes, parfois avec leurs homologues étrangers, d'autres les soutiennent. Elle est la conséquence de la doctrine dite de profondeur stratégique, née de la grande paranoïa ressentie vis-à-vis de l'Inde, objet de toutes les haines. Depuis son émancipation, le Pakistan vit en effet dans la peur de se retrouver coincé entre son encombrante voisine et un Afghanistan qui serait bien disposé à l'égard de cette dernière. La persistance de revendications nationalistes pachtounes entretient par ailleurs la crainte d'un *Pachtounistan* indépendant, désireux de s'affranchir totalement des gouvernements afghan et pakistanais.

Dès le début du djihad contre les Russes, l'ISI mise sur un certain nombre de chefs de guerre, de part et d'autre de la frontière, systématiquement choisis pour leur fanatisme religieux, au détriment des figures traditionalistes, moins malléables, dépositaires de l'autorité des tribus et des clans, plus fidèles au pachtounwali qu'à la charia. La succession de conflits, après 1979, fait également disparaître des tranches d'âges entières, élevées selon ces traditions, et rejette des générations de jeunes orphelins, sans repères ni structures pour les accueillir, vers les zones tribales. Du pain béni. Avec la bénédiction des services secrets d'Islamabad, l'Arabie Saoudite construit à partir de cette époque de nombreuses écoles religieuses, les madrasas, pour prêcher la bonne parole de l'islam wahhabite, ou sa variante locale, le déobandisme, et conditionner cette jeunesse en déshérence. En 1989, lorsque l'Armée rouge se retire d'Afghanistan, les États-Unis lâchent l'affaire. Ne restent alors dans les FATA, séquelle de la guerre, que des potentats dont la coexistence devient problématique : les maliks, les prêcheurs religieux et les moudjahidines.

« Jalalouddine Haqqani dit se battre pour Allah et nos traditions, mais lui et les siens ne sont que des criminels menteurs et hypocrites. »

Des criminels en service commandé, utilisés pour foutre le bordel partout, du Cachemire à l'Afghanistan. Il faut oublier toutes les belles histoires sur le Mollah Omar justicier, défenseur des pauvres contre les méchants seigneurs de guerre afghans dévoyés, porté par un soulèvement populaire. L'émergence des talibans, les étudiants, dont un grand nombre s'est fait rincer la tête dans des usines à sourates pakistanaises, n'a été possible que grâce à l'ISI. Son objectif principal demeure d'installer à Kaboul un gouvernement ami, insensible aux influences indiennes ou iraniennes. Tampon d'un jour, tampon toujours. L'ami de mon ami est désormais mon ennemi.

« Certains anciens sont allés avec la famille pour récupérer le corps. Mais les talibans ne nous respectent plus. Ils préfèrent nous tuer et après ils accusent l'armée pakistanaise ou des espions à la solde de l'Amérique. » Younous Karlanri se tait.

Fox observe l'adolescent. Dans ses yeux, la colère a cédé la place à la tristesse, il est au bord des larmes. « Hamidoullah, nous voulons t'aider nous aussi, si tu en as envie. » Les mots de Fox sonnent creux à ses propres oreilles. Il se demande si le gamin les entend ainsi. *Nous sommes là pour t'envoyer à la mort. Notre gouvernement n'en a rien à foutre de ta gueule. Il n'en a rien à foutre de notre gueule à tous. Mais nous, on est mieux payés. Et on aime ça.*

Hamidoullah sourit.

« Ton père serait fier de toi. »

Karlanri se réjouit lui aussi, sans être dupe. Le malik est un homme sage et habile. Fox l'a déjà rencontré quatre fois depuis qu'il a pris la relève du précédent traitant, en novembre dernier. Younous recrute et anime pour eux un réseau de sources dont personne n'a eu à se plaindre. Pour le moment. Il est cependant légitime de s'interroger sur ce qui se passera lorsque ses objectifs ne correspondront plus à ceux de l'Oncle Sam.

Sur un signe de Fox, Tiny attrape les fontes de selle et les ouvre. À l'intérieur, du cash, dollars, roupies et afghanis, des stroboscopes IR, des balises de différentes formes et tailles, et des moyens de communication. Toute la panoplie du mouchard à Predator.

Peu avant treize heures, le calme est revenu dans le bazar. Les étals sont rentrés, les rideaux abaissés. Des bâtards ensauvagés, crocs sur pattes cadavériques, se déchirent un morceau de barbaque oublié devant une boucherie, sous l'œil de quelques vieux retenus dans la rue par la dernière conversation du matin.

Sher Ali est assis à l'entrée d'une boutique avec son propriétaire, un maraîcher. Ils partagent un *chai* épais, chaud et sucré. Badraï est avec eux. Elle s'applique à sculpter une tomate en forme de rose, comme son père le lui a appris, avec une petite serpette à la lame courte et au manche en corne claire, légèrement recourbé. Offerte par Aqal Zadran à Sher Ali pour ses dix ans. Il l'a toujours sur lui. Adil s'est isolé. Il rumine dans leur pickup garé non loin de là, fâché de n'avoir pu partir avec la caravane.

Le khan écoute les nouvelles du commerçant d'une oreille distraite, préoccupé par l'attitude de son fils et son rendez-vous du lendemain. À mesure que les heures passent et que la rencontre avec Sangin approche, il doute de plus en plus du bien-fondé de sa démarche et de sa capacité à prendre une décision, agité par des émotions violentes et contradictoires. Elles obscurcissent sa raison, le paralysent. Il en est même venu à douter du seul ami, du seul homme même, auquel il a pu, un jour, confier une partie de ses envies les plus intimes. Un privilège rare pour un individu issu d'une société où les structures communautaires, la famille, le clan, la tribu restreignent en permanence l'horizon de chacun.

Sher Ali a rencontré Sangin à Karachi, l'année de ses seize ans, juste après son djihad. Ils se sont immédiatement reconnus et aimés. Ils travaillaient alors tous les deux dans la société créée par leurs pères respectifs. C'était dur, rien ne leur était épargné, il fallait se serrer les coudes. Les locaux de l'entreprise se trouvaient dans la zone commerciale du port et les quais, les entrepôts, les bateaux étaient leur unique horizon et remplissaient toute leur vie ; autant de territoires à explorer, avec leur lot d'aventures et de mystères à partager pour deux adolescents curieux et avides d'ailleurs. Le soir, après le coucher du soleil et la prière, ils avaient pour habitude de se retrouver au bout de la jetée de Kiamari, près du terminal pétrolier, où ils partageaient fruits et dernières anecdotes, observaient les navires en partance, voyaient leurs feux de navigation disparaître dans l'obscurité, discouraient sans fin de destinations lointaines, exotiques et merveilleuses. L'Europe, l'Amérique les fascinaient. Leur amitié fut cimentée par ces rêves sans lendemain.

Récemment, ils sont revenus hanter les nuits de Sher Ali. Malgré les années de plaines et de montagnes, de rocaille et de poussière, l'appel de la mer résonne encore à ses oreilles. Il est trop tard pour lui. Mais il est encore temps pour Badraï et Adil.

Vivre avec Sangin ne serait qu'une première étape pour les enfants de Sher Ali. Le Penjabi a des cousins à Londres et l'éventualité de les envoyer là-bas a été évoquée. Il faut pour cela des papiers et beaucoup d'argent. Ils se voient demain pour discuter de ces détails. *Ensuite, je devrai faire un choix.* S'ils partent, ce sera un adieu, Sher Ali en a l'intuition. Non, il le sait. Depuis qu'il réfléchit à l'éventualité de cet éloignement. *Je resterai dans ce monde de morts, elle ira vers celui des vivants et nous ne pourrons plus nous rencontrer ensuite.* Ça se met à battre fort dans la poitrine de l'Afghan, il se sent subitement nauséeux, il faudrait qu'il bouge, marche un peu.

Badraï met fin son malaise. Elle a terminé sa rose et, très fière, l'offre à son père. Il se calme, elle a bien travaillé. Elle voudrait une autre tomate et aussi que Sher Ali lui montre comment réaliser un oiseau avec les ananas qu'il a achetés, il le lui a promis.

« Les ananas, nous devons les garder pour Bannu. » En souvenir de toutes nos heures passées sur le béton de Kiamari, les yeux perdus au large, à déguster ce qui, à l'époque, était notre friandise préférée, même si nous n'avions pas souvent l'argent pour nous la payer. Sangin appréciera. « Tiens », Sher Ali tend une tasse remplie d'eau à sa fille, « nettoie la lame ». Il se lève.

Le maraîcher l'imite pour aller chercher une cagette de provisions préparée à l'avance.

Alors qu'il revient, un pickup déboule dans la ruelle et se gare bruyamment, juste devant le magasin. À son bord, une dizaine de militants. Le plus vieux ne doit pas avoir vingt ans, il est seul dans la cabine avec le chauffeur. Sans doute le chef. Les autres sont à l'arrière, dans la benne. Rapidement, ils débarquent et entourent les deux adultes et la fillette. Tous sont armés.

Pas Sher Ali, une imprudence, il n'est vraiment plus lui-même. Il ne peut s'empêcher de regarder discrètement en direction de son véhicule, où il a laissé son AKSU. Il voit alors Adil descendre de voiture avec son fusil d'assaut. Trois combattants l'ont aperçu. Ils se détachent du groupe et viennent se placer en travers du chemin de l'adolescent. Adil se fige, attend, les mains crispées sur son arme. Il dévisage son père et son père le dévisage, sans rien montrer, même s'il aimerait lui dire à quel point il est fier de sa réaction, de son instinct, de son absence d'hésitation.

« Pourquoi elle n'est pas couverte ? » Le chef montre Badraï. Dans ses yeux, outrage, et mépris.

Et une concupiscence qui n'échappe pas à Sher Ali. Il fixe le doigt pointé du caïd taliban. Dégoût. Dans l'instant, sa décision est prise. *Des mains, ses mains, sur ma fille, non.* Colère. *Jamais !* Hier soir, la même rage, quand Qasâb Gul a longuement évoqué son fils, Jan, et un rapprochement entre leurs familles. Il ne parlait pas de Farzana, la sœur, mais voulait Badraï. L'idée a révolté Sher Ali. Il s'est fait violence pour cacher son émotion et ne pas fâcher son vieil ami. Le plus fidèle, il mourrait pour son khan et serait honoré de ce mariage, qui ferait sens. Jan est un bon garçon. Mais non. Pas

Badraï, pas ici, pas ainsi, pas avec ces hommes. Ce genre d'hommes. Dans son genre. À lui. *Elle mérite mieux que nous. Elle part avec Adil, pas question de la garder ici.* C'est écrit.

« Sais-tu à qui tu t'adresses ? » Le maraîcher houspille le jeune rebelle, il est en colère.

« Khalifa m'a chargé de lui ramener Shere Khan. » Khalifa. Le Calife. Avec lenteur et délectation, mettant en avant l'incontestable autorité de sa mission, le petit chef a prononcé le titre honorifique dont aime se parer Sirajouddine, fils préféré et successeur de Jalalouddine Haqqani. Ici, Siraj a pouvoir de vie et de mort sur chacun. « La rumeur parle d'un grand combattant, d'un sage, d'un bon croyant. C'est la rumeur. Un tel héros ne serait sûrement pas aussi négligent avec sa propre fille. » Après sa pique, le regard provocateur du militant passe sur le marchand et le fait reculer. Il vient se poser à nouveau sur Badraï.

Du coin de l'œil, Sher Ali voit Nouvelle Lune se replier et dissimuler son visage avec son voile. Il fait un pas de côté et se place devant elle. « *As'salam*, frère. » Il prend fermement l'avant-bras du jeune taliban et, sans lui laisser le temps de réagir, l'attire à lui. Tout près. Leurs nez se touchent presque. « Les tiens sont-ils en bonne santé ? La lumière d'Allah soit sur eux. »

Le geste a surpris le caïd. Il ne sait plus comment réagir. Ses sous-fifres non plus. Se dégager sans une réponse polie manquerait de respect à celui que son chef l'a chargé d'escorter jusqu'à lui, et il serait alors en droit de demander réparation. Ne pas lui répondre avec fermeté signifierait perdre la face devant sa clique. Préférable cependant à la colère de Siraj. « *Wa aleikoum as'salam, Tor Dada.* » Père

Noir. Une marque de politesse et d'estime envers un aîné.

Sher Ali sourit à son interlocuteur. « Je suis Sher Ali Khan Zadran. Siraj te pardonnera sûrement ton erreur. » Il le relâche. Ne pas se laisser faire mais ne pas aller trop loin, penser à ses enfants. Sa rebuffade chargée de menace plane quelques instants sur la ruelle désertée et silencieuse. Les chiens ont fui et les vieux avec eux.

« Je suis Asif. » Mal à l'aise, le jeune moudjahidine recule. « Khalifa attend.

— Montre-moi le chemin. » Dans le cœur de Sher Ali, une angoisse, il a payé le tribut pour la caravane, que peut bien lui vouloir le fils de Jalalouddine ?

« Nouvelle photo ? Fais voir. »

Le portrait plastifié d'un garçon de onze ans, en tenue de lanceur de baseball, change de main.

« Aussi beau que son père. » Kristen Robertson est jeune, mignonne, se rêve maman mais ne sait pas choisir les mecs. Elle examine la photo et la rend à sa voisine. « Vous devez être fiers. »

À sa gauche, Naomi Wright remet devant elle le cliché de son cadet, à l'endroit où elle vient de placer celui de sa fille, dans un coin pas trop encombré de son pupitre. « Son père et le mien surtout. Moi, jouer à la baballe avec un bâton, c'est pas mon truc. Mes trois frères pratiquaient, papa n'en parlons pas, et j'en ai bouffé à longueur de week-ends toute mon enfance. S'il avait pu faire Einstein, ça m'aurait arrangé. Heureusement, j'ai sa sœur pour ça.

— L'écoute pas, elle en peut plus de son gamin. » Le rire de Simon Doneda retentit, moqueur, dans leur dos. Il va les accompagner pendant les prochaines heures.

Naomi s'empare à nouveau du portrait et l'embrasse tendrement, « je t'adore, mon ange, fais pas attention à mes bêtises », avant de le reposer. Un instant, elle aperçoit dans le moniteur en veille installé devant elle le reflet du visage joliment rond d'une femme brune de quarante-cinq ans. Son visage. Fatigué.

Le permanent l'a tirée de la salle de repos peu après trois heures du matin. Elle était seule, Kristen avait disparu. Avant de se rendre à son poste de travail, elle a fait un détour par la zone récréative, la cantine en langage postmoderne, pour un arrêt café chez Starbucks qui, à l'instar d'autres mastodontes de la restauration industrielle, a envahi les marchés publics de la bouffe de masse. Même ici, sept jours sur sept et vingt-quatre heures sur vingt-quatre. Pour elle, cette nuit, c'était Mocha Frappucino, sa boisson favorite, format *venti* avec plein de sucre et de chocolat en poudre. Elle va en avoir besoin. Son gobelet isotherme perso en main, entre deux bâillements, Naomi s'est ensuite engagée au radar dans une série de couloirs à la tristesse tungstène, entrecoupés de portes de sécurité où elle a, avec une gestuelle automatique et rythmée, glissé la laisse badgée attachée à son cou dans une série de fentes horizontales et verticales, devant les objectifs muets de caméras haute définition ou sous les yeux absents de gardes apathiques, pour se diriger vers son *bureau*, dans des bâtiments achevés récemment, à l'écart du reste des installations.

Naomi boit une gorgée de café, s'étire dans son fauteuil, en relève un peu l'assise puis ajuste ses écouteurs et son micro. « Tu viens toujours dîner, samedi ?

— Sûr. Je peux amener quelqu'un ? » Kristen s'oblige à ne pas regarder sa copine qui s'est tournée vers elle, surprise. Elle ne peut cependant réprimer un sourire pudique.

« Salope, tu comptais me le dire quand ?

— Ben, samedi.

— Et comment il s'appelle ?

— Peter.

— Il fait quoi ?

— Mesdames, il est bientôt l'heure. » Simon les rappelle gentiment à l'ordre.

Naomi adresse un dernier *tu ne t'en tireras pas ainsi* muet à Kristen et se concentre sur sa console. Un a un, les dix moniteurs positionnés en face des deux femmes, quatre devant chacune d'elle et deux entre elles, s'illuminent. À hauteur du regard de Naomi et Kristen, un paysage apparaît avec, en fine surimpression blanche, des abréviations et des chiffres dans les coins supérieurs, des échelles latérales agrémentées de curseurs et un compas, au sommet de l'image, pour les renseigner sur l'orientation géographique générale et le cap suivi. L'écran juste au-dessus affiche une carte topographique quadrillée FalconView, sorte de GoogleMaps hyperdétaillé incorporant des outils de navigation et de météorologie, développé pour la défense US par des universitaires. Ceux juste en dessous, devant leurs mains, présentent des colonnes d'informations chiffrées. Simon est assis en retrait dans le réduit climatisé, devant une console presque similaire aux leurs. Il va pouvoir suivre leur vol en temps réel et rester en contact avec toute la chaîne de communication : le contrôle aérien de la zone d'opération, les responsables de la mission et enfin les donneurs d'ordres, à Langley, en Virginie, où se trouve le siège de la CIA.

Kristen couvre son micro, se penche discrètement vers sa coéquipière et poursuit les messes basses. « Il est chef dans un restaurant. »

Naomi l'ignore ou ne l'a pas entendue, elle tape sur son clavier. Des nombres défilent, des voyants clignotent et se mettent au vert. Les premiers messages radio arrivent, même si son équipage n'est pas encore dans la boucle. « On récupère lequel ? »

Simon répond avec une légère excitation dans la voix. « Sky Raper. »

Naomi inspire longuement. *Un pauvre con va crever cette nuit et il n'est pas encore au courant.* Toutes leurs machines ont des noms : *Lightning*, Éclair, ou *Sky Raider*, le Pillard du Ciel. Très vite rebaptisé *Raper*, le Violeur, un néologisme inspiré par l'intense activité mortifère de ce véhicule aérien sans pilote MQ1 Predator précis, principal drone tueur de l'Agence depuis son déploiement initial en 2004. Naomi s'est promenée avec en Irak et ils se baladent à présent ensemble dans le ciel d'Asie centrale. Elle effleure les commandes, bouge légèrement le stick, sent le retour de force familier et redevient en une fraction de seconde le capitaine Wright, indicatif Nads, ex-pilote de la marine des États-Unis, affectée depuis cinq ans au 17e Escadron de Reconnaissance de la base de Creech, au Nevada.

« Nous sommes en ligne. » La voix de Simon, alias Blue, leur parvient désormais via les casques audio.

« Reçu. » Nads bascule son palonnier à droite et à gauche pour vérifier le temps de réponse du drone. La latence est faible, la liaison satellite optimale. L'appareil dont elle vient de prendre le contrôle plane à quelques milliers de kilomètres des États-Unis, dans l'espace aérien pakistanais, apparemment sans le moindre problème. Là-bas, il est treize heures vingt-sept. « Début de vérification des systèmes de navigation.

— Vérification des systèmes de navigation. » L'amoureuse Kristen a cédé la place à Bang Bang, opératrice capteurs et spécialiste de l'explosion de barbus. Elle commence à énumérer une liste de tests. La séquence dure quelques minutes. Tout va bien.

Sky Raider ici Dark Tower…

Tour Sombre est l'identifiant du contrôle CIA de la base opérationnelle avancée, la FOB, Chapman en Afghanistan.

Est-ce que vous me recevez ?

« Fort et clair, Dark Tower. Bienvenue à bord de ce vol Nads Airlines. »

Salut Nads. Quel temps fait-il chez vous ?

« Tempête de ciel bleu et canicule. Je suis mieux au frais avec vous. » Dans ses écouteurs, Naomi entend des rires lointains entrecoupés de silences électrostatiques. Elle consulte la carte affichée par le moniteur supérieur. Son drone évolue à quelques kilomètres au nord-ouest de Miranshah, très haut dans les nuages, à vingt mille pieds. « On braconne chez les copains, cette nuit ? »

Affirmatif. Tenez-vous prêts pour la transmission des coordonnées de l'objectif.

« Nads, reçu. En attente. »

La frontière entre l'Afghanistan et le Pakistan file à un jet de pierre au nord de Miranshah. La cité de Khost, capitale de la province afghane du même nom, se trouve un jet de pierre plus loin, dans la même direction. Quarante bornes les séparent, pas plus. Khost est érigée au centre d'un plateau d'une soixantaine de kilomètres de diamètre, perché à environ mille mètres au-dessus du niveau de la mer et totalement cerné par la chaîne montagneuse de Soulaïman. Au sud et à l'est, ça grimpe vite à deux mille cinq cents mètres d'altitude, partout ailleurs, à plus de trois mille. La ville est un carrefour stratégique majeur, porte ouverte sur les régions tribales, réservoirs à insurgés sur le point de déborder en ce mois de janvier 2008, elle peut verrouiller ou déverrouiller l'accès à Kaboul, située à peine cent cinquante kilomètres au nord-est, via l'axe Khost-Gardez, seule route véritable de cette partie du pays. Elle fut l'un des objectifs principaux du conflit avec l'Union soviétique et subit plusieurs années de siège intense. Ici, les moudjahidines de Jalalouddine Haqqani et Aqal Khan Zadran, le père de Sher Ali, retardèrent l'avancée de l'Armée rouge avant de la stopper complètement.

Les Américains n'ont pas oublié cette période de l'histoire. Ils se sont installés très tôt à Khost, fin 2001, en prenant d'abord le contrôle de l'aérodrome construit par les Russes et d'un poste avancé, en périphérie. Ce dernier est devenu la FOB Salerno et a grossi au fil du temps, sur fond de menaces puis de tensions puis d'accrochages et d'explosions. Année après année, les gabions *Hesco*, ces casiers grillagés remplis de grands sacs de sable qui délimitent son périmètre, ont été repoussés pour protéger aujourd'hui plus de quatre mille personnels. Parmi eux, des réguliers de l'ISAF et de l'Armée nationale afghane, et des éléments des forces spéciales US, principalement des bérets verts, intégrés à des unités indigènes triées sur le volet, qu'ils forment sur place avant de les commander sur le terrain. On a l'habitude de regrouper ces supplétifs afghans un peu particuliers sous l'appellation ASG, *Afghan Security Guard,* un sigle passe-partout censé limiter l'attention accordée aux profils, déplacements et activités parfois peu orthodoxes de certains d'entre eux.

Un autre sigle délibérément vague est OGA, *Other Government Agencies*, autres agences gouvernementales. Il y en a beaucoup, dans le coin, des mecs des OGA, et des petits nouveaux arrivent tous les jours, libérés par l'évolution de la guerre en Irak. Quelques-uns sont basés à Salerno où ils entraînent leurs propres ASG, qu'on appelle alors CTPT ou *Counterterrorist Pursuit Teams*, Équipes de poursuite anti-terroristes. Mais c'est à Chapman, l'ancien aéroport, également transformé en camp retranché, qu'ils sont les plus nombreux. Et la permanence de leur présence dans la RC-Est ou Région de commandement-Est, composée des quatorze provinces de l'est de l'Afghanistan, dont Khost fait partie, doit être vue comme une indication de l'importance de la zone. Leur montée en puissance, au cours des derniers mois, est un signe avant-coureur du merdier à venir.

La plupart de ces OGA se baladent en civil. Habillés, sans distinction de sexe, dans le plus pur style *contractor*, ces mercenaires des temps modernes rendus célèbres par le conflit irakien ; pantalons en toile beige ou grise avec plein de poches, à défaut d'être toujours utiles, ça fait pro, chemises souvent affublées de l'adjectif *tactiques*, à peine enfilées on combat mieux, polaires forcément *ultratechniques*, lunettes de soleil enveloppantes et effilées sur les côtés, pour avoir l'air cool et dangereux, chaussures de rando, *si t'as pas tes Salomon, t'es un gros con*, et a minima un holster de cuisse avec le Glock de rigueur. Certains sont évidemment plus armés que les autres et, la plupart du temps, l'œil avisé peut déterminer à quelle catégorie d'OGA une personne appartient à la quantité de quincaillerie transportée. Paradoxalement, plus on est lourd, plus on court.

Cet après-midi, une bonne cinquantaine de spécimens, répartis en autant de postes de travail, se côtoient dans le préfabriqué connu sous l'indicatif Dark Tower, surchauffé par son hyperactivité informatique. Parmi eux, il y a des *pas-armés-du-tout*, collés derrière leurs ordis, leurs appareils de transmission et d'écoute, leurs serveurs, en général techniciens et analystes, geeks de la NSA ou de la DIA ou surtout de la CIA ; le monde du renseignement US adore les sigles se terminant en *A*. Autres membres à part entière de cette catégorie, des consultants extérieurs employés par des sous-traitants privés.

Seconde famille, les *juste-une-arme-de-poing*. Agents, cadres ou responsables de mission. Les espions traditionnels. Bob en fait partie. Ce n'est pas le vrai prénom du petit blond replet en voie d'érosion capillaire debout derrière l'ultime rangée de pupitres mais c'est celui que tout le monde utilise pour s'adresser à lui. Un pur produit de Langley. Son truc, c'est l'organisation de la phase finale, terminale pourrait-on dire, de la chasse d'Al-Qaïda et consorts de l'autre côté de la ligne Durand. En bonne entente avec les chefs des stations CIA d'Islamabad et de Kaboul, évidemment, même s'il a souvent l'impression d'être seul quand ça part en couille.

Lorsque Bob raccroche son téléphone, il fait signe à quatre mecs qui attendent au fond de la salle. Ils se tiennent devant un mur d'écrans plasma, empilés du sol au plafond, diffusant non-stop les images silencieuses de la guerre très particulière à laquelle se livrent les gens de Chapman : surveillances, filatures, interceptions, raids, bombardements ciblés, captés par les drones et les caméras individuelles, embarquées, volantes, planquées, des différentes unités en balade dans toute la RC-Est et parfois, moins officiellement, au Pakistan. Fréquemment, la conclusion des opérations menées par les OGA est la mort d'une cible. Cela arrive plusieurs fois par semaine. Bosser ici revient donc à être exposé en continu à un programme de télévision très particulier, ultraviolent et totalement aseptisé par l'irréalité muette des retours vidéo. Les petits malins du camp l'appellent *Kill TV* et ont collé sur les encadrements de certains moniteurs des logos *KTV* de fabrication artisanale. Personne n'a jugé bon de les retirer.

Ces quatre types dont Bob essaie désespérément d'attirer l'attention appartiennent à la dernière catégorie de personnels des OGA, les paramilitaires. Ils sont faciles à reconnaître, leurs T-shirts sont plus serrés au niveau des biceps et du torse que du bide, ils dominent l'assistance d'une bonne tête, ne se rasent jamais, sont toujours armés jusqu'aux dents et rarement sans leurs porte-plaques, des gilets munis de poches frontales, latérales et dorsales destinées à recevoir des protections balistiques, et d'un canevas d'attaches standardisées que l'on peut personnaliser avec des tas d'accessoires très marrants. Quelques-uns sont employés directement par la CIA, les autres, plus nombreux ces dernières années, par des entreprises sous contrat. Tous sont d'anciens soldats du commandement des opérations spéciales de l'armée américaine, souvent issus du *tier one*, ce terme médiatique désignant un ensemble d'unités agissant exclusivement dans l'ombre du Pentagone, au sein de programmes auxquels la presse associe régulièrement le qualificatif *noir*.

Sans quitter des yeux le flux vidéo envoyé par Sky Raider, la prise de vue aérienne de cinq qalats agglutinées au nord d'un hameau appelé Khushali Wazir, situé à mi-chemin entre Miranshah et Bannu, l'un des paramilitaires, plus petit que les trois autres, demande à quand remonte l'appel. Son indicatif est Ghost. Regard délavé, longues mèches châtain frisottantes serrées en catogan, sans sa barbe à la mode locale il pourrait presque passer pour un surfeur. Plutôt du genre vénère, avec option tomahawk en acier noir mat accroché en permanence dans le dos de son gilet tactique. Bob le craint, il pue la mort.

Voodoo, le boss de Ghost, répond : « Deux heures. » Lui mesure plus d'un mètre quatre-vingt-dix et, sans être massif, il paraît très solide. La quarantaine largement entamée, il porte ses cheveux gris taillés en une brosse très courte. Un voile de poils de trois jours, rehaussé d'une moustache bien entretenue, couvre le bas de son visage. Ses yeux marron ne le trahissent jamais et, quel que soit le moment où on le chope, il semble impossible de savoir ce qu'il pense ou ressent. D'après la rumeur, Ghost et lui sont des vieux potes de baroud.

« Trop long. »

Voodoo acquiesce. « Quarante minutes sans visuel sur les *compounds*, entre l'appel et l'arrivée du Predator.

— Donc la cible s'est peut-être tirée ? »

La cible, c'est un cadre de la nébuleuse Ben Laden, aperçu par une de leurs sources et suivi jusqu'à ce hameau. Malheureusement, leur mouchard n'a pas pu s'approcher assez près pour voir dans quelle maison leur proie s'était réfugiée. Ensuite, il a dû prendre du champ pour les prévenir.

« Ouaip. »

L'image passe d'un gros plan à un plan éloigné, revient au gros plan et bascule dans le spectre infrarouge. Les habitations forment un carré bordé par deux pistes, en limite de *zone verte*, le nom donné en Afghanistan et au Pakistan aux bandes de terre cultivées, creusées de canaux d'irrigation et longeant les rivières. Les insurgés adorent s'y planquer pour allumer les soldats de la coalition. Une dizaine de véhicules se trouvent en ce moment même à proximité des qalats, signe d'une activité inhabituelle, et de nombreux *hommes d'âge militaire armés* – tout gugusse de plus de quinze ans transportant un truc oblong vaguement menaçant – croisent également dans les environs.

« C'est la merde. »

À côté de Ghost, les deux autres paramilitaires hochent la tête, solidaires. Ils bossent dans le privé comme Voodoo et son acolyte mais pour Blackwater Worldwide. Ils supervisent la sécurité de Chapman.

« On sait à qui sont les baraques ?

— Celle-ci », Bob les a rejoints et montre à Ghost l'une des maisons, « est la propriété d'un certain Haji Sattar, sympathisant de la cause. Il en profite pour se faire du fric sur le dos de ses coreligionnaires en cavale ». Il sourit, mal à l'aise. « Tout colle, votre source, les bagnoles, l'agitation, le lieu, il se passe sûrement quelque chose.

— Ils disent quoi les grands chefs ? »

Bob détourne le regard, incapable de faire face à Voodoo, et fait mine de se concentrer sur les écrans. « Tir refusé. Nous ne savons pas dans quel bâtiment Speaker se trouve. »

Ghost laisse échapper un *enculés de leurs mères* entre ses dents.

Voodoo étouffe un bâillement. « Bon, on fait quoi ?

— T'as des mecs de Silent Assurance sur site, non ? » *Silent Assurance* est le nom de code de l'opération menée, pour le compte de la CIA, par la petite clique de Voodoo. Elle répond à une double nécessité, le besoin de pouvoir prendre rapidement ses distances avec les paramilitaires s'ils sont découverts et le manque de moyens gouvernementaux disponibles. L'antenne de Bagdad concentre encore l'essentiel des ressources de l'Agence en ce mois de janvier 2008 et l'Afghanistan, pourtant point de départ de la guerre contre la terreur, demeure un objectif secondaire. Il a donc fallu externaliser vers des boîtes privées une partie du travail habituellement dévolu aux espions classiques. Bob est au courant de la fraction de la mission de Voodoo relative à ses propres opérations mais n'a aucune idée du reste de ses prérogatives. Et personne ne le lui dirait, s'il le demandait. Il fait partie de la CIA et il en sait moins sur ce type que le contraire, une pensée déprimante.

« Affirmatif. Ils prêchent la bonne parole pour toi.

— Contacte-les. »

« Il y a un problème ? » Tiny est anxieux et, à l'étage du petit appartement du bazar de Miranshah, il n'est pas le seul.

Fox vient de recevoir un appel sur son terminal Thuraya, un réseau satellite émirati bien implanté au Moyen-Orient et en Asie centrale. Les djihadistes l'adorent. Problème, il n'est pas sécurisé, la consigne est donc de limiter ce mode de communication aux urgences absolues. L'Agence leur fournit depuis peu des appareils modifiés, capables de crypter les transmissions mais ils rendent juste les écoutes impossibles sans empêcher la géolocalisation. Après avoir rangé son téléphone, Fox prend le temps de relire les quelques notes prises pendant le coup de fil. « Une de nos sonnettes a repéré Speaker. » *Speaker*, le président de la Chambre des représentants. Dans l'ordre protocolaire américain, le second personnage dans la ligne de succession au président des États-Unis en cas d'incapacité de ce dernier. Pour eux, le nom de code du numéro trois actuel présumé d'Al-Qaïda.

« Cool, ils ont plus qu'à le vaporiser.

— Ouais. Avant, faut juste aller vérifier qu'il est bien là où il est censé être. » Fox laisse cette information et ses conséquences faire leur chemin dans la tête de ses compagnons. Cette *petite* vérification implique de quitter leur planque en plein jour et de vadrouiller dans une zone remplie de mecs a priori pas très bien disposés à leur égard au lieu de rentrer au bercail peinards à la tombée de la nuit, au moment de la prière.

Tiny a fini de digérer. « Omar style ? »

Fox se tourne vers Hafiz, qui hausse les épaules. Akbar hoche la tête. « Omar style. »

Les talibans et la presse aiment entretenir la rumeur selon laquelle, au moment de l'invasion de l'Afghanistan, le Mollah Omar a pu tranquillement échapper aux forces US installé à l'arrière d'une moto. La preuve, s'il en fallait encore une, de leur grande naïveté et de leur incompétence. La réalité est plus prosaïque. Le borgne le plus célèbre du monde a utilisé un déguisement pour échapper à ses poursuivants, une burqa. Dans un pays où tout contact entre un homme et une femme non mariés ou n'appartenant pas à la même famille est tabou, c'était assez malin. À l'époque, ni les Américains ni leurs alliés afghans ne se seraient risqués à ordonner à une gonzesse de se dévêtir et encore moins à la fouiller à corps. C'est toujours vrai aujourd'hui, mais le tabou est valable dans les deux sens.

« Younous, mieux vaut renvoyer Hamidoullah chez lui. »

Le malik échange quelques mots avec l'adolescent, il le verra plus tard, lui remet un peu d'argent et le raccompagne à la porte.

Aussitôt le gamin sorti, Tiny balance deux boules de tissu bleues à Akbar et Fox. « Je garde la noire.

— T'as raison, elle te va mieux. Tu fais plus mince avec. » Fox fait signe à Akbar de s'approcher de lui. Il s'accroupit et déplie une carte de la zone imprimée à partir du même logiciel de cartographie que celui équipant la console de Nads. Il montre un premier lieu, Khushali Wazir, au guide afghan. « Nous allons là. Il nous faut un nouveau rendez-vous avec les autres. » Les autres, ce sont les deux CTPT chargés de garder les chevaux. Ils se cachent en périphérie de Miranshah, dans l'attente du retour du groupe. Fox montre un deuxième lieu. « Ici ? »

Akbar examine le plan, réfléchit et indique un troisième endroit. « Mieux.

— Trois heures ?

— Quatre.

— OK. Tu les préviens. Mise en place dans quatre heures et contrôle radio. » Fox prend le temps d'enregistrer les coordonnées de Khushali Wazir et du nouveau point de récupération recommandé par leur guide dans le GPS attaché à son poignet, seule entorse à son costume de petit taliban en campagne, et s'adresse à Younous : « Nous partons avec le Minivan. Dans dix minutes. »

L'ancien approuve et sort à son tour, laissant les quatre hommes de Silent Assurance vérifier leur armement et se préparer à descendre.

Un quart d'heure plus tard, ils sont sur la route de Bannu à bord d'un Toyota LiteAce. Younous conduit. Hafiz est assis à côté de lui. À l'arrière, couvertes de la tête aux pieds, un grillage de tissu à la hauteur des yeux, leurs *femmes*, Fox, Akbar et Tiny. Ce dernier s'est tassé au maximum pour dissimuler sa corpulence. S'ils se font arrêter, Hafiz sera un cousin de passage. Les trois femelles installées sur la banquette ? Aucun homme ne s'adressera à elles, ou ne prendra la peine de vérifier si elles cachent quoi que ce soit sous leurs carcans de tissu. Quatre kalaches avec leurs munitions, par exemple, ou des armes de poing, grenades, explos, silencieux, couteaux, radios, optique, strobos et bien d'autres choses encore. La panoplie de la parfaite ménagère pachtoune.

Leur destination se trouve à une vingtaine de kilomètres à l'est de Miranshah, sur les berges de la Tochi. La circulation n'est pas très importante, de rares camions, beaucoup de pickups, des motos, tous surchargés de familles entières, de fermiers ou d'ouvriers, parfois de militants. Ils devraient arriver assez vite. Le paysage est lugubre, une enfilade de villages aveugles, repliés derrière les murs de qalats à l'architecture uniforme et basique, marronnasse, enfermés dans un couloir de rochers qui semblent sur le point de rouler sur eux pour les engloutir. De temps en temps, ils dépassent le répit de verdure d'une enclave agricole arrachée à la seule source de vie de ce purgatoire de pierre, la rivière. Elle coule sur leur droite, de l'autre côté de la route.

Ils viennent de franchir un hameau appelé Karam Kot quand Younous se met à s'agiter. Trois cents mètres devant eux, une barrière, du kaki, ça coince. Fox sent aussitôt le raidissement de Tiny, comprimé entre lui et Akbar à l'arrière du minibus. Il resserre sa prise autour de la poignée pistolet de sa kalachnikov et se retourne brièvement, pour voir s'il y a du monde derrière.

Younous a eu le même réflexe. « Je ne peux plus faire demi-tour. »

Ce ne serait pas discret. Se garer non plus. Ils sont trop près du barrage et le trafic routier s'est concentré d'un coup. Devant eux, les gens ralentissent. Au pas, ils se rapprochent des camions de l'armée pakistanaise. Au moins une trentaine d'uniformes autour. C'est une démonstration de force.

Les secondes s'écoulent, longues, lentes, instinct et réflexion s'emballent, délétères. Se rendre, sortir, se battre, survivre, fuir, mourir vite ou à petit feu. Ici. Maintenant. On sera criblés de balles avant d'avoir pu quitter le van. Akbar prononce des mots inaudibles. Fox lui répond d'un long *chut* nerveux, tout bas, entre ses dents, incapable de se retenir. Hafiz bouge dans son fauteuil. Deux voitures devant eux, elles ne s'arrêtent pas. Ça va tomber sur nous. Younous rétrograde, fait grincer la boîte de vitesses. Des soldats se mettent à les fixer, tendus. Tiny arme son AK sous l'étoffe noire qui le recouvre. Cliquetis des sûretés. La chaleur, la sueur, subites. La toile de coton rêche colle aux visages. Les soldats les oublient. Le contrôle se concentre sur l'autre voie de circulation. Un 4 × 4 de talibans est arrêté sur le bas-côté.

Quand le Toyota arrive à leur hauteur, Fox voit que seul le conducteur est sorti pour se présenter. Ses quatre potes enturbannés sont restés à bord, fusils d'assaut et RPG en évidence. Ils n'en ont rien à foutre des militaires et les toisent même d'un air de défi. En face, ils ne semblent pas rassurés. Les termes du cessez-le-feu sont clairs, interdiction de fouiller les véhicules des rebelles, vérifications a minima, seul le chauffeur est tenu de descendre et de se présenter. Et tant pis s'il n'a pas de papiers. Qui a des papiers dans ce bled de toute façon ?

Après l'obstacle, Younous reprend de la vitesse et laisse échapper une série d'injures et de malédictions. Il prend ses passagers à témoin et se lance dans l'une de ces longues diatribes dont il a le secret. Ceux d'Islamabad sont des lâches, des corrompus, ils jouent un double jeu, bla bla bla. Fox échange un regard avec Tiny à travers les grilles de leurs burqas. Ils s'en foutent, ils sont passés.

Sher Ali replie son tapis de prière. À côté de lui, Adil fait de même. Ils vont se rasseoir près du mur. Enfermés avec d'autres, des anciens, des chefs de famille, quelques talibans, ils attendent dans la *hujra* de cette ferme où ils ont été conduits par Asif et sa bande il y a maintenant trois heures.

À travers l'unique fenêtre de cette salle réservée aux invités mâles, Sher Ali aperçoit un bout de ciel dégagé, étoilé. La nuit est tombée depuis peu. Il pense à Nouvelle Lune. Elle se trouve avec la mère et les sœurs du foyer, dans des quartiers séparés de la qalat. La dernière image qu'il garde de Badraï est celle de son regard désemparé quand, à leur arrivée, un frère aîné l'a entraînée vers les autres femmes, elles-mêmes repoussées à coups de trique hors de la vue des hommes. Il n'a rien fait. Elle ne risque rien, se rassure-t-il, il faut être patient.

Adil semble heureux d'être là. Il est seul avec son père et, au milieu de tous ces gens dont il a bien saisi l'importance, il se sent lui-même important. Leur présence à tous et cette convocation inopinée et brutale perturbent Sher Ali. On ne leur veut certainementpas de mal mais cela ne signifie pas une suite douce et agréable.

La hujra est seulement éclairée par deux vieilles lampes tempête aux mèches abîmées, il fait sombre. L'électricité est coupée dans tout le village, caprice du jour des rebelles ou piètre qualité endémique du réseau électrique des régions tribales, difficile à dire. Il fait chaud aussi, le poêle, les corps les uns sur les autres. L'atmosphère est lourde, chargée d'humain, de kérosène, de bois brûlé et de *chaars*, ce haschich vert foncé fait à la main également connu sous le nom de *charas*. L'attente se prolonge. On leur offre du thé à intervalles réguliers. Certains convives sortent pisser et rentrent, d'autres somnolent. Sher Ali parle peu, ses compagnons d'un jour parlent peu, de choses sans conséquence, de nouvelles sans risque. Sirajouddine Haqqani les a appelés. C'est suffisant, impératif, on ne discute pas. Ses raisons sont les siennes. Sirajouddine les a tous appelés, c'est leur seule certitude.

Le va-et-vient continue, la salle se vide. Ça dure. Un gamin sollicite Adil pour aider avec la nourriture. Le dîner est servi. La maison reçoit bien, elle est grande, à l'image de cette pièce qui, tout à l'heure, accueillait plus de vingt personnes. Son propriétaire doit être assez riche.

Plus tard, Sher Ali se retrouve seul avec son fils. Il

est énervé d'être ainsi le dernier et ne peut s'arrêter de penser à Badraï, isolée. Sa colère grandit. Adil s'endort. Sher Ali se lève sans le réveiller, ouvre la porte, trouve plusieurs militants dans la cour, leur demande où est Siraj. « Il faut attendre. » C'est tout ce qu'on lui répond. Sher Ali veut voir sa fille. « Rentrez. » Les talibans se lèvent. « Rentrez ! » Sher Ali ferme les poings. Un gamin arme son AK47 et rigole. Le frère aîné de tout à l'heure reprend sa trique, joue avec, menaçant. « Je ne suis pas une femelle, si tu t'approches je te tue. » Sher Ali glisse une main dans la poche de son parka et serre le manche du couteau de son père. L'homme à la baguette suspend son geste. Le portail de la qalat s'ouvre. D'autres moudjahidines, plus aguerris. Ils font place nette, écartent les jeunes coqs. Deux silhouettes masculines, châles sur la tête pour couvrir leurs visages, avancent avec eux. Ils rejoignent Sher Ali. Les châles tombent. Le premier, c'est Sirajouddine. Tajmir l'accompagne.

Siraj place sa paume sur le cœur de son invité. « Paix et santé sur toi et ta famille, *wror*. » Mon frère. « Nous t'avons fait attendre. Il nous fallait parler de choses importantes. Entrons. » Il ne s'excuse pas, commande d'une voix douce. Précède.

En suivant, Tajmir ordonne plus de thé. Son timbre à lui est cassant, grossier, à son image. Il est moins grand que Sher Ali, plus épais, le salue à la mode pachtoune, en silence. Ils se connaissent mal, il y a de la méfiance entre eux. Tout le monde craint Tajmir et Tajmir craint tout le monde. Quand il passe devant lui, Sher Ali remarque un téléphone Thuraya dans sa main.

Sirajouddine s'assied, pas trop près du feu, sur des coussins, après avoir pris soin de les examiner et d'en écarter certains, souillés. Ses gestes sont mesurés, sa posture gracieuse. « Je suis heureux de passer un moment avec vous. » Le ton signale la faveur ainsi accordée.

Adil est éveillé, il s'est redressé.

Siraj lui sourit. Un bref instant, il y a une vraie tendresse dans ce sourire. Le fils de Jalalouddine est un bel homme, charismatique. Il le sait, il en joue. Il a longtemps été plus préoccupé par son apparence que par les affaires de sa famille ou le djihad. Sher Ali s'en souvient. Enfants, ils se sont fréquentés quand leurs pères se voyaient. Suivant l'exemple des autres garçons, il se moquait parfois du délicat petit Haqqani et de ses manières. Mais Siraj s'est endurci. Il a étudié le Coran, fréquenté de nombreux combattants étrangers, sans doute l'influence de ses racines maternelles, arabes, autre cause de raillerie infantile, et a fini par prendre l'ascendant sur tous ses frères, même ses aînés. Il s'est emparé du pouvoir et il est sans pitié. Cela n'a cependant pas tué toute coquetterie en lui. Ses yeux sont ourlés de khôl et sa barbe brune est teinte à la manière de celle de Jalalouddine, la figure tutélaire, l'autre fondement de son autorité. Avec la terreur. « J'ai dit à mon père que j'allais te rencontrer. Il n'a pu s'empêcher de me conter à nouveau tes exploits passés. » Siraj se tourne vers Tajmir, le sourire déformé en un fugace rictus. « Combien de fois ai-je entendu le récit de la fameuse embuscade ? » Siraj n'a jamais démontré d'aptitude particulière au combat. Il n'est pas Jalalouddine. Ou Sher Ali. Son djihad est plus pur se justifierait-il. La mort au front vaut pour les autres. Sa légitimité, il l'a trouvée ailleurs.

L'évocation de l'anecdote renvoie Sher Ali loin en arrière, à l'an un de sa guerre, à sa première bataille. À sa première exécution, l'officier. Surpris par cet enfant remonté derrière les lignes ennemies de sa propre initiative, en profitant de son petit gabarit pour rester à l'abri des rochers, invisible. Ce grand Russe si blond était le dernier survivant d'un bunker et refusait de capituler. Il repoussait avec la rage du mort en sursis les assauts des moudjahidines et les fauchait, nombreux, à coups de mitrailleuse. Pourtant, il fut incapable de tuer ce gamin surgi de nulle part et brandissant une kalachnikov trop grande pour lui. Sans doute, au crépuscule de sa vie, n'avait-il pas voulu partir avec ce sang-là sur les mains. Il s'était redressé presque au garde-à-vous devant un Sher Ali à la peine pour mettre en branle le fusil d'assaut, et avait attendu dignement la rafale libératrice, tirée les yeux fermés par un gosse terrorisé. La fameuse embuscade. Allah veillait sur Sher Ali ce jour-là. Allah a veillé sur lui pendant ses trois années de conflit.

Une époque que Siraj a traversée de loin, à l'abri, sans vraiment prendre part à la résistance contre l'envahisseur soviétique. Un chapitre mal digéré de sa vie. Il était trop jeune, bien qu'il prétende aujourd'hui avoir l'âge de Sher Ali, trente-six ans.

« Mon père admirait le tien. Même lorsqu'il m'a éloigné du front, il continuait à me donner des nouvelles de vos exploits. » Le visage de Siraj, crispé l'instant d'avant, se détend. Le *vos* a fait mouche, le sourire revient. Sher Ali poursuit. « Il appréciait ta finesse d'esprit. » Il n'a jamais oublié les mises en garde d'Aqal Khan et s'est toujours méfié de l'influence de Siraj, manifeste dès l'avènement du régime taliban.

Le chai arrive. Tajmir pose devant lui son terminal satellite. Le garçon chargé du service verse le thé, ajoute du lait, du sucre. Quand il a fini, on le prie de s'en aller.

Sher Ali en profite. « Adil, tu devrais nous laisser. » Il ne veut pas mêler son fils aux discussions à venir.

« Il peut rester. Ce que nous avons à dire le concerne également.

— Sors, Adil. » Sher Ali a répliqué d'une voix calme.

L'adolescent hésite entre curiosité et respect, passe de son père à Tajmir, aucun des deux ne bouge, ils se défient du regard, puis à son père. Il se lève finalement, et disparaît dans la nuit. Un combattant referme derrière lui.

Les trois hommes se mettent à boire en silence. Ces choses qui doivent être énoncées, elles n'ont pas encore de réalité, mais elles sont là, entre eux, autour d'eux, invisibles oiseaux de mauvais augure. Sher Ali aimerait en finir mais il faut d'abord prendre le temps du thé, c'est la façon des Pachtounes.

« Adil est obéissant. » La voix de Sirajouddine, douce, à peine audible, par surprise. « C'est bien. Nous allons avoir besoin de frères obéissants. »

Plus rien pendant quelques secondes.

« Beaucoup de moudjahidines nous rejoignent de l'étranger. » Tajmir dévisage Sher Ali. « Ils disent, les Américains sont épuisés par la guerre, ils ne veulent plus se battre, ils questionnent leurs chefs.

— Le moment est venu de nous rassembler, mon ami. » Siraj se redresse, l'excitation le gagne. « *Amrikâ*, elle est faible, corrompue, nous pouvons la vaincre. Comme nos pères ont vaincu les Russes. » Lui ne peut se contenter d'une embuscade, il veut une guerre, sa guerre.

« Ce sera un grand honneur de continuer à vous aider, tant que je le pourrai. »

La langue de Siraj claque bruyamment.

« Ce que tu fais est très précieux, mon frère. » La phrase reste en suspens puis Tajmir ajoute : « Déjà. »

Sher Ali a parfois convoyé des armes pour les Haqqani, il rapatrie souvent leurs blessés au Pakistan et paie pour chaque caravane traversant la frontière, contribuant ainsi à la cause. Les hommes de son clan connaissent les passages, les chemins, les défilés cachés, les routes peu visitées, ils sont nombreux et feraient des alliés précieux.

« Chargés ou légers, marchez et battez-vous dans la voie de Dieu, de vos biens et de vos personnes. Voilà ce que dit le Livre. » Il y a une urgence dangereuse dans l'interruption de Siraj. « Nul vrai croyant ne peut se soustraire au djihad. »

Le moment tant redouté depuis des mois est arrivé, Sher Ali doit choisir un ennemi.

« Nul ne peut le faire à moitié.

— Tous participeront-ils au djihad ? »

Le visage de Tajmir se ferme brusquement, il va répondre, offensé, mais Sirajouddine pose une main sur son bras et fixe leur interlocuteur sans rien laisser paraître de ses émotions. « Partout, nos frères aident la cause, même avec les choses modernes des croisés. Ils écrivent, ils font lire, ils filment, ils répandent la parole de Dieu, loué soit Son Nom. Je m'efforce de les guider dans cette direction. Grâce au nom de mon père, les mécréants écoutent notre message. Dès que cette tâche sera achevée, je rejoindrai le djihad. » Il se penche vers Sher Ali. « *Al-hamdoulillah*, toi et moi, nous sommes de vrais musulmans. Et les vrais musulmans cherchent avec ardeur le martyre, pour la gloire d'Allah, autant que les impies aiment se perdre pour leur confort terrestre. »

Sher Ali pense à ses enfants. Il devrait songer à son clan, mais il n'y a que ses enfants. Il se trouve conforté dans sa décision, il a raison de vouloir les éloigner au plus vite. Peut-être a-t-il même trop attendu. Brièvement, l'image de Farzana, sa seconde fille, envahit son esprit. Un remords le saisit. Elle est condamnée. *Je la condamne à rester et subir.* Et mourir sans doute. Le remords s'estompe vite. C'était écrit, elle n'est ni un fils, ni Badraï.

« Même affaiblis, nos ennemis sont fourbes, ils viennent nous traquer jusqu'ici. » Siraj se fait menaçant. « Je crains de ne bientôt plus pouvoir garantir ta sécurité ou celle des tiens. »

La tranchée d'irrigation est étroite et se trouve à la pointe nord de Khushali Wazir. Des touffes d'herbe, hautes et épaisses, dépassent du rebord, en limite de champ. Il est minuit, la nuit est claire. Pas un bruit à part des aboiements, au loin, et le ronronnement d'un moteur, haut dans le ciel. Le drone. En attente de confirmation. Les villageois n'ont pas encore pris la pleine mesure de la menace, suffisamment diffuse pour concerner tout le monde et personne, ils dorment.

L'une des touffes d'herbe se met à onduler légèrement, malgré l'absence de vent. Elle se déplace de quelques centimètres. « Tu vois Hafiz ? » Fox a parlé tout bas. Allongé sous un *ghillie* retaillé pour couvrir seulement tête, épaules et dos, il surveille le groupe de qalats signalé par leur source. Elles sont à une centaine de mètres. Près, mais c'était le seul poste d'observation avec une vue dégagée.

À côté de lui, posé sur un support de fortune, l'AKMS de Tiny prolongé par un réducteur de son. « Négatif. » Il a l'œil collé à l'optique PN21K avec illuminateur infrarouge montée sur son fusil d'assaut. Elle est couplée à un viseur Rakurs légèrement grossissant. Dans un halo émeraude, il suit la ligne sombre d'un second canal emprunté par leur camarade pour se rapprocher des habitations. « Il est encore dans le fossé. »

Ils sont arrivés peu avant la tombée de la nuit, ont compté les hommes en armes, les enfants, les femmes, noté l'agitation autour des maisons, suivi les allées et venues d'une construction à l'autre, les arrivées de pickups, les départs. C'était prometteur. Sept longues heures plus tard, aucune tête connue, ou plutôt personne qu'ils aient réussi à identifier, et pas la moindre apparition de Speaker. Juste avant *maghrib*, la quatrième prière du jour, il y avait encore une douzaine de véhicules garés à proximité des fermes. Il en reste seulement cinq.

Tiny a froid. L'hiver, l'humidité du sol, la fraîcheur des ténèbres. Fox est collé à lui et sent ses tremblements. Instinctivement, il se retourne vers le bosquet d'arbres où se cache Akbar, en retrait de leur position, pour couvrir leurs arrières. Lui aussi doit souffrir.

« Le voilà. » Une silhouette vient d'apparaître dans le réticule de Tiny. Elle a émergé tout doucement, tête la première, on dirait qu'elle remonte des profondeurs, à une dizaine de pas du mur extérieur de la qalat la plus proche, l'une des deux plus imposantes du hameau.

Hafiz prend le temps de vérifier que la zone est dégagée. L'oreillette Invisio reliée à sa radio le gêne, elle l'empêche de bien entendre sur sa gauche. Il la retire, la rentre dans son parka. Il n'arrive pas à travailler avec tous ces gadgets des Américains. Il se sent encombré, prisonnier, dépendant, plus vulnérable encore. Ne percevant rien de suspect, il bondit de l'autre côté de la piste. Un pickup immatriculé en Afghanistan a été laissé là. Il prend appui sur sa benne, le métal résonne et les suspensions gémissent. Dans le silence, une fanfare assourdissante. Il grimpe sur l'épaisse palissade de torchis et, sans perdre de temps, le cœur à cent à l'heure, se dirige vers une tour de guet trapue, désertée, pour l'escalader.

La plupart des visiteurs du jour sont partis mais il y a encore de l'activité dans la baraque. Trente minutes auparavant, les infiltrés de Silent Assurance ont aperçu un groupe de talibans quitter la maison d'à côté, assez grande elle aussi, traverser la rue et escorter jusqu'ici deux inconnus aux bustes celés par des châles. Une attitude suspecte. Il fallait venir voir, Speaker était peut-être l'un d'eux. C'était leur dernière chance de confirmer sa présence avant d'être obligés de plier bagage. Hafiz s'est porté volontaire.

Après avoir prudemment rampé jusqu'au rebord du toit, il risque un œil en contrebas. Juste sous lui, des bâtiments. Une cheminée grossièrement assemblée dépasse d'un toit. Les occupants légitimes des lieux vivent et dorment là. Ensuite, il y a une première cour, dans laquelle il distingue plusieurs formes humaines agglutinées autour d'un feu mourant, et une seconde, derrière un muret d'un mètre de haut surmonté d'un grillage en triste état. Plus loin, encore d'autres bâtiments.

Sur sa droite, Hafiz a également une vue plongeante sur l'intérieur de la qalat voisine. Aucun mouvement à signaler mais plusieurs 4 × 4 sont stationnés dans l'enceinte. Ils devaient être là avant leur arrivée, aucun véhicule n'étant entré ou sorti d'ici depuis la fin de l'après-midi. Dans l'habitacle de l'un d'eux, Hafiz repère l'extrémité incandescente d'une cigarette. Un chauffeur. Elle rougeoie plus intensément à intervalles réguliers. L'homme attend.

Hafiz entend une porte grincer, un ordre est lancé hors de sa vue et l'une des formes humaines détale d'une ferme à l'autre. Une certaine frénésie s'empare brusquement des deux bicoques. Les portails sont ouverts, les tout-terrain démarrent, vont se positionner dans la rue. Dans la lueur des phares, sortis de nulle part, des combattants apparaissent, s'agitent. Les VIP non identifiés sortent peu après le coureur. Hafiz ne parvient toujours pas à entrevoir leurs visages mais remarque qu'ils ne sont pas armés. L'un des deux a un téléphone dans la main, semblable à celui de Fox, il le reconnaît à sa taille et son antenne plus épaisse. Ils se dirigent vers les voitures. Ils sont sur le départ.

Un individu arrive dans la cour jusque-là occupée par les 4 × 4, vêtu d'une *gandourah* et d'une doudoune bleue enfilée à la va-vite. Il se dirige vers les deux inconnus. Speaker.

« Je crois qu'il l'a. » Dans son réticule, Tiny voit les contours de la silhouette d'Hafiz, allongé sur son toit. Depuis quelques secondes, sa lunette capte également des pulsations d'un vert plus clair, presque invisibles à l'œil nu. « Il vient d'allumer le stroboscope. » Leur marqueur de fortune pour le drone.

Fox accueille l'information d'un *oui* à peine audible. C'est le moment de vérité. En l'absence de communication radio en temps réel, l'apparition du flash infrarouge sur les senseurs du Predator et sa stabilisation à côté de l'un des bâtiments déclenchera un compte à rebours mortel. Quelques minutes à peine, deux, peut-être trois, de quoi acquérir la cible et obtenir le feu vert de Washington. Sur le papier, Hafiz aura largement le temps. Descendre et retourner à la tranchée sans être vu. Parcourir cent mètres plié en deux et se mettre à l'abri avec eux. Baisser la tête et prier que rien ne leur retombe sur la gueule. Pas bien lourd quand même pour éviter de se faire éparpiller façon puzzle.

Un instant, cette expression ressurgie sans crier gare, souvenir d'enfance et de soirées télé avec ses parents, fait sourire Fox. Puis le bourdonnement au-dessus de leurs têtes le ramène au réel et il se remet à suivre le ballet de voitures et de talibans entre les deux grandes qalats voisines. Il y a encore beaucoup de monde là-bas. Et Hafiz est presque au milieu d'eux, tout seul. Il semble hors d'atteinte sur son promontoire, invisible, mais Fox a peur pour lui. Instinctivement, son regard scrute les environs. « Merde. » Le juron est lâché à voix basse. « D'où il sort, lui ?

— Quoi ?

— Au pied de la tour, devant le pickup. Hafiz de Fox ! »

Tiny déplace sa visée vers le bas, retrouve le véhicule et balaie à gauche, côté moteur. « Vu. » Un combattant armé approche d'un pas tranquille. Il effectue une ronde. Il n'a pas encore repéré Hafiz mais si celui-ci se redresse pour une raison quelconque, il l'apercevra à coup sûr. « Je le tombe ? »

Trop bruyant, malgré le silencieux. « Risqué. » Un temps. « Hafiz de Fox. Hafiz, réponds, bordel ! »

Tiny suit toujours le patrouilleur solitaire. Il s'est arrêté pour soulever une bâche dans la benne de la bagnole. Il se penche en avant, se met à fouiller. « J'y crois pas, il va piquer des trucs à ses potes.

— Où en est Hafiz ? »

Tiny remonte vers leur camarade, « il s'est agenouillé. » Il s'adresse à lui, nerveux, bien qu'il ne puisse pas l'entendre. « Bouge plus, mec, bouge plus. »

Ça continue à s'agiter entre les deux fermes.

« Laisse-moi le descendre, cet enculé.

— Non. » *Putain, c'est foutu, c'est foutu, c'est foutu, Hafiz est coincé.* « Je m'en occupe. » Fox donne son *satphone* à Tiny. « Démerde-toi pour qu'ils tirent pas jusqu'à notre signal. Si ça chie, tu t'arraches avec Akbar. » Afin de couper court à toute objection, il file sans attendre. Courbé vers l'avant, son AK devant lui, Fox se met à remonter le canal utilisé plus tôt par Hafiz, aussi vite que la prudence et la bouillasse liquide lui arrivant aux mollets le lui permettent. Respiration hachée, palpitant dans les oreilles. La grosse trouille, familière.

Leur cible donne l'accolade au second des VIP non identifiés et se recule. Quelques paroles sont échangées. Hafiz voit ensuite les deux hommes aux châles monter ensemble dans l'un des 4 × 4. Des portières claquent, les moteurs s'emballent et leur convoi de quatre bagnoles s'arrache dans la nuit. Speaker revient vers sa qalat. Deux types ferment le portail extérieur et lui marche vers la partie résidence de sa ferme fortifiée. Hafiz le suit des yeux jusqu'à ce qu'il disparaisse à l'intérieur de la maison et compte jusqu'à vingt, lentement. Tout se calme. Quelques militants discutent encore à voix basse mais ils sont masqués par des bâtiments.

Ce qui vaut pour eux vaut pour Hafiz. Dernier coup d'œil alentour, il est tranquille. Il récupère le petit stroboscope IR dans son brêlage. L'appareil est une demi-sphère en plastique haute résistance translucide, prolongée par un interrupteur rotatif.

Il pèse un peu moins qu'une grenade et tient bien en main. Dans le noir, son flash émet par intermittence un halo très léger. Hafiz se redresse en position accroupie, adresse une prière à Allah. La porte de la baraque de Speaker se trouve à une bonne trentaine de mètres de lui, en léger dévers. Il la vise et, d'un lancer précis, balance son marqueur.

Bruit étouffé lorsque le stroboscope touche le sol de terre battue. Il a atterri à quelques pas de l'entrée. Rien ne bouge. Deux minutes. Personne n'a rien vu ou entendu. Deux minutes. *Dégage !* Mieux vaut être loin quand ça pétera, c'est ce que Fox a dit. Hafiz file jusqu'au rebord du toit, côté mur, et enjambe le parapet sans prendre la peine de bien assurer sa prise. Il glisse et se récupère in extremis sur l'arête du mur d'enceinte. Lourdement. Il a fait du bruit, jure dans sa tête. Panique. Être loin quand ça pétera. Précipitation. Fox l'a dit. Il n'a pas vérifié si la voie était libre. Erreur. Il le réalise lorsqu'une voix masculine monte de la piste en contrebas. Un taliban. Nouvelle bordée d'injures silencieuses, contre lui-même et contre ce fils de pute de chien bâtard des Haqqani.

Le combattant est à moitié penché sur la benne. À ses pieds, une cagette pleine et une bonbonne de flotte. Il a l'air aussi surpris qu'Hafiz. Subitement, il réalise, se redresse, met le supplétif en joue et répète sa question. « Qui es-tu ? » Plus fort cette fois-ci.

« Cible identifiée, bâtiment sept. » La voix de Bob est renvoyée par les haut-parleurs du préfabriqué et couvre un instant les messes basses, les cliquetis de clavier et les bruits de ventilation. Tout le monde est tendu.

Voodoo et Ghost ont repris leur place devant

Kill TV. Voodoo porte maintenant un casque H/F équipé d'un micro et se concentre sur l'action en cours. La partie gauche du mur, quatre plasmas, est entièrement dévolue au survol de Khushali Wazir. En bas, une mosaïque de photos des environs et une vue générale de la zone. Tout en haut, une carte élaborée à partir des clichés aériens du groupe de qalats pris dans l'après-midi. L'ensemble des bâtiments a été numéroté et une copie de ce schéma a été transmise à l'équipage de Sky Raider, au Nevada.

Ici Nads, bâtiment sept, reçu…

Sur le moniteur du milieu, la retransmission en temps réel de la captation infrarouge du Predator. Un film N&B, semblable à un négatif photo, où les éléments les plus clairs sont les plus *chauds*. L'image, un nuancier géométrique de gris ternes, est circonscrite à l'une des fermes. En son centre, un réticule en forme de croix vibrionne autour d'un flash vif et régulier. Le stroboscope, devant la construction portant le numéro sept sur le plan.

Bang Bang, reçu…

Zoom arrière, toutes les maisons alentour réapparaissent.

« C'est qui ça ? » Ghost, collé aux écrans, indique les contours fantomatiques de deux types à l'arrière d'un pickup, au pied de la référence numéro treize.

« Bob, le treize. » Voodoo s'est contenté d'élever la voix, sans se retourner.

« Sky Raider, ici Dark Tower, serrez sur le treize. »

Bang Bang répond. *Numéro treize, reçu…*

Saut vers l'avant. La tour, grisâtre. L'un des avatars blancs en tient clairement un autre en respect. Murmures dans la salle, ponctués de quelques jurons.

« Lequel de tes gusses s'est fait gauler ? » Bob s'est rapproché des paramilitaires.

Voodoo hausse les épaules. Pas de liaison radio directe.

Dark Tower de Nads…

À nouveau, zoom arrière. Le réticule du drone se déplace.

Contact, cinquante mètres au nord de treize, en approche rapide…

Il se pose sur une troisième forme humaine. Armée elle aussi. Vêtue d'une sorte de cape qui flotte derrière elle. Elle court vers la gauche de l'écran, le long d'une ligne plus sombre, plus froide, en direction des deux hommes debout près du pickup. Déplacements fluides, maîtrise des angles et des axes, un coup je chouffe la bagnole, un coup je mate devant, il suffit de suivre l'orientation du fusil d'assaut. Tiny ou Fox.

« Un des tiens ? »

Voodoo examine la partie droite de l'image où se trouve une autre silhouette. Solitaire. Elle est allongée dans la position du tireur couché, en bordure de champ. Tiny est meilleur tireur que Fox. Donc Fox est en train de courir. Il va chercher un de leurs Afghans qui s'est fait coincer par un taliban. Voodoo échange un regard avec Ghost, obtient un hochement silencieux en guise de réponse. « Je crois, oui. »

Une rumeur monte aussitôt derrière eux dans la salle. Bob se retourne et aboie pour obtenir le silence. Sa façon de lutter contre la frustration. « On fait quoi ?

— On panique pas et on attend.

— Si ça commence à s'exciter. » La phrase reste un instant en suspend et Bob, gêné, se sent obligé de se justifier. « On va pas laisser Speaker se tirer. »

À l'image, Tiny bouge, semble se concentrer un instant sur un objet entre ses mains avant de reprendre sa visée. Quelques secondes passent puis ça vibre sous le porte-plaques Paraclete de Ghost. Le Thuraya, ligne de vie avec le Pakistan. Un message. Il examine l'écran du terminal, donne l'appareil à son chef.

Sans quitter le téléphone des yeux, Voodoo demande : « Tu as le feu vert au moins ? »

Fox, si c'est bien lui, est arrivé à proximité des qalats. Il marche lentement en bordure de champ, juste dans le dos du mec qui a mis leur CTPT en joue. Il semble si près, vu d'ici. À se demander pourquoi le moudjahidine ne s'en rend pas compte.

« Pas encore.

— Une bouteille de Macallan qu'ils auront dégagé avant que Washington rappelle. »

Bob sourit à Voodoo. « Tenu. »

Deux minutes. Deux minutes, deux minutes, deux minutes. Ça va péter. Hafiz refuse d'obtempérer aux injonctions du taliban. Un gamin, il fait des grands signes avec son fusil pour se rassurer et lui dire d'avancer en direction de l'entrée de la qalat. Il est paniqué, ne pense pas à fouiller Hafiz, n'ose pas s'approcher. Deux minutes. Dans le noir, il n'a pas encore vu l'AKMS replié sous le ghillie. Le taliban crie plus fort. Il va finir par réveiller tout le quartier. Un miracle que personne ne se soit encore pointé. Deux minutes. Ça ne va pas tarder. Si Hafiz ne clamse pas d'une rafale dans le bide, ce sera dans le bombardement à venir. Il recule contre le mur de la qalat. Le taliban fait un pas vers lui. *C'est ça, viens.* Deux minutes. *Dépêche.* Un autre pas, nouvel ordre gueulé. Des clebs se joignent au concert. Souffle court. Une minute. Dégager avant que ça pète, que ça rapplique. Tiny aurait dû tirer. Ils ont sans doute tout vu. Mais Tiny ne tire pas. *Ils vont me laisser ici, ces chiens. Ils en ont rien à foutre de moi, c'est l'autre qu'ils veulent.* Une minute. Le taliban avance encore, lève son arme. *Viens*. Hafiz commence à baisser les bras, se met à parler calmement, sur un ton rassurant. « Je suis avec toi, mon frère. »

Le taliban se fige, il doute. Dans son dos, les ténèbres prennent brutalement forme humaine. Une main gantée de noir se plaque sur la bouche du gamin, force sa tête à pivoter. Coup violent au creux du genou, il bascule en arrière, la kalachnikov monte vers le ciel. Une détonation réveille sèchement la nuit. Hafiz se précipite pour maîtriser l'arme. Éclat de métal, va-et-vient mortel dans les reins du taliban. Une fois, deux fois, trois fois, quatre fois. Amorti liquide, la baïonnette fouille, tourne, ressort, viole à nouveau. Les doigts agrippés aux joues étouffent les râles de douleur et d'impuissance, étirent le cou vers le haut pour l'exposer. La lame en force, en travers de la gorge, aux cervicales, et la jeune voix est à jamais privée de plainte et de parole. Un jet sombre et puissant pulse vers l'avant. Hafiz a juste le temps de tourner la tête. Il est aspergé sur tout le côté gauche. Brûlure du sang chaud sur sa peau refroidie, il rouspète, crache. Quelques secondes et c'est déjà fini.

Fox repousse le militant loin de lui et se précipite à travers champ en tirant Hafiz par la manche. Quelques secondes. Un coup de feu. Dégager. Loin, vite.

Tir autorisé.

Sur le moniteur placé à la hauteur des yeux de Nads, un second stroboscope vient de s'éteindre. Il a brillé un court instant à l'emplacement *ami*, cent mètres au nord de l'objectif. Gros plan. Une paire de petits personnages blancs s'éloigne de la construction numéro treize et se dirige vers la source de cet éphémère deuxième flash.

« Nads, reçu. » La jeune femme vérifie d'un coup d'œil la position de son appareil. Il se trouve à environ cinq kilomètres de sa cible, à une altitude de douze mille pieds, pas tout à fait dans l'axe.

« Bang Bang, reçu.

— Je m'aligne. » Se concentrer sur les données de vol, une façon de ne plus voir tous les mouvements au sol.

« Bang Bang, reçu.

— État de l'armement ? » Suivre la procédure.

« Deux missiles. »

Un temps. Infiniment long. Le cerveau a tout loisir d'analyser et comprendre. Tous ces spectres blêmes, aux proportions si humaines, certains plus menus que d'autres, si naturels dans leurs déplacements, ce sont de vraies personnes. Réveillées en pleine nuit. Miracle de voyeurisme technologique.

« Prêts.

— Nads, reçu. Deux missiles prêts, initialisation de la séquence de tir. »

Ridiculement court, ce temps, avant la mise à mort.

Le réticule du capteur multispectral vient se poser sur le bâtiment sept. Dans la cour, un homme passe directement au-dessus du premier stroboscope sans s'arrêter. D'autres suivent, par petits groupes. Certains agitent leurs bras. Zoom arrière, vue générale.

L'objectif est toujours au centre de l'image. Il y a des gens dans la ruelle séparant les deux grandes fermes. Ils convergent vers le pickup et le cadavre de la sentinelle, dont l'éclat est déjà moins vif. Après sa vie, la chaleur le fuit.

« Armement du laser.

— Laser armé. » La voix de Bang Bang est lointaine, désincarnée. Cela ne vient pas de la qualité de la transmission radio mais de l'expérience, de l'accumulation, de l'attente et de l'ennui de l'attente, dans le but de détruire, de tuer. De l'usure. De l'après, quand il faut vérifier si tout *s'est bien passé*, si l'on a bien *exécuté*. Si ces mourants qui rampent et brillent plus fort dans leur enfer infrarouge, consumés par le feu tombé du ciel, vont cesser de bouger, s'arrêter, arrêter de nous menacer.

« Illumination de la cible.

— Reçu, illumination. » Encore ce temps, si long et si court.

« Cible acquise. »

Nous y sommes. « Reçu, cible acquise. Je shoote. » Nads retient sa respiration.

Siraj a *prié* Sher Ali de rester jusqu'au lendemain. « Tu seras bien traité, a-t-il dit, avant d'ajouter : Et ainsi tu pourras me communiquer ta réponse au matin, mon frère. » Impossible de refuser. Il s'est donc installé dans la hujra pour la nuit, avec Adil. Son fils s'est endormi presque immédiatement. Son sommeil est de courte durée. Quelques minutes après le départ du convoi de 4 × 4, un coup de feu retentit à l'extérieur de la qalat.

Là où Sher Ali a garé son véhicule.

Il sort aussitôt.

Des militants sont déjà dans la cour. Désemparés, ils attendent un ordre, un signe. Certains ont le nez en l'air, intrigués par un bourdonnement en provenance du ciel.

Sher Ali l'entend également sans s'y intéresser. C'est un fusil d'assaut qui a tiré, pas un avion. « Ça venait de la ruelle. Il faut aller voir. »

Les talibans se concertent, hésitent. Enfin, ils ouvrent le portail.

« Que se passe-t-il ? » Adil apparaît aux côtés de son père, sa voix hachée par la peur.

Sher Ali réfléchit très vite. Voilà leur chance, il faut profiter de la confusion. Il fera allégeance à Sirajouddine plus tard. Pour le moment, il doit éloigner ses enfants, les mettre à l'abri. « Prends tes affaires et va m'attendre à la voiture.

— Je veux rester avec toi.

— Fais ce que je te dis ! » Pour rassurer Adil, Sher Ali lui confie les clés du pickup. « Je compte sur toi. Je vais chercher Badraï. » Il détale vers les bâtiments occupés par les femmes.

Un muret grillagé de barbelés les sépare du reste de la qalat, avec pour seul passage un portillon rouillé. Il refuse de s'ouvrir. Rien dans la serrure. Aucun homme alentour. De l'autre côté, Sher Ali entend des voix, des pleurs. Il appelle. Personne ne lui répond. Les voix se taisent. Il frappe le panneau de métal du plat de la main. « Je viens chercher ma fille, laissez-moi entrer ! Badraï ! » Une deuxième fois, le poing fermé. Les gonds sont scellés dans du mauvais ciment, ils bougent à chaque secousse, menacent de céder. « Ouvrez ! »

Le bourdonnement s'est rapproché, menaçant.

Pris d'une incontrôlable panique, Sher Ali se met à donner des coups de pied. Il y a un sifflement aigu et l'air est littéralement déchiré. Un souffle brûlant le soulève du sol et le jette contre le portillon qui cède sous le choc. Il perd connaissance.

Fox risque un œil hors de la tranchée. Des débris rougeoyants sont retombés dans le champ, à quelques mètres d'eux. La qalat de Speaker n'est plus qu'un brasier de ruines entouré d'un halo de poussière et de cendres. Un homme titube hors de l'incendie en poussant des hurlements, son corps déformé par les volutes de chaleur. Il s'effondre au bout de quelques pas et se tait.

« Bien joué, mon frère. » Tiny en claque cinq à Hafiz. Il se tourne vers Fox. « Le feu, l'enfer, Hellfire. »

La ferme a été rasée par un missile de type AGM-114 Hellfire à charge thermobarique. Ceux de ses occupants ayant par miracle échappé à l'onde de choc démultipliée qui a dû pulvériser les plus proches du point d'impact, ou au moins réduire en bouillie tous leurs organes internes, ont sans doute péri carbonisés par un réchauffement climatique surprise de plusieurs milliers de degrés. Ou ont été écrasés par les bâtiments qu'ils ont pris sur la gueule. Ou crèveront bientôt, empoisonnés, si jamais une partie de la poudre d'aluminium hautement inflammable répartie alentour pour amplifier la surpression initiale n'a pas cramé.

Fox n'a aucune envie de voir jusqu'où cette merde a volé. Après cinq ans de guerre, il a déjà avalé suffisamment de saloperies. « Faut qu'on dégage d'ici.

— T'as raison, ça pue le taleb grillé.

— Pas encore. » Hafiz montre le ciel.

Tiny tend l'oreille. Le moteur du drone change de régime, se fait plus présent. « Ils refont un passage. »

Sher Ali ne reste pas inconscient très longtemps. Quand il revient à lui, le monde brûle et agonise, il n'est plus que terreur et douleur. Il se redresse péniblement. Son œil gauche fermé pleure sur sa joue, il a le nez bouché, n'entend plus rien, ça résonne dans son crâne. Il se dirige au jugé, chancelant, vers l'endroit où Badraï est censée se trouver. Il la découvre dans la cour, souillée de noir, assise auprès d'une femme dont elle tient fermement la main.

Sa fille sanglote. Sher Ali s'approche doucement. D'abord, elle ne le voit pas puis lorsqu'elle le voit, elle ne le reconnaît pas et se débat quand il cherche à la prendre dans ses bras. Il s'accroche, lui parle, elle se calme, trouve refuge au creux de son cou et vient mêler ses larmes à celles intarissables, épaisses, qui coulent sur le visage de son père.

Badraï ne veut pas abandonner l'inconnue mais ils n'ont pas de temps à perdre, il faut rejoindre la voiture. À ce moment-là seulement, Sher Ali repense à son fils. À l'explosion et à son fils. À son fils. À la voiture. Vers l'explosion. « Adil nous attend. »

Sa fille le fixe, perçoit son changement d'expression, panique. « Où est-il, *dada* ? »

La question reste sans réponse, Sher Ali se rue vers la sortie de la qalat. Il enregistre l'effondrement du mur, là où se dressait le portail, le vide de l'autre côté de la piste, il n'y a plus de maison, et les errants, hébétés, autour d'eux. Mon fils. Son cœur se serre et s'accroche plus fort encore à Badraï. Du ciel descend ce bruit maudit de la nuit qu'on déchire. Sher Ali s'arrête. C'était écrit. Il y a un grand flash blanc.

Une heure après le bombardement, Ghost va retrouver Voodoo dehors, à l'arrière de Dark Tower. « Le drone les a suivis jusqu'au point de rendez-vous. RAS. Ils rentrent. »

La nouvelle est accueillie par un grognement. Son boss est debout devant un empilement de cages dans lesquelles sont enfermés des singes de petite taille, d'une race non identifiée. À intervalles réguliers, il leur jette des trucs.

« Qu'est-ce que tu leur files ? »

Voodoo montre un emballage de M&M's.

« Ça va pas les rendre malades ?

— Ils ont l'air d'aimer ça. » Le paquet est terminé, froissé, balancé par terre. « Plus que moi en tout cas. Je déteste les macaques.

— Enculés de barbouzes amis des animaux, sans déconner. »

Voodoo hausse les épaules. « Personne d'autre veut être pote avec eux. »

Ils ne disent plus rien pendant quelques secondes.

« Et nous ?

— Quoi nous ?

— On a des potes ?

— Nous », Voodoo affiche un sourire en coin, le premier de la soirée, « on est frères ». Il s'éloigne vers le préfabriqué. « Tu iras chercher Fox et Tiny à la frontière à leur retour.

— Putain non, mec, pourquoi moi ?

— Parce qu'on est tous frères. Prends l'hélico, je me démerderai. »

Ghost reste seul dans le noir avec les singes. Sa présence immobile, signalée par l'éclairage filtré de rouge de sa frontale, finit par les effrayer. Ou les exciter. Ils se mettent à s'agiter et hurler. L'un d'eux agrippe les barreaux et pousse un cri saccadé, très semblable à un rire. « Ça te fait marrer ? » Insupportable. « Ta gueule ! » Ghost fait basculer la cage d'un coup de pied explosif. Il attrape son tomahawk et le brandit au-dessus de sa tête. « Ta gueule ou je te bouffe ! »

Naomi s'est remise à fumer. Son mari ne le sait pas. Oh, pas grand-chose, une petite cigarette quand elle sort du travail, c'est tout. Sur le parking de la base. Pour décompresser. Quand elle quitte son habit de Nads pour redevenir Mme Wright, heureuse maman de deux petits anges. Une femme tout à fait normale, semblable à tous les gens tout à fait normaux qui vont et viennent sur des parkings, ici et ailleurs.

Il faisait nuit quand elle est arrivée hier. Il fait jour à présent, c'est l'après-midi, le soleil tape dur. Naomi écrase sa première clope, en allume une seconde. Sa pause parking s'allonge, un truc récent, mais elle s'est promis que cette mauvaise habitude retrouvée n'irait pas plus loin. Deux, c'est bien suffisant.

Naomi n'a pas encore consulté sa messagerie. Elle a sans doute reçu des appels de ses enfants, ils lui téléphonent toujours lorsqu'elle *vole*. Mais elle n'a pas envie de les écouter, c'est trop tôt, elle a besoin d'un peu de temps pour elle. Elle adresse un signe de la main à une femme en combinaison de pilote dont le visage lui est familier, prie pour qu'elle ne vienne pas lui parler. La femme porte des sacs de commissions recyclables, un bleu et un rouge, ornés du logo Walmart et d'un slogan *Save money, live better*. Vivez mieux. Naomi aspire une longue bouffée, pense aux courses à faire. Il faut qu'elle aille acheter des pizzas. Pâte américaine, extra fromage, extra poivrons, extra larges. Tradition familiale du samedi soir, gare à elle si elle oublie, son fils le lui ferait payer cher.

Son fils. Une larme coule sur la joue de Naomi. Elle l'essuie d'un revers de la main. Tout à l'heure, elle a regardé sa photo au moment de tirer, la première et la deuxième fois. Elle l'a regardée encore brièvement lorsque Kristen lui a demandé, via la messagerie texte de leur console Boeing : *c'était quoi ça, dans les bras du mec, un gamin ?* À l'écran, il y avait une vue rapprochée de la ferme cible et la silhouette solitaire d'un homme figé sur place, dans la cour de la maison voisine. Il portait quelque chose. Le second Hellfire est tombé à une trentaine de mètres devant lui, pratiquement au même endroit que le premier. Un grand nuage blanc a envahi l'image, l'onde de chaleur de l'explosion. Ensuite, le nuage s'est dissipé sur le néant gris-noir du capteur infrarouge. Toujours par écrit, Naomi a répondu que c'était juste un chien, les yeux baissés sur son clavier, plus capable d'affronter les clichés de ses enfants. Drôle de chien.

Seconde larme sur sa joue. Tout semble aller par paire sur ce foutu parking. Elle la laisse filer, tire une dernière latte, écrase sa cigarette. Deux, pas plus.

29 JANVIER 2008 – UN RESPONSABLE D'AL-QAÏDA TUÉ PAR UNE frappe de missile au Pakistan. Abou Laith Al-Libi, de son vrai nom Ali Ammar Ashour Al-Roufayi, porte-parole d'Al-Qaïda, a été tué cette nuit vers une heure du matin, dans le village de Khushali Tori Khel au Waziristan du Nord, à l'issue d'une assemblée de cadres du mouvement terroriste et de chefs talibans. Vétéran du djihad contre les Soviétiques, auteur d'une tentative avortée de renversement de Mouammar Kadhafi en 1994, Al-Libi s'était également fait connaître pour ses nombreuses diatribes anti-israéliennes et ses récents appels au kidnapping de ressortissants occidentaux où qu'ils soient dans le monde [...] Une douzaine d'autres personnes seraient mortes au cours de ce bombardement, principalement des civils. Plusieurs enfants se trouveraient parmi les victimes [...]

2

PERTES COALITION	Jan. 2008	Tot. 2008 / 2007 / 2006
Morts	14	14 / 232 / 191
Morts IED	6	6 / 77 / 52
Blessés IED	37	37 / 15 / 279
Incidents IED	165	165 / 2677 / 1536

Khost et ses provinces limitrophes, la Paktiya, au nord, et la Paktika, à l'ouest, forment un ensemble géographique baptisé Loya Paktiya ou Grande Paktiya, qui partage environ mille kilomètres de frontière montagneuse avec les FATA, principalement Kurram, le Waziristan du Nord et le Waziristan du Sud. L'armée américaine a concentré de nombreuses bases opérationnelles avancées dans cette partie de l'Afghanistan, sur des points hauts, pour observer les incursions des militants réfugiés au Pakistan et les interdire autant que faire se peut. Certaines de ces installations tel le Camp Harriman, autrement connu sous le nom de FOB Orgun-e, ou la base de feu Lilley, également en Paktika mais cinquante bornes plus au sud, abritent des stations d'écoute de l'Agence et accueillent régulièrement des équipes de paramilitaires. Elles sont idéalement situées à la sortie de vallées de plus en plus souvent empruntées par des combattants soutenus par le réseau Haqqani, ou le récemment constitué Tehrik-i-Taliban Pakistan, le Mouvement des talibans du Pakistan, entraînés par des djihadistes internationaux d'Al-Qaïda, pour renforcer le front et mener des attaques sur le territoire afghan.

Ces vallées servent également d'axes d'infiltration lors des missions conduites dans le plus grand secret par les OGA et leurs supplétifs. Fox, Tiny et les quatre CTPT ont ainsi chevauché le long de la rivière Tochi pour rentrer au bercail après le bombardement. Il leur a fallu plus de deux nuits et un jour pour parcourir la petite cinquantaine de kilomètres séparant Khushali Wazir de la ligne Durand, prudence, neige et dénivelé obligent, et ils arrivent en vue d'Harriman le 30 janvier vers midi. Ghost les y attend, avec un hélicoptère Bell 412EP de la boîte, qu'ils utilisent pour leurs transferts d'une FOB à l'autre, au gré de leurs obligations contractuelles. Sa silhouette kaki mat et trapue, directement héritée de son célèbre ancêtre, le Huey, dans ce camp retranché perché au milieu d'une plaine désolée, donne à la scène un air de Vietnam du désert.

On trouve de nombreuses tribus pachtounes en Loya Paktiya, notamment celle des Haqqani et de Sher Ali, les Zadrans. Ils sont implantés dans toute la région, selon un arc qui part de Gardez, la capitale de Paktiya, traverse Khost par le centre-est et prend fin ici, autour du district d'Orgun-e, en Paktika. Hafiz est lui-même un Zadran, originaire du coin, et il a décidé de rester jusqu'au lendemain. Il souhaite rendre visite à son beau-frère avant de rentrer chez lui, dans la ville de Khost, où il a suivi son chef, un vieil ennemi de Jalalouddine et de ses fils.

Hafiz approche de Fox alors que celui-ci se rend à la zone de poser. Il a l'air fatigué, ses cheveux sont hirsutes, il est couvert de la tête au pied d'une fine pellicule de poussière grise et il pue. Le paramilitaire ne se fait aucune illusion, il est dans le même état. L'Afghan se tient un moment devant lui, sans prononcer une parole mais visiblement anxieux de dire quelque chose. Hafiz n'est pas un homme de mots, il s'en méfie, semble toujours mal à l'aise avec eux. Fox ne le presse pas et se contente de l'observer avec une pudeur respectueuse. Ses grosses pognes déformées à la peau craquelée, aux ongles ébréchés, son visage marqué, tout son corps meurtri parfois entraperçu au hasard d'un bivouac, disent la rudesse de ce pays et le tribut payé par ses habitants à son histoire. Ils ont presque le même âge, quarante et un ans, mais Hafiz en paraît dix de plus.

Finalement, le Zadran prend l'épaule de Fox et la serre avec vigueur, une main sur le cœur. « Les autres, ils ne l'auraient pas fait. » Hafiz recule d'un pas. « Fais attention à toi, wror. » Il appuie cette dernière mise en garde d'un coup d'œil en direction de l'appareil.

Fox se retourne pour voir Ghost inspecter de près un Minigun replié dans son panier de transport, sur le côté gauche du 412. Tiny est avec lui. On dirait des gosses avec un jouet. « Ne t'en fais pas pour moi. Toi, sois prudent. » La tension monte en Paktika et la proximité d'Hafiz avec les forces armées US en fait une cible de choix pour les rebelles.

« *Lah paikhey na tekhta nichta.* »

Fox sourit à l'énoncé de ce dicton, entendu mille fois depuis son arrivée. Nul ne peut fuir son destin. Il salue chaleureusement Hafiz. « On se revoit dans quelques jours.

— Si nous sommes encore là. »

Il est l'heure d'embarquer. Tiny a déjà rejoint Akbar à bord. Fox prend place à droite du jeune guide, dos au sens du vol, tandis que Ghost, après avoir refermé la porte latérale, s'installe en face de lui, du même côté que la mitrailleuse, en donnant au pilote le signal du départ.

Ils font une escale à Salerno, à la sortie de Khost, où Akbar les quitte, puis obliquent vers le nord, en suivant le tracé de la route de Gardez. Ils grimpent au rythme de celle-ci, jusqu'à son point culminant, la passe de Seti-Kandow, à trois mille mètres d'altitude. Sous le Bell, la chaîne des Soulaïman, illuminée par un violent soleil, est un océan de pierre dont les crêtes enneigées ressemblent à de gigantesques rouleaux d'écume. Un magnifique spectacle, trompeur. Fox le sait, ici comme ailleurs, l'Afghanistan est un pays où tout est beau mais seulement de loin. En bas, plus près, c'est aride, accidenté, inhospitalier et ces dernières années le secteur est devenu le théâtre d'accrochages fréquents et meurtriers. Les IED pullulent. Les explosés, décédés, estropiés, amputés aussi. Les factions zadrans proches du clan Haqqani, dominantes, dirigent l'insurrection des autres tribus. Jalalouddine, né dans ces montagnes, a gardé de nombreux liens avec les hommes forts locaux et a su profiter de l'inattention des États-Unis, accaparés par le conflit en Irak, et des faiblesses de l'ISAF pour, avec ses fils, reprendre pied de façon durable en Paktiya.

La route ou plutôt la piste, car elle n'est que cela, une piste, souvent impraticable par ailleurs, est récemment devenue un enjeu majeur entre les parties en présence. D'un côté, en la recouvrant d'asphalte, on espère faciliter le ravitaillement des unités engagées le long de la frontière, mais aussi gagner *les cœurs et les esprits* par le développement des liaisons commerciales avec Kaboul. Le bizness dans la guerre solution à la guerre. De l'autre, on veut perturber, empêcher, bloquer, repousser l'envahisseur croisé, isoler les populations, maintenir son pouvoir et son influence, tout cela au nom d'Allah et d'une hypocrite défense identitaire. En mai dernier, après le vote d'une aide de plusieurs dizaines de millions de dollars destinée à financer les travaux d'aménagement, la société indienne chargée de les réaliser a commencé ses préparatifs ; faire appel à des Indiens, insulte suprême pour les Haqqani et leurs maîtres d'Islamabad. Elle a juste eu le temps d'ouvrir un ou deux sites logistiques avant de se prendre les premières roquettes sur la gueule. Depuis, les retards s'accumulent et l'argent s'évapore. Fox est arrivé il y a quatre mois et le goudronnage n'a toujours pas démarré.

Quelques kilomètres plus au nord, au-dessus d'une pénéplaine blanchie par l'hiver, Ghost se met à s'agiter et, tout en lui parlant, fait signe à Tiny de venir voir de son côté. Fox ne s'est pas équipé de son casque H/F, il a juste mis des bouchons antibruit dans l'espoir dérisoire de trouver le sommeil, et ne profite donc pas de leur conversation. Il jette cependant un œil par le hublot.

Il y a des gens en bas. Autour de deux camions et plusieurs pickups, ils ont monté un camp de fortune sur le bord de la route, à peine visible sous la neige. Ce sont des *kouchis*. Sous cette appellation fourre-tout, on regroupe différents groupes nomades d'Afghanistan, en majorité pachtounes. Ils sont faciles à identifier, ils voyagent avec le bétail dont ils tirent leur subsistance. Ceux-là semblent surtout posséder des moutons. Fox voit aussi des chameaux. Les kouchis transitent par ici à l'occasion de leurs déplacements saisonniers mais il est rare d'en croiser en janvier. Le groupe survolé est soit très en retard pour rejoindre Khost et gagner le Pakistan, soit bien trop en avance pour repartir vers les terres Hazaras du centre de l'Afghanistan ou au-delà, en Iran. Soit complice des talibans. L'ennemi aime se cacher au milieu de ces errants pour bouger d'une province à l'autre. Leur sort n'intéresse pas grand monde, ils font partie du paysage, n'attirent pas l'attention, et les insurgés en profitent.

Ils ont éveillé la curiosité de Ghost. Fox le comprend lorsque le 412 fait brusquement demi-tour et commence à descendre pour se rapprocher du campement. Ghost ouvre la porte gauche et un grand souffle d'air glacé s'engouffre dans la soute.

Fox attrape ses écouteurs pour essayer de piger ce qui se passe.

« Depuis quand t'as pas fait un carton au Minigun, Tiny ?

— Qu'est-ce que tu branles ? »

Ghost ignore Fox et met la mitrailleuse en batterie. Il l'extrait de son panier, déploie le bras articulé et fait pivoter l'arme en position de tir. « Alors, tu viens ? »

La question s'adresse à Tiny dont le regard incertain glisse de l'un à l'autre de ses deux camarades.

« Arrête tes conneries, c'est des civils.

— Y a que des talebs dans ces montagnes, aucun putain de civil. » Ghost montre les kouchis. « Eux, ils ont rien à foutre là. »

Curieux, certains nomades ont levé le nez vers cet hélicoptère tournoyant au-dessus de leurs têtes. Parmi eux, Fox distingue des femmes et des enfants.

« Fais pas ta fiotte, Tiny, on en a déjà une », Ghost dévisage Fox tout en mettant le moteur électrique de l'arme sous tension, « elle a pas besoin d'une copine ».

Fox sent l'hésitation de Tiny. Fraîchement débarqué, il n'est pas encore bien intégré et s'est vite rendu compte qu'il faudrait ramer sec pour se faire accepter par le noyau dur formé autour de Voodoo et Ghost. Une bande dans la bande.

« Il y a des gosses avec eux.

— Où ça ? Moi, je vois que des *hajis*. » Haji, un terme péjoratif dans la bouche de Ghost, dévoyé de son sens premier distinguant les croyants ayant effectué le pèlerinage de La Mecque. « Alors, tu t'amènes ? »

Tiny baisse les yeux mais ne bouge pas. Dans leurs casques, le pilote s'impatiente.

« Connard. » Ghost s'empare des poignées du M134D et ouvre le feu. L'espace d'un instant les six canons tournent dans le vide avant de se mettre à cracher leur misère de plomb. À une cadence de trois mille coups par minute. Cinquante ogives de 7.62 partent toutes les secondes en direction du sol, dans un bourdonnement d'enfer venant s'ajouter au vacarme des turbines. Ghost se concentre d'abord sur le troupeau de moutons avec lequel il peint à l'hémoglobine une traînée de mort. Les animaux, rendus fous par le bruit, la violence des impacts et l'odeur du sang se chevauchent pour fuir leur enclos temporaire. Ils s'égaillent bientôt dans le camp ajoutant au chaos. Un chameau est ensuite abattu. À peine le temps d'un claquement de doigts et il se transforme en éclaboussure informe au milieu des congères. Ghost se marre, balaie, revient, s'acharne, fauche hommes et bêtes.

La sidération passée, Fox se lève et essaie de mettre fin à ce délire macabre. Il est violemment repoussé, bascule en arrière vers Tiny. Sa tête heurte la porte opposée et il perd ses écouteurs. Il se relève avec difficulté et, d'un pas mal assuré, se dirige à nouveau vers Ghost. Tiny essaie de le retenir mais il se dégage et lui hurle de venir l'aider. Mais l'autre n'entend pas, ne fera rien.

Le Minigun poursuit son travail. Le causse est devenu un Pollock de taches cramoisies, un camion brûle, ça court partout.

Fox enroule ses bras sous les aisselles de Ghost et referme sa prise derrière son cou pour le tirer vers l'intérieur de l'appareil. La mitrailleuse se tait. Les deux hommes luttent. Tiny s'en mêle. L'appareil s'incline brusquement vers la droite et, à la radio, le pilote hurle *RPG !* Un con vient de les allumer à la roquette. Le Bell pivote, gîte vers la gauche et ils perdent l'équilibre. Fox doit libérer Ghost pour essayer de se raccrocher à quelque chose. Il n'y parvient pas, passe par l'issue latérale ouverte et chute dans le vide.

Fox n'est pas tombé.

Il rouvre les yeux à Jalalabad, dans son cagibi de la FOB Fenty, réveillé par le boucan caractéristique d'hélicoptères d'attaque Apache au décollage. À moins que ce ne soit la délicate odeur d'excréments cramés répandue par les incinérateurs de la base, opportunément ventilée dans sa direction par un facétieux zéphyr. L'Amérique en campagne génère beaucoup de merde. Fox n'est pas tombé parce qu'il ne s'est pas battu avec Ghost. Il n'a rien fait. Ghost a tiré, Tiny a tiré et lui n'a rien fait. Il les a laissés s'amuser avec le Minigun. Jusqu'à ce que les nomades prennent à leur tour le Bell pour cible. Ça au moins c'était vrai. Après la première roquette, le pilote a sifflé la fin de la récré et ils se sont courageusement repliés. En se marrant. Peu de chance que l'incident soit signalé. Ghost avait raison finalement, ces kouchis n'en étaient probablement pas, ou pas seulement. Ils ne risquent pas de venir se plaindre. Et il leur faudrait pouvoir identifier l'appareil responsable. Qui appartient à un sous-traitant de la CIA. Qui ne dira rien. Elle n'est pas obligée. Mais Fox sait. Il n'a rien fait. Et il est tombé dans son rêve. Ce n'est pas une première. Depuis six ans, il dévisse souvent dans ses rêves.

Il se redresse dans son lit picot, admire un moment la déco cent pour cent contreplaqué naturel et bordel de sa chambre. Les seuls espaces ordonnés sont l'armoire forte où il range ses flingues et le petit carré récuré où Ismaël, l'homme de ménage, vient empiler au cordeau les vêtements propres. Le reste, c'est un placard entrouvert presque vide, des sacs de transport dégueulant leur contenu de matos et de fringues sur le sol, deux cartons d'étagères pas encore montées, plusieurs packs d'eau minérale et un ordi portable posé sur un tabouret à côté de son pieu. Il sert pour le moment de sous-bock à une bouteille de Gatorade entamée. Quatre mois et Fox n'a pas encore pris la peine de s'installer confortablement. Ses séjours ici sont toujours très courts et, chaque fois, le courage et l'énergie lui manquent pour s'attaquer à ce chantier forcément éphémère. Il en a connu tant, des turnes dans ce genre, plus ou moins agréables, ces dernières années. Il n'a même connu que ça. Il est devenu un SDF de la guerre.

Face à lui, un portrait d'Heath Ledger agrafé sur

la porte. Il était là à son arrivée et il ne l'a pas retiré. Le comédien, grimé pour son rôle dans le prochain *Batman*, lui sourit. Au-dessus, le prédécesseur de Fox a écrit *Why so serious ?* au marqueur rouge. Sa bagnole a sauté en septembre dernier et il a été littéralement déchiqueté. L'examen des restes de la bombe, un truc avec mécanisme de déclenchement à pression relié à des obus d'artillerie trafiqués, a révélé un défaut de fonctionnement. Des dizaines de véhicules sont passés dessus pendant plusieurs jours sans que rien se produise. Et puis boum, plus de fan du Joker. Pulvérisé au hasard par un engin explosif improvisé mal branlé. IED. Dans un rapport ou un article, ça se lit aussi vite que ça tue. Ledger aussi est mort, quarante-huit heures avant le départ de Fox à Miranshah. Ils en ont parlé dans le journal, deux jours, peut-être trois, guère plus. *Why so serious ?* Il faut qu'il vire cette photo.

Pantalon, polaire, Salomon, des chargeurs et des affaires de toilette dans un sac à dos, le Glock 26 et un Spyderco pliable sous la ceinture du fute, HK416 en bandoulière, Fox dégage à la douche en cinq minutes et se retrouve dans l'étroit couloir du *B-Hut* où il vit avec d'autres types de 6N, son employeur. En passant devant la piaule de Tiny, il remarque le cadenas déverrouillé, perçoit un air de country, l'autre est là. Il hésite à frapper mais renonce et quitte le baraquement, encore agacé par son cauchemar, en colère après le mec.

Tiny le coince pourtant une heure plus tard, au sous-sol de l'ancien terminal de l'aérodrome où il a l'habitude de prendre son petit déjeuner, dans le réfectoire improvisé de la troupe de Pachtounes claquemurée ici. Il se plante devant Fox alors que celui-ci termine son deuxième café et sa revue de presse. « T'es pas venu me chercher ce matin. Hier soir on avait dit…

— Je sais ce qu'on avait dit. Comment tu m'as trouvé ?

— Voodoo. Il veut te voir. »

Fox enregistre l'information. Ils n'en ont jamais parlé, n'ont que très rarement partagé un repas, et en aucun cas dans la base, mais Voodoo sait. Il fait attention. « Merci pour le message. »

Tiny ne bouge pas. « Pourquoi tu viens grailler là ? »

Sous-entendu, avec les hajis. Les privés dans leur genre disposent d'un mess mais on y croise les mêmes têtes qu'au boulot. Dans cette cave humide, sommairement aménagée, Fox est théoriquement peinard. S'il n'a pas envie de parler, les locaux le laissent tranquille. Et il préfère leur bouffe. Leur café est meilleur et, grâce à Ismaël, le premier à l'avoir accueilli, il a découvert le boulanger afghan de la base, installé à deux pas, juste en face du vieux Mig dont la carcasse abandonnée rouille là depuis les années quatre-vingt. Son pain est délicieux, Fox lui en achète tous les jours quand il est à Fenty, même si cet escroc à deux balles essaie régulièrement de l'arnaquer en lui rendant la monnaie. La plupart du temps, il lui refile des pièces bidons, russes ou iraniennes. Parmi celles-ci, Fox pense néanmoins en avoir récupéré quelques-unes très vieilles, bien plus anciennes que le pays dans lequel il se bat, sans doute d'origine grecque, qu'il veut faire expertiser à son retour. Elles devraient largement compenser son préjudice.

Tiny attend, impatient, agité, oppressé par cet environnement de béton au passé poisseux et poussiéreux. Ici, avant, c'était une oubliette. Russes d'abord, talibans ensuite, y ont enfermé et torturé des dizaines de personnes. Restent de cette période de lourdes portes métalliques, des anneaux dans les murs et des traces suspectes. Zéro réponse, il reprend la parole. « On a un problème ? »

Abandonnant son journal, Fox se laisse aller contre le dossier de sa chaise. Il montre le gobelet métallique posé à ses pieds. « Va me chercher un jus, sers-t'en un et reviens t'asseoir.

— J'ai pas soif.

— Alors va juste me chercher un jus. Après on discute. »

Hésitation, exécution et retour aussi sec. Avec deux tasses.

Fox prend le temps de boire une gorgée et fait la grimace. « Pourquoi t'es passé dans le privé, Tiny ?

— J'aime le boulot.

— Tu pouvais continuer dans l'Air Force.

— C'est pas pareil. »

Fox sourit. « C'est mieux payé.

— Pas que ça mais ouais.

— Faut raquer les traites de la baraque. »

Tiny acquiesce, le regard baissé.

« Et t'as eu un second môme. Ça coûte les enfants, surtout si tu veux qu'ils fassent des études. »

Nouveau hochement.

« C'est bien de penser à tes gosses. Tu les aimes, c'est important. » Fox trempe ses lèvres à nouveau, serre les dents. « Putain qu'il est chaud. » Il souffle sur son café. « Tu crois pas que les kouchis aiment leurs gosses ?

— Si, bien sûr.

— Moi aussi, je le crois. Mais Ghost, lui, il s'en fout. Il en a pas, il en aura probablement pas s'il y a une justice en ce bas monde et il aura jamais à servir d'exemple à qui que ce soit. Il a basculé de l'autre côté et il reviendra plus. Te laisse pas embarquer, oublie pas tes petits. »

Tiny digère en silence pendant quelques secondes.

Fox reprend sa lecture.

« À Khushali Wazir, combien de gamins ? »

Pas de réaction.

« T'en as, toi ?

— Non. » Fox hésite sur le temps à employer pour la suite. *J'ai, j'ai eu ?* « Juste de bons parents.

— Ils vivent où ?

— Loin. » Très loin. Fox est toujours penché sur son canard mais ne lit plus. *Si loin que je n'ai pas pu me rendre aux funérailles de mon père.* Il est mort un dimanche de mai, en 2003. Enterré la semaine suivante à Bias. Prisonnier de cette ville jusque dans la mort. Pierce le lui a annoncé au bout d'un mois. Douloureux à l'époque. Et aujourd'hui, toujours. Il n'a pas pu parler à son père avant son décès, pas pu le rassurer, lui dire sa vérité. Plus tard, il a aussi été prévenu du déménagement de sa mère dans une maison de retraite. Apparemment, son frère et sa sœur s'occupent bien d'elle. Bons parents, bons enfants. Au moins deux sur trois.

« C'est où, loin ?

— Qu'est-ce que t'en as à foutre ? »

Tiny hausse les épaules. « Des fois, tu parles avec un accent. Je voulais juste savoir de quel bled tu venais. »

De France. Qui se rappelle au bon souvenir de Fox lorsqu'il est fatigué ou stressé. Le reste du temps, elle lui fiche la paix et ne s'invite pas dans son anglais. Et personne n'a besoin de savoir. Il fixe Tiny. Pas mal intentionné, juste emmerdé par sa connerie d'hier, désireux de recoller les morceaux.

« Excuse-moi, mec, j'ai mal dormi. » Fox se lève. « Termine ton café et bosse ton pachto, ça peut toujours servir. » Il file son *New York Times* à Tiny. « Je vais aller voir ce que Voodoo me veut. »

Dehors, le ciel est indigo, sans le moindre nuage, et le soleil vif. L'odeur de merde plane toujours sur la FOB, mélangée à un fumet de kérosène. Fenty s'est développée autour de l'aérodrome de Jalalabad, *J-Bad* pour les initiés. Le trafic aérien guerrier y est intense, les effluves de carburant omniprésents. Les forces spéciales US et des paramilitaires de l'Agence, appuyés par les troupes de l'Alliance du Nord, se sont emparés de cet objectif stratégique en décembre 2001. Ils venaient chercher ici Oussama Ben Laden. Il résidait dans la région à ce moment-là mais à leur arrivée il s'était déjà tiré à Tora Bora, la Grotte Noire, à une soixantaine de kilomètres plus au sud, dans le massif de Spin Ghar, à cheval entre l'afghane Nangarhar, dont Jalalabad est la capitale, et Kurram, dans les régions tribales.

L'unique piste de l'aérodrome, orientée est-ouest, sert de frontière à l'intérieur de la base. Au nord, près de l'entrée principale, vivent les Afghans. Plusieurs centaines. Clampins de l'armée nationale, l'ANA, et ASG. On trouve également là des installations techniques, comme les tout nouveaux hangars à drones planqués derrière leur enceinte de protection. La cantine du matin de Fox est dans cette première partie. Les Américains sont presque tous installés de l'autre côté du tarmac, derrière plusieurs kilomètres d'Hesco, de barbelés et de blocs de béton. Mille cinq cents soldats de l'Oncle Sam cohabitent avec des OGA et d'autres sous-traitants chargés de l'aménagement de Fenty ou du développement économique de la province, pour le compte de la Région de commandement-Est.

Fox habite là-bas. En sortant, il débouche dans ce qui était auparavant le parking des avions de ligne et, après avoir attendu le feu vert, traverse la piste pour prendre la direction du quartier général de la police militaire à côté duquel, entre le PX – le supermarché de la base – une salle de sport et la poste, à la limite du *village* des civils, les sociétés militaires privées et les espions ont leur petite enclave bien à eux.

Le camp est une monotonie sans horizon de conteneurs empilés, rouillés, bariolés, en provenance du monde entier, et de baraquements désespérément beiges et identiques, chacun avec leur clim' individuelle, leur occasionnelle parabole et parfois, si une grâce inspiratrice mais toujours réglementaire, martiale ou patriotique a touché les occupants, une fresque. Pour se repérer, il faut se fier aux seuls points saillants du relief, les miradors, les antennes ou les énormes tentes qui, en attendant le passage en dur promis depuis des mois, abritent les postes de commandement et les espaces récréatifs. La poussière est partout, le vrombissement des turbines permanent et les alertes fréquentes. Le danger est réel. Régulièrement, les talibans essaient de forcer le périmètre ou balancent une roquette, pour voir.

Arrivé au B-Hut servant de bureau à 6N, Fox trouve Voodoo en train de s'occuper d'Hair Force One. Il nettoie sa niche, à laquelle un esprit chagrin pourrait trouver une vague ressemblance avec les bâtiments alentour. Elle trône au milieu d'un espace grillagé, sur le côté de leur clapier, en partie protégée du soleil par une toile cirée tendue entre le toit et un poteau planté dans le sol. Voodoo fait ça tous les jours lorsqu'il est ici, c'est-à-dire la plupart du temps. S'il doit s'absenter, seul son Tadjik à tout faire, Omer, a le droit d'entrer dans l'enclos. Son altesse malinoise est un ancien chien d'attaque des forces spéciales blessé en Irak. Il a perdu la patte arrière droite lors d'une opération à Haditha, en 2005. Voodoo était présent ce jour-là. Il s'est battu pour faire soigner et récupérer le clebs, lui a fait fabriquer par la suite une prothèse sur mesure. Avec, il peut courir à peu près normalement, sans trop se fatiguer, et il n'est pas rare de le voir avec son maître quand celui-ci fait son jogging matinal autour de la base. Hair Force One aboie un coup lorsque Fox approche, et montre les dents. Misanthrope, comme Voodoo.

« T'as rien à craindre.

— C'est ce que t'as dit à Viper le mois dernier, juste avant que ton psychopathe à poils essaie de l'égorger. »

Voodoo range ses accessoires de ménage dans une petite caisse en bois. Il se relève et adresse un sourire sans chaleur à Fox. « C'est un fin psychologue. » La remarque est étrange, Viper est un fidèle. Voodoo sort de l'enclos, le referme. « Viens, je t'offre un café. »

Les deux paramilitaires pénètrent dans le B-Hut. Sur la porte d'entrée, un simple numéro peint en noir, *103*, celui du bâtiment sur la grille de référence de la FOB. À part le 104, un rang derrière, également réservé à 6N, leur lieu de stockage et de débauche, toutes les autres constructions du voisinage portent les noms des unitésou des boîtes qui les occupent. L'intérieur est un capharnaüm de dossiers, fournitures, Pelicase de matos, munitions, rations et tenues dépareillées, aménagé en open space. Outre des étagères et un coffre-fort Chubb de classe VI maousse et flambant neuf, il y a trois bureaux équipés de PC. Un près de l'entrée, en libre accès, surtout utile aux cadres de la société débarquant de temps en temps de Kaboul ou des États-Unis, celui de Voodoo tout au fond et, entre les deux, le dépotoir de Data.

Concentré sur l'écran de son ordinateur, ce dernier répond d'un vague signe de la main au salut de Fox. Data, David Taaffe, n'est pas un guerrier, c'est leur administratif. Homme de paperasses, de chiffres, de logistique, avec le physique de l'emploi, tout en hauteur et en os, il a vite su se rendre indispensable. Pour mieux l'intégrer, on lui a filé son propre indicatif.

« Allongé, serré ? » Voodoo aime le bon café, il s'est acheté un véritable percolateur et se démerde pour se procurer des arabicas de qualité. Seuls quelques connaisseurs en profitent.

« Serré. »

Le boss a un autre péché mignon, le whisky single malt. Une bouteille de Macallan pas encore débouchée traîne justement, avec un élégant sac de voyage en cuir, sur une malle métallique kaki, solidement cadenassée, posée à côté de sa table de travail. La cantine ne fait pas partie de l'inventaire habituel du QG de 6N.

« Beau boulot, l'autre nuit. » Voodoo tend son espresso à Fox et l'invite à s'asseoir en face de lui. « Ils sont contents à l'Agence.

— Ils sont sûrs pour Speaker ? »

Voodoo hoche la tête. « Confirmé par le bla-bla Icom dans les heures qui ont suivi. » Les talibans utilisent des terminaux radios peu ou pas sécurisés, souvent de marque Icom, et ont tendance à se répandre sur les ondes en cas de crise. Ils sont très écoutés.

« Il y avait beaucoup de mouvement sur place ce soir-là. Il est possible qu'on ait loupé un truc.

— Que veux-tu dire ?

— Un des visiteurs du soir de Speaker se baladait sans arme, avec un Thuraya. Hafiz l'a vu même s'il n'a pas réussi à l'identifier. Il était avec un autre VIP, désarmé lui aussi. Ce sera dans mon rapport.

— Je transmettrai. Savoir qui, à part nous, était connecté au réseau satellite dans la zone ne devrait pas être trop compliqué. Combien de nouvelles recrues ?

— Cinq.

— En trois jours sur place, vous avez pas chômé.

— Karlanri sait se montrer persuasif.

— Et Tiny, tu l'as trouvé comment ? »

C'était sa première incursion de l'autre côté avec Fox. « Bien. Réactif.

— Tu le reprends ? »

Fox prend le temps de réfléchir. « Sûr. Mais je ne suis pas là depuis très longtemps. Fais-le tourner un peu avec les autres. » Il a failli dire *tes mecs*. Voodoo ne fait confiance qu'à sa garde rapprochée et Fox n'en fait pas partie. Peut-être n'en fera-t-il jamais partie. Peut-être n'en a-t-il pas très envie.

« Fais pas ton modeste. T'es pas là juste parce qu'on me l'a fortement conseillé. »

Les chemins de Fox et Voodoo se sont croisés une première fois en 2005, lorsque Fox a intégré la Division des activités spéciales de la CIA, pour laquelle Voodoo travaillait déjà depuis pas mal d'années. Pendant quelque temps, ils ont participé à la traque d'Abou Moussab Al-Zarqaoui, le chef d'Al-Qaïda en Irak. Dans des équipes séparées. Voodoo bossait avec Ghost, Viper et Rider, déjà, Fox avec d'autres mecs. Six mois avant la mort de Zarqaoui, Voodoo est parti dans le privé. Initialement chez Oneida, une branche du groupe Longhouse International, puis chez 6N, une autre filiale plus confidentielle, aux activités circonscrites à la zone Af-Pak. Après un bref passage chez Blackwater au Pakistan, Fox a rejoint 6N fin 2007. Il doit ce job à l'intervention du P-DG de Longhouse, Robert G. Zinni, un vieil ami de Richard Pierce, le recruteur de Fox à la Direction des opérations. Muté depuis à l'Inspection générale, les bœuf-carottes de la CIA, Dick Pierce continue à le suivre et a œuvré dans l'ombre pour le faire embaucher par Blackwater et ensuite ici.

Voodoo lance à Fox un livre recouvert d'un emballage cartonné pris sur son bureau. C'est un Coran.

« Je l'ai déjà lu.

— Je sais. C'est pour les copains de Wana, pas pour toi. »

Wana, principale ville du Waziristan du Sud. Le territoire d'Hakimoullah Mehsud et de son copain Baitoullah Mehsud, le chef du TTP. Tous les deux sont des cibles de l'Agence. Les militaires pakistanais adorent Hakimoullah. Il a kidnappé deux cents de leurs soldats avant d'échanger les sunnites parmi eux contre des talibans et des combattants arabes prisonniers. Les chiites, il les a décapités. Il aime bien couper les têtes. La rumeur lui attribue également l'exécution de plus d'une centaine de maliks. Fox ne s'est pas encore aventuré chez eux, même si la CIA a déjà un embryon de réseau sur place. Il examine le bouquin. « Mouchard dans la reliure ?

— Passif et indétectable, sauf par nous. Ne me demande pas comment ça marche, j'en sais rien. Ils font bip-bip et on peut les suivre à la trace, c'est tout ce qui m'intéresse.

— Cadeaux à distribuer là-bas ? »

Voodoo acquiesce. « Avec Tiny. Ça tombe bien, vous êtes potes maintenant. Vous serez pas seuls a priori mais j'ai pas tous les détails encore.

— Quand ?

— Dans quelques jours, à mon retour. »

Voodoo n'a pas le temps d'en dire plus. Deux bagnoles freinent bruyamment devant l'entrée du B-Hut, propulsant un épais nuage de poussière jusque dans le baraquement dont la porte est ouverte.

Data tousse et se met à râler. « Putain, les ordis !

— Arrête de gueuler et va te foutre au soleil, t'es tout pâle. »

Fox se retourne pour voir Ghost, équipé pour la guerre, avancer vers lui à grands pas.

« T'es là toi ? Dis-moi que t'as démissionné. »

Les deux hommes échangent un doigt d'honneur sans se regarder. Voodoo rigole mais ne dit rien. Un silence inconfortable finit par s'installer. Ayant compris le message, Fox se lève.

« Emmène Tiny voir Bill, il a besoin d'un coup de main pour la JSF. »

La *Jalalabad Strike Force*, littéralement la Force de frappe de Jalalabad, quintessence des CTPT. Officiellement, une unité d'intervention placée sous l'autorité du gouverneur de la province, pour assurer sa protection et celle de ses proches. En réalité, une milice privée de trois cents nervis plus efficace, mieux armée et moins voyante que la précédente armée de Zapata en déroute de cet allié de la première heure des États-Unis. Sélectionnée et formée par 6N, dont c'est l'une des missions en Afghanistan. Bill, en fait Wild Bill, ancien équipier de Voodoo, supervise leur entraînement ici, dans l'enceinte de Fenty.

Les pickups arrivés avec Ghost, de couleur vert bouteille, sont marqués du sigle de la *Border Police*, la Police des frontières. En plus des chauffeurs, huit flics afghans lourdement armés, avec gilets pare-balles, kalaches et RPG, sont répartis à parité entre les véhicules. Dans chacune des bennes, Fox remarque des malles métalliques semblables à celle aperçue à côté du bureau de Voodoo, deux plus une, et un sac étanche The North Face. À *Ghost* ? Il disparaît derrière un bâtiment, fait rapidement le tour d'un autre et va se poster plus loin à l'angle d'une troisième construction, dans l'ombre d'un toit, pour observer discrètement le manège de ses *frères d'armes*. Ces cantines doivent être précieuses pour bénéficier d'une telle escorte.

Six Nations effectue parfois des opérations de convoyage mais il s'agit en général de colis venant de l'extérieur de l'Afghanistan. Là, Voodoo est sur le départ, vraisemblablement pour l'étranger, en compagnie de Ghost et surtout avec ces trois malles. Correction quatre malles. Des flics sont entrés dans le B-Hut et ressortent avec la quatrième. Suivis par les deux Américains. Tous embarquent dans les bagnoles et s'éloignent rapidement.

Fox retraverse le camp au petit trot pour se rendre en bordure de la piste d'envol. Il repère au loin l'aire de stationnement des hélicos de la boîte. Le Bell 412 qui les a ramenés d'Orgun-e s'y trouve, avec son équipage. Les pickups de la Border Police ne tardent pas à arriver, les caisses sont transférées à bord de l'appareil. Ghost et Voodoo montent ensuite. Les pickups se cassent. L'hélico décolle et file plein ouest. Par là-bas, il y a Kaboul, son aéroport international et la base aérienne de Bagram, où une autre filiale de Longhouse, Mohawk, exploite une flottille d'avions civils au profit de l'ISAF et des autorités locales.

Voodoo et Ghost arrivent sur place quarante minutes plus tard, au milieu d'un ballet aérien chaotique dans lequel tout ce que l'ingénierie belligérante est capable de faire voler se côtoie, se frôle, se rate de peu. Bagram, c'est un réceptacle à gros-porteurs construit, à presque deux mille mètres d'altitude, par les Soviétiques période realpolitik, âprement disputé par les seigneurs de guerre version pilleurs fratricides puis arraché aux talibans à grand renfort de mégatonnes à guidage laser dans les premiers jours de l'offensive de 2001. C'est un chancre désormais bien mûr au milieu de la plaine de Shomali, autrefois qualifiée de Jardin de Kaboul tant elle était fertile, et aujourd'hui déserte, labourée jusqu'à l'os par trente années de bombes, d'obus et de mines. Quartier général de la RC-Est, plus grosse installation guerrière de tout l'Afghanistan, c'est le croisement bâtard entre la démesure du génie militaire et l'urbanisme banlieusard *made in USA*, avec ses artères droites, perpendiculaires, ses incontournables Hesco, ses tentes XXL, ses engins de mort, ses terrains de sport, ses centres commerciaux et ses chaînes de fast-foods. Dix à quinze mille troufions poireautent ici en permanence, en partance pour l'enfer ou pour le paradis, le *home sweet home*, le conflit ou le cimetière.

L'hélico les dépose près du hangar Mohawk, dans la zone réservée aux sous-traitants privés, et Ghost a juste le temps d'une pause pipi avant de rembarquer. Dans les toilettes modulaires Portakabin les plus proches, seuls les WC réservés aux femmes ne débordent pas. Sur l'une des parois, à l'encre fuchsia, une fille a écrit, *I miss my kitty*. Ma chatte me manque. Évidemment, la tentation est forte et, tout en se soulageant, sans faire très attention à l'endroit où il vise, Ghost grave juste en dessous *I miss it too* avec son poignard. Fier de son humour et de son arrosage, il se presse de rejoindre Voodoo.

Ce dernier l'attend à côté d'un Hercules C130 démilitarisé, repeint en blanc, portant l'immatriculation N-8183G et, après un passage éclair devant une soldatesque seulement habilitée à vérifier leurs documents d'identité, pas la cargaison de leur avion estampillé *top secret*, ils décollent à nouveau pour les Émirats arabes unis. Avec leurs quatre malles. Partis vers onze heures, ils se posent à quatorze heures passées à Sharjah, capitale de l'émirat du même nom, et roulent peinards en direction des entrepôts de STI Inc., une société de fret implantée dans la zone franche de l'aéroport. Ici, les facilités sont les mêmes qu'à Djebel Ali, le complexe portuaire du voisin dubaïote. Les entreprises peuvent être créées et enregistrées en moins d'une journée, et détenues par des intérêts étrangers. Elles ont la possibilité de rapatrier à tout moment profits et capital, sont exemptes de taxe, disposent d'infrastructures administratives, financières, juridiques et logistiques vingt-quatre heures sur vingt-quatre, sept jours sur sept, et bénéficient de procédures et de contrôles limités, simplifiés à l'extrême. Et si c'est encore trop, il est toujours possible de s'arranger. Ne jamais oublier : dollars ou dirhams, enveloppe, sac plastique ou mallette.

Voodoo débarque seul avec son bagage et file bientôt vers Dubaï, à une trentaine de kilomètres, à bord d'un Range Rover loué par sa société. Il est déposé au Radisson Blu Downtown, où il a réservé une chambre. En début de soirée, peu après le coucher du soleil, il grimpe à La Terrasse, le bar en plein air de l'hôtel, installé sur le toit. Soupe lounge avec DJ résident, décoration à la sobriété mondialisée, juste ce qu'il faut d'accessoires, de matériaux naturels, de faux acajou et de blanc cassé pour créer l'illusion d'une oasis moderne sans dépayser personne. Le traitement post-FOB idéal.

Il y a peu de monde, des voyageurs d'affaires et des petits princes locaux déguisés en branchouilles. Deux perches court-vêtues, au platine zéro défaut, patientent à une table en sirotant des cocktails arc-en-ciel dans des verres à pied. Sans alcool probablement, ils sont moins chers. Elles ne sont pas là pour claquer mais pour faire cracher. Russes, Ukrainiennes, aux Émirats arabes unis, on en compte treize à la douzaine. Après avoir commandé un scotch au comptoir, Voodoo passe sans s'arrêter à côté de la doublette d'expats de la fesse, un sourire discret aux lèvres. Si elles sont encore là et libres plus tard, il se laissera tenter. En Afgha, il baise pas, ça lui manque.

Une brume légère enveloppe la ville, atténue ses outrances, ses immeubles trop hauts, trop bling, ses lumières omniprésentes et acidulées, la rend presque charmante. Presque. Dubaï est une belle de nuit, vulgaire, hypocrite et menteuse, moderne en surface, capitale des nouvelles capitales du monde globalisé, mais pourrie à cœur et toujours ensablée dans un obscurantisme des plus rétrogrades.

« Une belle pute du désert. » La voix est celle d'un homme, familière. Il s'exprime en anglais avec un accent français douloureux.

« Notre belle pute du désert. Salut, Alain. »

Seule sa femme ose appeler Montana *Alain*. Et Chloé, sa maîtresse, par provocation. Ses amis ? Ils sont peu nombreux, volontairement, et ils ont peur de lui. « Comment se passe ta guerre, Gareth ? » Pour Montana, Voodoo a toujours été Gareth. Il connaissait sa véritable identité avant de devenir son intime, avant même de le rencontrer en personne et de devoir le côtoyer pendant plusieurs mois, justement parce qu'il devait le côtoyer pendant plusieurs mois. Avec le reste d'une délégation américaine tout aussi transparente à ses yeux. D'abord en France et ensuite au Kosovo. C'était à la fin des années quatre-vingt-dix, il fallait se mettre d'accord sur la meilleure manière de virer les Serbes de leur ex-province autonome et choisir les hommes appelés à prendre leur place, le futur Premier ministre Thaçi, alors simple rebelle de l'UCK, et sa bande.

« Bien. Elle est sans fin. »

Voodoo servait d'escorte aux guérilleros kosovars à l'époque, avec une équipe de la Delta Force placée sous ses ordres. Montana évoluait dans l'ombre des négociateurs français, éminence grise au profil plus furtif encore que ceux des officiers de la DGSE dépêchés sur place, peu intéressé par ses homologues de la CIA et du Département d'État, et toujours à la recherche d'angles d'attaque inédits. Leur amitié remonte au jour où Montana est allé au contact de Voodoo armé d'une bouteille de Springbank et lui a demandé, en l'appelant par son nom, de lui accorder quelques minutes. Le flacon y est passé, la soirée aussi. Ils se sont reniflés, reconnus et entendus. Ont suivi dix années de connivence et de fidélité.

« Ne le sont-elles pas toutes ? » Montana s'est accoudé à la balustrade, aux côtés de Voodoo. Pas très grand, ni mince ni gros, un peu de ventre. Sa barbe poivre et sel est taillée avec soin pour recadrer un visage affaissé par les ans et le manque d'exercice et il porte un élégant costume crème, sur mesure.

« L'Irak va se calmer, ça repart de notre côté. Sans objectif précis. Pas d'objectif, pas d'issue possible, le spectacle continue.

— Ne trouvez pas Ben Laden ou vous aurez gagné et la fête s'arrêtera. Vous le chassez toujours ? » La question est posée avec un sourire malicieux.

« Personnellement, je m'occupe de ressources humaines. Mes gars, eux, ils forment, ils développent, ils soutiennent. Ils participent. Oussama est loin mais on l'aura sûrement un jour. » Voodoo termine son verre. « S'il est encore vivant. En attendant, il faut rassurer le compatriote et justifier la facture. On traque Al-Qaïda, on flingue quelques fêlés à barbe. T'en tues un, il en sort dix. On va pouvoir s'amuser longtemps.

— Cynique, comme un Français.

— Ta mauvaise influence. J'aurais dû monter ma société quand on s'est invités chez Saddam, je serais riche aujourd'hui.

— Tu es riche. » Montana prend le coude de Voodoo. « Allons nous asseoir. »

Les deux hommes prennent place à la table voisine des deux mannequins de plumard et commandent une tournée de whiskies.

Aussitôt le serveur parti, Montana récupère un stylo dans sa veste et, sur une serviette en papier, inscrit deux nombres, l'un au-dessus de l'autre, *15* et *20*. Il la glisse à Voodoo. « Le premier, c'est toi, le second, tes amis. C'est arrondi au supérieur.

— Net ?

— Net et propre.

— Et le brut ?

— Environ soixante-dix, si on additionne les deux parts et la mienne. »

Voodoo hoche la tête. « Qui est ?

— Pareil que toi, enfin pour l'instant. Dans les quinze.

— Sec, le nettoyage.

— Ici, ils sont bons et un service de qualité, ça se paie.

— Et nos copains de Pristina ?

— Aucune idée, ils ont leurs circuits perso du côté de la Suisse. Nostalgie, j'imagine. Ils gagnent sûrement beaucoup plus puisqu'ils tiennent la distribution. » *Et j'ai aidé leur réseau à monter en puissance, un coup de main à titre onéreux.* Ça, Montana le garde pour lui, inutile de compliquer leurs affaires. Il ne l'a pas fait pour s'enrichir personnellement et les gains ont été réinvestis dans divers projets conduits si ce n'est au nom de la France, au moins dans son intérêt.

« Pas mal pour quelques mois de boulot.

— Moins d'intermédiaires, plus de marge. »

Leurs scotchs arrivent. Voodoo attend d'être à nouveau tranquille et propose un toast à voix basse. « Au président des États-Unis pour ses deux plus belles initiatives, la guerre à la terreur et les habilitations top secret. Dieu bénisse l'Amérique !

— Santé. » Montana a trinqué en français. Il boit une gorgée rapide, pose son verre, reprend la serviette griffonnée et la brûle dans un cendrier. « La prochaine expédition, c'est quand ?

— J'étais avec dans l'avion. » Voodoo regarde sa montre. « Ghost sera là-bas dans un peu moins de trois heures.

— Combien d'unités ?

— Quatre cents.

— C'est plus que d'habitude.

— Et ça ne nous a presque rien coûté.

— Augmentation des descentes ? »

Voodoo acquiesce. « La surproduction. Ça circule tous azimuts et nos amis ne veulent pas de trafic sauvage dans leur juridiction. Nangarhar est une province pilote en matière d'éradication de la culture du pavot. » L'Américain sourit.

« On peut tenir le rythme ?

— On peut. Il est également envisageable d'acheter plus. »

Montana dévisage son interlocuteur. « Est-ce bien ce que nous voulons ? »

Leur aventure est née d'une opportunité que Voodoo a présentée en ces termes au Français : « Nous travaillons avec des figures locales, nous entraînons leurs mecs, nous les équipons, nous les payons, ils nous assistent, il leur arrive de nous renseigner, il nous arrive de les conseiller, en direct, pour certaines opérations, et vu que tout se passe bien, ils veulent nous remercier. » Au premier cadeau, quelques dizaines de kilos, une prise de guerre égarée ou mal détruite, le refus a été net. *Pas moi, pas là pour ça.* C'est revenu, une fois, deux fois. Quelques dizaines de kilos, c'est beaucoup de pognon. Mais faut pouvoir livrer, faut pouvoir écouler, faut savoir quoi faire avec tout ce fric. Il en a parlé à Montana, l'homme de réseaux, tapi au centre d'une toile de secrets stratégiques, politiques, économiques et de leur corollaire, les circuits de financement. Tordu, sans foi, loi ou illusion. Son vieil ami. Voodoo lui a dit : « J'ai besoin de toi. » La réponse a été : « Au Kosovo, ils savent distribuer, ils peuvent nous aider. » Ça tombait bien, Voodoo les faisait déjà bosser, avec la bénédiction de l'Agence et de 6N. Les guerres clandestines ont besoin d'armes discrètes. Ils étaient idéalement placés à l'est et prêts à rendre service. Il avait aussi pensé à eux pour ses petites affaires et, avec Montana dans la boucle, la vieille alliance a pu renaître, une situation plaisante et rassurante pour tous. Sauf qu'à Pristina, ils ne voulaient pas d'un coup unique. Alors quelques dizaines sont devenues quelques centaines, énormément d'argent. Au début, les saisies *mexicaines* étaient suffisantes puis, pour maintenir la cadence, il a fallu rajouter un peu. Mais dans ce bizness, un peu signifie rapidement un peu plus, et ce n'est jamais assez.

« Mon contrat avec 6N court jusqu'à la fin de l'été. Je le renouvelle pour une année, et après, je me casse. Ça nous laisse dix-huit mois max pour profiter de la situation.

— Je comprends. » Montana finit son verre, interpelle un serveur. « Nos amis aussi, j'espère.

— Es-tu allé à Pristina récemment ?

— Non. En ce moment, je suis plutôt dans le coin et en Afrique du Nord. La France se rapproche de la Libye, s'intéresse au Qatar, elle a besoin d'argent frais.

— On devrait retourner au Kosovo. J'ai toujours aimé leur manière de faire la fête. » Voodoo fixe leurs voisines.

Montana le remarque. « Comment va ton épouse ?

— Elle veut divorcer. Je ne suis jamais là et je ne veux pas d'enfant.

— Accepte. Donne-lui tout ce qu'elle veut maintenant. Dans un an, tu vaudras beaucoup plus et il sera dans ton intérêt d'éviter qu'un avocat fouineur ne vienne mettre le nez dans tes finances.

— Tu as raison. » Voodoo ajoute en se marrant : « Fais attention à ta femme, alors. »

Leur nouvelle commande arrive.

« Jamais elle ne me quittera. Elle sait. » Montana retient un instant le garçon et, très naturel, propose aux deux putes de se joindre à eux. Que veulent-elles boire ?

À Sharjah, l'Hercules C130 de Ghost a refait le plein et chargé du fret civil à destination des Balkans, inutile de faire voler les avions à vide, avant de repartir pour Pristina, où les États-Unis maintiennent une présence militaire, notamment dans la zone aéroportuaire. Il y atterrit vers vingt heures, heure locale, au moment où Voodoo termine la soirée dans sa chambre, en compagnie de la paire de culs russes, Montana ayant poliment pris congé au prétexte d'un rendez-vous aux aurores.

Ghost est accueilli sur place, avec ses malles d'héroïne, par Isak Bala, un officier du SHIK, les services de renseignement du Kosovo, police secrète du pouvoir en place, ancien bras armé de l'UCK, en partie entraîné par les Français au Centre parachutiste d'entraînement spécialisé de Cercottes à la fin des années quatre-vingt-dix et sponsorisé par la CIA depuis. Lui et les cantines – leurs affaires officieuses – embarquent à bord de 4 × 4 blindés banalisés et quittent l'aéroport sans la moindre formalité. En chemin, quelques traits d'une très bonne cocaïne aimablement fournie par Isak suffisentà faire disparaître la fatigue du voyage. Remis d'aplomb, Ghost entame une longue veillée de beuverie, de came et de fourrage de chattes jusqu'à son départ, le lendemain.

Cette nuit-là, une des gamines partouzées, une ado serbe attrapée près de la frontière deux semaines auparavant, meurt d'une overdose vers quatre heures du matin. Ghost ne s'en aperçoit pas, il y en a tellement des pouffes à cette teuf, et bien avant qu'il ne redécolle, elle a été balancée dans l'une des décharges de la ville.

Pendant que Ghost s'éclate, onze tonnes de petit armement, fusils d'assaut, lance-roquettes, mitrailleuses, toutes les munitions ad hoc, et deux tonnes d'équipement de combat, en provenance de l'ex-bloc de l'Est et apportées par Bala – leurs affaires presque officielles – prennent place à bord de l'Hercules. Sur le manifeste, pour la forme, cette cargaison est décrite en ces termes : outillage et vrac de pièces détachées. Le 1er février 2008, à dix-neuf heures seize, heure des Émirats, le C130 N-8183G fait une nouvelle escale technique chez STI Inc., à Sharjah. Trois passagers à destination de l'Afghanistan montent à bord. L'un d'eux est cagoulé, entravé, en combinaison orange. Ghost ne les voit pas, pas plus qu'il ne les verra descendre une fois arrivé à Bagram, en fait il ne saura jamais rien d'eux et il s'en fout, il dort du sommeil du juste, assommé par les Xanax dont il s'est gavé en partant de Pristina.

Alors que le C130 de Ghost roule en direction de la piste de décollage pour quitter les Émirats et retourner au front, un Iliouchine IL 76, quadriréacteur de transport de conception russe, vient se garer à proximité des installations de la WAA, la West African Air Ltd., une société de fret aérien desservant toute l'Afrique, dont le hangar jouxte celui de STI Inc. Les deux boîtes sont sans lien l'une avec l'autre et le croisement des avions est totalement fortuit. Les activités de la WAA, principalement l'import-export de matériel agricole lourd, sont casher. Elles n'ont rien à voir avec la lutte contre le terrorisme ou un quelconque trafic.

L'Iliouchine est loué à la société East Airways, basée en Ukraine, et vient charger des équipements et fournitures à destination d'Abidjan. Après une courte escale, il repart, vole pendant environ neuf heures et se pose en Côte d'Ivoire. Dix tonnes d'anhydride acétique, des pièces de rechange pour une scierie industrielle et un autoclave destiné au traitement du bois sont débarquées. Elles sont réceptionnées par le directeur de production de l'Ivoirienne de Sylviculture, une entreprise d'exploitation forestière, née il y a deux petites années du rachat et de la fusion de plusieurs entités en faillite. Son actionnaire principal est français, il s'appelle Thierry Genêt et, depuis quelques mois, il a attiré l'attention du résident local de la DGSE.

Cela remonte à la révélation du nom du second actionnaire principal de l'Ivoirienne de Sylviculture, l'IBC SR Trading. IBC signifie *International business company*, une forme de société *offshore* généralement immatriculée dans des paradis fiscaux, en l'occurrence les îles Vierges britanniques, permettant d'éviter la moindre taxation et de dissimuler l'identité de ses propriétaires réels. Il a fallu pas mal de jus de crâne, de persuasion et de patience à notre fonctionnaire de l'espionnage pour confirmer que les initiales SR étaient celles de Sorhab Rezvani, un Iranien versé dans les affaires. Il se trouve que Rezvani était déjà connu des services secrets français, même si la barbouze n'avait jamais entendu parler de lui avant de découvrir sa passion pour les grumes de Côte d'Ivoire. En 2005, il avait fait l'objet de plusieurs notes. À l'époque, il était intéressé par les investissements miniers, au Malawi et en Namibie et, pour ses déplacements sur place, il avait loué les services d'un pilote privé installé au Mozambique, Thierry Genêt. Est-ce un hasard si les régions parcourues par les deux compères durant cette période étaient réputées abriter d'importants gisements d'uranium ? Uranium, Iran. Nucléaire. Bombe. Suffisant pour intéresser Paris. Rezvani, gendre de l'un des pontes du régime des ayatollahs, fut alors tant bien que mal – manque de moyens oblige – suivi à la trace, le temps pour ses projets de tomber à l'eau. Jamais il n'obtint la moindre concession et il fut peu à peu oublié, perdu de vue, négligé.

Jusqu'à l'Ivoirienne de Sylviculture. De vilaines rumeurs courent sur l'impossibilité de rentabiliser l'activité. Pourtant, SR Trading ne cesse de remettre de l'argent au pot, une anomalie qui intrigue la petite communauté des expatriés d'Abidjan. Et Mortier.

3

Lorsque Sher Ali s'éveille, et ce n'est pas son seul retour à la surface au cours des derniers jours, Badraï le délaisse au détour d'un cauchemar. Il lui apprenait à sculpter un fruit mais elle ne l'écoutait pas, regardait ailleurs, lointaine, et il était blessé de cette distance entre eux, triste à pleurer. Un rêve à vif, si réel que la peine lui est montée aux yeux. Arraché au sommeil par son chagrin, il reprend cette fois véritablement conscience, le cœur comprimé et la tête enserrée dans un carcan de douleur. Il a mal, tout un côté de sa face, entre le front et la pommette, est chaud, engourdi. Il ouvre l'œil droit, l'autre il n'y parvient pas, et des aiguilles de souffrance s'enfoncent dans ses orbites, au fond de son crâne. Sher Ali gémit, veut toucher son visage, a le temps d'apercevoir un avant-bras, le sien semble-t-il, constellé de taches brunes, rouges, rosées, maintenu raide à hauteur du poignet par une attelle moderne. Il peut aussi effleurer une toile rêche appliquée sur la partie gauche de son visage, puis des mains, délicates mais puissantes, viennent saisir ses biceps pour le maintenir à la surface d'un lit. Il hurle sa rage frustrée, s'agite, au supplice, en détresse. Badraï, où est Badraï, « OÙ EST BADRAÏ ? » gueule cette question à l'infini avec la terrible certitude de l'irrémédiable. *Je veux savoir où est Badraï, je suis sur un lit, pourquoi je suis sur un lit, où est ce lit, ma fille je veux l'entendre, comment je suis arrivé sur ce lit, où est-elle partie, je l'ai laissée, pourquoi je l'ai laissée, je dois savoir où je l'ai laissée, Allah où est ma fille, où est ma fille, où est-elle, elle est où, dites-le-moi. Je ne me souviens pas.*

« Mon frère, calme-toi. Mon frère si doux. » La voix roule, grave et tendre, elle n'est pas inconnue. Qasâb Gul. Il est penché sur son khan, le tient, n'ose le serrer même s'il en a envie, sa mine est inquiète.

Autour, c'est une pièce chaulée, avec une fenêtre occultée par un voile pourpre, perméable au soleil. Il y a une poche translucide accrochée à la tête du charpoy sur lequel on a couché Sher Ali, avec un tube serpentant jusqu'à lui, jusque dans lui. Dans un coin, des coussins, des tapis, un poêle rougeoyant, un plateau chargé de nourriture, une table basse et des fournitures médicales, un transistor, des armes. Des armes. La guerre. La mort. « Où sont mes enfants ? »

Le Boucher baisse le regard. Son absence de réponse vaut toutes les réponses.

À cet instant précis, Sher Ali voit cette chambre sous son jour vrai, semblable à toutes celles qu'il a connues, trop petite, trop craquelée, poussiéreuse, minable, il vaut mieux que cette pauvre chambre, dans ce monde de pauvres, et ses enfants aussi. Il s'est promis de leur offrir un meilleur, un avenir, loin d'ici. Et c'est fini, il a échoué. Quelque chose s'en est allé, est parti, l'a fui. Il le ressent physiquement ce manque, il l'étourdit. La peur, son immense peur, permanente, l'a abandonné. Il est surpris, des semaines, des mois, des années à faire avec, sans plus vivre, et enfin elle l'a quitté. Il en est presque soulagé. Ce qui était n'est plus. Sher Ali ne pleure pas, il n'y arrive pas, il s'est refroidi subitement, asséché, racorni.

Les secondes passent et Qasâb Gul retrouve son courage. « Je suis venu chercher les corps », il se reprend, « les chercher, tes enfants. Pour les ramener à notre village. C'était il y a cinq jours ». Lui verse une larme, raconte. Aucun problème pour la traversée, pour livrer, les hommes épuisés mais contents.

Sher Ali ferme son œil valide, pense à Adil, à la caravane avec laquelle son fils aurait dû chevaucher.

Il y a eu cette rumeur, une attaque, des morts. Et l'appel. Qasâb Gul devait revenir. À Khushali Wazir. Il récite ce qu'il sait de la bouche des autres, les deux bombes, la nuit, le morceau de portail balayé telle une feuille, sous lequel Sher Ali a été retrouvé. Il décrit ce qu'il a vu, les brûlures mortelles d'Adil, garde pour lui le cadavre noirci, effondré en dedans, auquel il manquait un bras, un pied, des doigts, une partie de la hanche. Et Badraï ? Badraï, le Boucher hésite. Elle était avec son père, tout contre son père. Sous le portail. Écrasée, par le choc, sous le poids, sur son père. Pour son père. Il ne dit pas tout cela, il ne dit rien.

Sher Ali comble ce déficit de parole, se remémore l'entretien avec Siraj et Tajmir, leur départ, le coup de feu. « Quelqu'un a tiré. Je suis sorti. Le reste, je ne m'en souviens pas.

— La mort a été rapide. » Un temps. « Nous les avons enterrés à Sperah et je suis revenu ici pour être avec toi. »

Il n'était pas là pour raccompagner ses enfants à la terre. Dans la terre. Badraï avec de la terre sur elle, autour d'elle, enfermée jusque dans la mort. Sher Ali ne verra jamais plus sa Nouvelle Lune ni la lumière de son regard. Il avait rêvé autre chose, une existence différente de la sienne. On lui a pris son rêve, leur ailleurs, ce n'est pas juste. Cette absence, définitive, emballe son cœur. Il se remplit à nouveau, mais de vide, ça lui coupe le souffle. La rage monte, l'étouffe, impossible de respirer si eux ne respirent plus. Sher Ali sent le feu dans ses poumons, il tousse, racle, crache, veut se relever, sans force. « Aide-moi ! » supplie-t-il et il peut enfin se redresser, porté par les bras solides de Qasâb Gul, ces bras contre lesquels il s'est battu, gamin, avec lesquels il a lutté, adulte. Ces bras, ils l'ont parfois tenu et soutenu dans l'obscurité des solitudes de montagne, ils étaient rassurants.

Ils le sont encore. La crise et la quinte passent, le corps se relâche mais toujours aucun pleur, le silence s'installe. Sher Ali reste ainsi un long moment, l'air hébété, et le Boucher finit par aller se rasseoir dans son coin.

De l'extérieur arrivent les sons de moteurs emballés, de vitesses qui craquent, de voix, de cris d'autorité, pachto, ourdou, ça manœuvre, ça claque, ça ouvre, ça ferme.

« C'était écrit. » Un mince filet de voix.

« Que dis-tu ? »

La question est balayée d'un revers de la main, dont l'apparente désinvolture tranche avec la soudaine crispation des traits de Sher Ali. « Où sommes-nous ?

— À Mir Ali. » La seconde ville du Waziristan du Nord, à deux kilomètres à peine de Khushali Wazir. « Un docteur habite ici, un ami de Sirajouddine. »

Le visage se ferme un peu plus.

Qasâb Gul le voit. « Il a opéré ton œil.

— Crevé ? »

Hochement de tête.

Sher Ali n'est pas surpris, accepte, il avait compris. Il replie son poignet droit brisé sur son ventre. En appui sur le bras gauche, également brûlé de la main au coude, il se tourne dans son lit, pose ses pieds nus sur le sol froid et retire l'intraveineuse, grimace. Qasâb Gul se précipite mais Sher Ali lui fait signe de le laisser, ses souffrances ne sont rien. Il se met debout, tangue, fait un pas. Et un autre. Et encore. Jusqu'à la fenêtre où il prend appui, éreinté. Il écarte le voilage, chaque geste, chaque effort est une torture pour son corps abîmé, ouvre, il veut sentir le frais, la vie qu'il lui reste, la force dont il dispose. Il va en avoir besoin.

Dehors, c'est une cour, cernée par plusieurs bâtiments gris moellon et une enceinte, haute. Des adolescents vont et viennent au cul d'un camion, un jingle truck à la proue rouge, avec une paire d'yeux bleus peinte sous le pare-brise. Ils déchargent des caisses, certains sont à la peine, plus jeunes, plus frêles. Elles sont lourdes ces caisses, elles contiennent des armes. Sher Ali sait, il connaît, il en a vu et porté souvent. Au nombre des gamins, à leur accoutrement, il pense madrasa. À l'arrière du véhicule, dans la benne, se trouve le pauvre, le manœuvre, le chauffeur, qui fait passer. À l'avant, près de la cabine, il y a quatre individus. Un mollah, de l'école sûrement, et un soldat tête nue, sans insigne d'unité et sans grade. Accompagnant cette mortelle cargaison, au moins sous-officier. Le troisième c'est Tajmir.

Sher Ali crache par terre.

Le dernier homme se tient à l'écart des premiers, sur ses gardes sans agressivité, observateur, discrètement armé, un guerrier. Il est plus grand, habillé à la mode locale mais Sher Ali aperçoit des mèches blondes sous son pakol, des yeux bridés, une barbe en pointe, plus sombre que les cheveux, la peau parcheminée d'une vie de rigueur, exposée. Ouzbek. On en croise par ici autant que l'on croise des combattants arabes. Ils viennent trouver refuge dans les zones tribales, chassés de chez eux par leur propre djihad pour finir mercenaires des guerres saintes des autres. Il repère Sher Ali à la fenêtre, se rapproche de Taj, lui parle à l'oreille. Taj regarde Sher Ali, signe de la tête dans sa direction, il prend congé, s'éloigne. L'Ouzbek suit. Quelques secondes plus tard, ils entrent dans la chambre. Tajmir est le premier, la paume sur le cœur puis tendue devant lui pour toucher celui de Sher Ali.

« Ne m'approche pas ! » La voix, pleine de colère, surprend tous les présents, même Qasâb Gul.

« Que se passe-t-il, wror ?

— Tu n'es pas mon frère ! »

Sher Ali se jette sur Tajmir, maladroit, affaibli, et l'Ouzbek a largement le temps de faire écran, de le repousser. Incrédule, le Boucher intervient à son tour. Il retient son khan mais se place devant lui, prêt à en découdre. Tous se dévisagent.

« L'homme sincère ne garde pas ses frères prisonniers ! » À nouveau, un pathétique Sher Ali essaie de fondre sur Taj mais cette fois Qasâb Gul veille et l'en empêche. « Il ne tue pas ses enfants. »

L'Ouzbek a saisi la poignée d'une baïonnette Izhmash glissée dans sa ceinture. « Je m'appelle Dojou et tu ne me connais pas. Tajmir m'a raconté ton histoire et tes exploits. Je t'admire. Je n'ai rien contre toi, mais Allah m'est témoin, je te tuerai si tu profères encore une seule injure. »

Quelques secondes passent et Taj fait un pas en avant, pose une main d'apaisement sur le bras de Dojou, qui s'est tendu à son mouvement. Il s'adresse à Sher Ali : « Je pourrais exiger réparation mais je sais ta douleur et ta grande lassitude. Ne te trompe pas d'ennemi. Nous sommes ici chez nous, entre frères. La maison anéantie se trouvait chez nous. L'homme visé et tué par les bombes était notre invité, sous notre protection, comme le veulent nos coutumes. Avec sa famille, avec toi, avec Adil. Avec d'autres encore. Nous n'avons pas voulu cette attaque.

— Alors de qui suis-je devenu l'ennemi quand vous m'avez enfermé dans cette ferme maudite ? De tes maîtres pakistanais ? »

Tajmir ne répond pas à la provocation. « Personne ne t'a enfermé, Sher Ali, tu étais libre de partir. Sirajouddine t'a juste offert l'hospitalité. Où serais-tu allé en pleine nuit ? »

Pas de réponse. Se plaindre du chantage dont il a fait l'objet signifie remettre en cause son izzat. Un homme d'honneur ne cède pas à la menace. Sher Ali devrait s'expliquer, dire Bannu, ses projets, sa dérobade, perdre également la face.

« Khalifa t'a fait soigner, il a fait panser tes blessures. Il a aidé au retour de tes enfants sur la terre de leurs ancêtres. Il a prié pour vous tous, t'a même veillé en personne pendant de longues heures quand tu délirais, pris par la fièvre. Qasâb Gul te le dira. »

Le Boucher acquiesce.

« L'Amérique a tué tes enfants, Shere Khan.

— Je ne suis pas en guerre avec l'Amérique.

— Mais elle, elle est en guerre avec nous tous, avec toi. Après la Russie, l'Amérique nous a envahis, tu le sais. Tu ne pouvais éternellement éviter ce combat, mon frère. » Tajmir fixe Sher Ali qui détourne le regard. Il a marqué un point. « Regarde. » Dans son anorak, il récupère une sorte de boule, avec un interrupteur sur le dessus, et la montre. « Nous avons découvert cet objet dans un canal à proximité de la qalat détruite. »

Les trois autres se rapprochent pour voir.

« Qu'est-ce que c'est ?

— Une lumière. Seules leurs machines peuvent la voir. Le jour et la nuit. Ils s'en servent pour diriger les bombes. Les Américains étaient là ce soir-là, ils nous espionnaient. Eux ou les traîtres qui travaillent avec eux. Un frère les a surpris et ils l'ont tué. Nous l'avons trouvé sur la piste, près de ta voiture, après les explosions. Ces chiens l'ont égorgé.

— Il est mort en martyr. »

Le Boucher approuve la sentence de Dojou.

Une grande fatigue s'empare de Sher Ali, ses jambes cèdent sous lui et sa respiration est une fois encore à la peine. Il va s'affaler sur son charpoy, le front trempé de sueur. Son cœur doute, enrage, et son corps le trahit, il manque. De tout. On lui a pris plus que sa vie, on lui a pris sa fille, sa douceur. *Pourquoi on me l'a prise, ils n'avaient pas le droit.* « Je veux aller voir mes enfants.

— Tu n'es pas bien. Attends quelques jours encore. »

Sher Ali tend une main vers le Boucher, il veut se relever mais n'y arrive plus seul. « Suis-je ton prisonnier ? » La force a déserté sa voix, il poursuit malgré tout. « Je vais partir avec Qasâb Gul. Si tu veux m'en empêcher, autant me tuer tout de suite.

— Je ne veux pas te tuer, mon frère. Va retrouver ta famille et prier sur la tombe de ton fils. Ensuite, je viendrai te voir et nous parlerons.

— Je te ferai savoir quand je serai prêt. »

Une fois encore, Tajmir ignore la bravade, le regard de défi. Il n'a pas peur, serait en droit de réagir, est en position de le faire. Sher Ali n'est pas en état de lui opposer la moindre résistance sérieuse, Dojou exécuterait son compagnon sans une hésitation et ici, nul n'oserait s'interposer. Mais il voit plus loin. Il n'a pas besoin d'un clan dispersé, furieux de la mort de son chef, obsédé par la vengeance. Il veut des troupes aguerries, motivées, amies. Taj doit convaincre Shere Khan, rallier le Roi Lion à sa cause. Il sourit, la tension retombe. « Viens, Dojou. Laissons-les. »

En marge de leurs activités clandestines, Voodoo et ses mecs sont astreints à quelques routines. Par exemple, la distribution mensuelle des cadeaux de l'Agence aux potentats de Nangarhar. Ils sont nombreux mais, pour simplifier, on peut les ranger en deux grandes familles. La bande à Gul Agha, l'actuel patron, pauvre Pachtoune natif de Kandahar dans le sud du pays, où il a été tour à tour petit voyou, moudjahidine avec son père et, à la mort de ce dernier, seigneur de guerre héritier, gouverneur de Kandahar à la main trop lourde et parfois trop leste, même pour un Afghan, racketteur, trafiquant, tortionnaire, corrompu, fugitif sous le régime taliban, compagnon de la libération du futur président Hamid Karzaï, chouchou de la CIA, re-gouverneur de Kandahar, écarté un temps pour donner des conseils spéciaux à la susmentionnée présidence, et enfin bombardé *big boss* à J-Bad. Un jour, tout seul, il s'est baptisé Sherzaï, le Fils du Lion.

En face, le clan Arsala, l'équipe locale, compte

également dans ses rangs pas mal de héros anti-soviétiques et antitalibans, certains proches de feu le commandant Massoud, tous gros propriétaires terriens, pas inintéressant dans une région autrefois réputée pour sa culture du pavot, et pouvant se vanter de sa proximité historique avec la famille royale d'Afghanistan. À sa tête, un fils d'ancien gouverneur, Haji Zaher Qadir, lui-même ex-grand manitou de la Border Police, sur laquelle il garde la haute main – faire raquer les taxes d'importation, ça rapporte – avant, l'espère-t-il, de revenir aux affaires à Nangarhar.

Au début, ils étaient amis, alliés, complices mais, ici plus encore que n'importe où ailleurs, ces choses-là sont éphémères, les circonstances de chacun évoluent très vite. Cela n'empêche pas de devoir tous les contenter afin qu'ils s'impliquent dans les problèmes de sécurité et assistent au mieux l'ISAF dans sa lutte contre les insurgés. Leur parole, leur soutien sont primordiaux dans une province oùla stabilité est un enjeu majeur. Politiquement, Nangarhar est symbolique, sa capitale est un des hauts lieux de la culture pachtoune et de la mémoire nationale, résidence et sanctuaire de nombreux anciens monarques. D'un point de vue économique et militaire, elle est vitale : elle canalise plus de la moitié des approvisionnements de tout l'Afghanistan et l'essentiel de la logistique militaire américaine. L'autoroute A1, en réalité une voie rapide en piteux état, la traverse pour relier la principale porte d'entrée commerciale du pays, le poste frontière de Torkham, au débouché de la passe de Khyber, et Kaboul. Le trafic routier est soutenu, les embouteillages monstrueux au passage de la douane et à l'entrée de Jalalabad, et les cibles potentielles pour foutre le bordel innombrables. Mieux vaut donc que tout le monde fasse preuve de bonne volonté et n'ait pas l'impression que le petit copain est mieux considéré. Alors on paie. Officiellement, en projets, subventions, postes prestigieux. Tout cela ne concerne pas 6N. Et officieusement. Chaque début de mois, l'équipe de Voodoo, une parmi d'autres, endosse ainsi le rôle de collecteur et convoyeur de fonds. Ici, ni dirhams, ni roupies, ni afghanis, ils prennent uniquement les dollars, dans des plastiques, c'est plus discret.

Lorsque trois jours plus tôt Ghost est rentré de son périple, il rapportait de l'armement pour leurs CTPT et deux énormes sacs de sport, probablement chopés à Bagram. Fox les a vus juste avant de se faire poliment virer du bureau de la boîte, où il était venu régler des problèmes d'assurance médicale. Ça l'a surpris, d'habitude c'est juste un, mais il a mis ce surcroît de générosité sonnante et trébuchante sur le compte d'un nécessaire renforcement de la coopération, conséquence d'un récent regain de tension à la frontière. Après tout, c'est un bon moyen d'emballer les cœurs et de détourner les esprits.

Le surlendemain, au retour de Voodoo, alors que Fox participait pour la première fois à l'une de ces tournées, il n'avait pu s'empêcher de noter une nette différence entre le volume d'argent distribué, emballé en paquets précomptés, et celui des deux sacs initialement aperçus. Il en manquait. Sans y aller de façon trop directe, il avait tenté de découvrir les raisons de cette curieuse anomalie. En vain, Voodoo n'était pas loquace. Il ne réagissait pas à ses remarques sur le fric balancé par les fenêtres et ne répondait pas à ses interrogations sur les réactions que ne manquerait pas de susciter l'écart de traitement entre les différentes parties. À leur premier arrêt, la villa cossue d'un entrepreneur réputé proche de Haji Zaher, ils s'étaient en effet délestés des deux tiers de leur cash. Tout juste avait-il obtenu un *les autres iront se plaindre* suivi d'un *à Kaboul de se démerder*. Et lorsque Fox avait demandé pourquoi le clan du gouverneur, représenté par l'une de ses éminences grises, un certain Shah Hussein, était moins soutenu ces temps-ci, Voodoo avait haussé les épaules. Ces questions-là, c'est pas pour eux. Chercher à piger ce qui se passe dans la tronche des grands penseurs de Washington ou des planqués de l'Ariana est une perte de temps, eux-mêmes n'en ont pas la moindre idée. « Moi, j'ai arrêté de m'occuper de leurs conneries et tu devrais faire pareil. Dans trois jours, tu repars de l'autre côté, concentre-toi là-dessus. » Ils en étaient restés là et avaient terminé leur petite excursion en ville avant de rentrer à Fenty.

Ça, c'était hier. Ce soir, alors que toute la FOB est plongée dans le noir, couvre-feu oblige, personne n'a envie de se prendre une roquette sur la gueule, et respecte les consignes de silence, c'est la fête au 104, l'annexe de 6N. La musique est à bloc et, à écouter la sélection des morceaux diffusés, récupérés dans les iPod des uns et des autres, Fox finirait presque par donner raison aux talibans. Il y a de la bière à profusion, des cigares circulent et il pense avoir aperçu un ou deux mecs en train de se poudrer le nez en douce.

Tout le monde est réuni et cela n'arrive pas souvent, la boîte n'ayant pas de présence visible en Afghanistan pour ne pas attirer l'attention sur son travail. Raison pour laquelle son anonyme QG se trouve ici, à l'abri des regards, suffisamment loin et suffisamment près de tout, et pas à Kaboul où seule Longhouse est représentée, via Mohawk, sa filiale transport aérien.

Dans l'assistance, il y a des civils d'autres OGA et pas mal de militaires, une équipe de SEALs rentrés d'opération la veille, des types de l'intendance et quelques filles de la base, venues se faire peur avec les mauvais garçons de 6N. Elles papillonnent autour de la garde prétorienne de Voodoo. Wild Bill, avec son crâne rasé, sa moustache blonde de viking et son éternelle paire de lunettes à verres rouges, ancien tireur de précision de la Delta, maintenant coanimateur de la chaire d'assaut de la Fenty University avec Ghost. Rider, fils de Rital, trapu, frisé, poilu comme un singe, également ex-Delta, pape des transmissions. Il fait la navette entre ici et la FOB Salerno. Gambit, le black de la bande, un colosse aussi imberbe que Rider est pileux. Lui est retraité de la Team Six et s'occupe, à la base de feu Maholic, installée dans l'ancienne bicoque du Mollah Omar à Kandahar, de sensibiliser les commandos afghans aux subtilités du minage, du piégeage et, d'une façon générale, de l'*explosage*. Et enfin Viper, ex du 75th Ranger, également grand maître en tir de précision, basé à Khost, meilleur pote et copie presque conforme de Ghost, les muscles en moins. Il ne pousse pas autant de fonte.

Ça boit, ça chahute, ça couine, ça chauffe, ça se chauffe. Gambit s'improvise DJ et balance un remix technoïde de *Touch me* chanté par un mec à la voix grave. Fox avait dix-neuf ans quand l'original de cette daube est sortie, il était cornichon. Un autre monde. Disparu.

Touch me, Touch me…

De son coin du B-Hut, il voit Ghost s'écarter un

peu, se pencher pour fouiller dans les poches latérales de son pantalon et remarque son putain de tomahawk tactique, fixé dans son dos sous sa chemise. Fêlé.

Full moon in the city and the night was young…

Ghost trouve ce qu'il cherchait. Il étale discrètement, pas assez, un trait de coke sur le dos de sa main, le renifle d'un coup, recommence.

I was hungry for fun...

Puis, il retourne avec les autres, fait passer quelque chose à Wild Bill et s'approche d'une nouvelle, arrivée depuis peu à J-Bad et affectée au service postal.

I was hunting you down…

Tout le camp l'a remarquée et connaît déjà son nom, première classe Baker. Eileen. Jeune, trop, jolie, pas bon, gentille, dommage. Les paris vont bon train. Ghost a juré qu'il serait le premier à la fourrer.

This is the night…

Fox le voit parler à l'oreille de la gamine avant de placer ses mains devant lui, la droite à soixante centimètres au-dessus de la gauche. Il va lui faire le coup de la petite fille. Le reste du groupe et celles qui l'ont traînée ici, les bonnes copines, se rapprochent et se marrent déjà. Ghost parle, il explique.

We've got to get it right…

Fox n'a pas besoin d'entendre, il connaît.

« Imagine une fillette, en haut, sa tête, en bas, ses pieds. Repère-les bien, Baker, et ferme les yeux. Aie confiance. Tu triches pas, hein, garde les yeux fermés. Et fais ce que je te dis. »

This is the time…

« Avec ton doigt, tu me montres sa tête. »

Eileen, aveugle complaisante, tend un index devant elle, quelques centimètres sous la main droite de Ghost.

« Ses pieds maintenant. »

Le doigt descend et touche la gauche.

« C'est bien, Baker. Non, tu regardes pas. Son nombril. »

Eileen remonte, elle tombe à peu près juste.

« Son vagin. »

Elle est gênée.

« Allez. »

Elle redescend un peu.

Touch me…

Ghost se penche en avant et gobe l'index du soldat Baker dans sa bouche bien humide. Elle hurle, fait un bond en arrière en ouvrant les yeux et secoue sa main couverte de bave. Autour, les gens éclatent de rire, commentent, se moquent, s'excitent. Wild Bill et Rider se pavanent en rythme, se donnent des coups de torse virils.

I want to feel your body…

Eileen rejoint ses nouvelles meilleures amies pour toujours, sourit de façon hésitante, boit une gorgée de bière pour se donner une contenance. Ghost revient la voir, se penche vers elle pour lui parler en la prenant par la taille. Elle s'écarte. Il insiste, la coince. Elle regarde les autres filles. Elles se trémoussent et n'en ont rien à foutre.

Voodoo entre discrètement dans le baraquement.

Fox sent sa présence derrière lui. « Tes enfants s'amusent. » Il reste sur Ghost.

Sourire ironique. « Pourquoi tu ne vas pas jouer avec eux ?

— Je crains de ne pas partager leur goût pour la muscu et les suppléments énergétiques en solution nasale.

— Tu devrais faire un effort, t'auras peut-être besoin d'eux un jour.

— Peut-être. J'ai survécu sans jusqu'ici.

— L'esprit d'équipe, la famille, c'est important. » Le sourire est toujours là.

Quelques secondes passent. Le soldat Baker a pris la tangente, elle s'est collée à Tiny, esseulé jusqu'ici. Ghost parle maintenant avec Viper et Wild Bill, et ne cesse de balancer des coups d'œil agressifs dans leur direction.

« Tu avais raison pour Khushali Wazir. On a loupé un truc. De peu. » Voodoo a transmis à Bob, le boss de Chapman, le rapport de Fox détaillant l'observation de deux VIP et d'un Thuraya. L'Agence a creusé, interrogé les copains de la NSA, à Fort Meade, et repéré trois terminaux satellites en activité dans la zone le soir de l'opération. L'un de ces terminaux, parti de la qalat une vingtaine de minutes avant le bombardement et revenu juste après, était connu. Son numéro renvoie à une entreprise de Peshawar, Mannan Plumbing Ltd. « Une société écran de l'ISI. Déjà apparue après des attentats à Kaboul et Khost.

— ISI, VIP, dans le coin, un des Haqqani ?

— C'est ce que pense l'Agence. On a frôlé le jackpot. »

Deux mecs en treillis dépareillés font leur apparition. Ils saluent Voodoo, donnent l'impression de le connaître, se présentent à Fox. John et Jack. « On t'accompagne à Wana. » De bons Américains, bien grands, bien carrés, bien nourris, la peau et le pelage clairs. Leurs barbes ne feront pas illusion.

« Drôle d'idée. Pour faire quoi ?

— Installateurs télécom. » Dit Jack en rigolant. « On va poser des petites boîtes magiques.

— *Typhoon* ? » Un système que Fox a déjà vu monté dans un avion d'observation. Il sert à capter toutes les connexions mobiles d'une zone en imitant un relais. Utile pour savoir qui appelle, à partir de quel téléphone, écouter les communications, activer les micros des appareils en veille et même les rallumer s'ils sont éteints et munis d'une batterie. Pour guider un drone, on ne fait pas mieux.

John et Jack se regardent, hochent la tête. « T'en sais des choses, mec.

— Si peu.

— Il paraît que toi et tes Afghans êtes les meilleurs guides touristiques du coin.

— Je sais pas qui a pu vous raconter une connerie pareille.

— Vous serez entre de bonnes mains. » Voodoo tape amicalement dans le dos de Fox et entraîne les deux soldats à sa suite. « Venez, je vais vous présenter le reste de la bande. »

Dès qu'ils se sont éloignés, Tiny rapplique. « C'est qui, les deux, là ?

— Activity. Je crois. » Fox les soupçonne d'appartenir à l'*Intelligence Support Activity*, une unité de l'armée dont la spécialité est le renseignement préparatoire, notamment d'origine électromagnétique, au profit d'autres éléments des forces spéciales. « J'ai bossé avec des gens de chez eux sur Zarqaoui.

— Ils ont recruté un de mes potes.

— Ils nous accompagnent, j'espère qu'ils sauront se tenir. » Fox a du mal à l'admettre, mais il est inquiet. Le jour du départ se rapproche et il redoute de plus en plus cette escapade au Waziristan du Sud. L'Agence et 6N n'y possèdent pas encore autant de contacts que dans le fief des Haqqani alors que Baitoullah Mehsud leur pose tout autant de problèmes. Devenu cible prioritaire, il est la principale raison de ce déplacement, dans un contexte local beaucoup plus volatil. Il y a trois semaines, l'armée pakistanaise a lancé une offensive extrêmement violente, à la russe, contre le TTP. Elle faisait suite à une longue série d'attentats dans tout le pays dont ce brave Baitoullah est soupçonné d'être le principal instigateur, le point culminant de cette vague sanglante ayant été l'assassinat de Benazir Bhutto, en décembre dernier.

Baptisée *Zalzala*, Tremblement de terre, l'opération a commencé par l'évacuation des habitants de tout un district, des dizaines de milliers de personnes, avant un pilonnage en règle de plusieurs villages pendant presque une semaine. Ensuite, tout ce que les bombes n'avaient pas détruit a été achevé à grand renfort de bulldozers. Ils vont donc aller se balader au milieu d'une population en plein désarroi, coincée entre des insurgés ivres de vengeance et des soldats pakistanais tendus comme des strings. Joie. Fox préfère changer de sujet. « T'as laissé filer la petite du courrier ?

— Ghost est venu lui demander d'aller discuter dehors, il avait l'air furax. Je voulais pas foutre la merde.

— Et puis t'es marié, non ?

— Ouais, y a ça aussi. » Tiny se marre.

Fox lui dit bonsoir, il est crevé. Il sort et s'arrête un moment sur le seuil du B-Hut. Il fait froid. Il remonte le col de sa polaire et profite du spectacle offert par un ciel nocturne totalement dégagé, illuminé par une infinité d'étoiles, qu'aucune pollution humaine ne vient gâcher. Dans le 104, la musique s'arrête. Ça gueule un peu et les discussions reprennent, atténuées, en attendant le prochain morceau. Exceptionnellement, rien ne décolle de la base. À l'autre bout du camp, du côté des Afghans, Fox entend un camion décélérer sur l'A1, elle longe l'enceinte nord de la FOB avant d'entrer dans Jalalabad, puis plus rien, il peut profiter d'un moment de silence.

Il se met en route lorsqu'il perçoit un gémissement étouffé suivi d'un *non* féminin vite bâillonné et d'un *petite pute*, prononcé à voix basse. Ghost. Fox hésite, part en direction de sa piaule, *pas mon problème*, revient quand même, tâte ses poches pour trouver sa frontale et, le plus silencieusement possible, va chercher les emmerdes.

Deux silhouettes enchevêtrées dans l'obscurité. Ghost a coincé Baker contre un mur, entre des baraquements. D'une main, il lui couvre la bouche. De l'autre, il lui a déjà baissé le froc et la tripote, veut la doigter. Il s'excite tout seul, enfermé dans sa pornographie chimique. « Espèce d'allumeuse de merde, je vais te faire crier, moi, tu vas voir. Tu vas aimer ça. » Eileen gémit. « Ta gueule. » Une simple pression, à peine une poussée, et Ghost lui cogne la tête contre la paroi. Dans ses messes basses sourd une menace terrible. « Maintenant, tu vas me branler.

— Tout va bien ? »

Ghost se retourne.

Fox ne voit pas son regard dans le noir mais le sait pris de court. Et sans doute plus énervé encore.

« Dégage, toi, c'est privé !

— Laisse-la tranquille.

— Personne t'a sonné. » Ghost chope brutalement le chignon de Baker, tout juste s'il ne la soulève pas de terre. « Hein, ma chérie ? Dis-lui de se casser.

— Calme-toi, Ghost.

— Dis-lui à cet enculé. »

Rien. Une plainte. La fille pleure.

« Dis-lui ! » Ghost secoue son pantin.

Baker crie, se débat. Fox en profite. Il allume brusquement sa frontale et la braque dans les yeux de Ghost, qui lâche tout pour se protéger de la lumière soudaine. Un bond et il mange un coup de boule, juste sous l'œil gauche, il a tourné la tête. Il encaisse, étourdi. Fox le saisit en travers du torse et le fauche. Ghost s'étale, grogne en heurtant le sol.

Protéger la fille. Fox attrape Eileen, la tire sans ménagement vers lui et la fait passer dans son dos. Il recule. Il n'a plus l'avantage de la surprise et l'autre se relève déjà. Calmer le jeu. « C'est bon, Ghost, on s'arrête là. » Des mains paniquées tirent sur sa polaire.

« Toi, t'es mort. » Le tomahawk apparaît. Ghost le garde le long de sa jambe, fait un pas vers eux.

Trois courts mètres les séparent.

Le Glock 26 de Fox ne le quitte jamais. « Fais pas ça, Ghost. » Il le braque devant lui, prêt à tirer.

« T'auras pas les couilles. »

Rien qu'au son de la voix, Fox sait. *Il va y aller, ce con.*

Ghost crie, fonce, hache de guerre brandie. Une silhouette massive vient bloquer son élan et enserre son poignet armé, prêt à frapper. D'une esquive et d'une clé, son bras est brutalement ramené en arrière et tordu. Ghost lâche prise. Voodoo le fait passer devant lui, le béquille pour le forcer à s'agenouiller et lui fait plier la nuque. Pas une parole n'a été prononcée. Hurlement de rage entravée. Ghost maudit Fox, lui promet la mort chez les moudjes, encule sa mère. Wild Bill et Viper arrivent, suivis d'autres fêtards attirés par le bordel. Sans perdre de temps, Voodoo leur ordonne d'escorter leur pote à sa chambre et de rester avec lui. Mieux vaut qu'il ait dégagé avant l'arrivée de la police militaire. Il prend ensuite Baker à part et lui dit : « Tout va bien, je suis désolé pour ce qui est arrivé. Il a trop bu, on est tous sous pression. C'est inacceptable et cela ne se reproduira plus. » Il l'attrape par les épaules, se penche vers elle et poursuit plus bas.

Fox, pourtant tout proche, a du mal à entendre. Il capte *personne nous touchera* et *mieux pour tout le monde*.

La fille hoche la tête, peu rassurée, et déguerpit, en larmes, escortée par ses copines, solidaires de façade. Les autres se dispersent, inutile de traîner. Les derniers mots de Voodoo sont adressés à Fox. « On en parle demain. » La soirée est finie.

Le bâtiment est une boîte de béton vérolée par le temps et les impacts. Sa façade court sur une vingtaine de mètres et il possède un étage. Aucune fenêtre n'est pourvue de vitre, elles ont toutes été brisées ou volées. Autrefois, il faisait partie des installations d'accueil de l'aéroport de J-Bad. Maintenant, c'est la *kill house* des ASG de la base, un décor à l'intérieur duquel ils peuvent s'entraîner à balles réelles. Il est situé, avec d'autres ruines, dans la partie afghane de Fenty, près de l'accès principal, derrière une enceinte Hesco double hauteur, double épaisseur.

Un homme de la Jalalabad Strike Force, équipé pour l'assaut, vient disposer une charge d'effraction sur la porte d'entrée, protégé par ses trois coéquipiers. Il s'applique pour la positionner sur la serrure, comme le lui a montré Wild Bill quelques minutes plus tôt, avant de reculer pour se protéger, dévidant devant lui les câbles du système de mise à feu. Il attend l'ordre de tir qui arrive quand tous sont à l'abri. Légère pression de la main sur l'épaule, il y a une déflagration et les panneaux de contreplaqué volent. Derrière se trouve une grille de métal. Intacte. L'infiltration est impossible de ce côté. Le chef d'équipe réagit bien et fait mouvement vers une fenêtre voisine, elle aussi occultée. Un ruban de plastique est déroulé sur le cadre, ordre de tir, boum, ça pète, et les quatre commandos pénètrent en force dans l'immeuble, chacun avec son secteur de tir attitré, pour couvrir tout l'espace. Plusieurs détonations retentissent à l'intérieur lorsqu'ils repèrent et neutralisent le *méchant*, un épouvantail confectionné à partir d'un vieil uniforme bourré de tissu, et Wild Bill annonce la fin de l'exercice.

Voodoo le laisse rejoindre ses nouvelles recrues pour commenter leur exécution et se rend au pas de tir voisin, où Ghost et un officier afghan distribuent, depuis le début de la matinée, les AKM rapportées du Kosovo. Il s'agit de versions modernisées des vénérables kalachnikovs modèle 47, customisées avec des rails Picatinny, des supports crantés permettant d'installer facilement toutes sortes d'accessoires. Il en attrape une, la manipule un instant à vide et l'embarque avec deux chargeurs pleins en direction des cibles. En face de lui, à une trentaine de pas, trois bustes sur fond blanc. Voodoo approvisionne et se lance dans une série de tirs d'essai, au coup par coup, en courtes rafales, debout, statique, en avançant, en reculant, en alternant les silhouettes. Le fusil d'assaut n'a que ses organes de visée d'origine mais Voodoo est précis, efficace, rapide et offre à l'assistance une démonstration de ses talents. Elle lui vaut quelques applaudissements admiratifs lorsqu'il a terminé. Revenu vers la troupe, il donne son arme à un soldat tout proche, souriant mais intimidé, et fait de lui l'homme le plus fier de la bande.

Voodoo attire ensuite Ghost à l'écart et examine son visage. « Il t'a pas loupé.

— Il m'a eu par surprise. » Ghost se masse la pommette gauche, gonflée, rougie, endolorie, marque de sa raclée honteuse, visible par tous. « Mais je vais me le faire cet enculé de sa mère. Dès qu'il rentre. »

Voodoo lui passe lentement le bras autour du cou, un geste bienveillant, signe de leur proximité. De loin, ils ressemblent à deux amis pris dans une discussion intime. Mais il se met à serrer, de plus en plus, et bientôt il est seul à parler. « T'as pas bien écouté ce que je vous ai dit hier avant la petite fête. Vingt millions, en quelques mois, sans rien branler ou presque. Et toi tu veux tout bousiller parce que t'as pas pu secouer une pétasse ? »

Ghost peine à respirer. De ses mains, il essaie de déverrouiller la prise tout en donnant le change. Sans y parvenir.

« Tu devrais remercier Fox, il t'a évité de faire une belle connerie. Alors tu le laisses tranquille, tu m'entends ? » L'autre ne réagissant pas, Voodoo insiste, force. « Compris ? »

Grognement d'impuissance et hochement de tête. Voodoo lâche tout.

Ghost s'écarte d'un pas et se prend aussitôt la nuque entre les mains, respire à grandes goulées. Quand il a retrouvé son souffle, il déclare d'une voix froissée par la compression qu'il le sent pas, ce mec.

« Moi non plus, je le sens pas.

— Tu as réussi à savoir d'où il sortait ?

— De l'Agence, c'est tout. J'ai demandé aux copains, a priori il a pas fait l'armée chez nous.

— Chez nous peut-être pas, mais il a été soldat, c'est sûr. »

Voodoo acquiesce, pensif. En Irak, Fox était déjà sous pseudo. Le nom donné lors de son recrutement chez 6N, Majid Anthony Wilson Jr, celui figurant sur son passeport, n'apparaît nulle part avant l'été 2002. À partir de cette époque, il est détaché au Centre antiterroriste de la Direction des opérations. Il a des origines, maîtrise l'arabe, bouge en Égypte, au Yémen et ensuite chez Saddam. Il bosse dès le départ sous la protection d'un type appelé Dick Pierce. Lui, Voodoo l'a croisé une fois à Bagdad, il le connaît de réputation, il fait partie de la vieille garde, est ami avec Zinni, le P-DG de Longhouse. « Pierce m'inquiète, il a rejoint les fouille-merde de Langley. » Entre autres nouvelles attributions, l'ex-patron de Fox est chargé de l'évaluation des individus ou des entités travaillant pour la CIA. Cela inclut les sociétés militaires privées, en particulier celles bénéficiant de contrats de sous-traitance ultraconfidentiels et très rémunérateurs.

« Tu penses qu'ils fricotent toujours ensemble ?

— Je sais pas.

— Tu peux pas le virer ? »

Voodoo ne dit rien. Si Fox joue double jeu, se débarrasser de lui sans un motif sérieux créera plus de problèmes que cela n'en résoudra.

« Et s'il avait un accident ?

— Et si t'arrêtais de t'en foutre plein le nez ? »

Ghost, piqué au vif, se ferme.

Voodoo le prend par l'épaule, amicalement cette fois. « Laisse-moi gérer Fox. Et lève le pied, j'ai besoin de toi en forme, t'es le seul en qui je peux avoir confiance. » Il touche juste, Ghost sourit à nouveau. « T'inquiète pas pour Baker, elle fera pas chier, j'ai arrangé le coup avec son supérieur. »

Sher Ali est rentré chez lui dans la nuit.

Après son entretien avec Tajmir, il a encore dû patienter deux jours pour réunir les forces nécessaires au voyage de retour. Un périple éprouvant, à moto tout d'abord, pour passer la frontière par des pistes secondaires, accidentées, régulièrement perdues, ou impraticables, couvertes de neige. Il a fallu parfois descendre de la vieille Honda au réservoir décoré de tissu bariolé et aider Dojou, son pilote imposé, à lever ou pousser l'engin pardessus des rochers, au-delà d'un fossé, tandis que leur escorte, deux autres hommes de Sirajouddine, se heurtait aux mêmes difficultés. Pas question d'être traité en infirme, Sher Ali a aidé. Et il était épuisé quand Qasâb Gul l'a récupéré, peu après minuit, aux abords du village de Tani, dans le sud de la province de Khost. Heureusement, la fin du trajet, effectuée en voiture, lui a permis de se réchauffer et de dormir une heure.

Sher Ali a retrouvé son pays, son village, sa qalat en ayant l'impression d'arriver en terre étrangère. Une impression renforcée par le regard de son épouse, Kharo, lorsqu'elle lui a ouvert la porte de leur maison. Elle n'a pu dissimuler à temps sa surprise, son angoisse, un soupçon de colère et de honte devant ce mari atteint, affaibli, diminué, méconnaissable. Ce mari qui a laissé tuer son Adil. Elle ne l'a pas dit, n'osera jamais le dire, mais lui sait. Il l'a senti dans ses pourquoi, dans ses sanglots quand elle s'est mise à pleurer, avant de hurler, à peine avait-il mis un pied dans sa demeure. Ses cris ont réveillé Farzana, leur seconde fille, une douzaine d'années. Elle les a rejoints, s'est laissé aller à la même transe grandiloquente que sa mère, l'une alimentant l'autre, s'apitoyant sur le fils, sur le frère, sur leur sort sans lui, invoquant la miséricorde d'Allah, pourquoi Allah, pourquoi, pourquoi, pourquoi.

Pas un mot pour Badraï.

Sher Ali n'a pas touché sa fille, a observé sa femme curieusement détaché, l'a jugée grotesque avec ses traits déformés par la douleur. Où est passée la si jolie promise aperçue à leur première rencontre, un jour béni de printemps, une fois conclue la négociation de leurs noces ? Kharo avait l'âge de Farzana et des yeux d'un bleu-vert un peu terne mais très ouverts, vivants, joyeux. Il n'y aura plus jamais de joie dans ces yeux-là, juste des accusations muettes, un infini de pourquoi.

Incapable de dire la vérité, son choix unilatéral, ses conséquences, fatigué par le vacarme de ses femelles, Sher Ali a ordonné le silence, qu'on le baigne, le panse, l'habille et le nourrisse, il voulait voir les tombes, vite !

Plus tard, après la première prière du jour, il est monté au cimetière, perché sur le sommet lépreux d'une colline grise. Son père repose là. Ses frères également. Et ses enfants à présent. Leurs sépultures, deux monticules fraîchement retournés, couverts de cailloux, se trouvent côte à côte, l'une plus petite que l'autre. Un long bâton souple, surmonté d'un drapeau aux couleurs de l'Islam, est planté devant celle d'Adil. Agité par le souffle froid du petit matin, il est le symbole de sa mort de martyr.

Il n'y a rien devant le tertre de Nouvelle Lune, sa disparition à elle est insignifiante. Cela met Sher Ali en fureur. Kharo et Farzana ont insisté pour l'accompagner. Dans son dos, leurs larmes aggravent sa colère. L'émotion monte brusquement en lui, comble avec délices le vide des derniers jours, lui redonne vie. Il la laisse le submerger, s'autorise à exploser, renvoie femme et fille au village. « Disparaissez ! » Il veut la paix, être seul avec son fils.

Et Badraï.

Quand elles sont parties, il reste un moment à écouter le vent descendu des sommets, le regard dans le lointain, égaré sur leurs cimes blanches, à se remémorer la dernière matinée avec sa fille, sa chute dans la poudreuse et sa surprise joyeuse. Il sourit brièvement et sa poitrine s'effondre sur elle-même. Plus jamais. Voir, marcher, tenir, guider, pousser, porter, serrer. Avoir peur. Plus. À jamais. L'air manque à Sher Ali, il titube, ne pleure toujours pas. Mais la rage est là. Elle s'installe, trouvera bientôt à s'exprimer sans retenue. Tous l'attendent de lui. Être un homme d'honneur, un chef de famille, un chef, guerrier, vengeur. Badal. Il faut, il doit, il peut, il veut. L'œil valide de Sher Ali glisse vers la tombe de son père. *Je ne t'ai pas souvent compris, Spin Dada, mais je sais maintenant tes souffrances. Pardon, Papa blanc, de n'être pas un fils digne de toi, j'ai tué notre histoire.*

Une bourrasque transporte jusqu'à lui une odeur de tabac froid et vient interrompre son monologue intime. Dojou. Deux fois cette nuit il a fumé ces cigarettes russes aux effluves si corsés. L'Ouzbek a réussi à s'approcher sans faire le moindre bruit et Sher Ali se demande s'il doit craindre une traîtrise de Taj. La perspective de mourir dans l'instant de la main de cet homme, sans avoir pu faire payer aux assassins de Badraï le prix de leur bassesse, ravive sa révolte, il n'en est pas question. Sans lui faire face, il interpelle Dojou. « Es-tu ici sur ordre de Tajmir ? » *Je sais que tu es là, méfie-toi, je ne me laisserai pas faire.* « Où est donc son respect et toi, qu'as-tu fait du tien ?

— Taj s'inquiète beaucoup mais je ne suis pas ici pour lui, mon frère. J'ai moi aussi eu des enfants. Et une épouse. »

La voix n'a pas varié, est restée à distance. L'homme ne recherche pas la compassion. Sher Ali acquiesce, ne sachant quoi faire d'autre, horrifié à l'idée de parler un jour d'une voix semblable, lorsque le temps et l'espace auront fait leur office. De son côté, Dojou a noté la position du contrebandier pachtoune, debout devant la tombe de sa fille et pas l'autre, celle de son aîné. Les minutes défilent. C'est lent, inconfortable, chacun est prisonnier des ruines d'un monde sans plus d'odeur, sans goût, réduit à l'état de bruit, dissonant, et Sher Ali réalise, comme Dojou sans doute avant lui, que seules la violence et la mort font sens désormais.

« Tajmir a promis de trouver les espions des Américains, crois-tu qu'il tiendra parole ?

— C'est une possibilité. Il veut également ton soutien, tu lui accorderas ? » Sher Ali ne répondant pas, l'Ouzbek ajoute : « Il n'est pas très patient. » Il n'y a pas de menace dans cette remarque, plutôt une pointe de mépris. Pour Taj.

« Je voudrais rester seul avec les miens quelques jours.

— Mes ordres sont différents. »

Sher Ali se retourne, il dévisage Dojou. Il se tient à quatre ou cinq pas, droit, sans expression particulière. Loin derrière lui, en bas de la pente, une silhouette masculine apparaît à l'orée du village. Elle est bientôt suivie par une autre. Elles se dirigent ensemble vers le cimetière. D'autres hommes se joignent aux deux premiers et ils sont vite une dizaine à monter par ici. Des pickups se font entendre, arrivent, se garent au pied de la colline. L'Ouzbek jette un œil. La procession grandit. Le clan a appris le retour de son khan et vient le voir, le toucher, le soutenir.

« Dis-lui que nous t'avons chassé. »

Durant leur trajet à moto, Dojou a décidé d'aimer Sher Ali. Il lui adresse un sourire franc et s'en va.

4

L'hélicoptère les dépose après la tombée de la nuit sur un mamelon pelé au sud-ouest de Shkin, un village frontalier de la province de Paktika. Avec Fox arrivent Tiny, John et Jack, Wild Bill et Voodoo. Ils débarquent têtes baissées, dans un tourbillon de poussière qui scintille sous l'effet de l'électricité statique produite par le rotor, font la chaîne avec des CTPT pour rassembler leur matériel et s'écartent ensuite pour laisser l'appareil redécoller. Tous feux éteints, il est vite happé par l'obscurité, seulement trahi par le sifflement de ses turbines et le battement de ses pales jusqu'à ce qu'il passe derrière une montagne et se taise définitivement. Quand le silence est revenu, les cinq hommes entendent les hennissements de plusieurs chevaux en contrebas de leur position. Ils s'empressent de les rejoindre.

Hafiz les accueille avec des supplétifs de la CIA venus de la base de feu Lilley, installée à cinq kilomètres de là. Importante réserve de paramilitaires pachtounes et tadjiks, elle garde la sortie de la vallée de Barmal, en Afghanistan, et l'entrée de celle de Shawal, au Pakistan, deux axes de circulation privilégiés par les insurgés. Les régions tribales sont en permanence dans la ligne de mire de Lilley. Fox la connaît bien, c'est l'un de leurs points d'insertion. Ils n'en partent pas directement aujourd'hui mais sont censés y revenir dans six jours, si leur incursion au Waziristan du Sud se déroule normalement.

Une nouvelle fois, Akbar guide leur expédition. Il attend les Américains aux côtés de Haji Moussa Khan, beau-frère d'Hafiz éleveur de chevaux et de mules, fournisseur attitré de leurs opérations de l'autre côté de la frontière. Fox vient les saluer, heureux de les revoir, avant de prendre des nouvelles des uns et des autres et de leurs familles.

Moussa est inquiet, les militants étendent leur emprise sur la région. Les gens ont peur, hésitent à se faire complices. Les talibans multiplient les menaces et les agressions, les lettres nocturnes. Mais ils interviennent également pour régler les querelles de voisinage et entre les villages. « Les policiers, ils sont corrompus, et ceux qui veulent agir, ils sont empêchés par les juges ou les hommes de Kaboul. Eux sont plus corrompus encore. » Ici, la sagesse populaire prétend que sur dix fonctionnaires, onze sont malhonnêtes, et l'intervention de l'OTAN n'a rien changé à ce mal endémique, sans doute l'aggrave-t-elle et désormais, certains n'hésitent plus à faire appel aux rebelles et à les assister ensuite.

Tout en équipant sa monture, une bête puissante au caractère doux, Fox écoute, pose des questions mais, après avoir installé ses fontes, il préfère couper court à la discussion et régale l'éleveur d'un paquet de barres chocolatées Hershey's, recette *Cookies'n'Creme*, acheté au PX de Fenty juste avant le départ. Cet échange est devenu un rituel entre eux. À leur première rencontre, Moussa l'avait vu en déballer une et, ayant goûté, avait fini par la dévorer tout entière. Il les adore et les attend toujours avec l'impatience d'un gamin trop gourmand.

Fox délaisse Haji Moussa pour aller vérifier l'avancement des préparatifs. Jack et John, pakols enfoncés sur la tête, ont fini d'arrimer leurs précieux Pelicase. Dans le halo écarlate de la torche filtrée de rouge de Fox, leurs visages sont fermés et ils répondent a minima, tendus, pressés de partir. En plus d'Hafiz et Akbar, l'escorte du convoi est composée de cinq Afghans, et se montre pour sa part plus enjouée. Les hommes plaisantent à voix basse en partageant une Pine Light, des cigarettes sud-coréennes très appréciées en Afghanistan. Fox vient tirer la dernière latte, écrase le mégot et donne l'ordre de se mettre en selle. Lorsqu'il revient vers son cheval, Voodoo lui confie un sac contenant vingt mille dollars en liquide et l'équivalent en roupies et afghanis, transmet ses ultimes consignes et souhaite à tous bonne chance. Lui se rend à Lilley avec Wild Bill pour suivre la première étape de la mission, jusqu'au lendemain matin.

Derniers saluts, la colonne s'ébroue, s'anime, avance derrière Akbar.

Les cavaliers commencent par descendre dans un oued qui tortille plein est vers la frontière. Ils vont longer sa rive sud. La météo ne prévoyant aucune précipitation dans les prochaines heures, ils ne risquent pas de se faire rouler par une crue subite et pourront profiter de la relative discrétion offerte par cette piste naturelle jusqu'aux abords du Waziristan.

La voûte étoilée, limpide et sans lune, fournit une luminosité suffisante pour éclairer la route. L'horizon est un désert de strates gris-bleu fermé par une muraille de montagnes aux à-pics ténébreux dont les sommets, blanchis par la neige, se découpent sur le rideau noir du ciel. La vie s'est retirée pour la nuit de cet univers minéral, ne laissant derrière elle aucun indice de sa présence, pas même le cri d'un animal ou l'éclat lointain d'une étincelle humaine. Ils sont seuls. L'air léger est chargé du parfum des roches asséchées, il fait froid, ça pique les poumons. Recroquevillé dans ses vêtements, sous son patou, derrière son turban, Fox est bien. Son appréhension s'est dissoute dans l'action. Envolés l'ennui et la fatigue de la vie à la base, l'angoisse née des rapports et des comptes rendus, des notes de synthèse, des menaces et des risques bien ou mal évalués, les ruminations personnelles sur l'avenir, le passé, la culpabilité, il se trouve exactement là où il doit être, où il aime être, où il peut s'oublier.

Ils chevauchent ainsi pendant une heure puis, à dix pas devant Fox, la silhouette d'Akbar cesse d'onduler sur sa monture, il marque une pause. Ils ont dû arriver à l'endroit où il faut quitter le lit du cours d'eau, qui bifurque vers le nord, pour tirer tout droit en direction d'un canyon resserré. Après quelques secondes d'immobilité, Akbar trouve ce qu'il cherchait et se remet en marche. Talonné par le reste de la colonne, il traverse l'oued, rejoint ses berges et pousse à travers le dernier bout de plaine en direction des massifs rocheux. Tels des spectres, au pas, les paramilitaires frôlent une enfilade de maisons ensommeillées. L'attention en éveil, une main sur la kalachnikov posée en travers de la selle et l'autre crispée sur les rênes, ils guettent le moindre son, le signe qu'on les a repérés. À chaque glissement de sabot sur les cailloux, le précaire calme vespéral semble se déchirer. Par chance aucun insomniaque n'est là pour les entendre, aucun clébard ne les flaire pour perturber d'un aboiement imprévu le repos des fermiers.

Cet obstacle franchi, la colonne monte vers les crêtes par un chemin étroit. Au fil des heures suivantes, ils franchissent l'invisible et contestée ligne de démarcation entre les deux pays, et contournent par les hauteurs Angour Adda, une ville bazar, dont le poste frontière est toujours gardé. Leur progression est discrète à défaut d'être aisée. Il faut souvent descendre de cheval pour gravir à pied un raidillon pierreux ou dégager une congère sur un dévers exposé. L'hiver se fait plus dur et l'air se raréfie. Hommes et bêtes sont à la peine. Dans certaines passes étroites et venteuses qu'ils empruntent après d'autres, les cheminements sont tassés, un rappel du danger qui les guette, et les rafales glacées semblent souffler contre eux de toutes leurs forces pour les repousser. Ils parviennent néanmoins sans problème majeur ni rencontre malvenue, juste avec du retard, au débouché de la vallée de Shawal. Parcourue par une piste carrossable, elle file d'abord plein est sur une dizaine de bornes, avant d'obliquer vers le nord jusqu'à la rivière Tochi et Miranshah. Ils l'abordent par son versant méridional. En face, sur un piton, à moins de cinq cents mètres à vol d'oiseau, il y a un fortin des Frontier Corps équipé de pièces d'artillerie.

Fox et ses hommes s'enfoncent toujours plus loin en territoire hostile, par un autre sentier d'altitude. Le décor change. Il y a moins de neige et les pentes sont couvertes d'un tapis herbeux, garni par endroits de touffes de broussailles et planté d'arbres épars. Sur les hauteurs, les bosquets deviennent bois, forêts, s'assombrissent, de moins en moins praticables. Ils avancent aux aguets. Malgré la présence de troupes régulières, ce domaine est d'abord celui des talibans. Plusieurs factions, rassemblant de quelques dizaines à quelques centaines de combattants, pas toujours alliées, occupent la Shawal sur toute sa longueur. Fox et ses compagnons se rendent vers le sud. Les militaires y sont déployés en masse mais la situation n'est pas moins confuse ou dangereuse.

Peu après minuit, le bourdonnement caractéristique d'un drone se fait entendre au-dessus de leurs têtes. Cet appui aérien, promis par Voodoo, devait arriver plus tôt. Fox guettait sa venue depuis un long moment, inquiet de son retard. À son approche, chaque membre de la colonne allume son stroboscope IR individuel afin d'éviter toute confusion avec d'éventuelles forces ennemies.

La présence du Predator rassure les cavaliers pendant deux petites heures mais l'avion sans pilote disparaît alors qu'ils s'apprêtent à quitter la vallée pour descendre vers Wana, par un étroit défilé long de plusieurs kilomètres d'où ils ne pourront plus s'échapper. Ses capteurs vont leur faire défaut au moment où ils seraient le plus utiles. Fox, agacé, décide de contacter la FOB Lilley, à Shkin, pour le faire revenir. Il ordonne une halte à l'abri d'un sous-bois de pins bleus accroché à flanc de colline. Tiny ne perd pas de temps et, sitôt qu'il a posé pied à terre, il déploie une radio satellite. Hafiz reçoit pour instruction de mettre en place un périmètre de sécurité.

Descendu de cheval, Fox s'empresse de contrôler bêtes et matériel, fait le tour des hommes. Satisfait, il s'autorise à grignoter un peu de chocolat, pense à Haji Moussa, boit un coup de flotte. « Alors ?

— Impossible d'établir la liaison. » Tiny a beau jouer avec l'antenne parabolique pliable du poste, il n'arrive à rien. « Je vais essayer de trouver un endroit dégagé un peu plus haut.

— Prends Akbar avec toi et n'allez pas trop loin. » Fox vérifie l'écran de son Thuraya en le protégeant de sa main pour éviter de produire trop de lumière. Le réseau est OK. « Je te laisse dix minutes, après j'essaie le téléphone. Sinon, on se démerdera avec un éclaireur. »

Une rafale d'arme automatique retentit alors que Tiny se lève pour partir. Son écho rebondit longuement entre les montagnes. Chacun se fige avant de se précipiter, passé la surprise initiale, derrière la protection la plus proche, mains serrées sur la kalache, prêt à riposter. Fox allume l'optique infrarouge de son AKMS, John et Jack rampent pour récupérer des jumelles de vision nocturne dans leurs fontes de selle. Tous se mettent à observer les environs sans rien apercevoir. Le silence se prolonge, plus personne ne bouge. Chevaux et mules sont calmes. À peine si l'on entend le vent.

Nouvelles détonations dans le noir. Cette fois c'est un échange de tirs, soutenu. Fusils d'assaut et mitrailleuses RPK se répondent. Fox le situe au sud-est de leur position actuelle, à bonne distance, vraisemblablement dans la gorge où ils doivent s'engager. Hafiz arrive en courant et confirme. Il faut aller voir. Fox fait brancher les radios individuelles, organise en vitesse la protection des deux opérateurs de l'Activity, et envoie Tiny et Akbar sur un point haut pour joindre le QG. Ensuite, il suit Hafiz afin de trouver la source de la fusillade.

Les deux paramilitaires quittent le refuge du bois et partent en direction de l'entrée du vallon, trois cents mètres plus à l'est. Ils avancent en appui mutuel, s'arrêtent régulièrement pour écouter la nuit lorsque les coups de feu cessent. Fox prend des visées, balaie le terrain devant lui. Aucun mouvement vers eux.

Les armes gueulent, la ferment, gueulent à nouveau, de plus en plus fort. Ils approchent. D'autres bruits commencent à se faire entendre, des claquements métalliques, des voix autoritaires, des appels de détresse. Et des hurlements bestiaux. Fox se poste et jette un œil dans sa lunette. Sur leur gauche, au-dessus d'eux, il repère un promontoire formé par des rochers. Il devrait leur permettre de se faire une idée de la situation tout en les dissimulant à la vue des assaillants. En silence, il le montre à Hafiz et lui fait signe de suivre. Ils découvrent bientôt qu'une troupe de l'armée pakistanaise a pris en tenaille une caravane de mules se dirigeant elle aussi vers Wana. Au jugé, Fox compte une trentaine d'animaux de bât, certains encore debout mais la plupart à terre, morts ou blessés. Les vallons résonnent de leur terrible agonie quand les fusils se taisent.

Les bêtes sont chargées de jerrycans et de ballots de marchandises mais également de caisses d'armement. Hafiz murmure *contrebandiers* à l'oreille de Fox. Il acquiesce et une pensée lui traverse l'esprit, *on a eu du bol, putain. À dix ou quinze minutes près, c'était nous. Et ces cons n'ont rien vu avec leur drone de merde*. Revenu à l'accrochage, Fox discerne deux 4 × 4 de l'armée garés juste sous eux et au moins quatre autres pickups et trois camions, plus loin, en aval.

Fox de Tiny…

Susurrements dans son oreillette Invisio. Il répond à voix basse. « Fox. »

Lightning revient. Sur zone dans six minutes…

« Reçu. »

Situation ?

« Accrochage entre des militaires et une caravane non identifiée. » Fox rend ensuite compte du nombre et des différents types de véhicules. « Je vois une section de l'armée », environ quarante hommes, « et douze méchants. Trois, deux plus un, méchants KIA. » *Killed in action*, morts. « Un méchant WIA. » *Wounded*. Blessé.

Lorsque le drone arrive, l'escarmouche a repris. Peu à peu, la riposte des caravaniers faiblit, ils meurent les uns après les autres. Une impression corroborée par les observations de l'opérateur du Predator, relayées par Tiny. Après trente minutes, les coups de feu s'arrêtent et les militaires s'avancent dans la vallée pour achever bêtes et blessés, et piller ce qui peut l'être. À quelques échanges et ordres aboyés, peu discrets, Fox et Hafiz comprennent que les Pakistanais s'inquiètent de la présence de l'appareil sans pilote, ils ont peur d'être pris pour cible par l'un de ses missiles.

« Tiny de Fox. »

Tiny…

« Demande à Lightning de faire un passage basse altitude. »

Reçu…

Le drone se rapproche et resserre ses évolutions au-dessus du champ de bataille et la manœuvre provoque le départ des soldats. Ils abandonnent derrière eux une désolation de cadavres d'où montent encore quelques plaintes isolées. Les minutes s'allongent. Les deux paramilitaires surveillent la vallée. Rien. Avant de retourner vers le sanctuaire de la colonne, Fox fait transmettre de nouvelles instructions au Predator, afin de voir si l'incident n'a pas attiré l'attention des talibans retranchés dans les environs.

La menace semblant définitivement éloignée, ils se remettent prudemment en route, à l'écoute de la nuit. Hafiz marche en tête, une dizaine de mètres devant Fox. Ils cheminent à flanc de montagne, dans l'obscurité des ombres, camouflés par les buissons et les arbres. L'herbe gelée crisse sous leurs pieds. Le Pachtoune retrouve sans problème un thalweg profond traversé à l'aller et s'y engage. En remontant de l'autre côté, ils arriveront juste sous le bosquet dans lequel leurs chevaux sont cachés. Fox suit, toujours à bonne distance.

Le fond de la déclivité, ravinée par les eaux et le temps, est encombré de rocailles. Il est difficile d'y distinguer quoi que ce soit dans le noir. Hafiz a déjà entamé l'ascension de la pente opposée quand une silhouette armée s'élance dans son dos, surgie de derrière un rocher. Elle se retrouve nez à nez avec Fox, surpris par cette apparition. Tous deux restent bloqués un instant, oubliant de tirer, et une voix masculine dit : « Au nom d'Allah, ne me tue pas ! » Sans attendre de réponse, l'inconnu file vers la vallée.

Hafiz réagit bien et le prend en chasse, entraînant Fox derrière lui. Pas question de laisser filer un homme en mesure de signaler leur présence. La poursuite ne dure pas. Le fuyard trébuche sur une pierre et roule au sol sur plusieurs mètres. Il perd son AK47, a néanmoins le temps de le récupérer et, sans parvenir à viser correctement, il lâche trois coups assourdissants dans la direction des paramilitaires. Aucune balle ne les touche et, dans l'élan, ils se jettent sur leur adversaire pour le neutraliser au plus vite. Quelques frappes à la tête et au corps le forcent à se protéger et permettent de le désarmer sans problème. Il crie, se fait retourner sans ménagement. Hafiz s'agenouille sur ses jambes, tient ses pieds. Fox lui plaque la gueule au sol. Tout bas, en pachto, il le somme de la boucler s'il ne veut pas crever dans l'instant et il lui enfonce un gant de combat entre les dents. Avant de se taire et d'arrêter de se débattre, l'inconnu a le temps de dire qu'il s'appelle Naseh, il est passeur.

À la radio, Tiny insiste pour savoir ce qui est arrivé, s'ils sont blessés, qui a tiré.

« On a capturé un survivant de l'embuscade. Tout va bien. »

Négatif. Lightning signale une colonne de trois véhicules légers au nord de notre position à deux kilomètres. En approche rapide…

Même s'il est peu probable que les mecs dans les pickups aient pu entendre les derniers tirs, ils savent pour l'embuscade. Ils viennent se rendre compte par eux-mêmes. Et il y a d'autres oreilles à l'affût dans le coin. Beaucoup. Il faut se planquer, se faire tout petit.

« Reçu. »

Fox et Hafiz échangent un regard. Dans le noir, impossible de voir l'expression du visage de l'autre, le message de ses yeux. C'est inutile. Sous eux, Naseh frémit, il est terrifié, se pisse dessus, supplie, sans pouvoir bien articuler à cause du bâillon. Il a senti la tension renouvelée de ses ravisseurs. Claque à l'arrière du crâne, Fox appuie un peu plus. « La ferme, on t'a dit ! » De sa main libre, il fouille sous son parka à la recherche de son poignard.

Hafiz l'interrompt, il brandit déjà sa propre lame. Hochement de tête, « pardonne-moi, wror », et elle force jusqu'à la garde sous la cage thoracique. Deux respirations, trois, et le cœur est percé. Naseh cesse d'émettre le moindre son, de trembler, se relâche totalement.

Fox se remet debout, submergé par une onde de tristesse. *C'était à moi de le faire*. Assumer ses responsabilités aurait sans doute rendu cette mort de la déveine plus tolérable. Il aimerait bloquer le flot de réflexions qui l'assaille soudain à propos de cet homme, sa vie, son histoire, sa famille, elle ne saura jamais rien de sa fin, où se trouve son corps, ne pourra refermer l'ultime blessure de sa disparition. Sans doute était-il père. Et il repense au sien. Lui, il n'aurait pas pu tuer cet homme, ou le laisser tuer. Fox récupère son gant dans la bouche affaissée du contrebandier et, aidé d'Hafiz, charge son cadavre sur son épaule. Au moins le portera-t-il pour son dernier voyage. Ils vont rejoindre les autres et grimper plus haut dans la montagne pour disparaître avant le jour. Ils ont perdu trop de temps et, dans l'immédiat, la vallée est fermée, vouloir s'obstiner à l'emprunter serait suicidaire.

Au sud de la province de Khost se trouve Mashi Kelay, un hameau construit de part et d'autre du lit sec d'un cours d'eau, à moins de trois kilomètres de la frontière pakistanaise. L'une de ses modestes fermes a été temporairement réquisitionnée par un commandant taliban local, allié des Haqqani. Il s'appelle Zarin, c'est un petit homme d'une trentaine d'années, nerveux et rondelet, à la barbe abondante. Les habitants du coin et ceux qui combattent sous ses ordres le craignent pour son autoritarisme violent. Ce soir, sur instruction de Miranshah, il a dû accepter de protéger Tajmir et un Ouzbek distant et peu loquace. Zarin redoute et jalouse Taj, comme nombre d'insurgés, parce qu'il est proche de Sirajouddine. Quant à l'Ouzbek, il n'a même pas daigné retenir son nom. Il hait les Ouzbeks, ils sont sales, vulgaires, ce ne sont pas de bons croyants.

« Il ne viendra pas. » Zarin, assis en tailleur, s'agite sur un tapis élimé et n'arrête pas de tripoter un vieux pistolet Makarov. Il n'apprécie guère d'être coincé avec ses compagnons d'un jour dans cette hujra de pauvres au sol en terre battue. Personne n'ayant réagi à son affirmation péremptoire, il poursuit : « Lui et les siens se sont détournés de la vraie foi, notre combat ne les intéresse pas. Ils ne convoitent que la richesse. »

Installé à droite de Tajmir, en face de Zarin et de la porte, Dojou déguste un excellent thé noir apporté par l'ancien ayant dirigé tout à l'heure *al'maghrib*, la prière du coucher du soleil. Il regarde le taliban par en dessous, prêt à l'aider à se tirer une balle dans le ventre avec son joujou russe. « J'ai entendu dire que Shere Khan avait fait le djihad aux côtés de son père et d'autres plus courageux encore. Il était très jeune.

— Ce sont des fables !

— Sirajouddine serait donc un menteur ? »

Dojou ne le voit pas dans la pénombre de la salle faiblement éclairée mais le visage de Zarin est rouge de colère et de confusion. Tajmir a du mal à retenir un sourire.

Le taliban bafouille un repli stratégique. Évidemment, l'honorable fils de Jalalouddine ne ment pas, il ne pense pas ça, il ne l'a jamais pensé d'ailleurs, mais on a pu l'abuser. Et c'est un grand chef quand même. Il finit par se taire et se ressert du chai. Son impatience reprend vite le dessus. « Il est en retard. Je vous l'ai dit, il n'a pas de parole. Il nous manque de respect. J'aurais, moi, choisi un autre lieu pour des hôtes aussi importants. » Zarin est agacé par le rôle auquel on l'a cantonné, escorte, dans un secteur dont il est le chef militaire désigné. Personne ne lui a demandé son avis pour cette rencontre et il perçoit dans l'attention accordée à Sher Ali une remise en cause de son autorité.

Dehors, des militants montent la garde auprès de son 4 × 4 flambant neuf et l'un d'eux appelle à travers la porte. Un garçon est là, il demande à leur parler.

« Fouillez-le et faites-le entrer. »

Après quelques secondes, un jeune homme timide, emmitouflé dans un patou et coiffé d'un calot se présente au seuil de la salle commune. « *Assalam'aleikoum*, je m'appelle Fayz. Je viens chercher Tajmir.

— *As'salam*, je suis Tajmir.

— Je dois te guider jusqu'à Sher Ali Khan, Tor Dada.

— Il n'est pas ici ?

— Non.

— Et où est-il ? »

Fayz ne dit rien.

« Réponds ! » Zarin bondit sur ses pieds et saisit violemment le biceps du garçon. « Tu vas répondre, oui ? » Il lève la main pour le frapper.

Dojou est plus rapide et parvient à retenir le coup. « Paix ! » Il tire le taliban en arrière et se place en travers de son chemin. Dans son dos, la porte s'ouvre. Les gardes, alertés par le bruit et les cris.

Tajmir se lève et s'avance vers eux. Cette proximité empêche Zarin et ses hommes aux yeux chargés de mort de s'en prendre à l'Ouzbek. « Où dois-tu m'emmener, Fayz ? » Sa voix grave et calme apaise les esprits.

« Je ne sais pas, Père Noir. J'ai un téléphone. On m'a dit d'aller dans une certaine direction et que je serai appelé une heure après être parti d'ici. On m'a aussi demandé de t'expliquer que c'était pour ta sécurité. »

Au tour de Tajmir de n'être pas content, même s'il comprend Sher Ali. Si nul ne sait où a lieu le rendez-vous jusqu'au tout dernier moment, nul ne peut les trahir. Et en les faisant rouler pendant un certain temps, il est possible de vérifier que personne ne les suit. Sur terre ou dans les airs. « Mettons-nous en route. »

Comment Fayz est arrivé à Mashi Kelay, ils ne le sauront jamais puisqu'il embarque avec eux. Tajmir refusant de se serrer à trois sur la banquette arrière, Zarin est contraint de prendre le volant et laisser tous ses sbires derrière lui. Ils partent, roulent sur des pistes inconfortables, souvent tous feux éteints, à vitesse modérée, sans que le téléphone se mette à sonner, même après l'heure dite. La nuit est sombre, nuageuse, traversée de violentes douches hivernales, suffisantes pour glacer les os mais pas pour irriguer les terres épuisées par d'interminables sécheresses.

Tajmir comprend au bout d'un moment qu'ils tournent en rond dans un périmètre précis. À plusieurs reprises, il est sur le point de demander à Zarin de rebrousser chemin, agacé de zigzaguer dans le noir en territoire ennemi. Il s'inquiète d'être capturé par les Américains ou leurs alliés afghans sur un coup du sort. Ou d'être à la merci d'une vengeance mal avisée de Sher Ali.

Dojou ne s'affole pas. L'extrême prudence du contrebandier le rassure et il sait aussi que tout chef ressent le besoin constant de rappeler aux autres l'étendue de son pouvoir. Il en a eu la démonstration maladroite ce soir avec Zarin. Et il y a son instinct. Il fait confiance à Sher Ali, s'il avait voulu les tuer, ils seraient déjà morts.

Le coup de fil ne vient pas mais au détour d'un chemin ils sont interceptés par Qasâb Gul et d'autres membres du clan. Sans fournir la moindre justification, il demande à Zarin de suivre son pickup. Trente minutes plus tard, leur convoi atteint une enclave habitée, nichée au fond d'une étroite vallée. Le village semble endormi mais, avant qu'ils se garent, Dojou a le temps de repérer sur les toits des sentinelles discrètes.

Taj connaît bien ce coin de la province de Khost. Sperah, le fief de Sher Ali, est tout proche. « Nous aurions pu venir ici seuls et plus vite, sans perdre de temps. Ton maître me croit-il naïf ou imprudent, indigne de sa confiance ? »

Zarin jubile. Dojou se tient prêt.

« Sher Ali est mon ami. » Qasâb Gul envoie Fayz vers une maison dans laquelle il y a de la lumière. « S'il n'avait pas foi en toi, tu ne serais pas là. » Ses yeux s'arrêtent sur le commandant taliban. « Kaboul recrute parfois ses meilleurs espions parmi vos frères. »

Zarin pose la main sur la crosse de son Makarov. Il n'ose le dégainer.

Le Boucher ignore son geste pathétique. « Venez. Sher Ali a beaucoup à faire depuis son retour. » Il se dirige vers la construction dans laquelle Fayz a disparu. Les trois invités suivent.

Ils entrent dans une autre hujra, plus grande, plus chaleureuse, chauffée par un feu vif, où une quinzaine d'hommes ont déjà pris place. Sher Ali est là, assis à côté d'un ancien que Zarin identifie à voix basse. « Moulvi Wali Ahmad. Il est très écouté. » Les présentations sont faites. La plupart connaissent le taliban et l'ombre d'un agressif mépris traverse le regard de certains. Les noms de Tajmir et Dojou ne sont pas prononcés, ils sont juste *des amis*. Une vague de murmures préoccupés s'élève dans la pièce.

Wali Ahmad réclame le silence et se penche vers son voisin. « C'est folie de mêler ces serpents à nos affaires.

— Ils veulent s'en mêler. Puis-je les empêcher ? Toi ? » Sher Ali a répondu l'air absent. « Mieux vaut en faire nos alliés. »

L'ancien dévisage longuement son voisin sans rien dire. Il n'aime pas la résignation qu'il décèle dans sa voix. « On ne peut ranger deux épées dans le même fourreau. »

Sher Ali ignore l'avertissement de Wali Ahmad et fait signe à leurs hôtes de prendre place dans le fond. Du thé leur est offert. Les discussions reprennent. Il s'agit de régler une dispute entre deux familles, chacune représentée ici par ses aînés et ses héritiers directs. L'enjeu est un terrain, occupé par l'une et revendiqué par l'autre après le retour d'un lointain cousin ayant affirmé jouir de sa propriété. Il est décédé entre-temps. Ces dernières semaines, la violence verbale a cédé la place aux coups et tous redoutent l'escalade, l'izzat bafoué et le déshonneur lavé, le bain de sang. Cette jirga a été convoquée afin de l'éviter.

Dojou observe Sher Ali écouter les différents arguments, parfois hocher la tête, distant. Assis bien droit, il semble en meilleure forme que la semaine précédente devant la tombe de sa fille. Son visage, coupé en deux par la diagonale noire du bandeau lui couvrant l'œil gauche, a désenflé et presque retrouvé sa couleur naturelle.

À côté de Tajmir, Zarin ne tient pas en place. Il marmonne, fulmine, peste contre la prétention manifestée par cette bande de voleurs. La choura de Quetta, le grand conseil réuni autour du Mollah Omar, dans la capitale de la province pakistanaise du Baloutchistan, responsable de la doctrine et de la stratégie globale de l'insurrection, devrait être avertie sans attendre, et agir pour les punir.

Témoignages et revendications se succèdent. Avant de conclure, Moulvi Wali Ahmad questionne avec une infinie courtoisie un très vieil homme, étranger aux deux parties en présence mais témoin privilégié de l'histoire régionale. La tradition pachtoune est principalement orale, les actes écrits sont quasi inexistants et la propriété affaire de parole et d'un consensus communautaire appuyé sur le pachtounwali. Le vieillard prend son temps pour faire le récit de ses souvenirs, réécrit quelques pages de l'histoire du pays, parle de ces conflits ayant déchiré le district de Sperah, des villages déplacés et repeuplés, des promesses faites. Il apparaît que le cousin mort avait raison. Cependant, les occupants actuels ont eux aussi matière à doléances, la terre leur a été donnée par un oncle qui n'avait pas autorité pour le faire. Le silence retombe sur la hujra. Moulvi Wali Ahmad et un second ancien délibèrent à voix basse avec Sher Ali.

N'y tenant plus, Zarin se lève et interpelle les trois hommes. « Nous commandons ici. Pourquoi nos juges ne sont-ils pas là ? »

D'un geste, Sher Ali empêche Qasâb Gul d'aller corriger l'importun, sans manifester la moindre émotion. Dojou se tourne vers Tajmir et ce dernier secoue discrètement la tête, laissons Zarin se débrouiller.

« Je connaissais bien ton père. » Moulvi Wali Ahmad décide de répondre à l'affront. « Il serait mort de honte de te voir ainsi t'adresser à nous. Et il t'aurait corrigé. »

Zarin encaisse, ne recule pas, défie l'assistance du regard.

« Cette nuit, nous t'avons offert l'hospitalité, mais qui sait pour demain.

— Zarin est un homme dévoué. » Sher Ali semble décidé à offrir une porte de sortie honorable au taliban, mais sa voix est porteuse d'une menace froide. « Il a un très grand cœur, nous le savons tous, et parfois les grands cœurs se laissent emporter. Sans doute veut-il juste nous offrir son aide. »

Dojou sourit lorsqu'il voit Zarin se rasseoir après avoir murmuré un *bien sûr* vaincu suivi d'un *continuez*. Le même sourire éclaire le visage de Tajmir.

La sentence est enfin rendue. Le terrain est laissé à la famille qui en a déjà l'usage. Si une partie de l'assistance se réjouit de cette décision, l'autre manifeste immédiatement son mécontentement et Sher Ali doit hausser le ton pour aller au bout de sa déclaration. Le brouhaha faiblit. « Je donnerai en échange une parcelle de même taille prise sur mes propres terres. Elle était pour mon fils, il n'en a plus besoin. » Plus bas, il ajoute : « Et moi je n'en veux plus. »

Dojou n'a pas entendu ces derniers mots, noyés dans les exclamations de satisfaction des présents, mais il a vu le chagrin déformer les traits de leur hôte au moment de les prononcer. À ses côtés, Tajmir approuve le jugement, connaisseur. Un vrai chef, respecté. Respectable. Zarin en conçoit plus de ressentiment encore.

Sher Ali s'est levé pour les rejoindre. « Merci d'avoir été patients. » Il regarde Qasâb Gul debout devant la porte de la hujra entrouverte.

Le Boucher opine du chef et sort.

Sher Ali invite Tajmir à le suivre et quitte la maison à son tour.

Dehors, la nuit est toujours aussi épaisse, l'air encore chargé d'une humidité à l'odeur terreuse.

Dojou ne voit pas à dix pas mais perçoit tout de suite un changement dans l'atmosphère du village. Une présence qu'il n'avait pas ressentie à leur arrivée, envahissante, tendue mais pas menaçante, et quand ses yeux sont enfin habitués à l'obscurité, il distingue devant lui les silhouettes resserrées d'hommes silencieux. Ils sont nombreux, des centaines peut-être, agglutinés entre les maisons, en attente. Il devine le clan rassemblé là tout entier en réponse à l'appel de son khan.

Sher Ali brise le silence après une éternité de secondes. « Si vous êtes mes alliés, je serai le vôtre. »

La réplique de Tajmir ne tarde pas. « Nous sommes tes alliés.

— Alors mon territoire vous appartient. Et ma parole vaut plus que celle de beaucoup d'autres. »

Les mots de Sher Ali déclenchent un tonnerre de vivats et de rafales de joie dirigées vers le ciel. La vallée se met à gronder de l'ivresse vindicative des combattants. Leur Roi Lion part en guerre.

Trois jours utiles au lieu de quatre, à cause d'un temps de déplacement rallongé par l'embuscade de la première nuit, et l'obligation d'installer en priorité les terminaux d'interception Typhoon, le premier à Wana, capitale des Wazirs, le second à Makin, repaire des Mehsuds, l'autre grande tribu du Waziristan du Sud, contraignent Fox et sa bande à revoir le programme de leur mission une fois sur place. Les rencontres avec les sources existantes et d'éventuelles recrues s'en trouvent limitées et la situation locale, très difficile, réduit plus encore leur liberté de mouvement.

Le moment de cette infiltration n'aurait pu être

plus mal choisi, les dernières offensives de l'armée ayant ravivé le conflit entre factions talibanes opposées. D'un côté, le Mollah Nazir, proche d'Al-Qaïda mais contempteur de certains moudjahidines étrangers, notamment ouzbeks, dont il a fait exécuter plus d'une centaine l'année précédente. C'est un Wazir favori d'Islamabad pour son refus de perpétrer des attaques au Pakistan. De l'autre, Baitoullah Mehsud, chef du TTP, allié et protecteur de l'*Islamic Movement of Uzbekistan*, ami du Mollah Omar et des Haqqani quand ça l'arrange, partisan du djihad total et importateur des attentats-suicides dans son propre pays et chez les proches voisins. Outre leurs divergences fondamentalistes à défaut d'être fondamentales – lorsqu'il faut s'allier contre l'Occident ou le mécréant, ils sont potes – ces deux groupes perpétuent en réalité une vieille tradition de chicayas intertribales. Un concours de bites lancé depuis des temps immémoriaux et dont l'objet est surtout de savoir qui a le pouvoir sur quoi.

Le soir de leur arrivée aux abords de Wana, trois gamines sont battues et brûlées vives sous prétexte qu'elles étaient habillées de façon provocante et ne portaient pas leurs voiles. Après que la veille, à une heure d'affluence, plusieurs rafales d'armes automatiques avaient été tirées au milieu du bazar, tuant et blessant plusieurs innocents. Selon Manzour Wazir, leur contact local le mieux implanté, Mollah Nazir accuserait son rival d'être le commanditaire de cette flambée de violence, représailles à sa neutralité affichée lors du sac du village mehsud de Spinkai, cible de l'opération Zalzala trois semaines plus tôt.

Profitant de ses tournées, Manzour, médecin récemment diplômé de l'université Aga Khan de Karachi, de retour dans sa région natale après un cursus charitablement sponsorisé par des fonds secrets de la CIA, parvient tout de même, deux jours durant, à conduire Tiny et Hafiz auprès d'autres recrues potentielles, à travers de fréquents barrages militaires et militants. Le jeune toubib propose également, en dépit des risques mortels pesant sur lui, de transporter et cacher dans un endroit sûr les mouchards non distribués convoyés depuis l'Afghanistan.

Cette détermination à mettre en péril sa propre sécurité et celle de sa famille – Manzour est marié et père de trois enfants – incite Tiny à l'interroger sur ses motivations au cours d'un dîner. Une question difficile. Travailler pour une puissance étrangère pose problème à Manzour, profondément amoureux de son pays, mais la situation des FATA, maintenues dans une précarité extrême par un pouvoir central malhonnête et la folie meurtrière de combattants intégristes intoxiqués par la propagande wahhabite venue du Golfe, doit changer. Il ne croit pas que ce changement peut venir de l'intérieur, encore moins si les chefs de guerre continuent à faire régner leur loi mortifère, et il veut un avenir pour ses gosses, ici pas ailleurs.

Pendant que Tiny enrôle et philosophe, Fox, Akbar et les copains de l'Activity, escortés par Anwar, un cousin de Manzour, s'offrent une balade Wana-Makin et retour, multipliant les précautions et les sauts de puce nocturnes, pour aller déployer leur quincaillerie électronique autour des deux principaux relais télécoms de la région.

La cinquième nuit, après quatre-vingt-seize heures de grande tension et d'insomnie paranoïaque, sur ce plan-là au moins sont-ils parvenus à se mettre au diapason des gens du cru, les cavaliers rejoignent la vallée de Shawal. Ils sont fatigués. John et Jack se plaignent à chaque pause des longues heures de monte auxquelles ils ne sont pas habitués. Tiny en a marre lui aussi. Et il s'inquiète pour la famille de Manzour dont il s'est rapproché.

Ils progressent le long du même itinéraire qu'à l'aller, sur le versant sud, et avancent lentement, prudemment, à l'aveugle. En l'absence de drone, la colonne a augmenté les arrêts et les prises de contact avec *Mother*, leur QG de Lilley, à l'affût sur les ondes. Shkin n'est plus qu'à six ou sept bornes à vol d'oiseau lorsque Fox reçoit une alerte texte sur son téléphone satellite Thuraya. Il ordonne à Akbar de les guider jusqu'à un abri et ils se réfugient peu après dans une combe protégée par des arbres.

Tiny déploie la radio et Voodoo, prêt à les accueillir de l'autre côté de la frontière, leur annonce une augmentation du bla-bla Icom dans le secteur, entre au moins deux groupes de militants.

Ils sont sur vous. Estimation, trente méchants. À la sortie d'El Paso…

El Paso est le nom de code d'Angour Adda. Suit une série de coordonnées localisant approximativement les insurgés, au sud, en travers de leur chemin. L'imprudence dont les talibans font preuve dans leurs échanges sur les ondes permet de repérer leurs positions par triangulation.

Quinze méchants vous collent aux fesses dans le Grand Canyon…

Shawal. Les poursuivants sont à un kilomètre à l'est des paramilitaires. Ils semblent vouloir maintenir cet écart jusqu'au dernier moment, afin de les prendre en tenaille.

Brown est endormi…

Le fortin des Frontier Corps, à l'entrée nord du

défilé, n'est pas en alerte. Les soldats n'ont, pour le moment, pas la moindre idée de ce qui se joue sous leurs fenêtres.

Voodoo prévient enfin de l'arrivée de deux hélicoptères d'attaque Apache, indicatifs *Striker One One* et *Striker One Two,* sur place dans une demi-heure. Les mortiers de Lilley sont également en alerte.

Renseignés sur l'embuscade, Fox et ses compagnons ont à nouveau l'avantage de la surprise, même s'ils sont loin d'être tirés d'affaire. Ils ne peuvent tenter un passage en force à Angour Adda et le seul moyen d'éviter le piège tendu est de traverser la vallée pour se faufiler sous les installations de l'armée. Un pari risqué. S'ils se font repérer, ils seront pris entre deux feux et rien ne garantit que les Apache violeront l'espace aérien pakistanais pour venir les soutenir. Il faut impérativement maintenir les talibans sur ce versant et Fox décide de rester avec Hafiz, un second CTPT et une mule, afin de servir de leurre, le temps pour Tiny et le reste de la colonne de basculer de l'autre côté. Une fois le fort dépassé par le gros de la troupe, Fox rejoindra avec les autres. À trois, ils seront plus discrets.

Après avoir déséquipé une bête et récupéré des munitions, des grenades et trois mines Claymore, Fox et ses deux compagnons quittent la combe et vont se poster en surplomb de leur itinéraire initial. Le reste des cavaliers passe bientôt en dessous d'eux et descend la pente en direction du nord. Ils disparaissent dans le noir et le silence revient.

Hafiz signale l'arrivée des militants lancés à leur poursuite. Avec ses jumelles de vision nocturne, il vient d'en apercevoir quatre contourner un amas de rochers. À l'aide d'un bâton, Fox frappe sans ménagement le postérieur de la mule qui pousse un court braiement et fait une incartade. Un tapage suffisant pour attirer l'attention. Les trois hommes partent aussitôt vers l'ouest.

L'adrénaline a chassé la fatigue et le froid de leurs membres engourdis. Cette course est peut-être la dernière mais ils n'y pensent pas, concentrés sur l'effort et un seul objectif, éloigner l'ennemi de leurs camarades. Hafiz ouvre la marche, ensuite vient l'autre Pachtoune, muletier de circonstance et Fox couvre les arrières. Il s'arrête à intervalles réguliers pour s'assurer, d'un coup d'œil dans l'optique infrarouge de son AKMS, que les insurgés ne les lâchent pas.

Ils ont perdu du terrain mais s'accrochent et ont eux aussi accéléré le pas.

Au bout de vingt minutes, Tiny se signale sur les ondes. Les cavaliers ont atteint les abords du fortin et vont s'engager dans la zone critique, où ils seront vulnérables, à la vue d'éventuels guetteurs. Fox lui balance un *merde* sans y prendre garde. Il n'y a pas de réaction.

La mule est abandonnée à l'entrée d'un thalweg de cent mètres de long environ, dévissant en ligne droite vers le fond de la Shawal. La seule alternative à ce point de passage quasi obligé, large d'une douzaine de pas et très incliné, passe par les crêtes et fait le tour d'un énorme promontoire rocheux avant de redescendre. Après s'être assurés que la bête ne suit pas, Fox, Hafiz et le CTPT dévalent le goulet aussi vite que possible.

À mi-pente, Fox fait une pause, observe brièvement son environnement et entreprend de déployer sa mine antipersonnel sur l'une des parois. L'ayant gravie sur une hauteur suffisante, il rassemble quelques cailloux pour former un socle stable, assoit sa Claymore dessus et prend une visée sommaire tenant compte du dévers, en essayant de calmer sa respiration. L'arme est un parallélépipède rectangle de couleur kaki, d'une trentaine de centimètres de large sur quinze de haut, légèrement incurvé, dont la partie convexe doit être dirigée vers l'ennemi. C'est même marqué dessus : *FRONT TOWARD ENEMY*. Elle contient des billes d'acier, plusieurs centaines, libérées au moment du tir et projetées à très grande vitesse par du C4, un explosif plastique. De quoi déchiqueter tout ce qui se trouve devant à hauteur d'homme. Idéal pour interdire une piste, un sentier ou un couloir naturel semblable à celui dans lequel ils sont et où la bande qui leur file le train ne va pas tarder à entrer.

Fox ne prend pas la peine de dissimuler son dispositif. Dans le noir, contre un fond rocheux, il est suffisamment discret. « On y va. » Il entraîne ses deux hommes plus bas dans le thalweg et dévide derrière lui un câble électrique préalablement relié à la mine. En bout de course, il s'arrête et, avant de brancher sa poignée de tir, se tourne vers Hafiz pour lui demander d'aller couvrir la sortie du ravin. Pas question de se faire surprendre dans la vallée. Les deux Pachtounes dégagent.

Resté seul, Fox se couche derrière une grosse pierre, jette un œil dans la lunette de sa kalache, repère l'endroit où est posé le piège, dix mètres devant lui, et attend. Suivent des minutes sans autre distraction que le vent, sa respiration et le tambour de son cœur, cognant dans sa poitrine, enfiévrées par cette vieille peur de crever seul sans jamais revoir le pays, chère amie familière, terrible dans son intimité.

Pas de nouveau contact de Tiny, Fox commence à s'inquiéter. Un quart d'heure s'est écoulé depuis leur dernière communication. Il se projette au pied du fort, pour visualiser le terrain et le passage des hommes de la colonne, guidant leurs chevaux à pied dans la plus grande discrétion. L'absence de fusillade le rassure à moitié, personne ne tire, donc personne n'a été vu.

Le temps file, c'est long. L'écouteur de son oreillette Invisio reste désespérément silencieux. Même Hafiz ne s'est pas manifesté. Possible qu'il se soit fait coincer lui aussi. Agité, Fox fait varier le volume de sa radio portative. Rien à part le silence électrostatique. Vingt minutes. Merde, Tiny, tu fais quoi ? Il hésite à décamper, les talibans n'arrivent pas, ses potes se sont volatilisés, et va prendre les ondes quand la nuit apporte la rumeur étouffée d'hélicoptères dans le lointain. Les Apache. Nouveau calcul mental. À combien la frontière, trois ou quatre kilomètres, ils sont en limite de portée, mais ils peuvent nous voir, ils peuvent prendre de l'altitude, faudra pas se tromper, je vais allumer mon stroboscope, cette saloperie de canon de 30 mm peut tirer six cents coups à la minute, la mule vient de gueuler, les *munes* explosent à l'impact et ça flingue tout autour, la mule a encore gueulé. La mule a gueulé, bordel !

Fox se tend, il a failli louper l'avertissement de l'animal, surpris dans les ténèbres par les insurgés. Ils ont mordu à l'hameçon et suivi la route suggérée par la bête abandonnée. À distance, les turbines. Plus près, de la pierraille bousculée. Très près, le cliquetis métallique des anneaux des sangles de leurs fusils. Ils sont là. Le premier apparaît, descend à allure modérée. Prudent, il s'arrête fréquemment et écoute. Au second qui finit par le rejoindre, il montre le ciel, vers l'ouest, où tournoient les hélicos. Ils se remettent en marche. Trois, cinq, six silhouettes, huit, neuf, ils se pressent tous dans l'étroit corridor naturel, pas question pour eux de laisser leur proie s'échapper.

Fox saisit la poignée de tir. Un instant, dans le vert spectral de son optique, il discerne les traits juvéniles de l'homme de tête. Les yeux baissés vers le sol, il s'applique à ne pas trébucher, ça se voit. Mais ses mimiques trahissent également son angoisse et la fatigue de la poursuite. Fox a envie de le prévenir, ce gamin, de lui crier de rebrousser chemin mais, du petit doigt, il se contente de basculer l'ergot de sûreté empêchant l'opération de la détente. Clic, clic et boum. La déflagration résonne dans toute la vallée. Fox a enfoncé son visage dans le sol, un réflexe. Lorsqu'il redresse la tête, il ne peut réprimer une curiosité morbide. Sa PN21 lui dévoile une main tendue vers le ciel, ouverte, doigts crochetés. Ils bougent. À côté, une silhouette est assise dans une pose grotesque. Un bras a disparu, le visage n'est plus. Sa mandibule pendouille, lamentable, à peine retenue par un lambeau de muscle. Fox croit reconnaître le gamin au motif de son patou. Une profonde lassitude s'empare de lui, il ne veut plus voir ce truc, et il se lève et fonce vers l'aval, laissant derrière lui les sanglots de douleur et de panique des survivants estropiés.

« Hafiz de Fox. » Fox appelle en courant. Hafiz ne répond pas. *Je vais me faire cueillir comme un con.* « Hafiz de Fox ! » *Un gros con.* « Hafiz ! » *Tu vas voir que cet abruti a encore viré sa putain d'Invisio !* « Hafiz de Fox ! Bordel, Hafiz ! »

Suis… Hafiz…

Je suis Hafiz. Le retour est haché, faible, mais c'est bien lui avec sa version toute pachtoune de la procédure radio. « Fox, en approche. »

OK Fox...

Il sourit à ces mots, à la façon dont ils sont prononcés, pris d'une soudaine euphorie décuplée par l'adrénaline. Ses deux supplétifs l'attendent à la sortie du défilé et ensemble, aussi vite que la prudence l'autorise, ils dégagent. L'explosion a dû réveiller les militaires. Elle captera peut-être leur attention suffisamment longtemps pour tromper leur vigilance. L'idée est de longer la piste principale de la Shawal et retrouver Tiny. À présent que le relief du défilé ne fait plus obstacle, il est à nouveau joignable à la radio et leur indique sa position, il est à l'ouest du fortin, en bord de route, caché avec le reste des cavaliers.

Un calme inhospitalier s'est abattu sur les environs. Ils filent dans un no man's land herbeux et pentu, gardant la ligne grisâtre de la voie carrossable à main gauche. Ils avancent vite mais sont bientôt surpris par les détonations sèches et aériennes de plusieurs éclairants. Le fortin. Accrochés à des parachutes, leurs pots lumineux se mettent à dériver lentement dans le vent. Les ténèbres refluent autour des paramilitaires.

La suite est une course brutale, éreintante, confuse, incertaine.

Ils sont hors vue des soldats mais trois survivants de la Claymore, n'ayant pas renoncé, les prennent à partie aussitôt arrivés dans la vallée. Aux premières rafales talibanes répondent celles de l'armée. D'un nid de mitrailleuses, une MG3 se met à chanter. Ses 7.62 traçantes étincellent dans la nuit et vont frapper la pente opposée.

Tiny vient aux nouvelles.

Fox rend compte. « Contact, trois méchants, à cent mètres, sud sud-est... Brown nous a vus... Nous sommes… » Ça vibrionne tout autour, des mottes de terre se soulèvent à leurs pieds. Les militants veulent les garder à cet endroit, exposés, dans la lumière. Au loin, trop loin, les hélicos bourdonnent et, dans le ciel au-dessus de leurs têtes, les feux follets phosphorescents n'en finissent pas de tomber.

Les mortiers frappent ensuite la vallée en deux endroits. D'abord, c'est le fortin qui est visé. Ces coups-là sont puissants, ils font trembler le sol, portés par des obus faits pour détruire. S'ils sont imprécis et ratent leur cible, ils parviennent néanmoins à faire taire la MG3. Suit une deuxième série de déflagrations, plus brèves et plus aiguës, tout le long du versant nord. Fumigènes. Une épaisse nuée monte alentour et incite Fox à se relever. Il ne faut pas rester là, ils risquent de se faire hacher par une salve prochaine.

À la radio, difficile de suivre ce qui s'est passé, qui a bombardé quoi, comment, pourquoi si près. Tiny revendique la fumée, évoque Mother et l'autre groupe de talebs. Il crie qu'ils ont des 82.

Fox a d'autres soucis. Hafiz a déjà dégagé mais son second CTPT n'est visible nulle part. Il revient sur ses pas et finit par le repérer, vingt mètres devant lui, recroquevillé au sol. Une balle ennemie a trouvé sa cible. Fox charge le blessé sur une épaule, repart vers la piste, et rejoint Hafiz. Ils filent plein ouest. Le supplétif pèse, inerte. Il gémit à chaque foulée. Les cuisses de Fox sont en feu, il a du mal à respirer, essaie d'ignorer le sale goût métallique qui lui pourrit la bouche. Il faut avancer, pousser, ne pas lâcher. Tout à la gueule, *vas-y*. Ils atteignent la colonne épuisés et ils sont à nouveau accrochés par les rescapés du thalweg. Eux aussi ont profité du brouillard artificiel pour prendre la tangente.

L'échange ne dure pas. Deux grenades de 40 mm habilement lobées au M203 par John forcent leurs adversaires à reculer.

Les montures s'élancent dans la nuit.

Mother annonce un mouvement de pickups dans Angour Adda. D'après les informations transmises par les hélicoptères, les talibans cherchent à leur couper la route aux abords de la ville. L'autorisation de tir est demandée par Striker One One, invité de dernière minute sur le réseau radio. Elle ne vient pas. Tout cela a lieu du mauvais côté de la ligne Durand.

Des phares approchent dangereusement de la trajectoire des cavaliers. Ils contournent un groupe de fermes, manquent de renverser un curieux tiré du lit par le tapage, descendent dans un oued et, pendant quelques minutes de galop libérateur, ils foncent seuls dans l'obscurité, couchés sur les encolures de leurs chevaux. Les 4 × 4 les rattrapent. Ils surgissent derrière eux si vite que le premier dégringole d'une berge et verse sur le toit. Il en reste deux. Des AK se mettent à cracher, ça siffle dans tous les sens. Un des CTPT est touché juste à côté d'Akbar. Il pivote sur lui-même et va tomber de selle mais le guide le rattrape d'une main et le pousse vers l'avant. Le nez dans la crinière, l'homme parvient à s'accrocher à sa bête. Les bagnoles peinent mais gagnent du terrain. L'une d'elles se disloque avec fracas, pulvérisée en pleine course par une cinquantaine d'ogives explosives tirées par l'un des Apache.

Fox regarde en arrière. Le second véhicule fait demi-tour et s'enfuit, poursuivi par une traînée d'impacts enflammés.

Leur promenade s'achève mais les échanges d'amabilités continuent pendant une heure entre la force de réaction rapide de Lilley, venue protéger les paramilitaires, et les gardes-frontières pakistanais soutenus, selon des témoins locaux, par une dizaine de talibans arrivés en pickup. Plusieurs rappels à l'ordre sont également canonnés depuis le Waziristan sur des positions de l'Armée nationale afghane.

Le lendemain, en rédigeant le rapport destiné à Voodoo, Fox écrira *2xCTPT KIA* dans la case *pertes totales*. Une première depuis son recrutement par 6N.

13 FÉVRIER 2008 – Journal opérationnel de la Base de feu Lilley.

ID Référence : AFG20080213n1264	**Détenus :**		**0**
Région : RC-Est	KIA - Ennemi :		N/A
Latitude : 32.57627392	Ami :		1
Longitude : 68.22333839	Civil :		0
Date : 13-02-2008 04 : 37	Hôte :		2
Type : Action Ennemie	WIA - Ennemi :		N/A
Catégorie : TI	Ami :		2
Cible : Ennemi	Civil :		0
Exp. : N/A	Hôte :		1

ACTSIG Resp. S-3

Nom Unité Engagée : N/A

Type Unité Engagée : Appui Feu

ACTSIG : Oui

Couleur : Rouge

Classification : **TOP SECRET/NOFORN**

42 SWB 18300 00000

Chronologie : à 2013z traf. Icom sig. emb. INS GRAND CANYON / PILGRIM. PILGRIM exfil. vers PR JULIET. À 2112z, arr. rotors STRIKER 1-1 + STRIKER 1-2. À 2145z FRR LILLEY pos. PR JULIET + FB LILLEY autor. mis. AF

fum. / obj. BROWN / PILGRIM. À 2241z PILGRIM arr. EL PASO, 2xCTPT KIA. À 2248z STRIKER 1-1 autor. tir sur 2xVHC INS. À 2302z PILGRIM arr. PR JULIET. INS att. FRR LILLEY av. armes leg., STRIKER 1-2 autor. EL PASO (WA 27013 96122). À 2307z FFR LILLEY + PILGRIM par 5xTI, PO acquis à 2309z BROWN. 1xFRR KIA, 2xFRR WIA, 1xCTPT WIA. Tir neutr. à 2311z sur BROWN et EL PASO (WA 27013 96122).
Cib 1 BROWN (WA 27389 97502) : 10x120mm fum.
Cib 2 (WA 27137 95312) : 30 mm, 1xVHC INS dét., EKIA inc. EWIA inc.
Cib 3 (WA 27013 96122) : 3xHYDRA MPSM, EKIA inc. EWIA inc.
Cib 4 BROWN (WA 27389 97502) : 5x120mm fum., 5x105mm OE, 5x155mm OE. KIA inc. WIA inc.
Cib 5 (WA 27013 96122) : 10x120mm fum.
Eval. S2 : en cours
MàJ : 2XFRR WIA + 1xCTPT WIA EVASAN FOB Salerno à 2342z
FinEv : 2337z

(Classification du message : TOP SECRET / Interdit aux ressortissants étrangers - No Foreign National, ISAF/ OTAN inclus.
Chronologie : À 20h13 heure zoulou (heure française moins deux heures) les interceptions de bla-bla Icom signalent la préparation d'une embuscade insurgée dans la zone du GRAND CANYON contre PILGRIM. PILGRIM reçoit l'ordre de rejoindre le point de rendez-vous JULIET pour exfiltration. Deux hélicoptères, indicatifs STRIKER 1-1 et STRIKER 1-2, arrivent sur zone à 21h12 zoulou. À 21h45 zoulou, la Force de réaction rapide de la Base de feu LILLEY se déplace

vers le point de rendez-vous JULIET et la Base de feu LILLEY reçoit l'autorisation d'effectuer un tir de couverture fumigène sur l'objectif BROWN au profit de PILGRIM. PILGRIM rejoint EL PASO à 22h41 zoulou avec deux CTPT tués en action. À 22h48 zoulou, STRIKER 1-1 reçoit l'autorisation de neutraliser deux véhicules insurgés aux coordonnées WA 27137 95312. À 23h02 zoulou PILGRIM rejoint le point de rendez-vous JULIET. La Force de réaction rapide LILLEY est prise à partie par des insurgés équipés d'armes légères. STRIKER 1-2 est autorisé à tirer sur l'objectif EL PASO aux coordonnées WA 27013 96122. À 23h07 zoulou, la Force de réaction rapide LILLEY et PILGRIM reçoivent cinq Tirs Indirects. Point d'origine BROWN acquis à 23h09 zoulou. Un soldat de la Force de réaction rapide LILLEY est tué en action, deux autres sont blessés en action, un CTPT est blessé en action. Un tir de neutralisation est autorisé à 23h11 zoulou sur les objectifs BROWN et EL PASO.

Cible 1 - BROWN (coordonnées : WA 27389 97502) : dix obus fumigènes de 120 mm.

Cible 2 - (coordonnées : WA 27137 95312) : canon de 30 mm. Un véhicule insurgé détruit, nombre d'ennemis tués en action inconnu, nombre d'ennemis blessés en action inconnu.

Cible 3 - EL PASO (coordonnées : WA 27013 96122) : trois roquettes HYDRA 70 mm à sous-munitions. Nombre d'ennemis tués en action inconnu, nombre d'ennemis blessés en action inconnu.

Cible 4 - BROWN (coordonnées : WA 27389 97502) : cinq obus fumigènes de 120 mm, cinq obus explosifs de 105 mm, cinq obus explosifs de 155 mm. Nombre

d'ennemis tués en action inconnu, nombre d'ennemis blessés en action inconnu.
Cible 5 - EL PASO (WA 27013 96122) : dix obus fumigènes de 120 mm.
Évaluation échelon de commandement 2 : en cours.
Mise à jour : deux soldats de la Force de réaction rapide de LILLEY blessés en action et un CTPT blessé en action ont fait l'objet d'une Évacuation sanitaire à la FOB Salerno à 23h42 zoulou.
Fin de l'événement : 23h37 zoulou.)

PR#2008-2XX – INCIDENT EN PAKTIKA. KABOUL, AFGHANISTAN – L'ISAF enquête sur les circonstances d'un échange de tirs ayant eu lieu hier à la frontière avec le Pakistan. Pour le moment, nous ne sommes pas en mesure de confirmer s'il y a des victimes. D'autres informations suivront. **14 FÉVRIER 2008 – L'OTAN ATTAQUE LE PAKISTAN. PLUSIEURS ENVAHISSEURS** terroristes ont été tués par l'armée pakistanaise à Angour Adda, alors qu'ils menaient une attaque scélérate contre notre pays. Trois de nos valeureux soldats sont morts en martyrs et six autres ont été blessés après avoir été bombardés par des mortiers afghans. D'après l'agent politique du Waziristan du Sud, plus d'une centaine d'obus sont tombés sur nos bases. Une vingtaine de civils innocents, réveillés en pleine nuit, ont été tués par des missiles lancés par des hélicoptères américains, alors qu'ils fuyaient à bord de leurs véhicules personnels. Notre artillerie a répondu à cette agression en tirant plusieurs salves contre l'armée d'Afghanistan, marionnette des États-Unis [...] **15 FÉVRIER 2008 – DEUX HÉLICOPTÈRES AMÉRICAINS**

PRIS POUR CIBLE après avoir franchi la frontière pakistanaise. Dans la nuit du 13 février, les forces spéciales américaines auraient conduit un assaut dans la région d'Angour Adda, au Pakistan, avec l'assistance de l'Armée nationale afghane. Hier matin, une chaîne de télévision locale annonçait qu'une quinzaine de personnes, soupçonnées d'appartenir à la mouvance talibane, seraient mortes au cours de ce raid, ainsi que des militaires pakistanais. Des hélicoptères d'attaque auraient détruit plusieurs véhicules stationnés dans cette ville frontalière, réputée pour son bazar. Un responsable pakistanais, qui a tenu à garder l'anonymat, a déclaré à l'agence Reuters : « Les appareils ont pénétré sur notre territoire et c'est à ce moment-là que nos soldats ont ouvert le feu pour les repousser. » À Kaboul, l'état-major américain a nié toute participation de ses troupes et, à Islamabad, l'ambassadeur des États-Unis n'a fait aucun commentaire. S'il s'avérait réel, cet incident confirmerait l'attention portée aux zones tribales du Waziristan du Nord et du Waziristan du Sud où, d'après certains officiers de renseignement, il y a plus d'une centaine de camps d'entraînement en activité [...]

5

À la mi-février, un avion-cargo immatriculé UK-10973, propriété de la société Ouzbekair de Tachkent – ici, coopération juridique folklorique – piloté par la Cargoverseas Ltd. de Sharjah – là, enveloppes, sacs plastiques, mallettes – et loué à l'entreprise Air Management de Hong Kong – c'est chinois maintenant, attendez-vous à un casse-tête légal – décolle de Pyongyang Sunan – le reste du monde est l'ennemi de la République populaire démocratique de Corée. À son bord, vingt-cinq tonnes de pièces de machinerie agricole. Il vole jusqu'à Douchanbé, au Tadjikistan, où il fait escale le temps d'embarquer un complément de chargement. Il change également d'identification, prend le numéro UR-76012, celui d'un Iliouchine ukrainien du même modèle, reprogramme son transpondeur et altère son plan de vol. Il ne se rend désormais plus en Sibérie, sa destination initiale, mais repart vers le sud et atterrit, vingt-quatre heures après avoir quitté la Corée du Nord, à l'aéroport international d'Islamabad. Il est vidé. Sa cargaison repose ensuite deux jours dans l'entrepôt d'un transporteur routier servant de couverture à l'ISI puis est répartie à bord de camions civils anonymes. À la queue leu leu, ils roulent vers les régions tribales. Ils vont à Miranshah. Une fois là-bas, les jingle trucks sont envoyés vers trois hangars de stockage distincts, dont deux sont mitoyens de madrasas dirigées par le clan Haqqani. Les pièces de machinerie agricole sont débarquées. Curieusement, depuis le départ elles sont conditionnées dans des caisses très semblables à celles de fusils d'assaut, mitrailleuses et autres lance-roquettes. Le lendemain, des militants les transbahutent dans des pickups qui ne tardent pas à quitter la ville.

Sher Ali s'est isolé au sommet de la tour de guet de la qalat rachetée par son père il y a vingt ans. Cet endroit, il n'y monte jamais, il n'est donc pas chargé de souvenirs douloureux. Il attend, pressé de quitter cette bâtisse où les murs résonnent encore des voix de ses enfants. Il n'est pas revenu depuis leur mort, ne pensait pas avoir à revenir, prévoyait de laisser Qasâb Gul organiser les choses au Pakistan. Sirajouddine et Tajmir ont cependant insisté pour qu'il accompagne personnellement les premières caravanes et il a accepté, gage de son allégeance.

Le trajet vers l'Afghanistan ne sera pas sans danger. Si les services secrets acceptent de fournir les armes et de garantir leur livraison dans la capitale du Waziristan du Nord, ils se lavent les mains de la fin du parcours. Pour cette dernière partie, les contrebandiers seront livrés à eux-mêmes. Ils devront se débrouiller s'ils sont interceptés par une autre unité de l'armée pakistanaise. Hypocrite double jeu des maîtres d'Islamabad. Sher Ali s'y prêtera le temps d'obtenir ce qu'il souhaite. S'il l'obtient. Taj a parlé de photos, de lieux, peut-être même de noms, ici et là-bas. Il lui a aussi demandé d'être patient, ces informations-là sont difficiles à rassembler. Une excuse pratique.

Le bruit de moteurs emballés signale l'arrivée de leurs précieuses marchandises et Sher Ali interpelle Dojou, debout au pied de la tour, pour qu'il prévienne les hommes. La présence de ce dernier est une autre *faveur* de Tajmir. Ils veulent garder un œil sur lui. Un jour, il lui faudra peut-être tuer l'Ouzbek. Dommage, il semble être un homme d'honneur.

Dans la semaine qui suit, l'armement coréen fabriqué sous licence chinoise franchit la frontière sans problème, en plusieurs voyages.L'essentiel se volatilise dans différents districts situés autour du village de Sher Ali et dans le nord de la province limitrophe de Paktika. Graissé et protégé par des toiles cirées, il est enterré ou caché à l'intérieur de grottes, dans l'attente du déclenchement des hostilités, au retour du printemps. Le reste, des explosifs et des munitions, prend le chemin de Gardez et finit entre les mains de groupes chargés de harceler le chantier de l'autoroute vers Khost.

Un soir, Sher Ali reçoit Dojou à Sperah. Tout juste rentré de Paktiya, l'Ouzbek lui apporte des nouvelles. Qasâb Gul est avec eux. Ils dînent ensemble dans la salle commune, confortable mais sobrement décorée. Derrière Sher Ali, au milieu d'un mur bleu pâle, il y a une photo encadrée de son père. Juste en dessous, un long et fin poignard lui ayant appartenu. En vis-à-vis, cloués à la même hauteur, deux portraits de ses frères. La pièce est éclairée par des luminaires électriques alimentés par un groupe électrogène, un luxe rare, et le repas apporté par des gamins du village.

Sher Ali touche à peine sa nourriture. Il laisse

à ses invités le temps de se restaurer et passe aux choses sérieuses. « Quand arriveront-ils ? »

Avant de répondre à son hôte, Dojou finit de sucer un os de mouton. « Ils ont dit deux semaines. Tu devras choisir quelques hommes dégourdis, capables d'apprendre vite.

— Qasâb Gul s'en est déjà chargé. Et il sera avec eux, il connaît les bombes.

— Ces frères-là ont combattu les Américains en Irak, ils savent leurs façons de détecter les mines.

— Qu'Allah t'entende. »

D'une main, l'Ouzbek enfourne une boule de riz gluant aux haricots dans sa bouche, mâche, rote. « Ils resteront ici quelques jours. Il faudra une maison discrète et à manger. »

Sher Ali acquiesce.

« Les croisés doivent payer chaque sortie de leur sang. Il faut leur faire peur. Tajmir souhaite frapper dès les premiers jours d'avril.

— Nous serons prêts. »

Dojou s'arrête de manger et attrape dans son dos un lourd sac rempli de feuilles imprimées. « Voilà ce que tu dois distribuer sans tarder. »

Il y a un échange de regards entre le Boucher et Sher Ali. Prévenus de leur livraison prochaine, ils ont eu une longue discussion au sujet des documents en question, des lettres nocturnes ou *shabnameh*, tracts surtout destinés à effrayer les populations. Une ancienne tradition afghane. Qasâb Gul n'apprécie guère d'avoir à terroriser ainsi ses voisins et s'en est ouvert à son ami. Qui a répondu en chef de guerre et non en chef de clan, il faut obéir aux ordres.

Sher Ali parcourt des yeux l'un des pamphlets. Il sourit un instant en se rappelant la conclusion fâchée et ironique de Qasâb Gul à propos de l'illettrisme de la majorité des habitants de Loya Paktiya, et de sa propre réplique. « Les mollahs leur en feront lecture. » Rares sont ceux qui savent lire, même le Coran, souvent ils l'ont juste appris par cœur.

« Sirajouddine a capturé un homme de Mir Ali aperçu en train de téléphoner près des fermes, le jour de l'attaque.

— Un espion des Américains ? »

Le silence suivant le *oui* muet de Dojou est électrique.

« Je ne devais pas te le dire, pas encore, ils voulaient être sûrs. »

À ces mots, Sher Ali enragé se jette sur l'Ouzbek, le renverse en arrière et, pesant de tout son poids sur sa poitrine, se met à l'étrangler en pressant son avant-bras droit contre sa gorge. Il hurle. « Sûrs de quoi ? De sa trahison ou de ma fidélité ? »

Surpris, Qasâb Gul s'est levé et approche, hésitant, prêt à aider son ami.

À grand-peine, sans résister ni se débattre, Dojou répond *les deux* d'une voix enrouée. « Je ne suis pas contre toi, mon frère. »

La pression se relâche.

« Pourquoi trahis-tu leur confiance ?

— Je suis sûr, moi. » Dojou baisse les yeux. « Tu serais mort autrement. »

En regardant dans la même direction que l'Ouzbek, Sher Ali aperçoit une baïonnette pointée contre son ventre. Il s'écarte et va se rasseoir. « Où est cet homme ?

— Ils le gardent en vie, pour toi.

— Je dois l'interroger !

— Il a déjà avoué, je m'en suis assuré. » Les enfants de Dojou ont péri à cause d'une trahison. Après ce drame, ses chefs l'ont chargé d'identifier et faire parler les espions infiltrés dans leur organisation, le Mouvement islamique d'Ouzbékistan. Une tâche dont il s'est acquitté avec l'efficacité du désespoir. « Ce fils de chienne informait les Américains depuis plusieurs mois. Mais ce jour-là, il ne les a pas vus. Il a dit qu'après les avoir prévenus au téléphone, il était parti. Il ne m'a pas menti, crois-moi. » L'Ouzbek se regarde un instant dans la lame étincelante de son Izhmash. Son reflet est déformé.

« L'objet que Tajmir m'a fait voir, vous lui avez montré ?

— La lampe infrarouge ? Il ne savait pas ce que c'était.

— C'est tout ?

— Non. » Dojou range son poignard. Il avale un peu de thé, déglutit et grimace. Sher Ali lui a fait mal. « Les Américains viennent parfois en secret à Miranshah. À cheval. D'après le traître, ils partent de Barmal. »

Barmal. Des chevaux. Un ou des éleveurs. Complices. Selon les usages, badal autorise Sher Ali à exercer sa vengeance, sans limite de temps ou de distance, contre les fautifs, leurs familles, leurs amis, leurs alliés et tous ceux qui, de près ou de loin, sont de leur côté. Par exemple les baiseurs de juments ayant vendu des bêtes à leurs ennemis. Il ira en Paktika pour trouver ces hommes.

« Je sais à quoi tu penses. » Dojou sourit. « Tajmir a donné des ordres, il cherche. »

28 FÉVRIER 2008 – EXPLOSION AU WAZIRISTAN DU SUD, TREIZE morts, une dizaine de blessés. Cette nuit, à deux heures du matin, une série de violentes défla-

> grations a réveillé le village de Karoucha, au Waziristan du Sud. Selon des témoignages recueillis sur place, un avion sans pilote de type Predator, aperçu la veille dans les environs, aurait tiré trois missiles sur une maison, la détruisant totalement et endommageant sérieusement les constructions alentour. Des sources proches des mouvements djihadistes ont révélé que les victimes étaient arabes, tchétchènes et penjabies. D'après les villageois, les militants ont interdit l'accès au site de l'explosion aussitôt après l'événement. De son côté, le major général Abbas, porte-parole de l'armée pakistanaise, a affirmé que l'incident avait été provoqué par des produits dangereux entreposés dans la maison. Karoucha se trouve sur le territoire du Mollah Nazir, réputé proche d'Al-Qaïda [...]

« Il a un goût de chiottes ton café, Bob.

— J'ai rien de mieux, désolé. » Cigarette éteinte au bec, l'officier de la CIA tâte ses poches à la recherche de son briquet. Il ne le trouve pas et demande à Voodoo s'il en a un.

« Non et tu devrais arrêter la tétine à cancer. Remarque, entre ça et ton jus, je sais pas ce qui est le pire. »

Fox, également présent, offre du feu à Bob. Une clope lui est proposée en échange mais il la refuse.

« T'emmerde pas, il fume qu'avec ses Afghans. »

Ils sont tous les trois devant l'entrée de Dark Tower, à la FOB Chapman, à Khost. Le jour est levé depuis deux heures, il fait beau. Un vent irrégulier soulève par endroits des tourbillons de poussière. Un drone bourdonne dans le ciel, en approche finale. Les singes gueulent.

Bob s'étire. « Deux artificiers arabes en moins, une bonne nuit de boulot.

— C'est pas ça qui va pas les arrêter.

— C'est pas le but. Moins ils sont peinards, plus ils bougent et mieux on les voit.

— Amen.

— En plus, on a sauvé quelques guiboles de gars de chez nous. T'as pas d'avis, toi ? Tu l'ouvres jamais. » La question de Bob s'adresse à Fox.

« Les nouveaux mouchards sont efficaces, notre embryon de réseau s'est bien démerdé et sinon, je ne crois pas au renseignement à coups de missiles.

— On n'a plus le droit de leur parler, autant les buter. »

Voodoo bâille. « T'as maté CNN tout à l'heure ? »

Bob secoue la tête. « Pas bon pour ma tension.

— Je connais pas leur source mais ils annonçaient déjà que la maison était une école coranique. Qui dit école dit gosses, innocents forcément. Pas le genre à se faire péter dans une foule avec des ceintures d'explos.

— C'était pas une madrasa.

— Tu le sais, je le sais, mais pas ces connards de journalistes. Ni les abrutis collés à leur télé à longueur de journée. Ceux qui croient qu'on peut encore être gentils.

— On n'est pas gentils, là ? » Bob ricane. « L'armée pakistanaise couvre, c'est tout ce qui compte.

— Les généraux vont laisser tomber Moucharraf, tu crois ?

— J'en sais rien, mais les élections ne changeront rien pour nous, on paie. »

Voodoo regarde sa montre.

« Vous partez quand ?

— Ghost doit arriver vers dix heures. »

La 173e brigade de combat aéroportée fait partie des unités les plus décorées de l'armée américaine. Ses paras ont sauté sur l'Irak dès le début de l'opération *Iraqi Freedom*, en mars 2003 et, depuis un an, elle est déployée pour la seconde fois en Afghanistan, sous l'autorité de la RC-Est. Elle se bat dans les provinces de Paktika, Kounar, Laghman et Nangarhar où, à la FOB Torkham, elle participe à la sécurisation du principal passage transfrontalier vers le Pakistan.

Jusqu'au 11 septembre 2001, le sergent Joseph Canarelli ne s'était jamais imaginé embrasser la carrière des armes. Encouragé par sa mère, il avait poussé aussi loin que possible ses études de lettres et se destinait à devenir prof, ou journaliste, ou à bosser dans l'édition, il ne savait pas trop. Il n'était pas à New York, sa ville natale, le jour où les tours sont tombées, et a vécu le drame à la télévision. Après avoir eu peur pour ses proches, injoignables pendant plusieurs heures, il avait éprouvé de la rage, un sentiment totalement nouveau, et senti monter en lui l'envie de rendre les coups. Un désir vindicatif en opposition avec l'éducation reçue de ses parents qui, à défaut d'avoir été pacifistes, étaient et sont toujours des personnes paisibles et conciliantes. Un mois après cet événement, il s'engageait et devenait parachutiste.

« C'est quand votre perm', sergent ?

— Dans une semaine.

— Content de rentrer ? Ça va être la fête du slip avec votre copine. »

À côté de Canarelli, le soldat de première classe Postlewaite, assis derrière le volant du Hummer dans lequel les deux hommes attendent, se tortille sur son siège en faisant onduler son bassin de façon lascive. Le sergent ne prend pas la peine de le rappeler à l'ordre, il n'en a pas besoin. Postlewaite se mange un coup de pompe balancé par le spécialiste Dennis, debout derrière eux dans la tourelle de leur véhicule. Postlewaite gueule et Dennis lui en colle un deuxième, en l'invitant à plus de respect, d'abord il parle au sergent, ensuite, c'est pas sa copine, c'est sa femme, et enfin, s'il se barre, c'est parce qu'elle va accoucher dans dix jours.

Le chauffeur s'excuse, il avait oublié. Postlewaite est un gentil garçon, plein de bonne volonté, mais il n'a pas beaucoup de tête et n'est pas finaud. « Un petit gars ou une fille ?

— Une fille. »

Dennis s'accroupit dans l'habitacle. « Vous partez quinze jours, hein ? »

Canarelli acquiesce.

« C'est pas lourd, ils auraient pu vous filer plus. Entre nous, je préfère, deux semaines avec ce chat noir de Verbak, c'est déjà bien assez. »

Un sourire discret se dessine sur le visage de Canarelli. Il est flatté et il ne veut surtout pas montrer son inquiétude. La perspective de les confier à Verbak lui déplaît autant qu'à eux, le mec a un lourd passif d'opérations pot de pus et détient le record de personnels tués ou blessés au combat dans leur unité. Mais ils n'ont pas le choix, les ressources dont dispose l'état-major américain en Afghanistan sont extrêmement limitées et, à vrai dire, totalement insuffisantes. L'équivalent de deux brigades de combat pour tout le pays contre une vingtaine en Irak. À peine dix mille hommes à aligner sur les différents fronts. Ça veut dire des trous partout. Parce que le reste des effectifs, c'est surtout de la logistique. Et elle suit pas, la logistique. Les hélicos leur font le plus défaut, pour l'appui aérien et surtout pour les évacuations sanitaires. Entre une heure et une heure et demie en moyenne pour être embarqué dans certains coins. Pas terrible quand on est percé de partout. Ils perdent plein de bons mecs de cette façon. La guerre d'ici est une guerre de pauvres. Elle emmerde le gouvernement des États-Unis, qui les a pourtant envoyés dans cet enfer. Et aussi leurs soi-disant alliés de l'OTAN, dont les troufions ont interdiction de se battre. À part les Anglais, ils servent pas à grand-chose. Ils en plaisantent entre eux mais au fond ça les fait bien chier. Voilà pourquoi ses gars devront se contenter de Verbak. « Il s'occupera bien de vous, c'est un bon sous-off. » Canarelli le pense sincèrement.

« Ouais, il a juste la poisse. » Dennis remonte se poster derrière son lance-grenades.

« J'en veux pas, moi, des gosses, c'est trop de boulot. »

Dieu merci est la première pensée qui vient à l'esprit du sergent après ce cri du cœur de Postlewaite, mais il ne peut s'empêcher de reconnaître une certaine sagesse à ses mots. La naissance à venir l'angoisse. Il l'a voulue, cette gamine, autant que Megan, son épouse adorée. Il aime aussi son job et la vie de soldat, être avec ses hommes. Ils le lui rendent bien. Il a trouvé sa vocation. Mais l'armée l'emmène loin, souvent, longtemps et Canarelli a été élevé dans l'idée que les enfants doivent avoir deux parents pour bien grandir, comme ils ont besoin de deux jambes pour bien marcher. Il ne se voit pas devenir un papa à distance et à temps partiel. Internet et Skype ne remplaceront jamais une vraie présence.

« L'enculé qui a balancé, vous croyez qu'il est fiable ? »

La question de Dennis vient interrompre les réflexions du sergent Canarelli à point nommé.

« Parce que ça fait deux jours qu'on se les pèle à glander ici et j'en ai plein le fion.

— Glander ici fait partie de notre mission.

— Je préfère crapahuter dans la montagne. Je suis pas une vache moi, rien à foutre de regarder passer des camions *customisés* sous acide. »

Depuis la veille, ils sont en planque à l'extrémité afghane du viaduc de Torkham, en marge du dispositif normal. Hier, Canarelli s'est installé à proximité du bureau des passeports avec son lieutenant. Toute la misère humaine et laborieuse qui circule d'un État à l'autre roule, trotte ou marche devant. Mais après une journée de boucan et de remugles, au milieu de gens cradingues – l'hygiène corporelle n'est pas le point fort des locaux – il a décidé d'aller se garer en retrait des installations de la Border Police.

Depuis la hauteur où il s'est arrêté aujourd'hui, Canarelli peut voir tous les véhicules, principalement des semi-remorques, les bons jours entre mille et deux mille, qui s'engagent, côté pakistanais, sur les voies centrales du pont. Elles sont encadrées par des barrières de métal destinées à empêcher les piétons de marcher sur la chaussée et à les canaliser vers des kiosques où attendent les douaniers de chaque bord.

« Moi non plus. » Postlewaite, solidaire.

« Les locaux mentent comme ils respirent, ils raconteraient n'importe quoi pour nous piquer des thunes ou emmerder un voisin. Et nous, à tous les coups, on fonce après avoir raqué. On est vraiment trop cons.

— Alors explique-moi, Dennis, la prochaine fois qu'un mec vient nous dire que les talibans vont passer des armes et de quoi fabriquer des bombes dans des camions bien précis, entre tel jour et tel jour, on fait quoi, on le renvoie chez lui ? » Dans le dos de Canarelli, ça grommelle. Nouveau sourire. Il prend les jumelles posées devant lui sur le tableau de bord.

Dix heures trente et des centaines de péquins se pressent déjà sur les trottoirs, poussant ou tirant parents, femmes, enfants, carrioles, parfois les quatre ensemble, parfois les uns sur les autres, parfois avec des animaux, ou patientent accroupis sur les parapets avec leurs baluchons.

« On sait même pas qui c'est ce haji. » Dennis ne lâche pas l'affaire. « Ni comment il les a eues, ses infos. »

Sur ce dernier point, Canarelli ne peut pas lui donner tort. Il ne peut pas lui donner raison non plus. « Il s'appelle Afzal, c'est un fermier, et on sait où il habite. » Pour une fois, l'interprète a bien fait son boulot. « On a rentré son profil dans la base de données. S'il s'est foutu de notre gueule, tu pourras aller lui expliquer ta façon de penser.

— Je vais pas me gêner. »

Pas beaucoup de turbans parmi les marcheurs, surtout des calots blancs, la plupart des femmes sont cachées sous des burqas mais certaines osent le simple voile. Aucune n'est seule. Le marron et le gris dominent. Des touches colorées, plus vives, signalent la présence d'élèves en uniforme se rendant à Landi Kotal, au Pakistan, où se trouvent les écoles les plus proches.

« Pourquoi on demande pas à nos amis », Dennis insiste sur le mot avec ironie, « de la Border Police de gérer le problème ? Ah mais j'oubliais, ce sont pas tous nos amis, certains ont des copains chez les talebs ».

Canarelli laisse Dennis ventiler ses frustrations et se concentre sur ce qu'il aperçoit à travers ses jumelles. Le trafic routier est suffisamment dense pour être presque à l'arrêt dans le sens des sorties et guère plus rapide dans celui des entrées. Il s'attarde un instant sur la décoration chargée d'un jingle truck. La cabine d'origine a presque entièrement disparu sous des masques de bois fixés au-dessus et en dessous du pare-brise. Le nouveau toit est un véritable chapiteau haut de plus de deux mètres, aux dominantes azur et or. Il est surmonté d'une large couronne ornée, en son sommet, d'une sculpture de paon. Des pendeloques bleues et rouges, longues d'une bonne cinquantaine de centimètres, tombent sous la couronne et viennent effleurer les vitres, elles-mêmes chargées de frises et de libellés en ourdou. Canarelli compte pas moins de huit rétroviseurs chromés, certains devant le pare-brise même. *Le mec doit aimer se regarder en train de conduire.* En bas, le camion est couvert d'une jupe anguleuse, couleur *bad trip*, agrémentée de franges et de dizaines de clochettes.

Le sergent se désintéresse du tuning à la mode paki pour aller faire le point sur le QG des Frontier Corps, un fort aux murs bordeaux construit à flanc de colline. Il est protégé par une enceinte de béton surmontée de grilles. Un soldat se tient debout sur le toit crénelé du bâtiment principal. À l'image de Canarelli, il surveille la circulation à la jumelle. Pendant quelques secondes, leurs regards semblent se croiser et le Pakistanais lève la main pour saluer. L'Américain manque de lui répondre mais s'aperçoit à temps que le mec interpelle en fait un second garde-frontière, en contrebas. Gêné, il s'empresse de fixer autre chose et s'arrête sur le grand panneau vert qui accueille les visiteurs de son *Welcome to Pakistan Keep to the left*.

« Sergent, c'est bien des bahuts RCL qu'on attend ? »

En écho à la question de Dennis, la radio de bord se met à cracher un message du chef de section : *deux semi-remorques correspondant à la description des véhicules suspects s'apprêtent à entrer en Afghanistan, tenez-vous prêts...*

Canarelli fait signe à Postlewaite de lancer le moteur sans perdre de vue une paire de vieux Bedford, chacun tractant un long conteneur bleu marqué du sigle blanc de la *Regional Container Lines*, une boîte de fret maritime thaïe, sur le point de quitter le pont. Les deux semis roulent lentement et disparaissent ensuite derrière un groupe de bâtiments.

Un mec est descendu du premier... Il récupère des documents dans le second... Il entre chez les flics... Il ressort...

Canarelli échange un regard avec son chauffeur et sourit. Le routier est resté moins de trente secondes dans les locaux de la Border Police afghane. Ils ont bien fait de garder le tuyau pour eux.

Ils repartent... On y va...

Nouveau hochement de tête, Postlewaite démarre. Dennis lance un *rock' n'roll !* tonitruant. Le Hummer fonce sur une piste cabossée descendant vers la route principale avant de la longer. Sur leur droite, leurs cibles avancent encore au pas, prises dans une circulation ralentie à l'extrême par l'omniprésence de piétons imprudents. Canarelli aperçoit les autres tout-terrain de leur dispositif qui se rapprochent par l'arrière et les côtés et, deux ou trois cents mètres devant les camions, un blindé US en attente, sur le bord de la route.

Le piège se referme provoquant aussitôt un chaos de véhicules, de râleurs et de curieux qui, au lieu de contourner le problème ou de s'éloigner, s'arrêtent là où ils sont et viennent voir de plus près. Les consignes sont claires et, sans ménagement, les paras écartent la foule. Aidés de leurs interprètes, ils ordonnent aux badauds de dégager. Quand l'agressivité verbale ne suffit pas, des coups de semonce sont tirés en l'air. Après cinq longues minutes de manœuvres nerveuses, un cordon de sécurité est fermé autour des semi-remorques. Le lieutenant Gabel, un rouquin affable, fait descendre les conducteurs. Il est avec son traducteur, dont le visage est dissimulé sous une cagoule, précaution indispensable à sa survie, et exige de se faire remettre les manifestes de transport. De mauvaise grâce, les Pakistanais finissent par s'exécuter.

Canarelli arrive, jette un œil par-dessus l'épaule de l'officier. Les deux Américains sont surpris de découvrir que le destinataire des marchandises est une société appelée Oneida/6N, dont l'adresse est la base aérienne de Bagram.

« Les talibans cachent leurs saloperies dans nos affaires, maintenant ? »

Gabel hausse les épaules. « Faites ouvrir, sergent, on va vérifier que ça colle. » Il agite devant lui les bordereaux de fret.

Canarelli se dirige avec des soldats vers l'arrière du premier poids lourd. Dans son dos, il entend les chauffeurs protester. Il fait sauter les scellés et déverrouille la porte. Elle s'écarte pour laisser apparaître un mur de cartons. Consciencieux, il en fait décharger quelques-uns, histoire de pouvoir avancer au milieu du chargement. Derrière ces premiers cartons, dans la lumière de sa torche électrique,

Canarelli en voit d'autres, de toutes formes et tailles. Ensuite viennent des malles et des caisses d'outillage. Vérifier leur contenu va prendre des heures. Il force le passage, handicapé par son fusil d'assaut M4 et l'encombrement de son gilet tactique, et tombe sur une nouvelle barrière, bleue cette fois, constituée de cylindres en plastoc empilés les uns sur les autres. Il se penche pour regarder dans les interstices entre les fûts et se rend compte que ceux-ci occupent la seconde moitié du conteneur. Mais ne voit toujours rien qui ressemble à des armes.

Canarelli va rebrousser chemin quand ses yeux sont attirés par les symboles d'une étiquette collée à la paroi de l'un des barils. Elle est en partie orientée vers le fond, raison pour laquelle il n'y avait pas prêté attention. Il s'agit d'une tête de mort et d'une flamme stylisées, noires sur fond orange. Toxique et inflammable. Dessous, le sergent parvient à déchiffrer avec difficulté les mots *acetic* et *anhydride*, à moitié grattés. Intrigué, il contacte son chef de section avec sa radio individuelle. « Lieutenant, ils sont censés transporter des produits chimiques, ces bahuts ? » La réponse tarde à venir. « Lieutenant, vous me recevez ? »

Dehors, des gens crient, et les bruits de moteurs emballés et de freinages brutaux annoncent l'arrivée de nombreux véhicules. Les ondes sont envahies par des voix inquiètes. Aussi vite que possible, Canarelli se met à naviguer entre les obstacles pour retrouver l'air libre. Lorsqu'il atteint la porte, il constate que le cordon de sécurité des Américains a été investi par une trentaine de policiers afghans. Leur attitude est hostile, certains ont épaulé leurs kalachnikovs et visent les paras.

Le commandant Naeemi, numéro deux de la Border Police, est là. Grand, maigrelet et courbé, il toise le lieutenant Gabel et, en dari, lui crache des insultes à la gueule à travers son énorme moustache brune. Il s'arrête d'un coup et s'éloigne à grands pas vers ses hommes. Il a un téléphone portable à la main et compose un numéro.

Canarelli rejoint son supérieur. « C'est quoi ce merdier ? »

L'officier lui fait signe d'attendre, il est en communication avec leur base pour rendre compte de la situation et demander des renforts.

L'atterrissage du Bell de 6N provoque la dispersion d'une partie de l'attroupement de voyageurs afghans qui, depuis trente minutes, se régalent du spectacle offert par les militaires US et leurs *alliés*. Peu semblent prendre au sérieux la tension grandissante entre les deux troupes dont les effectifs ont rapidement gonflé avec l'arrivée de la force de réaction rapide de la FOB Torkham, suivie d'un contingent supplémentaire de gardes-frontières rameuté par le grand manitou provincial de la Border Police lui-même, le colonel Tahir Nawaz.

Voodoo, Ghost et Fox débarquent. Trois civils pas rasés, dont un très barbu, Oakley sur le nez, porteurs de gilets tactiques surchargés et de fusils d'assaut HK416, visiblement énervés d'avoir été détournés de leur chemin, que les protagonistes de l'affaire voient se frayer un passage dans la foule. Communiquant par gestes, Voodoo envoie Ghost et Fox à l'arrière du camion ouvert. Ils y retrouvent Canarelli et deux paras faisant face à cinq flics aux mines peu rassurées. En pachto, Fox demande aux policiers de reculer et, s'il salue les Américains, il refuse de répondre à leurs questions. Ghost ne parle à personne.

Voodoo rejoint Tahir, un petit homme à la peau très brune, sec, au visage étroit bordé d'un mince collier de barbe et barré d'une moustache taillée à l'horizontale. Au petit jeu des alliances et des fidélités de Nangarhar, Nawaz est un électron libre puissant et dangereux. Nommé sur recommandation du gouverneur, il s'est depuis rapproché du clan Arsala et joue les deux camps en les arrosant généreusement. Vieille sagesse afghane, pourquoi choisir un parti et hypothéquer l'avenir, quand il a les moyens de parier sur les deux. Toutes les taxes perçues à la frontière passent entre ses mains et il peut, à loisir, en répartir la manne entre les différentes factions, sans oublier Kaboul. Ni son propre clan. L'argent rentre, il fait bien son travail, n'est pas trop gourmand, et il a l'heur de plaire aux pontes de l'ISAF, dont la logistique dépend de sa capacité à maintenir la sécurité autour de Torkham et le long de l'autoroute A1. La CIA s'intéresse à lui puisqu'il joue un rôle clé dans une province stratégique et, régulièrement, des cadres de 6N entraînent ses hommes. Ils vont même parfois jusqu'à les *conseiller* en opération. Tahir Nawaz n'a qu'un défaut, il déteste être contrarié.

Voodoo remarque immédiatement la très grande frustration du colonel. S'excusant pour la forme auprès du boss de la FOB, un certain commandant Cummins, sorti en catastrophe de son camp retranché, il entraîne Tahir à l'écart et se fait expliquer la situation. La conversation dure moins d'une minute et il rejoint les officiers américains après avoir salué le patron de la Border Police à la mode pachtoune. Un ordre est donné et tous les Afghans se replient en direction de leurs véhicules.

« Vous êtes qui ? est la première chose que demande Cummins.

— Une bonne fée. Mais la vraie question est plutôt pourquoi je suis là.

— Ah, et pourquoi ? » interroge Gabel, debout à côté de son supérieur.

Voodoo lui répond d'un sourire, l'oreille collée à un terminal Inmarsat pris dans son gilet. Il montre les deux semi-remorques. « À moi, pas touche.

— On a eu un tuyau et… » Gabel est sèchement interrompu par son chef sur l'air de *on n'a pas de comptes à rendre à des civils*.

Voodoo comprend. Il n'a pas plus de comptes à rendre aux militaires. Il a cessé de rendre des comptes en entrant à la Delta, une famille très spéciale, de gens spécialement sélectionnés, entraînés et considérés comme spéciaux, en marge du reste de l'armée, vous en êtes ou vous n'en êtes pas, et si vous n'en êtes pas, quelle que soit votre place sur l'échelle hiérarchique, allez vous faire foutre, s'il vous plaît. Une mentalité affirmée avec les années, pas arrangée par son passage à l'Agence, et encore moins par son recrutement chez Oneida et la constitution de 6N.

Voodoo se met à parler au téléphone, il s'identifie, explique où il se trouve, pourquoi, dit *problème avec Tahir* à deux reprises et passe finalement l'appareil au commandant.

Celui-ci tente en vain d'obtenir le nom de son interlocuteur mais, à son brusque changement de ton, Gabel comprend que la personne à l'autre bout du fil est du genre important. Cummins décline patronyme, grade et unité, et écoute sans rien dire. Bientôt, un radio l'interpelle depuis le véhicule de commandement. Le QG de la brigade souhaite lui parler.

Voodoo récupère son Inmarsat et se tourne vers Ghost. « Tu refermes, ils repartent. »

Ghost acquiesce. Sans perdre de temps, il attrape la poignée de la porte du conteneur et la pousse.

Canarelli s'interpose. « Vous faites quoi, là ?

— Bouge. »

Le sergent ne bronche pas. Sans hésitation, Ghost saisit sa veste tactique des deux mains au niveau des épaules et le propulse en arrière, tout en effectuant un balayage rapide de sa jambe droite. Lesté par son équipement, Canarelli tombe lourdement sur le cul. Son M4 lui cogne le nez et il se met à saigner. En colère, il essaie de se relever mais Ghost le repousse vers le sol d'un coup de pied désinvolte.

Les deux soldats les plus proches font mine d'intervenir. Fox se place en travers de leur chemin, 416 devant lui, et secoue la tête.

« Reste par terre. » Ghost tourne le dos au sergent et verrouille le battant. Il siffle ensuite Voodoo et lève le pouce dans sa direction, amusé par les postures agressives de la quinzaine de paras présents autour du semi-remorque. Il leur répond d'une grimace.

Dennis, Postlewaite et plusieurs autres s'avancent, prêts à en découdre, mais ils sont vite stoppés par Gabel et doivent se contenter d'aller aider Canarelli.

Ghost explose de rire. Fox l'embarque avec lui en direction de l'hélico, ça suffit.

Cummins revient. Sans un regard pour Voodoo, il ordonne au lieutenant de faire rentrer tout le monde à la FOB et tourne les talons.

À une trentaine de kilomètres de Torkham en direction de Jalalabad se trouve Gardi Ghos, une petite cité de fermes couleur sable emmurées derrière leurs enceintes, confinée entre les berges verdoyantes de la rivière Kaboul et l'autoroute A1. Les deux Bedford et leurs conteneurs RCL y font halte avant de repartir à Bagram. Une escorte de la Border Police, commandée par l'efflanqué Naeemi, les a suivis jusque-là, ordre d'un colonel Nawaz échaudé par l'incident du poste-frontière. Elle se déploie pour surveiller la suite des opérations.

Garés en retrait des voies de circulation, hors de vue, les semi-remorques sont pris d'assaut par une nuée d'adolescents encadrés par des adultes. Ils débarrassent au plus vite cartons et caisses, et s'emploient à transférer la majorité des fûts d'anhydride acétique vers une quinzaine de pickups et de camions de tailles plus modestes. Aussitôt chargés, ceux-ci démarrent et filent vers les hauteurs dominant la ville. Le reliquat est stocké dans un hangar de béton nu. Cartons et caisses sont ensuite rembarqués et reprennent leur route vers la capitale.

Deux Suzuki Carry 4 × 4, transportant bien plus que les cinq cents kilos de charge maximum pour lesquels ils ont été conçus, rejoignent dans l'heure qui suit un village d'altitude situé au nord de Gardi Ghos. D'autres gamins les y attendent, accompagnés de quelques hommes.

Le hameau est un agglutinement de cahutes très modestes, construit en pente sur un terrain aride de poussière et de rocaille. Il est impossible d'y circuler en véhicule. Les fûts sont donc roulés dans des venelles étroites, accidentées, jusqu'à la limite basse du village, à l'aplomb d'une combe. Là, sous un abri de fortune, il y a des groupes électrogènes. Ils ne sont pas destinés au confort des villageois mais à leur principale source de travail, cachée au bout de longs câbles bleu ciel serpentant vers l'aval : un laboratoire de fabrication d'héroïne.

C'est un rectangle grossier, de quinze mètres sur sept, profond de quatre, dans lequel plusieurs niveaux ont été aménagés. De part et d'autre de cette officine en plein air, des marches, hautes d'une cinquantaine de centimètres et larges de deux mètres, courent sur toute la longueur. À différents endroits, elles sont coupées par des foyers. Chacun est protégé par un auvent de bois, recouvert d'une grille en acier de récupération, et peut accueillir jusqu'à six grands barils de tôle. Dans ce labo-ci, il y en a plus d'une trentaine, pleins ou vides, ou sur le feu, ou rangés dans des coins pour laisser reposer leur stupéfiant contenu, le temps qu'il fige, précipite, catalyse ou décante. Évidemment, les mecs d'ici n'emploient pas des mots si techniques, ils ne les connaissent pas, et se contentent d'appliquer ou refaire des recettes transmises d'une vallée à l'autre, en chefs un peu spéciaux d'une petite cuisine moléculaire destinée à l'éclat' des neurones plus qu'à celle des papilles.

À l'entrée, un immense réservoir d'eau en plastique souple est sans cesse réapprovisionné par les enfants du coin, noria de petites mains dociles et presque increvables. On travaille à flux tendu, faut produire, cuire non-stop, et la flotte est l'un des ingrédients de base de tous ces mitonnages. À côté sont stockés la chaux de pays, les acides label rouge, l'acétone bio et surtout, le plus indispensable de tous, l'opium brut AOC, qu'on appelle *taryak* dans le patois local. Conditionné en plaques brunes pressées et asséchées, il attend sous une bâche d'être bientôt dilué, chauffé, additionné de calcium et bien salé, filtré et mélangé, plusieurs fois, en fonction de la pureté souhaitée, pour donner cet appareil marronnasse baptisé morphine-base. Après, il suffit de patienter, de laisser reposer. Et il y a besoin de ce condiment qui dévale la pente avec les gamins, dans les fameux fûts bleus retenus ce matin à Torkham, l'anhydride acétique. Sans lui, la magie n'opère pas.

Nos toqués à turbans ont vingt-quatre et quelques heures de retard alors, sans perdre plus de temps, ils retournent aux fourneaux, chauffent, mélangent, ajoutent, tamisent dans des linges pas très clean, rallongent, mixent, font refroidir. Recommencent. À la fin de la journée, ils ont leur héroïne, base elle aussi, le *brown sugar* des petits chimistes des stups, une sorte de craie beige très friable et très pure, bonne pour la fumette mais pas grand-chose d'autre.

La tambouille se poursuit toute la nuit, à la lumière des groupes électrogènes, et le lendemain, et le surlendemain, jusqu'à épuisement de l'opium et de l'anhydride. Il faut entre huit et douze kilos du premier et un à deux litres du second, suivant le tournemain, pour produire un kilo de rabla, un des noms de la brune à l'autre bout du monde. Alors, adultes et enfants triment, produisent, purifient une partie, faut bien ça pour que les mécréants se piquent, conditionnent l'autre. Plus ils en font, plus vite ils vont, mieux ils survivent.

Les Carry ont livré une quinzaine de barils de saloperie acétique, un mètre cube et demi, un peu plus d'une tonne cinq, une grosse semaine sans débander, mal payée, dans les vapeurs chimiques, à se cramer la peau, les poumons et les yeux.

Les anciens ont dit que c'était *haram*, interdit, de faire la drogue mais ils ont aussi expliqué que des mollahs avaient publié des *fatwas* pour le tolérer, si elle n'était pas vendue à des frères en Islam. Les villageois n'ont pas besoin de savoir que Tahir Nawaz paie également les vieux pour jurer que son héroïne sera uniquement refourguée aux infidèles. Eux aussi doivent bouffer.

Shabnameh distribuées entre le 29 février et le 1er mars 2008, de Khost à Zaren Charan, capitale de Paktika.

Message aux Moudjahidines d'Afghanistan.
À travers l'histoire, vous avez bien servi l'Islam et vaincu les mécréants de ce monde. Nos ancêtres Ahmad Shah Abdali, Mahmoud Ghaznaoui et bien d'autres héros ont écrit de belles pages dans le grand livre de la guerre contre les infidèles. Malheureusement des esclaves afghans de l'Amérique se sont mis à souiller cet honorable héritage de notre pays au nom d'une lumière venue de l'étranger. Une fois encore, ce sont vos fils, vos religieux, les Talibans et les plus pieux de vos concitoyens qui s'élèvent aujourd'hui contre ce grand malheur, pour la défense de l'Islam. Même si vous ne faites rien, soutenez vos fils Moudjahidines et rejetez la propagande des ennemis d'Allah. Un million et demi de martyrs du Djihad contre les chiens russes et cent mille martyrs de l'Émirat Islamique d'Afghanistan vous réclament le dû de leur sacrifice et nous espérons que vous serez à la hauteur de nos attentes. Ils empêchent l'enseignement de l'Islam à vos enfants et le remplacent par des leçons de bible. Les Talibans ne veulent pas tuer les civils mais nous devons le faire parce que de soi-disant Afghans sont les alliés de nos ennemis. Les mécréants veulent tuer et faire combattre les Afghans les uns contre les autres et disent que ce sont les Talibans qui sont responsables. En notre nom, ils détruisent

vos maisons et vos écoles coraniques. Ils détruisent vos armes, vos munitions. Ils veulent faire de l'Afghanistan une nouvelle Palestine, impuissante, implorante, à genoux. Vous le voyez tous les jours dans vos madrasas, ils nient l'Islam et parlent de faux prophètes à vos enfants. Une fois encore, nous vous demandons de ne pas soutenir les mécréants sinon vous serez responsables de ce qui vous arrivera, maintenant et plus tard. Soyez heureux !

Mahomet, Prophète de Dieu, a dit : Celui qui prête main-forte aux infidèles contre les Musulmans, lui-même est infidèle.

Au nom d'Allah, le Tout Clément, le Très Miséricordieux, pieux Afghans, peuple brave et courageux, acceptez nos salutations. Mon frère Musulman, comme tu le sais, de nombreux pays de l'Islam, dont notre cher Afghanistan fait partie, vivent sous le joug des croisés. Leurs armées, aidées par des esclaves consentants, ont commis atrocités et actes de barbarie contre nos frères et sœurs innocents. Cette cruauté est sans fin. Tu as pu la voir en Irak et ici, exposée par les médias du monde entier. En conséquence, les Moudjahidines d'Afghanistan ont lancé leur Djihad sacré pour libérer notre pays bien-aimé. Notre Guerre Sainte continuera jusqu'à la défaite des armées chrétiennes et l'établissement d'un État Islamique pur. Inch'Allah ! Nous, Combattants d'Allah, avons décidé d'établir les règles suivantes pour garantir notre victoire. Nous demandons à tous les Afghans d'y obéir sans faute.

1 – Tous ceux qui travaillent avec ou sont au service de l'armée croisée, transportent son essence, sa nourriture

et son matériel doivent cesser inmédiatement, sous peine de terribles conséquences.

2 - Tous ceux qui sont en affaie avec les croisés doivent mettre fin à leur commerc pour ne pas avoir à souffrir des offensives Moudjahidines à venir.

3 - Nous demandons instamment tous de ne pas révéler les noms sacrés des Moudjahines à l'armée des croisés. Nous demandons aussi aux claves qui sont les espions de cette armée de mettre sans attendre à cette aide maléfique. Sinon, ils ser punis par les Saints Combattants selon les règles de Charia.

4 - Nous demandons à tous les Musulns de coopérer sincèrement avec leurs frères Moudidines et de se joindre à eux pour soutenir le Djiha accomplir leur devoir Islamique.

5 - Nous exigeons de ceux qui répande fausses rumeurs sur les Saints Moudjahidines d sser sans attendre, c'est un péché.

Nous, Moudjahidines, tirons notre force volonté d'Allah et du soutien du peuple Musulman hanistan. Que Dieu accorde la victoire aux Mo idines partout et pour toujours !

6

PERTES COALITION	Fév. 2008	Tot. 2008 / 2007 / 2006
Morts	7	21 / 232 / 191
Morts IED	4	10 / 77 / 2
Blessés IED	12	49 / 415 / 279
Incidents IED	178	343 / 2677 / 1536

Sher Ali a acheté un Minivan à la demande de Tajmir, un véhicule familial, passe-partout, moins susceptible d'attirer l'attention des soldats américains ou de l'ANA. Il l'a utilisé ce matin pour la première fois, afin de se rendre à Paro Khel, un hameau situé au confluent de deux oueds, dans le district de Sabari, au nord de la ville de Khost.

Fayz conduit. Sher Ali aime l'avoir avec lui et le jeune guerrier est fier de la confiance de son khan. Même s'il est gêné par certains gestes de tendresse et troublé lors des longs silences distants qui les suivent. Il a toujours peur d'avoir mal réagi. Derrière Sher Ali et Fayz se trouvent deux hommes du clan sous des burqas, autre conseil de Taj. « Voyage avec des femmes, personne ne touche les femmes. » À proximité de leur destination, une moto vient se placer à leurs côtés. Son pilote les invite à le suivre.

Peu après, ils arrivent devant une qalat imposante, un klaxon ridiculement aigu retentit et le portail s'ouvre pour les laisser entrer. Il y a un camion turquoise dans la cour. C'est un Toyota Dyna de chantier, avec un plateau ouvert où s'entassent de lourds sacs blancs illustrés de rouge et bleu, et marqués du sigle *FFC* et de la mention *Nitrogen 46 % 50 kg. Net.*

Plusieurs insurgés se relaient pour les décharger.

L'un d'eux, pommettes proéminentes, yeux rieurs, barbe drue, fine moustache, portant calot marron et salwar khamis blanc, sourit de toutes ses dents à un caméscope braqué sur lui par un cinéaste amateur. Tous ses faits et gestes sont captés et il interrompt parfois son labeur pour parler de lui-même ou citer un passage du Coran. Régulièrement, un frère entre dans le champ et vient lui donner une accolade chaleureuse, dos à la caméra.

De la fumée s'échappe par la cheminée d'un cagibi sans porte. C'est là que l'engrais est entreposé avant d'être vidé dans de grands barils rouillés. Dojou, debout à l'entrée, supervise les opérations. Ils purifient des granulés de nitrate d'ammonium par décantation dans un bain d'eau chaude. Il s'agit de retirer les additifs au calcium, insolubles, avec lesquels ils sont coupés. En voyant Sher Ali sortir du Minivan, l'Ouzbek vient le saluer, prend de ses nouvelles et l'accompagne auprès du jeune homme filmé pour le lui présenter. « Il est venu de très loin faire le djihad à nos côtés. »

Sher Ali fait cesser les prises de vue avant de féliciter le militant et de lui demander, mal à l'aise, s'il est prêt.

Émi et enthousiaste, la vedette d'un jour le prend dans ses bras. « Allah soit loué de m'avoir permis d'être ici avec vous. »

Ils échangent encore quelques mots et Dojou invite Sher Ali à le suivre jusqu'à la maison.

« S'il te faut plus de sacs, je peux en trouver, ils les donnent aux fermiers.

— Il y en aura assez. Entre. »

Sher Ali pénètre dans la hujra.

Au sol, un grand carton a été déployé. Un plan très précis est dessiné dessus. Cinq combattants, visages dissimulés, l'examinent et le commentent. Ce n'est qu'une mise en scène, destinée à être immortalisée par une seconde caméra, posée sur un trépied plus loin dans la pièce. Un sixième combattant, aussi peu identifiable, manipule l'appareil et se met en colère lorsque Sher Ali paraît. On peut l'identifier, il va falloir tout recommencer, qui est ce fils de chamelle ?

Dojou se précipite dans la pièce, écarte les conjurés et se jette sur le réalisateur enturbanné pour l'agonir de coups. Ils roulent tous les deux au sol et sont rapidement séparés par les autres. Une cacophonie de bousculades, de cris et d'injures s'ensuit, les masques tombent, révélant des faces juvéniles, imberbes pour certaines, les yeux injectés de sang d'avoir trop fumé et, quand les autres talibans prennent conscience de l'identité de l'homme au bandeau noir, ils se mettent à houspiller l'infortuné caméraman avant de le frapper. D'abord le chef du commando, puis le mollah de la bande qui, après avoir giflé le fautif, balance également quelques torgnoles au chef irresponsable pour faire bonne mesure. Ils viennent ensuite tous les trois présenter leurs excuses.

Sher Ali ne sait s'il doit rire ou les gronder et, pour couper court à leurs simagrées de contrition, demande du thé. Resté seul avec Dojou et Fayz, il s'approche d'un PC dont le moniteur affiche un enregistrement figé de Jalalouddine Haqqani. Le vieillard est assis sur des coussins marron, devant un drap blanc. Il est penché en avant et son visage, mangé par sa grande barbe teinte au henné, affiche cet air ombrageux que Sher Ali connaît si bien. Il le terrifiait quand il était enfant. Ses traits sont juste un peu plus marqués par les épreuves des dernières années. Jalalouddine a beaucoup voyagé, il se cache, fuit la lumière et les drones.

Sher Ali demande à l'Ouzbek de relancer la lecture.

Les médias ont menti et dit que j'étais mort et décédé à Dubaï. Je ne suis pas un homme d'affaires ou un touriste qui va se promener dans les bazars de Dubaï…

La voix est enrouée, plus faible et, sous la veste de treillis au motif camouflage, on devine un corps aminci.

Je veux leur dire : vous me trouverez toujours sur le champ de bataille...

À ces mots, Sher Ali se rappelle son grand moment de gloire. Après la fameuse embuscade, Jalalouddine l'avait levé sur ses épaules et porté en triomphe devant tous ses moudjahidines. Il était si fier ce jour-là.

La vidéo s'arrête, leur thé est arrivé.

Sher Ali retrouve les mines honteuses de leurs hôtes. Ceux-là ne sont pas des guerriers, tout juste des agneaux sacrificiels. À voix basse, il demande à Dojou : « Où est-il ?

— Viens avec moi. »

Ils traversent la maison et une seconde cour écrasée de soleil. À l'autre extrémité, une grange dont l'unique issue a été grossièrement bouchée par un tas de vieux parpaings. Un gamin est là, assis sur une caisse à l'ombre de la construction, et semble s'ennuyer ferme. Il porte juste un calot, a une fleur jaune glissée derrière l'oreille et trimballe une kalachnikov trop grande pour lui.

« Ouvre ! » ordonne Dojou.

Sher Ali demande à Fayz d'aller l'aider.

En quelques minutes, les briques sont écartées. Ils entrent. Il fait d'abord très noir, contraste avec la violence lumineuse du dehors, et il n'y a de bruit que l'écho de la pierre.

« Siraj voulait l'exécuter, pour les autres familles, mais Taj a insisté. »

Quand ses yeux se sont habitués à l'obscurité, Sher Ali discerne une forme humaine à moitié nue avachie contre un mur.

« J'aurais préféré venir à Sperah, mais je n'avais pas le temps. »

Un coup de pied réveille le prisonnier. Il tremble, se met à s'agiter, implore, n'en peut plus, *s'il vous plaît*. « Oh, Allah aide-moi.

— J'encule les fesses de ton père et je maudis le jour où il a baisé la chienne en chaleur qui t'a donné la vie ! Tu as tué ma Badraï ! » D'une main brutale, Sher Ali saisit une tignasse pégueuse, en partie arrachée. Le cuir chevelu a été fendu par les caresses répétées d'une trique. Il se met à traîner derrière lui cette raclure pathétique, trop faible même pour avancer à quatre pattes. Ensemble, ils retournent dans la cour principale suivis par Dojou, Fayz et le gamin à la fleur, et sont rejoints par toute la compagnie d'apprentis djihadistes.

Au grand jour, Sher Ali découvre un corps meurtri de lacérations, coupures, brûlures et hématomes, et un visage déformé par des boursouflures.

L'homme semble d'un âge proche de ceux qui les entourent et a sans doute été confronté aux mêmes choix, la guerre pour Dieu et l'honneur d'une mort debout, ou la peur et la lente agonie de la misère. Ou la honte du pain de l'ennemi.

Nouvelles supplications.

Sher Ali lui crache au visage, cet animal ne mérite aucune pitié. « Fayz ! »

L'adolescent s'avance et tend un poignard à son chef. Dojou reconnaît l'arme, il l'a déjà vue accrochée sous le portrait de Zadran Aqal Khan, à Sperah.

Du genou, Sher Ali force le captif impotent à s'allonger sur le ventre et lui étire le cou après avoir dégainé le *kard* de son père. *Spin Dada, guide ma main.* La longue lame droite et pointue, au tranchant de rasoir, entame sans difficulté la gorge. Ça gicle loin devant, ça s'écarte, les regards se caltent. Hurlements humides. Le bourreau aspergé force à travers la trachée, scie, bute sur les vertèbres. Gargouillis. L'acier dérape sur l'os, grince, fouille, il veut un interstice sur lequel s'appuyer, par lequel passer. Sher Ali a du mal à maintenir le condamné en place. Il remue en tous sens et s'accroche à lui, veut le percer de ses ongles, mais ça poisse, ça glisse, il est trahi par son propre sang. Dojou vient assister et se laisse tomber sur les jambes pour les empêcher de bouger. Fayz approche et attrape les bras. Éclaboussés, l'un et l'autre. Une fente, le poignard trouve, s'enfonce, taille. Bouche grande ouverte sur une langue mâchée de terreur, la tête refuse cependant de se détacher. Sher Ali se met alors à la dévisser des deux mains, à la manière d'un bouchon. Il tourne et tourne encore et encore, jusqu'à ce que les derniers lambeaux de moelle et de peau cèdent, dans un claquement sec. Il se relève. Le cadavre vibre, s'écoule lentement sur le sol aride et bientôt se fige. Sher Ali tend le bras devant lui, montre. Heureux, il a la grimace écarlate et les babines retroussées. « Je suis Shere Khan ! » Le malaise est palpable, les yeux roulent, se détournent. Sauf Dojou et Fayz. Et l'enfant à la fleur qui fixe, captivé.

Nangarhar est un exemple de réussite en matière d'éradication et de lutte contre le trafic de drogue. En ce début 2008, résultat d'une politique volontariste engagée depuis plusieurs années, le pavot a presque totalement disparu de la province, à part sur quelques parcelles perdues dans des coins reculés. On a encouragé les cultures alternatives à grand renfort de plans – souvent non gouvernementaux, les ONG constituent de magnifiques alibis – d'assistance matérielle et chimique, en irriguant moderne, en inondant la région de semences et d'engrais gratuits ou très abordables, et ça a marché. Pour les journaux et les télés. Ou les politiciens de l'autre bout du monde soumis au diktat des sondages et du *court-termisme*.

Poudre aux yeux.

C'est que les caciques du coin, à l'instar du colonel Nawaz, et les grossistes en paradis artificiels injectables sont des malins. Ils ont d'abord saisi l'intérêt financier d'attirer chez eux toutes ces belles âmes internationales et leurs généreux portefeuilles. Taper dans les donations est simple quand autorisations, comptes, fonctionnaires et maliks, rouages indispensables, dépendent de son bon vouloir. Enveloppes, sacs plastique, mallettes, inutile de faire un dessin, tout le monde se sert. Ils ont aussi constaté qu'ailleurs l'éradication ne marchait pas super. Dans le grand sud pachtoune, au Helmand et à Kandahar, c'est même plutôt le contraire. Là-bas, l'opium dégouline de partout. Ils récoltent, pressent, synthétisent, acétylent à l'échelle industrielle et il leur en reste encore plein, du taryak. Donc, quand on contrôle le principal accès commercial du pays, qu'on se trouve à mi-chemin entre le sud producteur et le nord exportateur, et que notre bonne volonté nous a attiré la sympathie de tous, nous mettant au passage à l'abri d'inquisitions intempestives, on s'emmerde plus à produire, on achète du brut à ceux qui en ont, on fabrique discrétos dans ses propres labos et on fait circuler tranquille un produit plus cher, au milieu de tout le reste. Risques moindres, meilleures marges. Et pour le gardien, à la porte, c'est open bar, il a tout pouvoir.

Voodoo, Ghost et Wild Bill ont quitté la FOB Fenty en fin d'après-midi dans l'un des 4 × 4 blindés de 6N. À la sortie est de Jalalabad, branchés sur le réseau radio militaire afin d'éviter une mauvaise surprise, ils ont rejoint une paire de pickups verts de la Border Police, filé en convoi sur l'A1, en direction de Torkham, et obliqué au sud sur une piste cabossée qui leur a fait traverser plusieurs villages. À la tombée de la nuit, ils grimpent dans la montagne pour atteindre un groupe de fermes en ruines.

D'autres véhicules de la police des frontières sont déjà là et, dans les halos de leurs phares, les paramilitaires découvrent le décor d'âpres combats passés. Les toits de certaines maisons sont effondrés, quand ce ne sont pas les constructions elles-mêmes, et les murs encore dressés sont mouchetés d'impacts de balles.

Tahir Nawaz attend les Américains au milieu de

ses flics. À leur descente de voiture, dans un anglais presque parfait, il les salue, s'enquiert de leur santé, les remercie pour le dernier paiement. « Venez, j'ai quelqu'un à vous présenter. »

Les hommes de Tahir s'écartent pour le laisser passer avec ses invités. Derrière eux, enchaîné à un mur, apparaît un autre Afghan torse nu sérieusement amoché par de longues heures de sévices.

« Son nom est Afzal. » Le colonel pachtoune redresse avec précaution, presque de la tendresse, la tête du prisonnier, penchée sur le côté. « Vos soldats de la FOB ont arrêté les camions à cause de lui. Il leur a dit qu'ils transportaient des armes pour les talibans.

— Pourquoi il a fait ça ? » Voodoo s'est également approché. Le supplicié le regarde de son œil encore ouvert.

« Rouhoullah l'a payé. »

Rouhoullah est l'un des parrains de l'héro de Nangarhar. Depuis quelques mois, Tahir et ses protecteurs ont des problèmes avec lui. Un différend sonnant et trébuchant les oppose. Le chef de la Border Police reprend peu à peu en main le trafic de toute la province et a augmenté les prélèvements obligatoires sur le chiffre d'affaires des copains. Certains ont accepté de casquer. D'autres, avec Rouhoullah, refusent, avançant cet argument de poids : Nawaz a exempté son propre commerce des *taxes* infligées à la concurrence, c'est déloyal. Il mène donc une fronde qui, récemment, s'est durcie. Avec pour conséquence l'augmentation des règlements de comptes.

La dénonciation aux soldats US, en revanche, c'est nouveau. Jusqu'ici, ils ont regardé ailleurs, leur priorité c'est l'insurrection, mais « si notre armée s'en mêle, ce n'est pas bon.

— Je suis d'accord. » Tahir s'éloigne après avoir pris le coude de Voodoo pour qu'il marche avec lui.

« Comment Rouhoullah a-t-il su ?

— Je ne sais pas mais je veux lui demander. »

Ghost, qui les observe à distance, ne peut s'empêcher de sourire de ce couple improbable. D'un côté le géant yankee, harnaché pour la guerre avec son kevlar d'assaut gavé de poches, chargeurs et grenades, et son fusil M4 customisé à mort. De l'autre, le nain afghan aux airs de guérillero avec son uniforme trois tailles au-dessus et son épais ceinturon de cuir ; si Voodoo lève le bras, il décolle de terre.

Quand ils sont assez loin, à une trentaine de mètres d'Afzal, le colonel s'arrête et fait volte-face. Un de ses hommes lui remet un lance-roquettes. Il le charge avec une OG7V à fragmentation et joue avec. « Rouhoullah et ses alliés se rapprochent des talibans pour faire protéger leurs laboratoires et leurs convois. Ils doivent payer pour ça. »

Les membres du clan de Tahir sont contrebandiers par tradition ancestrale et implantés le long de la frontière, autour de la passe de Khyber, d'Asadabad, dans le Kounar, jusqu'à Achin, à Nangarhar. Ils ont énormément souffert sous le règne du Mollah Omar, en raison de vieilles querelles tribales. Systématiquement emprisonnés et torturés, ou tués, par les séides du guide borgne tandis que d'autres khels, plus proches du pouvoir, prenaient leur place et exploitaient les passages de montagne pour leur plus grand profit, ils sont revenus aux affaires après l'invasion américaine de 2001. La haine que le petit colonel voue aux insurgés est d'ailleurs l'une des raisons de sa nomination au poste de chef de la police des frontières.

Sans prévenir, Tahir braque son RPG sur le prisonnier et tire.

La munition feule brièvement et passe au-dessus du mur. Elle disparaît dans la nuit. Il y a une explosion. Elle a touché quelque chose. Ils ne sauront jamais quoi et ils s'en foutent. Derrière le colonel, un des policiers est couché sur le sol, brûlé par la traînée. Sur un signe du commandant Naeemi, il est évacué vers les pickups. En face, Afzal implore leur pitié, il parle de ses enfants, de sa femme, dit qu'il regrette. Personne ne l'écoute.

Nawaz se fait donner une seconde roquette et ricane en regardant les paramilitaires. « Je l'ai raté. »

Ses hommes se marrent avec lui.

Voodoo n'en croit pas un mot.

« Tue-le, toi. Moi, je me suis déjà occupé de sa famille. »

Voodoo n'hésite pas à prendre l'arme tendue et ne perd pas de temps. Il pose le tube sur son épaule, empoigne fermement les deux poignées pistolet et vise. À la lumière des phares, à cette distance, sur une cible fixe, pas compliqué de faire mouche.

Afzal gueule.

Voodoo appuie sur la détente. Le coup part, sans beaucoup de recul. L'explosion les surprend quand même tous un peu et ils détournent la tête à cause du retour de souffle, des éclats et des débris. Wild Bill se ramasse un bout de truc humide sur la tronche et éructe contre tous les enculés de leur mère de la création en s'essuyant le front. Ghost se met à rire, tire sur un joint de hasch passé par son voisin, et continue à rigoler. Les Afghans crient, joyeux. Leur dieu est grand.

Le mur n'a pas été percé mais il s'est en partie effondré. Le torchis et les briques de boue, ce n'est pas très solide. Il est taché de sombre et, à sa base, il y a une masse noirâtre. Presque intacts, les avant-bras du mort se balancent au bout de leurs chaînes.

« Il va falloir s'occuper de Rouhoullah.

— Dis-nous où et quand. » Voodoo rend le RPG à un policier. « La JSF a besoin d'exercice, autant en profiter. » Il se tourne vers Ghost et Wild Bill, qui acquiescent. « Et nous aussi. »

Quarante-huit heures après la décapitation, Sher Ali est avec Dojou, Fayz et des militants en haut d'une colline. Couchés sur le ventre à l'abri des regards, ils observent une plaine verdoyante dont le fond, les silhouettes sombres des fermes d'un village, se perd dans le brouillard. C'est un jour gris. Il y a un chantier au milieu des prairies. Plusieurs bâtiments sont en cours d'achèvement, protégés sur trois côtés par une enceinte Hesco. Des ouvriers vont et viennent entre préfabriqués blancs, conteneurs bleus et engins de couleur jaune sous l'œil indolent de sentinelles kakis. La rumeur du travail monte par intermittence, couverte par les bourrasques fébriles qui frappent leur promontoire.

Un camion approche et le silence s'installe dans le souffle du vent. À distance, il semble avancer tout doucement et sans bruit. Personne ne l'arrête et, au ralenti, il s'enfonce au cœur des installations, disparaît. Pendant quelques instants, rien ne bouge, tout est calme. Soudain, un grand nuage enflammé s'élève des constructions, aussitôt enveloppé d'épaisses volutes noires. Une onde de poussière se propage alentour, tel un tsunami beige recouvrant la vallée. La colonne de fumée, d'un diamètre important, masque tout le site et pousse rapidement dans le ciel, haut, très haut. Quatre, peut-être cinq, secondes après l'explosion, le bruit de la déflagration parvient à leurs oreilles.

Allahû akbar ! Allahû akbar ! Tous les compagnons de Sher Ali crient victoire, même Fayz. Lui ne dit rien et se souvient juste du visage souriant du martyr, derrière son volant. Il était heureux de partir à la mort. L'un des talibans filme sans en perdre une miette. À pleins poumons, lui aussi loue la grandeur d'Allah.

3 MARS 2008 – DEUX SOLDATS DE L'OTAN, DEUX OUVRIERS afghans tués, quinze blessés, dans l'explosion de la province de Khost [...] 3 MARS 2008 – UN ENFANT MEURT DANS L'ATTENTAT DE SABARI [...] 3 MARS 2008 – ZABIBOULLAH MOUJAHID REVENDIQUE L'ATTAQUE-SUICIDE du district de Sabari. Dans son communiqué, il aurait déclaré : « Le quartier général des croisés a été détruit par un camion transportant une bombe de quatre tonnes conduit par un valeureux martyr venu de Turquie. »

Tandis que tombent les premières dépêches, que sur le web les veilleurs numériques disséminent la nouvelle, Sher Ali rentre chez lui. Il laisse Fayz et son escorte retrouver leurs foyers, et salue les gardes autour de sa maison.

Dans la hujra, il fait froid et noir. Après avoir allumé une lampe à pétrole, il s'empresse de mettre en chauffe le poêle à bois. Réconforté par la lumière et la chaleur, il va replacer le kard sur le mur, sous le cliché d'Aqal Khan, reste longtemps sans bouger face à son père, à l'interroger en silence, et se tourne enfin vers ses frères. Ils lui sourient dans la pénombre, figés dans leurs cadres. Avant son départ, Kharo lui a montré un portrait d'Adil où il arbore un sourire similaire. Elle souhaitait l'accrocher à côté de celui de Basir. La ressemblance entre son fils et son frère aîné l'a frappé et attendri, mais il va refuser parce que Nouvelle Lune n'aura elle jamais sa place dans cette pièce. Il ne possède même pas de photo de Badraï, il n'a jamais eu l'idée d'en faire une. Une pensée terrible.

Au bout d'un moment, Sher Ali réalise que Farzana se tient sur le seuil de la salle commune, vêtue d'une simple tunique. Il dévisage sa fille. Son regard n'a pas la clarté irréelle de celui de sa petite sœur mais elle est fine, plutôt grande pour son âge et toujours très soignée, à l'image de sa mère. Farzana fait un pas vers Sher Ali, hésite, il a l'air si rigide et son œil mort l'effraie, mais elle se précipite néanmoins pour enfoncer son visage dans ses vêtements et le serrer contre elle. Il ne bouge pas, se tient là, droit, les bras le long du corps, plus froid qu'une pierre. « Va te coucher. »

La gamine recule, ne comprend pas. Où est ce père qu'elle aime, lui verrait qu'elle est à l'agonie et pleure tous les soirs la perte de son Adil adoré et l'effondrement de sa mère, plus malheureuse encore. Farzana, au bord des larmes, s'enfuit dans l'obscurité et bientôt l'écho léger de ses pieds nus sur le sol se tarit.

Au milieu de la nuit, Kharo lui rend visite. Il dort en chien de fusil, sur des coussins, emmitouflé dans son parka et une couverture. Le poignard paternel est posé devant lui. À peine est-elle entrée qu'il s'éveille. « Que veux-tu ?

— Pourquoi ne m'as-tu pas rejointe ? »

Sher Ali la regarde, ne répond pas.

« Farzana a peur. Et moi aussi. » Kharo vient s'agenouiller auprès de son époux. « Nous ne voulons pas te perdre.

— Demain, je te ferai conduire chez mes cousins. Tu m'attendras là-bas avec notre fille. » Sher Ali se redresse en position assise, reprend ses distances.

Un masque tombe sur le visage de sa femme. « Ne détruis pas aussi la vie de Farzana. »

Hors de lui, Sher Ali bondit et attrape sa femme par les épaules, la relève et la projette contre le mur. « Tu m'accuses d'avoir tué mes enfants ? »

La tête légèrement tournée, anticipant les coups, Kharo fixe néanmoins son mari d'un air mauvais. Elle voudrait lui cracher tant de choses au visage mais elle se retient et lâche finalement : « Il faut marier ta fille. »

Sher Ali la libère et retourne s'allonger. « Laisse-moi. »

Après quelques secondes d'immobilité, Kharo disparaît dans le noir.

Au matin, Sher Ali accomplit la prière de l'aube et s'en va sans un mot.

7

4 MARS 2008 – SIRAJOUDDINE HAQQANI À LA PRESSE PAKISTANAISE : l'attaque du 3 mars, c'est nous. [...] Dans le même message, il a également promis de nouveaux attentats, plus meurtriers encore. **4 MARS 2008 – JALALOUDDINE HAQQANI APPARAÎTRAIT DANS LE TESTAMENT vidéo du kamikaze turc responsable de l'attaque du 3 mars.** Pour son grand retour sur le devant de la scène, la légende moudjahidine aurait déclaré : « Avec l'aide de Dieu, les États-Unis quitteront l'Afghanistan tête basse, dans la honte [...] La guerre n'est pas une affaire d'hommes pressés et nous sommes très patients. »

« Vous avez des gamins, monsieur Dang ? »

La question du sergent Canarelli fait sourire Peter Dang. Le militaire n'arrive toujours pas, malgré ses invitations répétées à le faire, à l'appeler par son prénom. Et c'est aussi la première fois qu'il se risque à lui poser une question personnelle. Jusqu'ici, entre eux, ces interrogations-là sont toujours allées dans l'autre sens, Peter s'efforçant de garder ses distances par souci d'objectivité professionnelle. Difficile quand on suit H24 des mecs en situation de vie ou de mort.

Le moment est venu de s'ouvrir, apparemment. « Non. » Peter ajoute : « Pas évident de trouver la bonne personne pour partager ça. » Le sourire disparaît, il s'en rend compte mais ne parvient pas à l'empêcher. Cette pulsion de vie, il l'a ressentie une fois, rien qu'une seule. Encore aujourd'hui, il se souvient de cette évidence soudaine. Pour lui surtout. Celle qui l'a provoquée ne l'a pas cru ou ne l'a pas trouvé crédible. Ou a préféré ne pas le croire, ayant déjà suffisamment de démons à combattre. Ils ne se voient plus mais lui y repense souvent, a parfois l'impression d'être comme ces amputés aux membres disparus sources de douleurs fantômes. Et il sait depuis qu'il n'aura jamais d'enfants.

Dang observe le profil patricien de Canarelli, s'arrête sur ses yeux. Ils fuient, cela ne lui ressemble pas. Faut-il qu'il soit angoissé. « Il est normal d'avoir peur, sergent. »

En réponse, juste un ricanement triste. « C'est normal de se demander si on va aimer sa gosse ? » Canarelli fixe son interlocuteur sans déceler le moindre jugement dans son regard. Il y retrouve cette patience bienveillante, cette franchise qui, malgré ses réticences toutes militaires, l'ont séduit lorsqu'ils se sont rencontrés en décembre dernier. Pendant deux semaines, Dang a été *embedded*, embarqué, en immersion, avec eux pour une série d'articles sur l'effort de guerre américain en Afghanistan. Son angle, c'était la logistique, motif de sa venue à Torkham. Ils sont restés en contact.

« Tout changement est source de stress et là », Dang ne peut se retenir de rire, « ça risque d'être plus violent que les talibans ».

Canarelli se marre aussi, enfin. « Putain, ouais. »
Un silence détendu s'installe et le soldat en profite pour observer le journaliste à son tour. Le mec n'est pas viril sans être efféminé. Il a des traits délicats, on le devine sensible, des yeux en amande très légèrement bridés hérités de son père – Dang, c'est viet, il le lui a dit un soir – et une tignasse noire, épaisse. Le seul truc qui cloche, c'est sa barbe. En dépit de tous ses efforts, elle refuse de pousser de façon uniforme et lui donne un look d'éternel postpubère.

Pas viril mais pas trouillard. Dang se balade partout, va au contact. Habillé à la mode locale, il peut passer pour un Hazâra ou un Ouzbek, deux ethnies du pays fortement marquées par les migrations mongoles, et se fondre dans la foule. Son physique, ici, est un atout précieux. Il ne le rend cependant pas invulnérable et, au fil de quelques anecdotes, racontées avec modestie au cours d'un trajet ou à l'occasion d'un repas partagé avec la troupe, Canarelli a compris que le reporter est souvent allé loin pour nourrir ses papiers. « Je me demande si je ne vais pas quitter l'armée à la fin de mon contrat. »

Dang fronce les sourcils. « À cause de la naissance ? »

Le sergent hoche la tête.

« Très violent, le changement. »

Plus personne ne rigole.

« Vous envisagiez bien de renouveler quand j'étais à la FOB, non ? Votre femme était déjà enceinte.

— J'ai réfléchi. »

Le regard du militaire est à nouveau fuyant. Dang n'insiste pas, fait mine de s'intéresser à leur environnement. Ils se trouvent à la terrasse d'un McDo, au milieu d'une enfilade sous cloche de fast-foods bondés installés dans la base aérienne de Bagram. L'endroit ressemble à n'importe quelle galerie marchande périurbaine le week-end, fusils d'assaut et treillis mis à part. Canarelli a proposé ce lieu de rendez-vous lorsqu'ils se sont parlé au téléphone la veille, pour se remettre dans le bain avant son départ en permission. Peter l'a senti anxieux à l'autre bout du fil. Pas seulement anxieux, il y avait dans sa voix une rage mal contenue, inhabituelle, et il a accepté de venir par curiosité, pour en connaître la raison, et parce qu'il apprécie le sergent. Son accréditation étant toujours valide, arriver jusqu'ici n'a posé aucun problème.

« Pourquoi on est en Afgha, en fait ? »

La question est rhétorique, le journaliste ne dit rien.

« Et qu'est-ce que les gens penseront de nous dans quinze ou vingt ans ? »

Quelques secondes s'écoulent.

« Nawaz est un pourri. »

Le nom, sorti de nulle part, fait tendre l'oreille à Dang. Canarelli n'a pas besoin de lui préciser le pedigree du colonel Tahir Nawaz, le journaliste l'a croisé lors de son séjour à Torkham. Il a même eu le culot de lui poser une question qui a failli le faire renvoyer sans délai à Kaboul.

« J'en peux plus des conneries de ces types. »

Peter attend une suite. Elle ne vient pas. « Nawaz n'est pas juste un pourri, c'est votre pourri. » Lui est né à Toronto, du bon côté de la frontière. « Et ce n'est pas le seul.

— Ils sont pas mieux en face ! »

Canarelli est sur la défensive. Dang pourrait développer, évoquer les erreurs répétées de la politique étrangère américaine dans la seconde moitié du XXe siècle, son goût simpliste pour les régimes forts et les amitiés indésirables mais il s'abstient sinon l'autre va se braquer. Et Nawaz, ça l'intéresse. « Pourquoi m'avez-vous appelé, Joseph ? »

En entendant son prénom, le sergent se remet à fixer le journaliste. « Si je vous raconte un truc, vous le gardez pour vous ?

— Cette discussion sera off mais si ce que vous avez à dire en vaut la peine, je creuserai et elle risque de ressortir. »

Canarelli acquiesce, réfléchit un moment. Causer de ce qu'ils font ou de ce qui leur arrive, il aime pas, mais il n'a toujours pas digéré l'incident du 28, alors il se lève pour enfiler sa veste de treillis et ramasse son sac à dos. « Venez. »

Dang suit le sergent. Ils traversent la base, au milieu du trafic incessant des hommes et des machines. La circulation est importante, au sol et dans les airs, et il faut faire attention, marcher, s'arrêter, laisser passer, attendre avant d'avancer, il y a des feux partout et même des agents de circulation.

De l'autre côté des pistes d'envol, ils s'enfoncent dans un territoire où les uniformes conventionnels se raréfient, voire disparaissent, et contournent un chantier en cours, autour duquel s'activent de nombreux engins. « La nouvelle étoile de la mort du JSOC », annonce Canarelli, en montrant le centre opérationnel tactique du commandement interarmes des opérations spéciales en construction. En Irak, son pendant à l'aéroport de Bagdad, baptisé Étoile Noire, une référence directe à *Star Wars*, aveu inconscient du rôle tenu par l'Amérique dans le nouvel ordre mondial, était le centre névralgique d'une intense guerre de raids, d'exécutions, de captures et de bombardement ciblés, menée par des ninjas stakhanovistes pour éradiquer l'insurrection à partir de listes de cibles sans cesse renouvelées.

Un taylorisme contre-insurrectionnel officiellement efficace puisque la situation là-bas commence à se stabiliser, dixit la propagande US. La preuve, le *Joint Special Operations Command* se tire pour débarquer ici avec son arsenal de super-guerriers et d'avions robots.

À plusieurs reprises au cours de ses différents séjours irakiens, Peter a croisé la très secrète tribu du général McChrystal sans jamais parvenir à décrocher un entretien. Ils bandent à part, tels des rock stars, n'ayant de comptes à rendre à personne. Leur arrivée en force en Afghanistan n'augure rien de bon. Lors de son dernier passage sur les berges du Tigre, il y a six mois, Peter a pu constater l'étendue des dégâts. Beaucoup de *méchants*, une notion à géométrie variable, sont morts mais le pays est démoli et les haines toujours vives.

Des civils armés surveillent le périmètre. Dang les montre. « Blackwater ? »

Le visage du sergent se ferme. Il évite de regarder le journaliste et ne prononce plus une parole jusqu'à ce qu'ils rejoignent une zone du tarmac protégée par des barbelés où les tenues mili sont en minorité. Ils s'arrêtent à l'abri de l'angle d'un préfabriqué, de l'autre côté de la barrière. « Troisième hangar en partant de la droite, celui devant lequel est stationné le C130 blanc ? »

Dang localise le zinc pataud au nez proéminent et arrondi à une centaine de mètres de leur poste d'observation. « Vu.

— Il est occupé par une boîte appelée Mohawk. Transport aérien. »

Le quadrimoteur se trouve devant un abri couleur sable suffisamment grand pour l'accueillir. Son portail est ouvert et la tranche arrière de l'avion abaissée. Un chariot élévateur fait des allers-retours entre le bâtiment et le C130.

« OGA, ça vous parle ? »

Dang hoche la tête.

« Toute cette partie, c'est chez eux. Les locaux de Mohawk abritent une autre société dont le nom est Oneida/6N mais elle n'apparaît nulle part sur les registres de la base. J'ai vérifié auprès d'un copain affecté à Bagram.

— Comment avez-vous eu cette info ? »

Canarelli ne répond pas immédiatement.

Il hésite encore, pense Peter, ça l'emmerde de parler. Sans doute pas la trouille, plutôt le principe.

« La semaine dernière, à la frontière, on a intercepté deux camions qui devaient livrer des trucs ici. Le nom et les coordonnées étaient sur le manifeste. » Le sergent donne ensuite quelques détails supplémentaires sur leur intervention, le tuyau original sur les armes talebs, le clash avec Nawaz et ses flics, l'arrivée de ces trois enculés de leur mère de cow-boys et les ordres transmis illico par le QG de la brigade. « On a dû les laisser repartir. »

Dang prend des notes serrées dans un carnet Moleskine fatigué. Un cadeau précieux qu'il trimballe partout et fait durer. Quand il en aura épuisé toutes les pages, un chapitre de sa vie se refermera. Cette perspective l'angoisse. « Quelqu'un a jeté un œil dans les conteneurs ?

— Moi. Dans le premier. » Canarelli explique les caisses, les cartons et la trentaine de barils en plastoc bleu de cent litres chacun. « Les étiquettes avaient été grattées mais dessus, c'était marqué anhydride acétique.

— Vous avez vérifié le contenu ? »

Le sous-officier secoue la tête.

« Et dans l'autre camion ?

— Pas pu voir. »

Peter réfléchit pendant quelques secondes. « Cette boîte, Oneida/6N, elle fait quoi ?

— Aucune idée. Je sais juste qu'elle est là-bas dedans. »

L'anhydride acétique, Peter en connaît l'usage, tous les journalistes dignes de ce nom travaillant dans ce pays le connaissent. Son instinct lui gueule que ce truc pue bon. *Du calme, garçon, du calme. Un sergent de l'armée US est en train de te dire qu'il a peut-être vu trois milles litres d'un précurseur de l'héroïne cachés dans un conteneur destiné à une société implantée secrètement dans une base militaire américaine… À l'intérieur des locaux d'une autre qui elle-même fait partie de la nébuleuse de sous-traitants privés des agences de renseignement des États-Unis. Oh. Putain.* « Parlez-moi des trois mecs.

— Même look que les gorilles du chantier.

— Des privés ?

— J'en sais rien. En tout cas, celui qui donnait les ordres avait l'air très pote avec le colonel Nawaz. »

Le chef. « Il ressemblait à quoi ?

— Grand, balèze, avec une moustache et une barbe de trois jours. La coupe en brosse.

— Quel âge ?

— Pas loin de cinquante, je dirais. Il avait des cheveux gris.

— Et les autres ?

— Deux barbus. Surarmés. Un basané qui parlait presque pas et un autre du genre surfeur branleur avec un putain de tomahawk dans le dos. » La simple évocation du type suffit à faire remonter de dix crans la colère ressentie par le sergent depuis six jours.

« Il s'est passé quoi ensuite ?

— Le moustachu a calmé Nawaz, après il a téléphoné et il nous a envoyés nous faire foutre. En gros.

— Il a appelé qui ? Vous avez entendu quelque chose quand il était en ligne ? Un nom, une adresse ? »

Canarelli fait non de la tête. « Trop loin. Mais une fois rentré à la niche, notre commandant a eu une explication de texte avec mon chef de section. » Et tout le monde en a profité. Au cours de ce mémorable remontage de bretelles, Cummins a expliqué au lieutenant Gabel qu'il n'avait guère apprécié de s'être fait pourrir la gueule par « des enculés de leur mère de l'Ariana ! »

Putain, putain, putain. La réaction de Dang doit se lire sur son visage puisque Canarelli se met à le regarder de traviole et lui demande s'il sait ce que c'est, l'Ariana. Le sergent n'est probablement jamais passé par Kaboul, sinon il saurait peut-être que ce nom aux racines grecques, très courant dans cette partie du globe conquise par le grand Alexandre, est celui d'une place située à un jet de pierre du palais présidentiel, dans le quartier des ministères et des représentations diplomatiques. « Non. » Dang ment. Un réflexe idiot. Pas sûr cependant que Canarelli soit tout à fait conscient du bordel qu'il risque de provoquer et, pour ne pas raviver ses réticences de tout à l'heure, mais aussi par superstition, Peter préfère la boucler. Il a un truc énorme à portée de main, la baleine blanche du correspondant de guerre en Afghanistan, un possible début de preuve de la complicité active de certains agents du gouvernement des États-Unis dans le trafic d'héroïne. Le scoop du siècle, plus gros que l'*Irangate* et les Contras.

Putain !

Parce que l'Ariana, c'est également un ancien hôtel de la capitale, construit non loin de cette fameuse place, que la guerre civile et les talibans n'ont jamais réussi à détruire complètement. Il tenait encore debout lorsque les compatriotes du sergent sont entrés dans la ville en novembre 2001. À l'époque, ils n'étaient pas nombreux et parmi eux se trouvaient des bérets verts des forces spéciales et des paramilitaires de la CIA. Ces derniers y installèrent leur QG. Aujourd'hui, l'Agence est toujours là. À côté de l'ambassade américaine. Pour cacher son excitation, Peter fouille dans sa besace en cuir en quête d'un appareil photo numérique. Il prend rapidement un cliché de l'Hercules C130 de Mohawk et un autre du hangar.

Le sergent se met à râler.

Dang n'en a rien à foutre. *Trop tard, mon pote.* « Vous n'auriez pas noté l'immatriculation de l'hélico, par hasard ? »

Le sous-officier continue de se plaindre, invoquant sa confiance trahie, et s'en va, il ne veut pas rater son transport militaire.

Le journaliste le rattrape par le bras. « Vous aviez envie de me voir parce que cette histoire de camions vous fait chier. Vous êtes un type bien, sergent, et vous savez qu'elle ne sent pas bon. Autant que la réputation de Nawaz. Vous faire humilier devant lui avec vos mecs vous a foutu les boules et c'est normal. Et ça vous emmerde de rien pouvoir faire. Moi je peux. Mais faut tout me dire.

— Vous en avez pas assez là ? »

Dang sourit, désarmant.

Le sergent bougonne mais jette quand même un œil à son propre carnet de notes. Il en a un, comme tout bon sous-off. « N-313GA. On y va maintenant, faut pas traîner ici. »

Sur le chemin du retour, Peter demande à Canarelli s'il a vu *Apocalypse Now*.

« Il y a longtemps.

— Le personnage de Martin Sheen, il est de la 173e. Ils le disent au début du film, quand les mecs viennent le sortir de sa chambre. Vous le saviez ?

— Tout le monde sait ça chez nous. »

Ils marchent quelques minutes en silence, au milieu du bordel, du boucan, des vapeurs de kérosène et de merde cramée puis, au moment de le quitter, Dang souhaite bon voyage au sergent et beaucoup de bonheur. « Vous pourrez raconter à votre fille que vous êtes comme le capitaine Willard.

— Un tueur défoncé ? »

Ils se séparent. À Peter de retrouver son Kurtz moustachu maintenant.

La même odeur de merde cramée plane sur Kaboul. Rien à voir avec la base aérienne, distante d'une cinquantaine de kilomètres, ici c'est une simple question de survie. Les hivers sont rudes, les gens se chauffent avec ce qu'ils ont et la merde ne manque pas. Les relents organiques se mêlent à la pollution automobile et à la poussière, omniprésente dans une agglomération où les rues bousillées côtoient encore des pistes, pour former une brume jaunâtre insalubre qui s'insinue partout. Dès le périphérique, elle pénètre dans l'habitacle de la bagnole ramenant Dang de Bagram et le fait tousser pendant quelques minutes, le temps pour ses poumons de se laisser envahir.

Javid, assistant personnel, traducteur, connaisseur des uns et des autres, ligne de vie, en un mot son *fixer*, conduit. Il a trente et un ans, il est tadjik, marié, père et médecin, mais il n'exerce plus. Jouer au guide à cent vingt dollars la journée est plus rentable, si grands soient les risques. Le paradoxe n'échappe pas à Peter. Les journalistes en guerre privent l'Afghanistan d'une large part des élites capables de le reconstruire, de le soigner, pour produire des centaines d'articles, souvent pas très utiles, fustigeant son naufrage.

Javid zigzague avec dextérité dans une circulation chaotique et toujours dense, entre charrettes, voitures fatiguées, camions bariolés, véhicules militaires et convois de 4 × 4 étrangers toujours en bande, toujours prioritaires, et parle de son petit dernier. Peter l'écoute d'une oreille distraite, l'esprit encombré par les révélations de Canarelli. Il divague au-dehors vers les vieux avec leurs mains tendues, les gamins surgissant entre les bagnoles à la moindre accalmie, qui pour proposer une bouteille de flotte, qui pour vendre des fruits trop mûrs, qui simplement pour mendier, telles ces femmes soustentes, portant leurs bébés serrés dans les plis de burqas d'un azur cradingue. Il contemple cette capitale à la renaissance anarchique et fragile, dopée à la came financière internationale, au cash des junkies de la guerre, à la guerre perpétuelle qui plombe le pays. Partout, elle a laissé des traces de sa petite vérole, sur les routes, en carcasses, sur les murs troués, sur les estropiés. On débarrasse, on bouche, on cache, mais toujours ça revient.

Et ce n'est pas près de s'arrêter.

Le conflit est à nouveau aux portes de la ville. Les talibans sont entrés dans Kaboul, ils ont frappé les étrangers au cœur de la cité, profitant de l'incompétence corrompue du gouvernement, de la désinvolture des États-Unis et de l'excuse qui leur sert de bras armé, l'OTAN, et de la colère éruptive d'un peuple dont la vie quotidienne ne s'améliore pas, en dépit des promesses. En un sens, ils ont déjà gagné. Peter le constate à chacun de ses retours, il l'entend dans la bouche des reporters installés à l'année, la situation s'est fortement dégradée, lentement entre le début de la guerre en Irak et 2007, plus vite depuis. Grosse gueule de bois après l'attentat du Serena, en janvier, les expats ont compris que la rigolade était finie pour de bon. Ceux qui n'étaient pas encore repliés derrière des murs de béton et des miliciens armés ont rejoint les autres et sont à leur tour devenus des hypocondriaques de la sécurité.

Déposé devant sa maison d'hôtes fortifiée et gardée de Taimani, Dang salue rapidement Javid et se réfugie derrière un lourd portail de métal. Il traverse ensuite une cour devenue gymkhana, censée empêcher les kamikazes d'arriver jusqu'aux précieux clients.

Sous la douche, la tête lui tourne encore, il ne peut arrêter de cogiter. Les barils bleus, l'anhydride acétique, et si ce n'était rien, et s'ils contenaient autre chose, et si Oneida avait le droit, si la boîte était là juste parce que c'est pratique. Mais OGA. Mais Nawaz. Mais les cow-boys. Mais l'Ariana. Mais le renvoi des soldats la queue entre les jambes. Rapide, net et presque sans bavure. À part Canarelli.

Dang doit organiser le connu, réfléchir, vérifier, creuser. Il aimerait commencer tout de suite mais il ne peut pas, il lui faut corriger un papier à envoyer dans l'heure et ensuite il a un dîner chez des missionnaires des Nations unies. Il pourrait ne pas y aller, il préférerait, mais le pote qui l'a invité, Simon, un des colocataires, est toujours bien renseigné. Il signe des chèques, énormément de chèques, des gros, et parle donc à beaucoup de gens très importants.

Son chauffeur de taxi du soir, privé, recommandé, sûr, avec cousin de protection, est rapide, il connaît son affaire. Entre les patrouilles, les étrangers en goguette et les égarés, il trouve sans problème sur les indications de Peter. À Kaboul, peu ou pas de noms de rues, encore moins de numéros, on indique le quartier, on décrit un bout de voie, les maisons alentour, l'arbre dont on se souvient, la gueule de l'entrée, la couleur de la porte.

Dang paie le mec, donne un horaire de retour et rejoint une soirée à l'atmosphère lugubre où une vingtaine de personnes, entre-soi de confrères blasés, d'urgentistes de la misère et de fonctionnaires de la démocratie mondialisée, à salaires fois cinq hors primes, mangent des pizzas rincées à la bière, en faisant semblant d'être détendues. Il voit certaines têtes depuis longtemps, les autres ne gagnent pas forcément à être connues. Il y a seulement quatre femmes, très courtisées. En Afghanistan, la rareté fait de toutes les étrangères des mégabonnasses.

Son ami n'est pas là. Pas rentré. Alors Peter discute un peu, le service minimum, avant de se replier à l'écart, agacé par ces gens, agacé d'être agacé, agacé par son cynisme et sa colère. Il en cerne mal les causes et les contours. Elle lui permet d'avancer mais l'isole et le consume. Tout cela va mal se terminer.

Lorsque son copain arrive enfin, Dang se fait violence pour le laisser venir à lui, il ne veut pas le brusquer. L'heure tourne, ils finissent par se parler. Son attente est déçue. Simon ne sait rien d'Oneida/6N, connaît juste Mohawk, la filiale d'un groupe qui fait son beurre avec les crises dont il a oublié le nom. OGA ? Peut-être et alors ? Ils sont nombreux. Mohawk travaille avec tout le monde, y compris l'ONU. Lui-même leur signe des chèques. Ils sont bons et font le job, ça lui suffit. Il ne sait rien d'autre. Il n'a pas vraiment envie de savoir. Il se met à causer d'une des meufs. Pour Peter, c'est le signal du départ.

Dang est très occupé au cours des jours suivants. Il obtient le feu vert des autorités militaires pour se rendre à la FOB Blackhawk, installée à la périphérie de la ville frontalière de Spin Boldak, deuxième porte d'entrée commerciale du pays après Torkham. Un point de passage essentiel au bon fonctionnement des troupes US, canadiennes et britanniques engagées sur le front le plus actif du pays, dans le grand sud afghan, notamment au Helmand, grenier à opium du monde. Le voyage du journaliste s'inscrit dans la continuité de celui de Nangarhar et lui permet de poursuivre sa série d'articles sur le coût et les problèmes logistiques posés par l'effort de guerre de l'OTAN dans un pays sans accès à la mer.

Sur place, Peter se balade avec des soldats en patrouille dans la passe de Chaman, où se trouve Spin Boldak, et les montagnes environnantes. Il parcourt également les cent quarante kilomètres de l'A75, reliant la frontière à la ville de Kandahar, ancien fief du Mollah Omar, en compagnie des employés sud-africains d'une boîte anglaise très investie dans l'effort de sécurisation de cette portion d'autoroute vitale.

Un aller-retour épique, écrasé par le soleil et noyé sous la poussière de cette région désertique. Le trajet, dans un sens comme dans l'autre, dure plus d'une quinzaine d'heures, en raison de fréquents passages de convois militaires auxquels il faut systématiquement céder la place sous peine de se faire mitrailler. De nombreuses alertes IED, réelles ou fantasmées, provoquent également des embouteillages monstres et d'interminables séances de déminage de la route et de ses abords. Le sentiment d'être une cible de choix et l'impression de vulnérabilité extrême prédominent alors, malgré le professionnalisme détaché de ses chiens de garde afrikaners, leurs armes et leurs bagnoles blindées. Eux passent pour ce qu'ils sont, des étrangers, ils détonnent. Dans ces moments suspendus, engoncé dans son lourd gilet pare-balles barré du mot *PRESS* et suant sous son casque de protection, Peter se dit qu'il serait mieux sans escorte, déguisé en local, anonyme dans leur foule, il aurait bien moins peur.

C'est une période de grand isolement. Le contact passe mal avec les mecs du camp et il est souvent seul dans sa tête, avec ses barils d'anhydride acétique et ses rêves de révélations fracassantes et de unes ravageuses. Le soir, une fois ses notes de la journée mises au propre, Peter profite de crépuscules sans fin dans une FOB endormie mais toujours connectée – le soldat moderne en campagne a besoin de son shoot quotidien de Facebook, de Tumblr ou de Skype pour survivre – afin d'effectuer quelques recherches sur le Net.

Premières informations, Mohawk et Oneida sont deux filiales, parmi six, d'un groupe, Longhouse International, en passe de devenir l'une des principales sociétés militaires privées des États-Unis avec

Dyncorp, Blackwater et Triple Canopy. En 2007, son chiffre d'affaires d'un peu moins de deux milliards de dollars provenait pour les trois quarts de contrats publics. Son siège social est installé à Falls Church, en Virginie. Une ville située à deux pas de Washington DC, où toutes les décisions se prennent, particulièrement prisée par un certain nombre d'entreprises vivant d'appels d'offres gouvernementaux, parmi lesquelles figurent des géants de l'aérospatiale ou de l'ingénierie informatique à destination des administrations.

Mohawk est bien la branche opérations aériennes de Longhouse, comme le lui a expliqué Simon. Oneida, Peter l'apprend par une simple consultation du site du groupe, est la structure chargée des questions de sécurité, *reconnue pour son expérience en matière de renseignement, intelligence économique, surveillance, protection rapprochée et formation.* A priori, rien ne justifiant la commande et la livraison de substances chimiques fliquées, sauf si elles étaient destinées à un tiers légitime, via Mohawk. Une éventualité qu'il est trop tôt pour exclure totalement. Par ailleurs, les fûts aperçus par le sergent Canarelli contenaient peut-être autre chose que de l'anhydride acétique. De son propre aveu, les étiquettes étaient grattées et raturées.

Les quatre autres entités de la multinationale se nomment Cayuga, Seneca, Tuscarora et Onondaga, et s'occupent de logistique d'urgence, d'humanitaire, de transport maritime et de maintenance. Le journaliste ne trouve aucune mention *6N* où que ce soit, ni dans les pages de Longhouse, ni dans les articles de presse lui étant consacrés. Il finit par penser qu'il s'agit là d'une référence uniquement liée à la livraison stoppée par Canarelli et l'écarte de ses investigations.

Robert G. Zinni, le P-DG du groupe, est un personnage très discret. Internet ne fournit à Peter que peu d'informations sur lui. Diplômé de Harvard, il épouse un temps la carrière politique, passe notamment par le secrétariat d'État à la Défense, et repart dans le privé occuper la présidence d'un fonds d'investissement avant celle de Longhouse International. Un pur produit de l'élite américaine. L'activité de la société explose sous son règne, profitant à la fois de l'entregent de son patron et du contexte extrêmement favorable de la *guerre contre la terreur* menée par le gouvernement de George W. Bush à partir de 2001.

À la différence de celle d'autres sociétés militaires privées, la réputation du groupe de Zinni est sans tache. Pas de scandale sexuel du genre de celui qui, en Bosnie, a frappé Dyncorp, également soupçonnée de surfacturation dans le cadre de contrats irakiens, ni d'incidents à répétition comme chez Blackwater. La boîte est solide, tout le monde chante ses louanges, et elle occupe une place de choix au cœur du puissant complexe militaro-industriel américain.

En parallèle de ses découvertes sur Longhouse, Peter s'intéresse à l'avion photographié devant le hangar, dont la queue porte l'immatriculation N-8183G, et à l'hélicoptère aperçu par le sergent Canarelli à Torkham. Se souvenant d'une série d'articles publiés il y a trois ans dans le *Guardian* et le *New York Times*, à propos des vols secrets du programme de torture de la CIA, il décide d'essayer de suivre leurs déplacements.

Le préfixe N, présent dans les deux numéros d'identification, est celui des États-Unis. Jusque-là, rien de surprenant. Dang consulte le site web de la FAA, l'administration fédérale de l'aviation américaine, à partir duquel il est possible d'obtenir, en entrant le numéro d'un aéronef, pas mal d'informations sur celui-ci, en particulier le nom de son propriétaire, son adresse, sa date de mise en service et certains détails de son certificat de navigabilité. Le C130 N-8183G appartient à une société baptisée Global Air Services, GAS, installée à Fort Lauderdale, en Floride. Au cours de son existence, cet Hercules a été modifié à plusieurs reprises pour embarquer des équipements électroniques optionnels, sans que ceux-ci soient précisés dans la notice FAA, et augmenter son rayon d'action et sa capacité à décoller ou atterrir sur des pistes plus courtes. L'hélicoptère N-313GA est un Bell 412EP, également propriété de GAS.

Pour en savoir plus sur GAS, absente du web, Peter s'abonne à des listes de diffusion et se met à fréquenter des forums de passionnés d'aviation, notamment Airliners.net. Il apprend ainsi que le P-DG de Global Air Services, Richard Childrey, est lui-même un ancien pilote militaire. Il aurait ensuite volé, dans les années quatre-vingt-dix, avec Aero Contractors, une compagnie aérienne réputée proche de la CIA, avant de fonder GAS avec les capitaux d'un affréteur, Mohawk. Logique. Dang reçoit également un état non exhaustif de la flotte de Childrey qui, outre cinq Bell et deux C130, possède neuf autres hélicoptères, quatre Pumas et cinq Hughes MD369, et une dizaine d'avions parmi lesquels des Casa 212, un Boeing 737-300 BCF, pour le transport de fret, et deux Embraer 314, un avion de reconnaissance brésilien, démilitarisés. Toute une gamme d'appareils capables de rendre d'immenses services en milieu hostile. Un de ses nouveaux amis virtuels lui écrit d'ailleurs un jour que *ce genre de zincs, c'est pas fait pour promener les touristes.*

Au cours de ses pérégrinations chez les fêlés de

coucous, Peter a en effet sympathisé avec deux amateurs éclairés aiguillonnés par ses demandes et pas trop paranos, une espèce rare. Le premier, dont le pseudonyme est *Red Baron*, le Baron Rouge, est à l'origine des infos sur GAS. Le second, dissimulé derrière un avatar représentant l'iris enflammé de Sauron, le méchant du *Seigneur des Anneaux*, s'appelle *Eye In The Sky*, l'Œil Du Ciel. Lui est un vrai *planespotter* et il fait découvrir au journaliste quelques subtilités de son hobby.

Le kif de ces geeks d'un genre un peu particulier consiste à collecter le maximum d'éléments sur le trafic aérien : immatriculations, à quoi ça ressemble, d'où ça vient, où ça part, à quelle heure ça décolle, quand ça atterrit, par où ça passe, ce dont les pilotes causent quand ils sont en vol, ce que les appareils eux-mêmes débitent, via certains systèmes informatiques embarqués balançant en permanence sur les ondes des données destinées aux tours de contrôle, aux compagnies aériennes et aux constructeurs aéronautiques. Carnets, crayons, jumelles, appareils photos équipés de téléobjectifs, scanners, ordinateurs portables reliés à des antennes spéciales et remplis de logiciels de décodage font partie de la panoplie du parfait spotter. Les mecs passent un temps fou au bout des pistes des aéroports ou sur des promontoires, l'oreille aux aguets, le nez en l'air ou dans leurs ordis, à parcourir des listings imbitables pour les profanes, pas toujours obtenus de façon très légale, ou échanger tous ces trucs sur le Net avec leurs copains, partout dans le monde. C'est en grande partie grâce aux observations de doux dingues comme Red Baron et Eye In The Sky que les avions ravisseurs de la CIA ont été identifiés et leurs trajets vers les principaux pays hébergeant les basses œuvres de l'Agence post-11-Septembre repérés.

Après plusieurs jours passés à amadouer ses deux indics potentiels, Peter parvient à établir un contact plus direct avec eux, hors forum, par mail. Ils lui promettent de se renseigner sur les deux immatriculations obtenues via Canarelli.

Wed 11 Mar 2008, 23:04:15

De : pdang@lavabit.com

À : mattpinsent@bloomberg.com

RE : Ton séjour à New York

Matt,

Je te réponds tard, pardon. Voici les dernières nouvelles du front. Depuis une semaine, je suis avec l'armée dans une ville frontalière appelée Spin Boldak qui semble tout droit sortie d'un western. À ceci près que les cow-boys d'ici portent des turbans, pas des stetsons, et la cavalerie d'énormes protections balistiques au lieu de belles tuniques bleues. Moins romantique. Aujourd'hui, c'était mon dernier jour et je suis allé me balader au Pakistan, dans la ville d'en face, Chaman, loin de mes chaperons en uniforme. Je n'en peux plus d'être enfermé avec eux. À peine franchie la douane, on a croisé un grand rassemblement de motos. C'était marrant tous ces mecs, à deux, à trois, en famille sur leurs bécanes, avec leurs femmes en burqas et leurs gosses. Il y en avait partout. On a garé la voiture pour les laisser passer et ensuite le chauffeur a accéléré à fond, totalement flippé. J'ai compris pourquoi en sentant l'explosion. Je l'ai sentie avant de l'entendre, et c'était très bizarre sur le moment. Mon interprète m'a expliqué que les talibans font ça de plus en plus souvent. Ils bloquent les motards avant le poste-frontière et puis ils envoient tout le monde d'un coup, pour rendre les contrôles moins faciles. Et boum. Boum, il a dit ça comme ça, très vite, en mimant avec ses mains, presque avec le sourire, il était soulagé. On a fui sans rien faire et je ne lui en ai même pas voulu. Juste après, je me souviens avoir pensé que cela aurait été vraiment trop injuste de crever là, bêtement, au milieu de tous ces gens. Aucune tendresse, aucune compassion, juste du soulagement pour moi aussi. La suite de la journée n'a pas été terrible. On est arrivés à Chaman, j'ai rencontré un mec pour mon reportage mais je n'ai plus su quoi lui demander, je n'y arrivais pas. Quand je suis rentré ce soir, j'ai appris qu'il y avait eu onze morts et une dizaine de blessés. Pas de soldat, juste des civils. La bombe n'était apparemment pas très forte et la concentration des gens a tout amorti.

Assez avec mes états d'âme de grand guerrier de la presse, parle-moi de toi. Je suis vraiment impatient de vous voir, Courtney et toi, à la fin du mois et toutes vos suggestions me conviennent. J'espère qu'elle va bien, et mon filleul aussi. Je vais essayer de me libérer au maximum pour passer du temps avec lui, il me manque. Vous me manquez tous les trois. Beaucoup.

Peter

PS : peux-tu me rendre un service et voir ce que tu trouves sur les sociétés suivantes : Longhouse International, Mohawk, Oneida et Global Air Services ? Pars du principe que j'ai déjà tout ce qui est publiquement accessible. Merci d'avance.

8

Les mains de Ghost tremblent et il aime pas ça. Il les regarde, elles tremblent, et putain il aime pas ça. C'est pas la trouille, plutôt qu'il est mal, quoi. Bon, les produits aident pas, c'est sûr. Il est en rogne tout le temps et faut qu'il charge sur les Xanax et la fumette pour rester zen. Mais ils expliquent pas tout, les prods. Par exemple, il devrait plus rêver avec ce qu'il gobe, mais enculé ça tourne quand il dort, enfin quand il y arrive, ça remonte de partout ici, l'Afrique, l'Irak et les autres coins où ils ont traîné et où ça a chauffé. C'est même pas les trucs les plus horribles, nos gamins éparpillés par des IED à racler dans ce qu'on peut parce que sinon les locaux vont faire mumuse avec les morceaux et tout foutre sur YouTube, ou les blessés bien graves qu'ont plus de gueule, plus de bras, plus de jambes et à qui il va plus rester beaucoup de vie derrière, ou les morts avec leurs sales faces. Les gens ont rarement l'air cool quand ça leur tombe dessus. Non, c'est vraiment pas les trucs moches. Même les copains partis, dont la liste est plus si petite avec le temps, viennent pas faire chier. C'est plutôt les conneries, les fois où il s'est demandé ce qu'il était en train de branler au milieu du bordel et ce que Dieu pouvait bien penser de tout ça. La nuit dernière, par exemple, Ghost a revisité Falloujah, une fois où ils pistaient Abou Moussab Al-Zarqaoui, le grand chef d'Al-Qaïda en Irak, leur croquemitaine. Avec la bande, ils bossaient aux activités spéciales de l'Agence à l'époque, et avaient investi de nuit, discrétos, une baraque. Avec quatre opérateurs de la Delta. En pleine journée, un con se pointe avec une brouette gavée d'explos ras la gueule et veut la foutre dans leur arrière-cour pour tout faire péter. Un des opérateurs le dégomme mais le con meurt pas. Il est là, par terre, les mains sur le bide, à se tordre dans tous les sens et hurler. Le tireur est aussi infirmier alors les gars lui disent : « Mec, tu l'as shooté, tu t'en occupes. » Donc ils font une sortie, la planque est baisée, ils se font allumer et les voilà à ramener l'autre abruti à l'intérieur pour le soigner. Sauf que ça marche pas et l'enturbanné claque. Et en claquant, il se vide. Et putain, Ghost sait pas ce qu'il avait bouffé mais il se souvient encore de l'odeur. Ça pue grave, quoi, et le mec en fout partout en plus. Et il faut dégager, parce que ça commence à craindre, ça tire sérieux, mais les milis, tout JSOC qu'ils soient, ils peuvent pas laisser un mort derrière comme ça. Alors, l'infirmier et un autre Delta l'embarquent, mais ils avancent pas vite, il y a des obstacles partout et ils sont déjà pas mal chargés. Et le cadavre il pue, et il se répand, ses fringues sont imbibées un max. Tout le monde s'y met pour que ça bouge, et comme par hasard t'as jamais d'hélico pour venir te chercher dans ces cas-là, et tout le monde se dégueulasse, évidemment, se retrouve avec de la chiasse de macchabée sur lui. Ces connards de djihadistes les arrosent à fond, armes légères, roquettes, ça pleut dru, ils ont tous droit à des éclats à un moment ou à un autre. Ensuite, ils tombent sur des barbelés, essaient de passer, le cadavre se coince, se vide encore plus, ils se font tous pourrir comme il faut, impossible de le décrocher. Voodoo siffle la fin de la récré, *qu'il aille se faire foutre*, et ils l'abandonnent. Et là, le con se redresse et il leur crie : « Hé, soyez pas salauds, quoi, me laissez pas ! » Il parle anglais, t'y crois à ça ? Bon, cette fin c'était juste dans son rêve, à Ghost, mais le reste est vrai ; ce jour-là, en moins de deux heures, ils avaient essayé de buter un ennemi, de le soigner, de l'embarquer pour lui donner une fin décente avant de le lâcher sur un bout de grillage dans une position grotesque en train de dégouliner de merde. Tu parles d'une histoire débile. Des trucs pareils, quand ça chauffe, t'en vois plein. Et pour lui, Voodoo et les potes, ça fait sept ans que ça chauffe dur. Ils se sont tous bien marrés mais à force Ghost a les mains qui tremblent.

Et il aime pas ça, putain.

Même s'il sait que c'est pas la trouille. De toute façon, Ghost a pas droit à la trouille. Pas avec tous les potes qui sont là, Voodoo, Rider, Viper, Gambit. Et Wild Bill, qui les attend sur zone. Et Data. Lui, il va pas monter au carton ce soir, mais il fait partie de la famille, il se mouille, à sa manière. Et regarde-moi ce putain d'Hair Force One comment il tire sur sa putain de laisse. Tu dirais rien, il serait le premier à embarquer, ce con de clebs, patte folle ou pas. Il a pas peur. Merde mec, ça fait longtemps que vous avez pas tapé d'objectif tous ensemble, assure quoi.

Ghost observe ses potes qui se chamaillent avant le décollage, sous cette tente, montée pour l'occasion sur le tarmac de la FOB Fenty, et il est sûr qu'ils ont pas la trouille, eux, que leurs mains tremblent pas. Enfin, sauf peut-être celles de cette tarlouze de Viper. Mais lui c'est un ancien chevelu, le surnom des mecs de la compagnie de reconnaissance du 75th Ranger, c'est normal. Ghost regarde son ami, son petit frère, et ça lui fait monter la tendresse, le sourire et les larmes en même temps. Il sait que son pote se ferait découper pour lui, il a pas le moindre doute là-dessus, mais avec sa saloperie de tremblote, Ghost se demande s'il y arriverait encore, à se faire découper pour Viper. Et le doute, il peut pas. Pas avec son copain, pas quand il le voit se marrer de cette façon en se foutant de la gueule de Gambit et Rider. Gambit, c'est un ancien SEAL et les SEAL sont des gros branleurs, ils se la jouent, se foutre de leur gueule est dans l'ordre des choses. Et Rider, il passe trop de temps avec lui, il a oublié d'où il venait, il commence à se la jouer aussi. Il s'est acheté le même TC-2001 d'inter, tout ouvert sur les côtés, genre : « T'es pas trop comprimé au niveau de tes petites oreilles, ça va, t'es confort ? » Et les balles elles rentrent mieux, aussi ? Branleur. Et pire, Rider a foutu des velcros dessus, à la mode SEAL, pour y coller des conneries. Gambit, il a des excuses, cinq ans à la Team Six, ça te nique un mec, alors son patch *SEALs do it better*, il passe. Mais Rider, c'est un ancien de l'unité, alors merde, il devrait pas se balader avec des bidules style *Spring Break Afghanistan 2008* ou *Taliban Hunting Club* avec des têtes de mort dans tous les sens. Un peu de décence, quoi. Du coup, il a fallu sévir. Quand ils sont arrivés de Kandahar cet après-midi avec leurs sacs de matos, Voodoo les a occupés, et Viper et Ghost en ont profité pour leur bomber les casques à la peinture rose. Petite touche perso, Viper a aussi peint des bites jaunes sur les velcros. Et là, ils viennent de s'en apercevoir et ils tirent la gueule. Ils vont avoir l'air très cons devant la JSF, avec leurs grosses teubs de pédales couleur de pisse bien visibles sur les côtés, les Afghans vont adorer. Remarque, la plupart d'entre eux enculent des petits garçons le soir à la maison alors ils feraient mieux de la fermer, quoi.

Voodoo croise le regard de Ghost, le désespoir de Ghost, voit les yeux de Ghost descendre vers ses mains, les mains de Ghost trembler. Il se lève de la caisse sur laquelle il est assis et va se poser à côté de son ami pendant que le reste de la troupe termine de s'équiper. « T'es OK ?

— Grave, mec. » Ghost soulève son porte-plaques Paraclete MultiCam et l'enfile par la tête mais, avec la bougeotte de ses doigts, il bataille pour glisser la languette de fixation interne dans le passant ad hoc.

Voodoo vient à son aide, sans faire de commentaires. Il en profite pour jeter un œil au kit de son équipier, monté sur différents points de fixation de son pare-balles. Six chargeurs de trente 7.62 × 39 mm pour aller avec leurs AKM cette nuit, qui s'ajoutent aux deux autres scotchés ensemble tête-bêche déjà engagés dans le fusil d'assaut de Ghost. Un voodooisme de base, tu prends toujours le double de munes, on sait jamais, la dotation de réserve sera pas forcément à portée. À la ceinture, Ghost porte son Springfield TRP Operator Full Rail anodisé noir, à l'ancienne, façon Voodoo, avec deux Wilson dix coups de rab et un dans l'arme, histoire d'être sûr de pouvoir mettre n'importe quel mec par terre. Rider, ce traître, préfère le Glock 22 en .40 S&W au .45. Aucun respect pour les traditions. Le garrot SOF-TT est en place sur le devant du Paraclete de Ghost, à droite de ses chargeurs, facilement accessible des deux mains. À gauche, il a une pochette de petit matos, avec des Cyalume sur le dessus, et son nécessaire de premiers secours individuel est positionné à l'arrière, du même côté. Ils le mettent tous là, pour qu'on sache où le trouver en cas de pépin. Son Motorola est en place, derrière l'épaule gauche. Branché sur le commutateur fixé sur la face avant du porte-plaques, OK. Les câbles sont bien gainés pour pas gêner les mouvements, OK. Sur les panneaux de protection latéraux, deux neuf bangs et quatre M67 à fragmentation, OK. Les grenades sont mieux planquées là, ça limite les risques d'exploser bêtement quand on se fait tirer dessus en avançant, autre voodooisme. Et puis dans le dos Ghost a un CamelBak et, bien sûr, son tomahawk tactique Hardcore Hardware. Voodoo laisse Ghost terminer d'ajuster son gilet, une lueur malicieuse et tendre dans le regard.

« Quoi ? »

Petite traction affectueuse, presque paternelle, sur le manche de la hachette.

« C'est comme ça que tu m'aimes, chéri, non ?

— On est cool, t'es sûr ? » *Tu peux rester ici, ce soir, si tu veux.* Les mots ne sont pas prononcés.

Ghost manque de lâcher que non, il est pas sûr, il aimerait bien pas venir mais il a pas le droit. Personne comprendrait, pardonnerait. « Sûr. » Et pas y aller là, c'est la spirale, il y a plus de fond après, c'est direct la mort. « Notre première fiesta tous ensemble depuis six mois, merde, pas question de louper ça. » Il sourit à son tour.

Voodoo lui tend un paquet de M&M's et verse quelques dragées chocolatées dans sa paume toujours tremblante. « Viens. » Les deux hommes se rapprochent des autres et Voodoo réclame le silence. « Combien de temps depuis mon dernier discours, hein ? » En guise de réponse, il obtient un *pas assez longtemps,* un *c'est reparti* et des tas de *pitié* et de hochements de tête. « Je suis sûr que ça vous a manqué. »

L'iPod de Gambit est branché sur une enceinte portable posée à côté de lui. Sans qu'on lui demande rien, il lance la lecture de *Memory Motel*, des Stones, et tout le monde écoute les premières mesures dans un silence religieux.

La chanson fait partie des rituels de la bande. Voodoo aime se la passer avant de partir en opération, elle lui met la haine. Originaire de Montauk, un bled de Long Island, il avait douze piges quand Mick Jagger et sa clique ont débarqué là-bas pour quelques jours. La légende veut que la ballade ait été écrite durant ce séjour. Personne aimait ces connards, ils traînaient une réputation pourrie et chaque fois qu'on les croisait, ils avaient le chic pour vous faire sentir merdeux et vous écraser avec leur célébrité et leur pognon. Ils créchaient chez un autre mec connu qui possédait une grosse baraque pas loin de la plage, et ils passaient l'essentiel de leur temps enfermés chez lui. Ils se bourraient la gueule et ils se piquaient et ils se partouzaient en rond avec toute la caravane de gonzesses qui leur filait le train. Voodoo avait pas tout compris à l'époque mais il sentait bien que les filles ne se comportaient pas comme d'habitude quand les Stones débarquaient en ville.

We spent a lonely night at the Memory Motel
It's on the ocean, I guess you know it well…

Il leur arrivait de zoner au fameux motel de la chanson, le seul endroit où on pouvait s'amuser un peu. Les gens de Montauk y venaient le soir et le week-end pour boire un coup, discuter. Le père de Voodoo était patron de pêche, un bosseur, un buveur, brutal mais gentil au fond, intègre et honnête jusqu'à la connerie. S'il était pas en mer, il levait le coude là-bas avec ses potes. Parfois, il y emmenait même femme et enfant.

L'incident qui avait fichu sa famille en l'air s'était produit un samedi où ils s'y trouvaient tous les trois justement. Ça n'allait déjà plus très fort entre ses parents, son paternel était jaloux et la bibine aidait pas. Avec un coup dans le pif, les torgnoles avaient tendance à voler à basse altitude. Un des larbins de Jagger était venu brancher sa mère. Elle était jolie sa mère, et pas con. Où qu'elle soit, elle attirait l'attention, souvent malgré elle. Son père le supportait de moins en moins bien. Au fond, et Voodoo l'avait pigé plus tard, il ne s'était jamais senti à la hauteur, il se trouvait minable et vivait constamment dans la peur d'être quitté. Ça le rongeait quand il était au large et encore plus lorsqu'il revenait à terre. Alors voir un crétin déguisé en rock star baratiner sa femme sous son nez l'avait rendu dingue, il avait dérapé, foncé dans le tas. Le shérif avait débarqué. Lui non plus, il les aimait pas trop ces branleurs qui foutaient le bordel et il avait voulu arrêter tout le monde. Mais le fric et les relations avaient eu raison de l'impartialité de la justice. « L'Amérique, fils » répéterait souvent son vieux par la suite. L'Amérique. Seul le père de Voodoo s'était retrouvé en cellule, finalement. Ensuite, il avait eu droit à une lourde amende à payer et de la prison à tirer sous prétexte qu'il avait porté les premiers coups. Personne n'en avait rien eu à foutre que les autres aient manqué de respect à sa moitié. Ils avaient dû vendre le chalutier pour payer la douloureuse et faire vivre la famille qui, pendant qu'il était en taule, se retrouvait dans la merde, sans revenus.

Cette partie-là de l'histoire, celle du minus contre les grands, était connue de ses mecs. Elle expliquait les origines de sa petite routine de mise en condition avant flingage. Et si elle n'avait pas fait de Voodoo un communiste, son père ne l'aurait pas permis, elle lui avait donné une sacrée leçon, une leçon qu'il s'était efforcé d'inculquer à tous ses *enfants* au cours de sa carrière.

You're just a memory of a love
That used to mean so much to me…

Sa mère n'avait pas supporté la dégradation de la situation familiale et s'était barrée, à peine son mari élargi, le plantant là avec son gosse sur les bras. À partir de ce jour-là, son paternel ne l'avait plus appelée que *la salope* et même Voodoo avait fini par avoir du mal à se souvenir de son prénom. Il aurait pu lui pardonner de laisser tomber le vieux si elle ne l'avait pas abandonné au passage. Mais elle s'était aussi défaite de lui, pauvre gosse qui avait pris sa défense et des beignes à de nombreuses reprises, comme d'un mauvais souvenir dont on ne veut plus parler, un machin devenu encombrant dont on n'a plus envie d'avoir besoin. Il le lui avait dit quand, bien des années plus tard, elle avait repris contact avec lui. Il était déjà officier à la Delta au moment de cette pathétique tentative de *comeback* et papa Sassaman était mort depuis un an. D'alcool et de chagrin, pas forcément dans cet ordre, et très seul. Voodoo l'avait envoyée chier, malgré ses déchirants aveux de culpabilité, les larmes et les excuses à genoux. Plus rien à foutre.

She got a mind of her own
And she used it mighty fine…

Par respect pour ses frères d'armes, et parce qu'ils ne pigeraient pas, il n'a jamais évoqué cet aspect-là de son passé familial. Dans le cœur des soldats, les mères occupent une place spéciale, plus importante sans doute que chez les autres hommes. Ils en parlent souvent et, quand le malheur les frappe et qu'approchent les derniers instants, juste avant de crever, tout juste, le dernier mot à franchir leurs lèvres mourantes est, Voodoo l'a constaté à chaque fois ou presque, *maman*. Mais sa salope de mère, comme cette pute d'Amérique qui n'aime que le pouvoir et l'argent, les a trahis lui et son père, ce bon con amoureux bien croyant, bien patriote, bien travailleur, bien baisé, et Voodoo s'est juré de ne jamais se faire baiser. Il est entré à l'armée, il y a plus de vingt ans, pour décrocher une bourse d'étude. Il lui fallait un diplôme pour obtenir sa place au soleil et il a réussi, il a eu son bout de papier. Mais il est resté. On lui avait appris d'autres trucs pour lesquels il était très doué, des trucs qu'il adorait et qui ont fini par avoir beaucoup de valeur dans ce monde de merde. *L'Amérique, fils.* « Quand je vois le drapeau, avec toutes ses étoiles, je pense pas à des États, je pense à tous ces gusses que j'ai croisés et qui sont plus là. Cinquante étoiles, c'est pas assez. Ça fait longtemps que notre drapeau, c'est plus celui de toutes ces conneries sur la patrie et le camp du bien. Il a jamais flotté au-dessus des bases militaires, ou sur les façades de connards bien planqués à la maison avec bobonne pendant qu'on se fait percer. Et il est pas sur les pin's de nos politiciens de merde. Notre bannière à nous, elle est là », il montre sa tête, « et là », il montre son cœur. « Elle est avec nous tout le temps, partout. »

Sous la tente, sa bande approuve.

« Et perso, j'ai jamais vraiment cru au grand danger de l'extérieur. C'est pas que j'aime pas les défoncer, ces fils de putes de hajis, mais je les vois pas nous la mettre profond en nous envahissant dans les mois à venir.

— Alléluia, mec. »

Voodoo sourit à Ghost. « J'ai jamais rien fait par contrainte. Ce que je fais, je le fais parce que j'aime ça. » Voodoo dévisage Rider. « Que je sais le faire. » Gambit. « Et même très bien. » Il glisse sur Viper, qui acquiesce. « Et que je peux le faire. » Il s'arrête sur Data, debout à côté d'Omer, son Tadjik. Lui se concentre sur Hair Force One. Le chien veut se barrer, excité par l'assaut à venir. Voodoo lui accorde une caresse. « Vous, c'est pareil. On s'est pas choisis par hasard. » Il s'interrompt, se tourne vers Gambit. « Enfin, quand je vois la gueule des 2001 de certains, je me pose quand même des questions. »

Éclats de rire. Gambit et Rider feignent de balancer leurs casques roses, lestés de leurs jumelles de vision nocturne, dans la gueule de Viper.

« Ce soir, on sort pour nous. On bute tout ce qui bouge et on laisse rien traîner. Propre. Dans un an, on les enculera tous.

— Amen, mon frère. » Gambit se lève et invite ses camarades à se réunir pour une accolade. Ils se regroupent en un cercle resserré et complice, leurs fronts appuyés les uns contre les autres. « Moi, j'ai toujours voulu que trois choses, des combats dignes de ce nom, de bons potes, prêts à se battre et crever comme moi, et des chefs à la hauteur. Avec vous, j'ai tout ça. Merci, les gars. »

À quelques dizaines de mètres de la tente, les turbines de l'hélico dans lequel ils vont voler, un Chinook MH47D obtenu par la CIA après avoir tordu quelques bras étoilés, changent de régime et annoncent le départ prochain. Les hommes de 6N s'accordent un dernier instant de communion silencieuse. Puis, ils se mettent en route pour rejoindre leurs commandos de la JSF et le colonel Tahir Nawaz, qui les attendent à côté de l'appareil.

Les mains de Ghost ne tremblent plus.

Trois nuits plus tôt, Wild Bill et un Afghan, Roshad, ont été déposés par ce même Chinook, avec une paire de quads Polaris, à une vingtaine de kilomètres de l'objectif de ce soir. Après une approche discrète, ils ont pris position sur un promontoire rocheux dominant une ferme fortifiée de bonne taille. L'emplacement, initialement choisi d'après des données cartographiques et photographiques FalconView, s'est révélé idéal et offre une vue parfaite sur cette qalat construite au pied d'une colline boisée, qui comprend quatre bâtiments répartis entre trois cours séparées. Elle est isolée à l'extrémité sud d'un village appelé Agâm, situé dans une vallée fertile à mi-chemin entre Jalalabad et Tora Bora.

La région est aux mains de différentes factions insurgées dont celle de Goulbouddine Hekmatyar, autre grande figure de la résistance aux Soviétiques de 1979 à 1989. À l'époque, il était leur pire ennemi dans tout le nord-est, l'ogre dépravé que les soldats de l'Armée rouge en Afghanistan invoquaient pour faire peur aux jeunes recrues, celui qui dépeçait vivants les infidèles capturés. Fondateur d'un parti, le Hezb-e-Islami, et favori des Pakistanais pendant longtemps, Hekmatyar tenta de s'emparer sans succès du pouvoir lors de la guerre civile qui suivit le départ des Russes. Il échoua, perdit ses précieux alliés, tomba en disgrâce et dut s'exiler en Iran, poursuivi par les nouveaux champions de ses ex-protecteurs de l'ISI, les talibans. En 2001, il vit dans la chute du régime du Mollah Omar, provoquée par l'offensive américaine, une occasion de prendre la tête d'un mouvement de résistance pachtoune aux nouveaux envahisseurs mécréants et à leurs marionnettes de Kaboul. Goulbouddine revint sur ses terres de l'est, toujours privé du soutien du Pakistan et peu apprécié par les survivants de l'Émirat islamique d'Afghanistan, et commença à lancer des attaques contre les forces de la coalition. Sans grand succès. L'argent lui manque pour recruter, payer et armer des troupes, et il n'a pas réussi à conclure d'alliance significative avec les autres groupes de moudjahidines. Malgré les années, ses forces et son pouvoir de nuisance demeurent limités. Cela explique peut-être sa décision récente de laisser certains de ses commandants protéger les activités de mecs comme Rouhoullah.

Dans la qalat qu'il observe depuis plus de quarante-huit heures, Wild Bill a dénombré une douzaine de combattants du Hezb-e-Islami Goulbouddine, le nouveau nom de la bande d'Hekmatyar. Ils vivent tous ensemble dans une construction située à droite de l'unique portail d'entrée et veillent sur les opérations de raffinage d'opium. Elles sont menées par des hommes qui, le matin, montent du village voisin avec quelques gosses et triment toute la journée sous les ordres de deux *chimistes* sans doute dépêchés là par le trafiquant. Eux demeurent sur place le soir, à côté de l'espace de stockage des drogues et des composants chimiques, dans le bâtiment principal, au centre de la ferme. La hujra s'y trouve également. Le reste de l'habitation est vide mais pas à l'abandon. Roshad soupçonne les familles qui l'occupent normalement de l'avoir quittée pour le moment, afin de protéger l'honneur des femmes.

Ça arrange Wild Bill. Moins de monde à liquider et surtout pas d'*innocents*. Ne pas y voir le moindre problème moral. Si Dieu avait voulu foutre de la morale dans la guerre, il aurait pas inventé la guerre. Il ne compte plus le nombre de gonzesses ou d'enfants ayant essayé de le poignarder, le shooter, l'éparpiller au cours de sa carrière, et qu'il lui a fallu neutraliser. Non, c'est juste une question de discrétion, ça évitera d'attirer inutilement l'attention sur eux. Bien qu'on soit en zone de conflit, avec des populations civiles très exposées, souvent de leur plein gré, les morts prépubères ou de sexe féminin ont une fâcheuse tendance à provoquer des élans de compassion absurdes et d'intempestives ouvertures de parapluie, pardon, d'enquêtes. Alors s'ils n'ont que quatorze mâles d'âge militaire, tous armés, à éliminer, c'est tant mieux. Et Voodoo, à qui il l'a annoncé tout à l'heure au cours de leur dernier échange radio, juste avant le décollage de l'élément d'assaut, paraissait d'accord avec lui.

Wild Bill est allongé sur le ventre, sur le promontoire, seul, et sonde les ténèbres. À l'écoute du vent léger soufflant le long de la vallée, il goûte le sentiment de toute-puissance qui, depuis toujours, s'empare de lui en pareilles circonstances. Le froid du sol remontant à travers ses fringues ne le gêne pas, il lui procure même un plaisir certain. Il est en pleine nature, à la fois extrêmement vulnérable et prêt à donner la mort, et se sent très vivant. C'est son ordre des choses, la raison pour laquelle il s'est engagé, est devenu tireur d'élite et a cherché à repousser les limites de son art jusqu'à passer les sélections de la Delta, pour pouvoir travailler dans les conditions les plus dangereuses qui soient. Il y pense là, à ces foutus tests, parce que sa dernière phase à lui, la phase dite de stress, s'était déroulée dans un paysage proche de celui d'aujourd'hui, au milieu des Appalaches, peu avant le printemps. Une région où il ne risquait pas de tomber sur des talibans mais sur des ours – lui avait eu droit à une femelle et son petit – et des cadres de l'unité, les seconds étant bien plus dangereux que les premiers. Il avait adoré. La suite aussi. Il avait fini par croiser la route de Voodoo, la grande rencontre de sa vie, et s'était mis dans sa roue. Sans jamais le regretter.

Sur la lunette à grossissement variable du fusil de précision Accuracy International posé devant lui sur son bipied, Wild Bill a fixé une optique monoculaire de vision nocturne Night Optics de troisième génération, et il prend de temps en temps des visées dans l'obscurité pour suivre les allées et venues dans et autour de la ferme.

Tout est calme depuis un bon moment. Le seul moudje encore dehors est assis, enroulé dans une couverture, au sommet de la tour de guet construite au-dessus de la baraque des combattants du HIG. La sentinelle est théoriquement remplacée toutes les quatre ou cinq heures par l'un de ses copains mais la discipline se relâche au moment de dormir, il fait plus chaud à l'intérieur. Et ces deux derniers jours, les pauvres cons choisis pour monter la garde après la dernière prière n'ont jamais été relevés. Cela n'a pas eu l'air de les déranger, eux-mêmes s'étant à chaque fois rapidement laissés aller à roupiller.

Déployant au-dessus de sa tête un patou jusque-là posé sur ses épaules, Wild Bill forme une sorte de tente sous laquelle il se permet d'illuminer un instant le cadran du GPS qu'il porte à son poignet droit. Il vérifie l'heure. Pas loin de minuit, les autres sont en route depuis bientôt trente minutes. Il imagine leur Chinook, suivi par l'Apache chargé de la couverture aérienne de l'opération, en vol tactique au ras du sol, effectuant une large boucle par l'ouest avant de remonter vers Agâm dans une vallée parallèle, pour masquer le boucan de leur approche. Une prudence peut-être superflue. Hier, un autre hélico a survolé le village sans réveiller personne, même lorsqu'il a refait un passage à l'aplomb de la qalat, sans doute après avoir repéré leurs deux signatures de chaleur suspectes non loin de l'habitation. Il a filé dès qu'ils se sont signalés en déclenchant leurs stroboscopes IR individuels.

Le craquement tout juste perceptible d'une branche, à une vingtaine de mètres derrière lui, précède un grésillement dans l'oreillette Invisio de Wild Bill et la voix de Roshad, parti faire une ronde de sécurité, qui le prévient mezzo voce de son retour. « Reçu. » Quelques secondes plus tard, l'Afghan vient se glisser à ses côtés, après avoir dégrafé avec précaution le brêlage enfilé par-dessus son porte-plaques. Un truc de sniper habitué aux longues séances à l'horizontale. L'équipement, les chargeurs, les grenades, se trouvent dessus, au lieu d'être fixés directement sur le pare-balles, et il suffit d'écarter les pans sur les côtés sans l'enlever pour s'allonger sur une protection balistique lisse et relativement confortable. Le matos reste ainsi toujours à portée de main et, s'il faut bouger fissa, le kevlar est déjà en place et tout le reste décolle quand même avec le bonhomme. Wild Bill a fait en sorte que les aspirants tireurs de la JSF soient équipés de cette manière.

Roshad installe devant lui le SR25 semi-automatique servant habituellement d'arme secondaire à l'Américain et fait aussitôt le point sur la tour, à travers la même lunette Schmidt & Bender que celle équipant l'autre fusil de Wild Bill. « Le taliban, il dort déjà. » Le jeune Afghan parle un anglais correct, appris à l'université de Peshawar. Il voulait devenir avocat au Pakistan avant d'être rattrapé par la guerre. Par obligation familiale, il a dû renoncer et rentrer chez lui dans la province de Kounar, au nord de Nangarhar, pour rejoindre le *lashkar*, la milice, de son père, un chef tribal ennemi des talibans. « C'était écrit », c'est ce qu'il dit tout le temps, avec le fatalisme joyeux des gens d'ici.

« Quand le moment viendra, c'est toi qui le tueras.

— En vrai, sergent Bill ? »

Wild Bill ne perçoit pas d'hésitation dans la voix de Roshad. Lorsqu'on est persuadé qu'Allah fixe à l'avance toutes les vies des hommes, donner la mort à l'un d'entre eux ne pose plus de problème, Dieu le veut. En revanche, l'Américain a clairement entendu la surprise et l'excitation de son supplétif. Venu pour servir d'observateur, il ne s'attendait pas à ouvrir les hostilités. Sergent Bill – depuis qu'il connaît son ancien grade à la Delta, il n'arrive plus à l'appeler autrement – lui fait un grand honneur, plus grand encore que lorsqu'il lui a confié son SR25. Pas sûr que Voodoo apprécie les risques pris mais Wild Bill a confiance, Roshad est un instinctif, la plus douée de ses recrues de la Strike Force. Et ils ont eu largement le temps d'effectuer le réglage de leurs armes et d'établir leur plan de tir sur les différentes cibles qu'ils pourraient avoir à atteindre. « En vrai.

— Merci du fond de mon cœur, sergent Bill. Je ferai bien, je le tuerai dans la poitrine. »

Wild Bill sourit. Cette leçon-là, au moins, aura été retenue. Il est très rare qu'un tireur de précision militaire ait à neutraliser instantanément une cible, c'est-à-dire l'abattre à coup sûr en empêchant tout geste réflexe ou initiative *ante mortem*. Une contrainte qui requiert de pouvoir frapper avec certitude des zones très réduites situées au niveau des vertèbres cervicales ou de la base du crâne, et concerne surtout la police ou les interventions antiterroristes. À la guerre, on s'en branle que l'ennemi mette quelques instants à crever, on peut même se contenter de le rendre inopérant, donc on assure et on vise l'endroit le plus gros et facile à atteindre, le tronc. La balistique de la plupart des calibres utilisés pour tirer à grande distance, le 7.62, le .300 Win Mag ou le 12.7, hautement létaux, fait le reste. Entre les écrasements, éclatements et lacérations provoqués par une balle quand elle pénètre dans le corps et s'y balade, l'onde de choc propagée devant elle, au minimum à la vitesse du son dans l'eau, cinq fois supérieure à celle dans l'air, capable de pulvériser à distance les organes les plus fragiles, et la cavitation, un phénomène d'expansion et de compression à répétition provoqué par le transfert d'énergie du projectile, suffisante pour réduire en bouillie tous les tissus traversés, les chances de survie à un impact dans le buste sont quasi nulles. Tu touches, ça tombe.

Le moment est d'ailleurs venu de passer de la théorie à la pratique, Voodoo se signale sur les ondes, à l'heure. *Hawk de Wolf Autorité*… Wolf, le loup, *lewë*, en pachto, est l'indicatif de la JSF.

« Hawk. »

Wolf 1, Wolf 2 et Wolf Sierra sont à Vermont, RAS…

Les groupes d'assaut et une seconde paire de

tireurs, emmenée par Viper, se sont déployés sans problème sur la zone de poser choisie pour l'infiltration, à environ deux kilomètres au sud-est de la qalat. L'approche des hélicos a été discrète, personne n'a rien entendu.

« Hawk, reçu. »

Il leur reste un petit col à franchir à pied pour rejoindre l'objectif. Wolf 1, le détachement le plus important, avec Voodoo, Ghost et Gambit, va se placer vers l'entrée du complexe. Après neutralisation de l'unique sentinelle par Wild Bill, il se chargera de l'action principale, l'élimination des combattants du HIG, avec une pénétration en force par le portail. Wolf 2, dirigé par Rider, investira la ferme en escaladant l'enceinte nord, à l'arrière, et fouillera les autres bâtiments les uns après les autres jusqu'à la jonction avec Wolf 1.

« Roshad, la tour ?

— Le taliban, il bouge pas, sergent Bill. »

Maintenant commence la véritable attente, celle des ultimes minutes, à la fois très brève et très longue, où il faut plonger en soi-même, lutter contre l'entêtante impatience, chercher la paix avant l'explosion de violence libératrice, s'efforcer de ne plus penser et préparer le moment où la mémoire musculaire va reprendre les commandes. Wild Bill se met facilement à la place de ses compagnons, il l'a été en d'autres occasions, et sait ce qui occupe leurs esprits alors qu'ils gravissent un premier thalweg praticable jusqu'à cette ligne de crête, non loin de sa position, où le détachement va se scinder en deux. Il a reconnu, avant-hier, leurs itinéraires d'approche, a chronométré la durée de leur transit depuis Vermont, estimé combien de temps il serait préférable qu'un haji n'ait pas l'idée saugrenue de sortir pisser ou chier. L'œil dans son optique, sa respiration sous contrôle, il parcourt attentivement les installations du labo de Rouhoullah nimbées du vert artificiel de son intensificateur de lumière. Rien ne bouge, tout le monde roupille.

À tous de Wolf Sierra, en position…

Wild Bill suit le versant boisé courant sur le flanc est de la qalat et s'arrête sur un point précis, l'emplacement de tir qu'il a choisi pour Viper. Il aperçoit les silhouettes d'un binôme de tireurs qui s'allongent avec précaution à la limite d'un bosquet de pins. De là, ils vont pouvoir couvrir la progression de Wolf 2 et surtout la porte d'entrée du quartier où dorment les talibans, sur laquelle Wild Bill, lui, n'a aucun visuel. Petit cadeau pour son pote, énervé de ne pas avoir pu faire la reco.

Les uns après les autres, les différents éléments signalent leur mise en place.

Hawk de Wolf Autorité…

« Hawk. »

Quand tu veux…

Wild Bill aligne le buste de la sentinelle avachie dans son réticule et, tout bas, donne l'ordre à Roshad, déjà prêt à tirer, de l'abattre. Quelques secondes s'écoulent et un coup de feu, puissant malgré le réducteur de son fixé à l'avant du SR25, brise le silence. À un peu plus de trois cents mètres de là, le taliban bascule en arrière avec sa chaise en plastoc. Il ne se relève pas.

« Sentinelle neutralisée. » L'attention de l'Américain se déplace vers la base de la tour de guet et il trouve Gambit en train de courir le long du mur, vers l'accès principal. Une première colonne, avec Ghost à sa tête, s'est arrêtée en retrait, du même côté. De l'autre, une deuxième arrive. Voodoo, plus grand que tous ses équipiers, est en quatrième position de celle-ci. Wild Bill revient sur Gambit. Pourquoi s'est-il foutu un putain de châle sur le casque ? Il ne s'interroge pas plus avant et le voit installer deux charges formées autocollantes récupérées dans le dos de l'Afghan qui l'a accompagné. Ensuite, ils s'éloignent de quelques pas.

À tous de Wolf Sierra, ça bouge chez les moudjes… Un tir retentit. Et un second. Viper allume les insurgés qui, réveillés par l'exécution du garde, tentent de sortir de leurs quartiers. Un troisième claque, suivi d'une longue rafale. Ça riposte, à la palestinienne, dans le vide. Nouvelle détonation lointaine. Ça riposte plus. *Et de quatre…* Le portail pète. Tout se précipite. Ghost fonce à l'intérieur de la ferme à la tête de ses hommes. Leurs lasers verts balaient l'obscurité. Rafale courte, rafale courte. *Wolf 2, je suis dans la cour trois…* Le groupe de Rider est également entré. Rafale longue, les mecs du HIG ne se laissent pas faire. Avertissement dans le noir. « Frag ! » Cette nuit, on oublie les *flashbangs*, pas de prisonnier. Un seul boum, dans un bâtiment, étouffé. La colonne de Voodoo pénètre dans la qalat. *Cour trois, clair…* Ça tire, ça gueule. « Frag ! » Encore boum. Roshad ouvre le feu sur un méchant. Un chimiste en fuite s'effondre au milieu de la zone de raffinage. Wild Bill ouvre le feu. L'autre chimiste percute un mur et s'étale sur le sol. Aux AK désordonnés répondent des AK posés, pros. *Putain, laissez-m'en un peu, les gars !* Rider râle sur le réseau radio de la troupe. Un haji a réussi à monter sur un toit. Coup de feu. Viper. Le haji tombe à l'extérieur de l'enceinte. *À tous de Wolf 2, cour deux, clair ! Bâtiments sécurisés. En attente…* Courte rafale. Grenade. Silence. Grenade. Courte rafale encore et deux bangs. Séparés. Pistolet. Un .45. Silence. Dernière rafale courte. Il devait en rester un de vivant. Silence. *Wolf Autorité, cour principale, clair…* Wild Bill fait un tour d'horizon. « Ici Hawk, RAS. » Il pose une main sur l'épaule de Roshad et la presse doucement. Bien joué. *Hawk, vous rejoignez. Wolf Sierra, en observation…*

Quand Wild Bill arrive dans la qalat avec Roshad, Voodoo est devant l'entrée de la deuxième cour. À ses côtés se tient le colonel Tahir Nawaz, en ligne avec un interlocuteur à qui il semble donner des instructions.

À la lueur des torches fixées sur leurs fusils d'assaut, des hommes de la JSF encadrés par Gambit et Rider rassemblent les armes, les papiers, les téléphones mobiles et tout ce qui peut s'avérer intéressant pour l'Agence, comme l'ordinateur portable en état de marche trouvé dans l'une des chambres. Si cette opération, officiellement le baptême du feu de la Strike Force, produisait des renseignements exploitables, cela arrangerait les affaires de tout le monde et aiderait à justifier les sorties à venir.

« Les cinq de Viper sont là. » Voodoo indique à Wild Bill des corps alignés à l'écart des autres, au pied du mur d'enceinte. « Ce soir, on était là pour observer. Nous n'avons pas tiré avec nos fusils de précision.

— Ce sont les Afghans qui ont tapé.

— Exactement. »

Wild Bill acquiesce. « Je m'occupe des balles. On s'est fait les deux chimistes aussi.

— On ? » Voodoo sourit à son pote. « Je vais le dire à Ghost. Pense à votre sentinelle. Et profitez-en pour me descendre son cadavre. »

D'un signe, Wild Bill indique à Roshad de le

suivre tout en extrayant un poignard de son fourreau.

Dans la partie de la ferme dédiée aux opérations de raffinage, un groupe électrogène a été remis en route et des éclairages de chantier sur trépied illuminent les environs. Ghost et quelques Afghans mettent de côté l'héroïne déjà fabriquée, le stock d'opium brut, plus d'une tonne, et les produits chimiques encore utilisables. Dans quelques heures, des véhicules de la Border Police seront là pour tout embarquer. Il est convenu que la poudre aille à Voodoo et ses mecs. Tout le reste est pour Nawaz. Ghost achève de peser la brown, il y en a une trentaine de kilos, lorsque Viper revient sur les ondes.

Il y a un mec sur un toit ! La hujra…

Tous les regards convergent vers le bâtiment central, contigu au laboratoire.

C'est un des nôtres ?

Pendant que Voodoo interroge Viper, Ghost court vers des barils entreposés contre un mur et les escalade. Il se hisse en grognant sur la construction, juste à temps pour voir une silhouette détaler.

Ça se barre vers la cour trois…

L'Américain est ralenti par son porte-plaques et son arme. Il lève son AKM pour faire feu mais voit le fuyard, agile, disparaître derrière l'une des nombreuses caisses qui encombrent la toiture de l'habitation. Ses balles font sauter des éclats de bois sans toucher leur cible. Il se remet en route.

Une détonation claque à l'extérieur de la qalat. Viper.

Tu l'as eu ?

Négatif…

Ghost se dit *tu es à moi.* Il atteint l'autre extrémité de la terrasse, descend sur un large mur qui sépare les deux cours, la numéro trois et la principale, et fait quelques pas avant de s'arrêter, accroupi, son fusil devant lui.

Tu as un visuel ?

Négatif…

Plus loin, les Afghans de la JSF s'agitent, des ordres sont donnés, ils commencent une nouvelle fouille des lieux. Ghost est seul pour une ou deux minutes encore. Tu. Es. À. Moi. Il n'y a pas de lumière de ce côté, à part les Cyalumes laissés plus tôt par Rider et ses mecs pour signaler les zones inspectées et sécurisées au moment de l'assaut. Il rabat devant ses yeux son ANVIS 9 et la met sous tension. La petite stridulation familière se fait entendre et il perçoit à nouveau les détails de son environnement immédiat à travers un filtre monochrome vert. Le rayon de son désignateur laser, invisible à l'œil nu, se perd dans les ténèbres émeraude.

Pas de mouvement. Aucun bruit.

Ghost se laisse tomber sur le sol, s'accroupit à nouveau. À cause du champ de vision très réduit de ses jumelles de vision nocturne, il ne voit que devant lui ou presque et doit faire amplement pivoter sa tête pour se faire une idée de ce qui se passe sur ses flancs. Petits bonds. Accroupi. Tour d'horizon. Il baisse les yeux. Les relève. Rien. Petits bonds. Il arrive à côté d'un puisard. À gauche, des bassines, une carriole. À droite. Que dalle. Petits pas, toujours fléchi, vers le mur de l'une des habitations de la ferme. Il est à côté de l'entrée. Il penche la tête pour voir à l'intérieur.

Et ça bouge, derrière.

Quelqu'un pousse Ghost dans le dos. Il bascule contre le champ de la porte, se retient de justesse et, rapide, bondit dans la direction opposée vers le mec qui s'enfuit. Il le chope par la cheville de sa main gauche et le fait tomber. Le taliban pousse un petit cri aigu en chutant. Ghost pense *pédale*, et il lâche de l'autre main son fusil d'assaut pour saisir le manche de son tomahawk. Il l'arrache en force de son étui, le fait passer par-dessus sa tête dans un grand geste circulaire et l'abat violemment dans le dos de son adversaire. Le corps est secoué de spasmes, Ghost le sent dans son bras. Il retire sa hachette et frappe une deuxième fois. Les spasmes cessent. Il se redresse, soulève ses jumelles de vision nocturne et allume la lampe Surefire fixée à son casque. Dans le halo lumineux, il voit apparaître les traits d'un gosse figés dans une grimace de terreur et de douleur. Instantanément, ses mains se remettent à trembler.

Quelques secondes plus tard, Voodoo le trouve debout à côté du cadavre, le visage fermé. Ils échangent un regard.

« Un gamin, putain ! »

Voodoo essaie de tirer son pote par le bras pour l'éloigner « Reste pas là, Ghost. »

Rider arrive avec des hommes de la JSF. « 'Tain, tu l'as pas loupé. Qu'est-ce qu'il foutait là ?

— Bill avait dit que des adultes, merde ! Pourquoi ?

— Allez, dégage, ça vaut mieux. » D'un signe de la tête, Voodoo indique aux autres d'emmener leur camarade ailleurs. Resté seul, il regarde le garçon, qui ne doit pas avoir plus de treize ans, et il chope une M67 sur son porte-plaques, la dégoupille, va se planquer dans la chambre, fait sauter la cuiller et la jette sur la dépouille. Brouiller les pistes. « Frag ! »

Ce qu'il n'a pas vu, et Ghost non plus, c'est que l'enfant tenait un téléphone portable au moment de sa chute. Il l'a lâché en heurtant le sol. L'appareil, doté d'un objectif et capable d'enregistrer des vidéos, a alors roulé sous la petite charrette entreposée dans la cour, à côté du puits, où il va rester jusqu'au départ des paramilitaires.

Au cours des jours suivants, sur la base d'informations fournies par Tahir Nawaz, la JSF, toujours encadrée par ses mentors de 6N, effectuera deux autres opérations contre des laboratoires soupçonnés d'appartenir à Rouhoullah. Le colonel de la Border Police assistera à nouveau à la première de ces sorties supplémentaires, durant laquelle une dizaine d'insurgés du HIG et le même nombre de complices du trafiquant seront neutralisés. Elle s'avérera également fructueuse, près de quatre-vingts kilos d'héroïne, six cents kilos d'opium et mille trois cents litres d'anhydride acétique y seront *confisqués*. À l'occasion du dernier raid, Nawaz ne pourra pas être là et il enverra son bras droit, Naeemi, pour le représenter. Ce coup de main ci, en revanche, sera un échec total. Au cours de la nuit précédant l'assaut, sous les yeux de l'élément de reconnaissance, le laboratoire sera abandonné dans la précipitation par ses gardes et ses petits chimistes.

12 MARS 2008 – LES FORCES DE LA COALITION BOMBARDENT une ferme au Waziristan du Nord. Une salve d'obus guidés a été tirée au petit matin sur une maison se trouvant à quelques kilomètres de la frontière, en territoire pakistanais. Propriété d'un membre influent du clan Haqqani, elle était soupçonnée de servir de lieu de rencontre à ce groupe terroriste allié des talibans. Des renseignements émanant de différentes sources auraient indiqué que Sirajouddine Haqqani devait s'y rendre hier soir, pour participer à une réunion stratégique. Cette attaque intervient peu de temps après que celui-ci a revendiqué l'attentat-suicide du 3 mars dans le district de Sabari, province de Khost. Le bombardement de cette nuit a complètement détruit la construction et tué un nombre d'insurgés qui, pour l'heure, n'a pas été précisé. Des dispositifs de surveillance aérienne ont permis de repérer plusieurs survivants fuyant le site après sa destruction. Le porte-parole de l'armée US a tenu à souligner qu'aucune femme et aucun enfant n'avaient été aperçus dans la zone au cours des cinq derniers jours. C'est la première fois que les autorités militaires admettent publiquement une opération transfrontalière. L'état-major pakistanais a, pour sa part, formellement protesté [...]

« On finira par l'avoir. » Richard Pierce termine ses œufs brouillés et s'essuie la bouche. « C'est leur terrain de jeu, ils sont pas cons et ils apprennent vite. » Il montre l'assiette de Fox, intacte au milieu de son plateau-repas. « Mange, t'as besoin de te remplumer. Tu as l'air crevé. »

Fox se sent crevé. Il a passé sa nuit enfermé dans la Tour Sombre à mater Kill TV. Pour pas grand-chose. « Ça s'excite déjà à mort de part et d'autre de la frontière et l'offensive de printemps n'a même pas commencé. » Partout, les indicateurs sont au rouge. Le nombre d'incursions depuis le Pakistan augmente et, même si la plupart du temps elles ne débouchent pas encore sur des affrontements, cela n'augure rien de bon. Les talibans se préparent en attendant le début des hostilités, en avril. Ils stockent, recrutent, entraînent. Les démineurs neutralisent une quantité ahurissante d'IED sur les routes, dans les villages, aux abords des FOB et des installations de l'armée et de la police afghane. Un faisceau d'indices révélateurs d'une complicité grandissante de la population, volontaire ou contrainte, qui n'a jamais reçu autant de lettres nocturnes. Et la tendance ne concerne pas que la RC-Est, elle est la même partout. Bientôt le sud où, depuis trois ans, les combats sont les plus durs, sera rattrapé par le reste du pays. « Que me vaut le plaisir de cette visite ?

— Je fais la tournée des popotes, Kaboul est numéro un sur ma liste. »

Sous-entendu, maintenant que nous avons fini de faire mumuse chez Saddam, l'Afghanistan redevient le centre de toutes nos attentions.

« Il y a un problème ?

— J'avais juste envie de te voir. » Un temps. « Prends des forces, tu vas en avoir besoin.

— Oui, papa. »

Pierce sourit. « La Maison-Blanche veut profiter au maximum des bonnes dispositions actuelles d'Islamabad.

— Tant que vous faites leur sale boulot, ça les arrange.

— Vous ? »

Fox ne répond pas.

« Langley s'inquiète des prétentions sans limites du Pentagone. Après l'Irak, ils vont chercher à refourguer leur camelote *COIN* ici. »

Depuis quelques années, via le commandement US des opérations spéciales et son bras armé, le JSOC, la Défense piétine les plates-bandes de l'Agence, aidée par l'attentat du 11 septembre 2001, vendu comme un fiasco des seuls services d'espionnage traditionnels, et la volonté farouche de certains néoconservateurs, Donald Rumsfeld en tête, de s'affranchir de la tutelle du Congrès, jugée paralysante. À la différence de la direction de la CIA, les généraux n'ont de comptes à rendre qu'au Président et souhaitent plus que jamais étendre leurs prérogatives au-delà de leurs théâtres d'intervention habituels. Les lignes se brouillent entre une organisation civile parfois chargée de missions paramilitaires clandestines et une institution militaire cherchant de plus en plus à travailler sous couverture, en civil. Le prestige, les budgets et l'avenir des deux entités et de leurs chefs sont en jeu. Les contrats de nombreuses multinationales aussi.

« Les politiciens nous ont muselés par tous les moyens pendant vingt ans et ils nous l'ont mis bien profond après New York. Pointer notre incompétence du doigt leur évitait d'avoir à admettre leur manque de couilles passé. Et ils sont en train de recommencer. »

Pierce fait référence au programme de *renditions*, les extraditions sauvages de personnes suspectées de terrorisme, soumises à la question hors de tout cadre légal, autorisé par le gouvernement et les instances parlementaires chargées du renseignement, mais contesté à l'intérieur même de l'Agence. Et par une opinion publique et une opposition échaudées par deux conflits coûteux, aux motifs discutables et aux résultats critiqués. La polémique enfle à nouveau et, une fois de plus, la CIA risque de servir de bouc émissaire pratique, abandonnée en rase campagne par ceux-là même qui l'ont poussée à obtenir des résultats par tous les moyens. Pour certains anciens, la pilule est difficile à avaler.

« Personne ne sait ce que vont donner les élections et ça serre les fesses à tous les étages. » Pierce sirote son café. « Je râle, je râle, un vrai petit vieux, excuse-moi. »

Fox sait que cette entrevue ne doit rien à une quelconque affection, leur relation n'est pas fondée là-dessus. Il préfère donc se taire et attendre que Richard abatte son jeu. Il ne semble pas pressé, prend le temps de vider tranquillement son mug. À cinquante-trois ans, l'homme est au mieux de sa forme. Épaules larges, pas de bide, un visage toujours carré, tous ses cheveux, il a quelques nouvelles rides mais paraît toujours bien plus jeune que son âge. Pour venir voir Fox, il a délaissé les costumes trois-pièces composant l'essentiel de la garde-robe de ses nouvelles fonctions pour une tenue plus adaptée, souvenir de ses années de terrain.

Pierce se lève. « Tu veux une autre tasse ? »

Fox secoue la tête et regarde son interlocuteur s'éloigner en direction du comptoir de service du mess de Chapman, où ils sont venus parler. Il est neuf heures du matin, des techniciens de maintenance de drones prennent leur petit déjeuner après une longue veille nocturne et trois vigiles en arme discutent près de l'entrée.

« Tu es venu seul ?

— Non, avec Tiny, notre dernière recrue. Il a filé à l'autre FOB de Khost.

— Et le reste de la bande ? »

Débit un peu rapide, intonation légèrement différente, nous y voilà. « Ils sont restés à J-Bad, pour suivre le premier déploiement opérationnel d'une troupe que 6N entraîne.

— Du côté de Tora Bora ? »

Fox acquiesce. Pierce s'est rencardé au préalable, attention. « Les Afghans ont repéré un camp de talibans et le gouverneur a voulu tester son nouveau jouet. Voodoo et cinq autres mecs sont partis avec eux. Pour observer.

— C'est ainsi qu'il a justifié sa demande de moyens aériens auprès de l'Agence, oui.

— Il y a un problème ?

— C'est un peu hors des clous mais on va laisser pisser. Hekmatyar m'impressionne. »

Il s'est très bien rencardé.

« Tout le monde lui en veut, même ses petits copains, et il est toujours là.

— Tu sais déjà tout.

— Loin de là. Par exemple, je ne sais pas ce qui s'est passé à Torkham, le 28 février. »

Un incident mineur. Fox se demande pourquoi Pierce s'y intéresse. Il décide de jouer cartes sur table. « Rien de grave, j'y étais.

— Ça tu vois, je ne le savais pas non plus.

— Deux de nos conteneurs ont été stoppés par l'armée, ça a foutu le bordel, on est allés débloquer la situation.

— Il y avait quoi dans ces conteneurs ?

— Aucune idée, je ne suis pas monté dedans. Des trucs secrets sans doute. » Fox ricane. « Tout est secret avec 6N, tu es bien placé pour le savoir. »

Pierce scrute le visage de Fox. Rien de suspect. « Kaboul a fait un rapport à Langley.

— Normal, Voodoo vous a appelés pour nous aider.

— Le QG de la RC-Est aussi a fait un rapport. Ils n'étaient pas contents.

— Ce sont de grands sensibles.

— Il y a quelque chose d'emmerdant dans leur rapport.

— Quoi ?

— Personne ne le sait. Chez nous en tout cas.

— Je retire ce que j'ai dit, tu es nul.

— Tout le monde nous a à l'œil. Les consignes sont claires, éviter de faire des vagues et collaborer gentiment avec le JSOC. Et le JSOC, c'est l'armée.

— Quand ça les arrange.

— Des discussions sont en cours pour élargir le cadre de Silent Assurance à des missions à l'intérieur du territoire afghan. Zinni est aux anges et l'Agence y voit un moyen de ne pas abandonner trop de terrain au Pentagone.

— Tout va bien alors ?

— Je voudrais en être sûr. Creuse cette histoire de Torkham. »

Fox se ferme. Tout change et rien ne change. Voilà six ans que la CIA lui a délivré un de ces fameux passeports discrétionnaires dont elle garde jalousement le secret. Recruter un Arabe pas trop con, occidentalisé, polyglotte et bien formé à la chose militaire avait du sens à la veille de l'invasion irakienne. Un beau jour d'avril 2002, Robert Ramdane alias Karim Sayad a cessé d'exister. Il n'avait pas le choix. La France, pays où il était né et avait grandi, voulait faire de lui le coupable idéal, silencieux dans la mort, d'un enfumage destiné à couvrir une opération clandestine baptisée Alecto. Il a reçu la nationalité américaine, a changé de vie et commencé à rembourser sa dette. Depuis, il l'a payé au centuple, son passeport. « Aux dernières nouvelles, je ne travaillais plus pour toi.

— Rends-moi ce service. Après, tu pourras terminer ton contrat et faire ce que tu veux.

— Ce n'est pas déjà le cas ? »

Pierce ne dit rien et termine son second café.

« Trouve-moi un bon single malt. »

La maison, récente, est un énorme L de béton de deux étages, au toit plat et aux façades colorées de vert sombre et de rose, agrémentées de balcons filants. Les fenêtres des étages, les seules visibles depuis la rue, sont larges et hautes, protégées par des volets aux arabesques serrées. Un mur d'enceinte, en béton lui aussi, plus grand qu'un homme et rehaussé de barbelés, protège la construction et isole un vaste jardin planté dont seuls les faîtes des arbres dépassent. Il y a des blocs de climatisation et des antennes paraboliques, signes que les occupants ne manquent pas d'électricité. Des privilégiés. Elle se trouve dans un quartier de pistes et d'humbles habitations situé au nord de la ville de Khost, où résident une majorité de Zadrans. Hafiz ne vit pas loin. Ce soir, il a proposé à Fox de faire la fête et ce dernier a accepté sans hésiter, il en avait besoin, marre, plein le cul, d'être ballotté, coincé, piégé. Même pas peur, les règles de fer du pachtounwali le protègent ; *melmastia*, l'hospitalité, oblige tous ces cons à garantir sa sécurité, quitte à ce qu'ils en crèvent s'il le faut. *Et tant pis si j'y passe aussi.*

Ils arrivent de chez Hafiz, accompagnés de son frère Bakht, un commerçant dont le nom signifie le Chanceux, et de Haji Moussa Khan, leur beau-frère éleveur, débarqué de Paktika. Un jeune garçon d'une douzaine d'années est avec eux. Glabre, il a les yeux onyx et de longs cheveux ondulés et brillants. Bakht l'a emmené après l'avoir gardé à ses côtés pendant la prière et le dîner qui a suivi, le couvant d'attentions et de mots doux glissés à son oreille, une main sur sa cuisse, son genou, l'avant-bras, une épaule. Le gamin rayonnait, flatté de cette affection démonstrative. Il a partagé le repas des adultes, a fumé le haschich, a ri à pleine gorge. *Il est mignon*, a souvent clamé Bakht, *magnifique* ont confirmé les deux autres Afghans, leurs regards luisant de mille noirceurs délicieuses. Akram, c'est son nom, a surtout été fasciné par Fox, l'étranger silencieux, qu'il a dévisagé pendant toutes leurs agapes, au point de s'attirer les moqueries jalouses de ses trois papas gâteaux.

Les nombreuses voitures des visiteurs sont garées dans les ruelles pauvres entourant la villa et les mecs armés, parmi lesquels se trouvent des policiers en uniforme, pullulent. Au portail, montant la garde avec sa kalachnikov, Fox reconnaît l'un de ses CTPT. Il lui taxe une cigarette et reste pour discuter, faire une pause salutaire après les joints échangés dans la hujra confinée d'Hafiz. L'air léger, pas trop froid, lui fait du bien, il devrait rester ici ou repartir à la base, mais sitôt sa clope écrasée, il se met en quête des autres, entrés sans lui.

Des tentes ont été dressées dans le jardin. Elles ne sont pas complètement fermées et laissent entrevoir le ciel. Une foule d'hommes de tous âges, peut-être une centaine, se presse sous les toiles, entre des braséros et des éclairages de chantier posés sur des trépieds. De grands tapis rouges et dorés ont été étalés sur le sol, et les invités y ont pris place, assis en cercle autour d'un espace dégagé à dessein. Trois types intoxiqués se trémoussent sans grâce au milieu de ce *dancefloor* d'un soir, sur un air du pays craché par une sono poussive. Une petite estrade, délimitée par des coussins, quelques chaises vides, des instruments de musique pour le moment abandonnés, et deux énormes enceintes, occupe le fond du chapiteau improvisé.

L'assemblée parle fort, les voix mâles, les rires, les

sautes d'humeur couvrent presque la musique. Fox capte des bribes de conversation, sans toujours les piger, tout le monde parle très vite et, à nouveau envoûté par d'omniprésentes vapeurs de cannabis et d'opium, dont les parfums vinaigrés et mielleux stagnent, se mélangent, il a du mal à tout suivre. Il croit saisir qu'il a atterri chez un général de l'armée afghane, entend à plusieurs reprises le nom Kamal Khan, qui pourrait être ce général, pense même l'apercevoir au milieu d'un groupe plus vénérable, vêtu d'un salwar khamis, à l'image de ses compères, sous une veste de costume, et se met à sourire bêtement, tout seul. Fox désobéit aux consignes en restant ici et sa petite rébellion involontaire le fait marrer. Kamal Khan est le frère d'Aghi Badshah Khan Zadran, un seigneur de guerre d'abord redoutable ennemi des talibans et donc pote de l'Amérique, avant de devenir, quand le tout nouveau président Hamid Karzaï refusa de le nommer gouverneur à Gardez, la violente bête noire du pouvoir et donc moins pote de l'Amérique. Puis de se calmer en étant *élu* député à Kaboul. Officiellement, on ne doit plus approcher le *Grand-Père de Fer*, son surnom, cet ami volatil et encombrant. Mais il est difficile de se passer de lui en Loya Paktiya. Il est, avec son grand rival détesté Jalalouddine Haqqani, la grande figure de la tribu zadran. Hafiz et de nombreux supplétifs de 6N font partie de son clan.

Fox est encore en train de rigoler quand Haji Moussa le rejoint et l'invite à venir s'asseoir à côté de la scène. Un joueur de *rabâb*, un instrument à cordes traditionnel en bois, taillé dans la masse et fermé d'une peau tendue, termine de s'installer avec un pianiste à topi. Ce dernier tripote le clavier électronique, posé à même le sol, derrière lequel il s'est campé, et un sample de percussions commence à sortir des haut-parleurs. Il précède les premières notes d'un *attan*, une danse emblématique de la culture pachtoune, et l'entrée remarquée d'un adolescent habillé en fille, d'une tunique et d'un pantalon pourpres, un voile sur les épaules. Ses poignets, très fins, et ses chevilles ont été ceints de bracelets en cuir ornés de clochettes. Son apparition déclenche un murmure connaisseur parmi les présents et le silence se fait.

Fox est bien, il sourit toujours.

Hafiz se penche vers lui et empoigne virilement son épaule, il semble très joyeux. « Les femmes sont faites pour enfanter, les melons pour se régaler et », il montre la piste, « les garçons pour s'amuser ».

Le danseur commence à onduler au son des instruments, pieds joints légèrement décalés, avançant et reculant par petits bonds, pivotant sur lui-même, une main devant sa poitrine, l'autre érigée vers le ciel. Il regarde d'abord dans le vague, hors d'ici, dominant, visage dur. Son attention descend ensuite progressivement vers les spectateurs. Ses traits se détendent, s'adoucissent, son corps s'assouplit, et il se met à provoquer, désirable, sensuel.

L'assistance est subjuguée. Certains pointent du doigt, ils apprécient, suivent le tempo, ondulent eux aussi. Les autres sont juste concentrés sur la silhouette virevoltante et gracile. Fox observe, tout le monde est flou. Il se met à fixer un spot de chantier, aussi blanc qu'un soleil d'hiver, fasciné par son intensité. Enveloppé par une douce chaleur, il oublie la musique, dérive. Et ne rallie la sarabande qu'en sentant contre lui l'agitation grandissante de ses voisins les plus proches.

L'ado approche, recule, courbé il revient et, à

genoux, faussement soumis, va se mettre tout près de celui que Fox pense être Kamal Khan. Bras houleux de part et d'autre de son buste, il roule des épaules et fait saccader sa poitrine au diapason du rabâb. Lorsque le supposé général, n'y tenant plus, se penche pour le caresser, le gamin effectue une pirouette agile et, avec un rictus enjôleur, se replace hors d'atteinte.

À côté de Fox, Haji Moussa commente avec Bakht. « Il me fait penser à celui de Ghazni, tu te souviens ?

— Celui dans le tank ?

— Oui, celui du tank. On attendait et on fumait et il attendait avec nous.

— Il avait toujours envie.

— Tous ceux qui voulaient allaient dans le tank avec lui. Il était beau.

— Il lui ressemblait.

— Des Arabes l'ont tué. »

Les deux hommes approuvent la mine triste et leur peine ne s'envole que lorsque le garçon sautille dans leur direction. Ils sont rapidement déçus. Il est venu allumer Fox de sa gestuelle lascive, la langue tirée, à peine, les lèvres humides et la bouche entrouverte. Son visage glisse à l'horizontale d'une épaule à l'autre, gracieux, libéré de son cou, et il plonge ses yeux dans ceux du paramilitaire. Fox entend Hafiz susurrer, rauque, « il t'aime bien », et cette révélation lui arrache un rictus féroce. Il ne se détourne pas. Le petit danseur non plus. Les clochettes, proches, à portée, carillonnent enivrantes dans la tête de Fox. Il est pris dans les rets du charas. Avec sa simplicité capiteuse, la musique l'embarque. Son ventre se contracte, son bassin a envie.

Autour, c'est la folie. Les spectateurs battent des

mains, sifflent, crient. Un type se lève derrière Fox, vient palper la jeune chair, dérange, casse la danse un instant. Il est violemment ramené en arrière dans la foule. Et l'adolescent à la sensualité impavide, heureux de son manège, retourne au centre du chapiteau et continue à tournoyer, tournoyer, tournoyer. Les musiciens suivent et, crescendo, poussent. Encore ça tournoie, et encore, et encore. Et plus rien, le silence. Le gamin s'est figé, tête baissée. Ses hommes sont à bout de souffle. Il salue et n'offre déjà plus à ce public libidineux que son visage refermé. Juste avant qu'il ne s'éclipse dans un dernier tintement, Fox perçoit enfin sa détresse, son humiliation, son dégoût et son mépris, et il en ressent une profonde honte.

Le ballet continue. Les enfants, tous mâles, se succèdent. Les plus adulés sont les plus âgés. Expérimentés, sûrs de leurs effets, mûrs mais pas trop. Tous ont moins de quinze ans. Fox s'éloigne mentalement, s'enfuit, regarde autour de lui. Aux marges de la piste, des hommes vont fumer, discuter, marchander. Les garçons se tiennent à leurs côtés, muets, bien dressés, impatients d'être échangés et d'en finir. Aucun ne se rebelle. L'ouvrir, c'est mourir.

Akram est le dernier danseur de la soirée. Il commence timidement avant d'être pris par une frénésie voluptueuse qui rend l'assistance hystérique. Le frère d'Hafiz, surexcité, se met à chanter.

Ton corps est si doux...

Personne ne l'interrompt. Certains même reprennent en canon.

Et tes lèvres sucrées...

Le petit se déchaîne, ses cheveux volent.

Le coton de ma tunique frôle ton épaule nue...

Un spectateur traverse la piste, des billets à la

main. L'argent effleure la tête du gamin. Celui-là le veut dans son lit cette nuit.

Où vit donc ton père que je puisse le connaître...

Bakht se crispe et, dès que la danse s'arrête, il rejoint Akram pour le mettre à l'abri.

Haji Moussa, Hafiz et Fox quittent la tente pour rejoindre la villa où Akram se change, sous la surveillance du frère. Alors qu'ils attendent assis dans une pièce vaste mais surpeuplée, le tout premier mignon réapparaît, habillé normalement, et va s'installer à côté d'autres invités.

« Tu lui plais. » Moussa montre l'adolescent à Fox.

Le garçon les observe à la dérobée, a compris qu'ils parlent de lui. Mais dans son regard, toujours aucune trace de désir, juste de la résignation et de l'angoisse.

Fox se débecte de s'être laissé emporter, d'être venu, d'avoir dérapé. D'avoir été flatté d'être convié. C'était un grand privilège d'être invité, il le sait. Quelle merde.

« Si tu le veux, je peux négocier pour toi. »

Secoue-toi, réfléchis. Refuser serait très malvenu. Ici, au nom du pachtounwali, on se fâche à mort sur plusieurs générations pour bien moins que cela. Leurs putains de coutumes peuvent le faire tuer aussi vite et sûrement qu'elles le protègent. Il se sent pris au piège, comme ce matin lors de son entrevue avec Pierce. Sa colère, dissipée en début de soirée, ressurgit avec force.

« Tous les hommes importants ont des garçons pour jouer. »

Foutez-moi la paix.

Hafiz s'en mêle et professe, très sérieux : « Tu sais, ils aiment l'argent. Ils sont contents d'aider leurs familles.

— Oui. » *Lâchez-moi !*

Haji Moussa en rajoute. « Ce garçon est un très bon garçon. Je suis déjà allé avec lui.

— Je préfère les femmes. » Ça sort tout seul.

Hafiz et son beau-frère échangent un regard sévère.

En quatre mots tout simples, Fox est parvenu à la fois à les insulter, les rabaisser et évoquer le plus grand des tabous, le sexe hors mariage avec une femme. L'adrénaline le dégrise d'un coup. Doucement, sa main glisse vers la ceinture de son pantalon. Son Glock s'y trouve, vieille habitude, sous une longue tunique. Il touche la crosse, cherche la porte des yeux. Il y en a deux. La première vers l'intérieur et la seconde vers le jardin. Il commence à se projeter mentalement dehors puis cesse, retire sa main, laisse tomber. Il sourit à l'adolescent qui a pigé le malaise et continue à mater. Les autres invités, ils sont une vingtaine, certains armés, n'en ont rien à branler.

Hafiz éclate de rire et murmure quelques mots à l'oreille de Haji Moussa. Ensuite, il se lève et demande à Fox de le suivre. Avec sa grosse patte, il l'attrape par le cou, cogne son crâne contre le sien, insensible au choc, ivre de stups et de stupre, et ils titubent ensemble jusqu'à son pickup. Personne ne les suit. Fox prend place côté passager.

« À tes pieds, mon ami, cherche. » Hafiz a du mal avec la clé, démarre à la troisième tentative, achoppe sur la première, accélère avec difficulté.

Il y a une bière sous le siège de Fox. Elle est froide de la nuit. Il la décapsule, avale une gorgée et la donne à Hafiz. C'est la première fois que le Pachtoune boit de l'alcool devant lui. Ce soir, entre eux, une étape est franchie. « Où va-t-on ?

— Tu verras.

— OK. » Mourir ici, dans une ruelle, au détour d'une vallée encaissée ou ailleurs dans le monde, rattrapé par le passé, Fox s'en fout.

Le trajet n'est pas long et ils s'arrêtent bientôt devant un immeuble d'allure très modeste. Il est coincé au milieu d'autres bâtiments, visiblement tous des habitations, dans une venelle étroite, sans le moindre éclairage. Les volets sont fermés et aucune lumière n'est visible là ou chez les voisins.

Hafiz frappe à une porte donnant sur la rue et un homme vient lui ouvrir. Ils se tombent dans les bras, échangent des nouvelles et Fox est présenté à Sami, *khala-dar*, portier, gardien. Souteneur. Ils entrent dans une antichambre empestant le charas où un poste radio diffuse en sourdine des airs similaires à ceux du *bacha bazi* qu'ils viennent de quitter. De l'argent est échangé entre Hafiz et Sami, Fox ne dit pas un mot, détourne le regard, tout ceci ne le concerne plus.

La maison se révèle plus grande qu'on ne pourrait le croire de l'extérieur. Ils suivent un couloir décrépit vers un hall assez large. Cette salle, éclairée par des lampes tamisées à l'aide d'abat-jour rouges, possède un escalier de pierre desservant le premier, plongé dans les ténèbres. Prolongée par un autre corridor occulté d'un rideau de perles, à l'opposé du premier, elle possède également une annexe, sur la droite, dont l'accès est fermé.

Fox entend du bruit à l'étage, une lumière s'allume et bientôt une vieille apparaît et descend les rejoindre. Elle précède quatre autres femmes vêtues plutôt légèrement pour le pays puisque les manches de leurs tuniques sont courtes et leurs bras dénudés. L'une d'entre elles, la moins en chair, se cache sous un voile et seuls ses yeux cernés de khôl sont visibles.

Les trois autres sont coquettes, fardées, leurs regards papillonnent à outrance.

« Tu peux choisir celle qui te plaît. »

Depuis son arrivée à Fenty, à part des fillettes et de rares grands-mères, Fox n'a pas aperçu une seule Afghane. À lui seul, le spectacle que les putes lui offrent est déjà merveilleux. Il les considère l'une après l'autre, pas dupe des malheurs que cachent leurs œillades. Seules des orphelines, des répudiées ou des veuves maudites atterrissent dans des endroits pareils. Elles doivent survivre sans hommes dans un pays où le fait même de l'envisager est interdit. Mais leurs sourires factices lui font quand même du bien.

Fox s'arrête sur celle qui se dérobe à leur vue. « Pourquoi ne se découvre-t-elle pas ? »

Hafiz lui suggère de ne pas aller avec celle-là. « Elle est abîmée.

— C'est elle que je veux. »

La vieille regarde Hafiz, consternée, et adresse un signe à la voilée.

Fox monte derrière elle et ils vont s'enfermer au premier. Une odeur de jasmin flotte dans la chambre de la prostituée, subtile, sans doute le collier déposé sur les draps, mais ça pue surtout le renfermé. Le peu de luminosité des deux chevets de fortune, une guirlande de Noël repeinte et un vieux spot agrémenté d'un bout de tissu orange, camoufle mal l'indigence du cagibi. Il n'y a pas de fenêtre. C'est une pièce de fond, fond de couloir, fond d'espoir, fond de vie. Les murs sont lézardés, tachés d'humidité. Des tapis élimés habillent la misère du plancher poussiéreux et fissuré. Couchage mis à part, elle possède un seul meuble, une petite commode cul-de-jatte, de traviole, sur laquelle un morceau de miroir a été déposé avec quelques produits, peu de choses en vérité, pour les lèvres, pour les yeux ou la peau. À côté se trouve un placard, une alcôve plutôt, fermée par une tenture grise. Fox aperçoit deux photos encadrées, des gens d'un certain âge, peut-être des parents, et de jeunes enfants. Des gamines, elles sont en noir et blanc.

La fille défait son lit, deux matelas de couleur indéterminée, si peu épais qu'elle les superpose pour dormir. Ils sont étroits, à peine la largeur de ses épaules à lui. Elle l'invite à s'asseoir dessus, Fox obéit. Elle retire avec son aide le lourd trois-quarts militaire qu'il porte par-dessus son salwar khamis et va le déposer délicatement, bien plié, dans un coin. Ses chaussures il les a déjà quittées avant d'entrer. Fox l'arrête au moment où elle veut lui enlever sa chemise et tapote le lit devant lui. Elle s'agenouille à l'endroit indiqué, le visage baissé, toujours dissimulé. Elle se met à défaire les boutons de sa propre tunique pour la relever mais, à nouveau, Fox interrompt son geste. Elle paraît surprise, n'insiste pas. Ses bras retombent le long de son buste.

Il l'observe un instant. « Comment tu t'appelles ? »

Enfin, la fille le regarde franchement. Avec intensité. Elle a des iris clairs, pas bleus ni verts, d'un marron dilué.

Elle met du temps à lui répondre, et lorsque ses lèvres se mettent à bouger sous l'étoffe, Fox trouve sa voix trop aiguë, pas très gracieuse.

« Storay. »

Il sourit néanmoins. « Je suis Robert. » Après avoir posé sa question initiale en pachto, il a enchaîné en français, sans trop savoir pourquoi, et a ressenti le besoin de lui donner son nom de baptême. Une pulsion plus incompréhensible encore. Paume sur sa poitrine, il le répète. « Robert. » Il sonne étrangement à son oreille, ce nom si longtemps oublié, plus jamais prononcé. « Je suis enchanté, Étoile. » Il poursuit dans sa langue maternelle, montre l'extérieur de la pièce. « Chez moi, c'est loin. » Son cœur se serre.

La pute ne comprend rien, sa tête se penche sur le côté, et elle fronce ses sourcils droits et larges, un peu épais. Bruns. « Amrikâyi ? »

Fox secoue la tête, le sourire plus distant. Il lève une main et vient pincer le voile de Storay pour le lui enlever. Elle recule légèrement, il ne lâche pas, supplie « s'il te plaît » et tire doucement.

La moitié du visage qui apparaît, la droite, a une courbe parfaite sous une pommette marquée. L'ovale des yeux retombe vers l'extérieur et donne à la jeune femme, à l'orée de la vingtaine, un air mélancolique. Elle a une bouche étroite mais des lèvres charnues, bien dessinées, incarnats, sous un nez fin, long, droit, à la pointe ciselée d'une légère fossette. Il la découvre entièrement et se fige.

Abîmée.

Elle a vu son regard changer. Immédiatement, elle recherche la protection de l'étoffe mais Fox l'en empêche. Elle tourne la tête, il la ramène dans l'axe. Ce faisant, il a posé sa main sur sa joue gauche à présent exposée. Sous ses doigts, la peau est creusée, gonflée, rugueuse. On dirait qu'elle a versé d'abondantes larmes acides qui lui ont ravagé la partie inférieure du visage, creusant un sillon corrompu de la base de l'œil, près de la tempe, jusqu'au milieu de la mandibule. Et plus bas, dans le cou. Et à la naissance de l'épaule. Elle verse une larme. Il l'essuie.

Une pensée morbide envahit l'esprit de Fox, *elle est semblable à ce pays, magnifique et défigurée.* Une victime de plus. Une de trop. Fox sent monter en lui une tristesse irrépressible, libérée par la drogue et la fatigue, et cette fille gâchis. Il est submergé par l'horreur de lui, l'horreur d'ici, l'horreur du vide et il s'effondre contre la poitrine de Storay, incapable de se tenir droit plus longtemps, s'accroche à elle de toutes ses forces et pleure. Quand elle l'entoure de ses bras et le serre tendrement, il ne le sent même pas, anesthésié par son chagrin.

Plus tard dans la nuit, Hafiz sort d'une autre chambre. Déguenillé, ses pompes pas lacées, il jette un œil chez la pute de Fox, pour voir s'il a fini. Il le trouve endormi, encore tout habillé, blotti contre le dos de la fille, pas plus dévêtue. Son Glock, glissé dans un étui, est posé sur le sol, à côté du matelas. La prostituée ne dort pas. Elle fixe le supplétif, debout dans le couloir éclairé de peu, près de la porte entrebâillée et, sentant qu'il va parler, elle secoue imperceptiblement la tête. Hafiz referme sans bruit et s'en va.

Cette visite n'a pas réveillé l'étranger mais a perturbé son sommeil. Il bouge pendant une seconde ou deux et Storay sent la main lourde de l'homme, refermée sur son sein par-dessus sa tunique, la peloter mollement avant de s'arrêter. Ce geste réflexe, intime et familier, et le souffle chaud de cet inconnu sur sa nuque, son odeur fumée, âcre et doucereuse à la fois, l'attention qu'il lui a témoigné, sa façon de la voir sans pour autant se détourner, et sa grande fragilité, tout cela la renvoie en arrière, à des émotions qu'elle croyait perdues.

Malgré elle, son bassin provoque timidement celui de Fox. Elle veut connaître au moins une fois le plaisir de cet homme gentil au parler si curieux. Ses fesses le frottent, poussent sans forcer. Et il se met à bander, rappelé à la vie. Storay glisse un bras entre leurs deux corps enlacés, trouve la ceinture de son pantalon, passe en dessous et, de l'index, explore son pénis, suit la ligne des veines, apprécie la finesse de la peau, avant de s'en saisir. Il se laisse faire, il n'a pas le choix, il est si dur, il ne peut plus résister à son envie. La jeune femme le comprime délicatement et de son autre main accompagne les doigts de Fox jusqu'à son vagin.

Dans un état de semi-conscience, il croit effleurer des poils et, guidé, s'arrête sur les petites lèvres. Il dégage son poignet, à présent il sait faire et il veut, et il se met à chercher, en suivant un sillon d'humidité intime, l'arête de l'os pubien. Son majeur caresse, tourne lentement, stimule, excite, et le clitoris enfle, s'affermit.

À l'unisson de leurs respirations, ils se tendent l'un contre l'autre dans le noir, s'empressent, sans jamais se parler ni s'embrasser, sans que leurs yeux se croisent, dans un emballement totalement silencieux. Ce moment n'appartient qu'à eux, personne ne doit l'entendre. Ils jouissent presque ensemble, elle d'abord, en se mordant au sang l'intérieur de la joue, et lui tout de suite après, dans cette paume calleuse dont la tiédeur vient de lui redonner un peu d'humanité. Fox se rendort presque aussitôt. Son dernier souvenir est celui d'une main qui lui masse le sexe avec son propre sperme. C'est doux.

9

16 MARS 2008 – UN BOMBARDEMENT FAIT VINGT NOUVELLES VICTIMES au Waziristan du Sud. Une attaque transfrontalière de six missiles aurait frappé cette nuit une maison de Pir Bagh, à quatre kilomètres au sud de Wana. Des sources locales et officielles affirment que la cible était un centre d'entraînement de djihadistes et que les victimes seraient toutes arabes et turkmènes. Une information partiellement confirmée par la longue nécrologie vidéo du docteur Arshad Wahid, tué dans le bombardement, publiée dans la journée par *As-Sahab*, l'organe de propagande d'Al-Qaïda. Né dans la province de Sindh, au Pakistan, ce neurochirurgien avait rejoint Kandahar à la suite de l'invasion américaine de 2001, dans le but de soigner les moudjahidines blessés au combat. Rentré dans son pays après la chute du régime taliban, il était devenu l'un des chantres du djihad [...] Selon le porte-parole de l'état-major pakistanais, il n'est pas possible, à l'heure qu'il est, de dire si les déflagrations entendues par les témoins proviennent de missiles ou d'explosifs stockés sur place par des combattants étrangers. Pourtant, plusieurs personnes prétendent avoir aperçu un avion sans pilote voler au-dessus de la zone hier soir, pendant plusieurs heures [...] **16 MARS 2008 – TRIBUNE : DOMMAGES COLLATÉRAUX, GRAINES DE DISCORDE ?** [...] Paradoxalement, le recours plus fréquent à des drones pour détruire des cibles hors d'atteinte dans les zones tribales risque de renforcer l'emprise des intégristes sur les habitants de ces régions. L'impopulaire violence des islamistes pourrait rapidement s'effacer derrière l'angoisse et la colère d'une population vivant dans la peur permanente d'un ennemi invisible, capable de frapper à distance, à tout moment [...] D'après la presse pakistanaise, entre juin 2004 et février 2008, les missiles tirés par des avions sans pilote auraient tué entre cinq et dix responsables djihadistes et environ trois cents civils. Soit un ratio de un pour quarante, i.e. un taux de réussite de 2,5 %. Difficile de continuer à parler de bombardements *ciblés* après examen de ces statistiques. Bien sûr, les États-Unis rejettent ces chiffres. Il est probable que moins de civils aient péri et que le nombre réel de combattants éliminés soit plus élevé. Néanmoins, chaque nouvelle victime collatérale ne fait que renforcer le profond sentiment antiaméricain.

Le soleil est déjà bas sur l'horizon et colore Abidjan de teintes de coucher lorsque le Land Rover de Thierry Genêt quitte le quartier de Treichville et son port autonome. Il s'engage sur le pont Charles-de-Gaulle. C'est Samuel, homme de confiance, confident et accessoirement garde du corps qui, à côté de lui, conduit. Ces deux-là se connaissent et se suivent depuis 2001, année de leur rencontre. À l'époque Thierry, en rupture de l'armée de l'air française, pilotait au coup par coup pour un homme appelé Viktor Bout, patron russe de deux compagnies aériennes, Air Bas et British Gulf International, réputées pour leur capacité à transporter en toute discrétion n'importe quoi, n'importe où, en Afrique, au Moyen-Orient et même en Asie centrale. Surtout s'il s'agissait d'armes de contrebande, de diamants de conflits, de terroristes recherchés en quête d'anonymat ou des mêmes, plus tard, kidnappés par des services secrets soucieux d'invisibilité. Samuel, lui, était une petite frappe sanguinaire de ce Front de libération révolutionnaire sierra-léonais régulièrement client de Bout, via son grand pote Charles Taylor, dictateur du Liberia. Ils se sont croisés à l'occasion d'une livraison. Samuel n'avait pas seize ans, voulait se sortir de cette guerre merdique et Genêt, le trouvant moins con que les autres enfants soldats de sa troupe, drogués jusqu'au slip, décida de l'aider.

Une fois traversée la lagune Ébrié, ils s'engagent sur le boulevard en direction de Cocody, le quartier résidentiel de la capitale de Côte d'Ivoire, où vivent notables, expatriés et diplomates. Genêt bâille, incapable de se retenir et, à côté de lui, Samuel l'imite. Tous deux sont épuisés par trois journées tendues, passées à superviser le conditionnement, l'acheminement à Treichville et l'accorage sur un navire d'un chargement très spécial de bois autoclave destiné à l'Europe.

Thierry sue comme un porc, il se sent sale et vieux. À quarante-huit ans, il n'encaisse plus aussi bien les jours de stress et les nuits sans confort. En cessant de voler pour Viktor, trois ans avant de devenir patron de l'Ivoirienne de Sylviculture, il a perdu l'habitude de se faire tant de mouron. En temps normal, il n'aurait pas dû s'occuper de cette expédition-ci, responsabilité de Samuel, mais les circonstances exigeaient sa présence. Quelques semaines plus tôt, un des sites de stockage de sa société a brûlé et, même si les autorités ont classé le sinistre en accident, lui sait que cet incendie n'avait rien de fortuit. Cette certitude explique le gilet pare-balles qui le fait transpirer, les deux Beretta 92 rangés dans le vide-poches et le Mossberg 500 Tactical, roulé avec un AK47 dans une couverture, sur la banquette arrière. Elle justifie également son déplacement en personne. Il n'était pas question qu'il arrive quoi que ce soit aux centaines de kilos de poudre, scellés sous vide au cœur de grumes traitées pour limiter les risques de détection, qu'ils viennent d'expédier.

Thierry fait circuler ce que son bienfaiteur persan, Sorhab Rezvani, fournit. Lui possède les sources, dans son pays, et les réseaux, à travers le continent, développés pour mille autres motifs sur ordre de son gouvernement. Il a toujours prétendu faire tout cela dans le but de se procurer des liquidités indispensables à un Iran sous embargo, mais Genêt a des doutes, il pense que son amical bienfaiteur se sert beaucoup au passage. Il s'en fout, ce n'est ni son problème ni son argent. Il est grassement rémunéré et cette Ivoirienne, à l'avenir de laquelle il veut croire, financièrement soutenue. Rezvani n'a pas le choix, c'est leur porte d'entrée en Europe, imaginée par l'ancien pilote.

Parvenu dans Cocody, le Land Rover remonte le boulevard de France puis tourne dans la rue du Bélier et ses belles propriétés, en direction de la maison de Thierry. En arrivant à la hauteur de la résidence de l'ambassadeur de Belgique, le Français aperçoit un 4 × 4 japonais noir, aux vitres fumées, garé en face de son portail. Ils continuent de rouler. Bientôt, les silhouettes de deux hommes sont visibles à l'intérieur. Pas des Noirs, cela rassure Genêt. Ses ennuis actuels sont le fait de proches du gouvernement de cohabitation imposé au forceps par la communauté internationale, Paris en tête, au président Laurent Gbagbo.

Le Land pénètre prudemment dans le jardin et s'arrête au milieu de la cour.

« Attends un peu avant de couper le moteur. » Thierry observe sa villa, attentif. Comme il l'espérait, Mireille, son épouse bété, sort à leur rencontre. Elle porte Irène, leur fillette métisse de dix-huit mois. Tout va bien. Lorsqu'elles approchent de la voiture, il leur adresse un sourire chaleureux. « Rentre la caisse et va te reposer, Samuel. » Il descend et laisse derrière lui son gilet pare-balles avant d'embrasser tendrement Mireille. Il prend sa gamine dans ses bras et la serre contre lui. Une chatouille sur le front et la petite se met à rire.

Sa femme a l'air soucieuse. « Sorhab t'attend dans le salon. » Elle se méfie de cet homme. Son mari le fréquente depuis longtemps et Rezvani a été là quand il a fallu trouver des capitaux pour constituer la société, mais quelque chose chez lui la dérange, l'effraie presque. Il leur causera des ennuis, elle en est sûre.

« Comment vas-tu, Sorhab ? »

L'Iranien, longiligne, en costume de lin sur chemise blanche, se lève lorsqu'ils entrent dans la pièce. À contrecœur, Genêt rend sa fille à Mireille, les regarde s'éloigner et va échanger une poignée de main avec son invité. À travers la baie vitrée, il voit Samuel, couverture sous le bras, se diriger nonchalamment vers sa maison, un pavillon des invités entièrement réaménagé pour son confort. Dès qu'il a disparu, les deux hommes déposent leurs mobiles sur la table du salon, sortent sur la terrasse et referment derrière eux.

« Je m'envole tout à l'heure pour le Niger. » Rezvani s'exprime dans un anglais presque parfait. « Je voudrais que tu m'y rejoignes à la fin de la semaine.

— OK.

— Tout s'est bien passé ?

— Le bois sera à Rotterdam dans quinze jours, comme prévu.

— As-tu reparlé à tes pyromanes ?

— Leurs nouveaux protecteurs gouvernementaux veulent vingt pour cent.

— Pas question.

— Je crains qu'ils ne soient pas aussi raisonnables que leurs prédécesseurs. L'histoire va leur donner raison, aux prochaines élections, le Président dégagera et ils auront tous les pouvoirs.

— Offre-leur plus mais pas au-delà du double de l'enveloppe habituelle. Et il vaut mieux que tout cela soit réglé avant la fin mai.

— Le prochain chargement ? »

Rezvani acquiesce. Il tend un élégant porte-cigarettes à Thierry, qui en prend une, et se sert ensuite. « Tu es au courant pour la Thaïlande, j'imagine ? » Il fait référence à l'interpellation pour trafic d'armes de Viktor Bout à Bangkok, dix jours auparavant. « Tu en penses quoi ? »

Pendant quelques secondes, Genêt fume en silence. Sorhab est venu pour être rassuré. « On ne risque rien. Je n'ai plus de contact avec toute cette bande depuis pas mal de temps. Le dernier à qui j'ai parlé, et ça remonte bien à deux ans, c'est le mec qui nous a escortés au Malawi, en 2005. Tu vois lequel ?

— Le Namibien taiseux ? Je m'en souviens.

— Lui aussi il a raccroché, je crois. »

De la clairière où il campe pour l'après-midi avec ses compagnons, Sher Ali a une très belle vue sur le tout petit village de Kotkai Kalai, une quinzaine de maisons réparties le long d'une piste, à l'ombre de pentes boisées, à moins d'un kilomètre de la frontière entre la province de Paktiya et l'agence de Kurram, au Pakistan. La vie suit son cours. Des silhouettes vont et viennent entre les bâtiments, des bergers guident leurs maigres troupeaux. Et des enfants s'amusent. Il y a des filles parmi eux, Sher Ali le voit à leurs tenues colorées. Il s'attarde sur elles mais bientôt le spectacle de ces jeux innocents devient insupportable et il ferme les yeux. Un instant, l'image de Badraï occupe son esprit mais il est incapable de la retenir et elle s'en va, l'abandonne.

Deux heures plus tôt, une patrouille de l'ISAF, accompagnée d'une section de l'ANA, s'est arrêtée dans le hameau. Sous bonne garde, quatre personnes ont palabré avec des représentants des villageois pendant une vingtaine de minutes. Des officiers des deux armées vraisemblablement. Ensuite, les militaires ont fait un rapide tour des fermes, l'occasion pour les anciens de montrer le dénuement dans lequel tous vivent et de pleurnicher pour recevoir des aides, et ils sont repartis. Sher Ali les a laissés filer, il n'est pas venu ici pour se battre. Il a envoyé des éclaireurs surveiller la route en amont et en aval, pour contrôler qu'il n'y avait plus personne. Lui et ses hommes connaissent bien le coin, un des nombreux points de départ et d'arrivée de leurs caravanes, il l'a donc choisi pour son rendez-vous du jour. Mais il se méfie de celui qu'il doit rencontrer, un trafiquant tout à fait capable de lui avoir tendu un piège.

Sher Ali a patienté longtemps après le départ des soldats pour dépêcher un émissaire à Kotkai Kalai, et ce dernier vient juste de revenir, suivi par l'un des paysans. Avec eux se trouve un individu à la tête couverte d'un sac d'engrais, les mains attachées dans le dos, arrivé sur place à l'aube et enfermé depuis dans une cache creusée sous une grange. Hors de vue des étrangers qui, anxieux à l'idée de s'aliéner la population, ont tout à l'heure évité de fouiller les maisons avec zèle.

« Nos amis t'ont-ils bien traité, Rouhoullah ? »

Après avoir fait asseoir l'homme sur un rocher, en face de son chef, Qasâb Gul lui délie les poignets et retire sa cagoule improvisée. Ses traits sont à l'image de sa silhouette, ronds et gras. Le crâne dégarni, il a d'épais sourcils en bataille, et une barbe poivre et sel très bouffante. Ses petits yeux noirs clignent plusieurs fois, éblouis par la lumière vive de l'après-midi, et il s'empresse de remettre son calot blanc. Il ne semble pas très rassuré de découvrir autour de lui une bande de combattants armés de kalachnikovs et de RPG, méconnaissables derrière leurs turbans et leurs châles de laine.

Le regard de Sher Ali délaisse un instant le trafiquant de Nangarhar pour se poser sur le villageois impassible qui l'a accompagné. Il hoche la tête dans sa direction en signe de remerciement, le Boucher lui donne de l'argent et il s'en va. « As-tu soif, veux-tu de l'eau ? »

Rouhoullah répond par la négative. « Tu as beaucoup changé, Shere Khan. » Il n'y a aucune flatterie dans ses paroles, juste du respect et de la peur. Avec son large bandeau noir en travers du visage, Sher Ali a l'air plus implacable encore que dans son souvenir. Et Rouhoullah n'aime pas la fixité de l'œil valide braqué sur lui. Il déteste cette situation, sa position de faiblesse.

« Tu voulais me voir, je suis là. Dis ce que tu as à dire. »

Rouhoullah n'a jamais commercé avec la famille d'Aqal Khan, il avait noué d'autres alliances. Les Zadrans n'ont pas bonne réputation, on les dit voleurs, et Nangarhar ne fait pas partie de leur territoire. Jusqu'ici, rien ne lui imposait de passer par eux. Être obligé de quémander ainsi les faveurs de Sher Ali était juste impensable.

« Parle, tu nous fais perdre notre temps ! » Sec, Qasâb Gul interrompt les pensées du trafiquant.

« Ton père…

— Mon père espérait le soutien de ton khel après l'assassinat de Basir par ces fils de chiennes de l'Alliance du Nord. Vous nous avez tourné le dos, au nom de la fidélité, parce que vous faisiez des affaires ensemble. Mais tu leur as ensuite aussi tourné le dos au profit de leurs ennemis, les talibans. » Sher Ali crache par terre.

« Tu es taliban toi aussi maintenant.

— Qui t'a dit cela ?

— La rumeur. »

Sher Ali se rembrunit, mécontent. Dans son esprit, il n'a rien à voir avec les cohortes d'Omar.

Rouhoullah remarque son trouble. Désarçonné, il hésite. « Tu n'es pas avec Siraj ? »

Qasâb Gul éclate de rire. « Pourquoi tu ne vas pas le voir lui ? »

Un silence inconfortable s'installe.

« Tu as déjà des alliés. »

L'affirmation prend Rouhoullah de court. Il ne pensait pas que la nouvelle de son association avec Hekmatyar avait voyagé si loin, si vite.

« La rumeur se joue de tous. » Sher Ali sourit.

« Les combattants de Goulbouddine sont des lâches. Ils ont fui devant les nouveaux soldats de Tahir Nawaz et j'ai perdu beaucoup de drogue. Ensuite, ces traîtres m'ont volé pour se rembourser et ils sont partis.

— Nangarhar est loin de chez moi.

— Tahir Nawaz veut tout contrôler, c'est malhonnête.

— Il est très fort.

— Je peux encore produire dans le nord, personne ne sait où à part moi. Je veux juste pouvoir vendre mon héroïne en paix. Je suis prêt à te payer très cher. »

Sher Ali échange un regard avec Qasâb Gul. Ils ont rarement convoyé de la drogue. Relativement absente de Loya Paktiya, l'héroïne transite peu par le Waziristan du Nord ou le Waziristan du Sud à sa sortie d'Afghanistan. Le clan a pu ainsi éviter d'attirer inutilement l'attention sur ses affaires, une bénédiction. Mais Sher Ali a choisi un camp désormais. À en croire Rouhoullah, les gens le savent. Il est peut-être déjà traqué en tant que terroriste et si ce n'est pas le cas, il le sera bientôt. Trafiquer ou pas n'y changera rien. Par ailleurs, occupé par la guerre et sa vendetta, il gagne moins d'argent. Cette association pourrait se révéler profitable. Si les risques ne sont pas trop grands. « Tu as dit que Tahir avait de nouveaux soldats, parle-moi d'eux.

— Il prétend que ce sont ses hommes. Le gouverneur dit la même chose. Je sais moi que les Américains paient et commandent.

— Comment ?

— On me l'a raconté.

— Qui ?

— Un homme de la troupe de Tahir.

— Un traître ? »

Rouhoullah ne réagit pas.

« Ces Américains, ce sont des militaires ?

— Non, ils sont comme des espions, sans uniforme. Mais ils sont très forts. Ils entraînent des Afghans pour aller attaquer au Pakistan. »

Sher Ali se penche en avant pour être plus proche du trafiquant, si près qu'il pourrait le toucher, et il le dévisage avec une intensité renouvelée. « Ils vont jusqu'à Miranshah, ces Américains ? »

Qasâb Gul perçoit la tension dans la voix de son khan. Le Boucher sait sa grande frustration et la soif de sang qui lui tord le ventre. Badal le consume. Et le clan avec lui. Tous brûlent de trouver et tuer les coupables du meurtre d'Adil. En dépit de ses promesses, Tajmir ne les a pas encore identifiés, n'a rien découvert de nouveau depuis la capture du mouchard. Eux non plus. Sher Ali a envoyé des hommes de confiance en Paktika, dans la vallée de Barmal, à la recherche des éleveurs de chevaux vendus aux étrangers, mais les gens de là-bas se taisent, ils protègent les leurs. Ou ils veulent plus d'argent.

Rouhoullah a également senti la sourde colère du Zadran. Elle pourrait lui être utile. « Je ne sais pas. Mais si tu m'aides, je peux demander. »

Sher Ali adresse un signe à deux combattants debout derrière Rouhoullah. Ils le saisissent par les épaules et le relèvent sans ménagement. Le trafiquant se débat, crie. Qasâb Gul s'approche et, avec la crosse de son fusil d'assaut, le cogne au visage, aux bras, dans les côtes et le ventre. Après avoir été battu pendant une longue minute, le prisonnier est forcé de se mettre à genoux. Le Boucher appuie le canon de son arme sur sa tempe et attend.

Rouhoullah gémit. « Pitié, au nom d'Allah. » Il hésite à évoquer la vidéo dans le mobile qu'on lui a rapporté après la première attaque contre ses laboratoires. Elle n'est pas très bonne mais peut-être le sauvera-t-elle. « Je peux te faire voir quelque chose, oui ? » Il fouille maladroitement dans ses vêtements et montre un téléphone. Il le met sous-tension, trouve le fichier enregistré et le tend à Sher Ali.

À l'écran, beaucoup de noir, des tirs, des explosions de grenades, les faisceaux de lampes tactiques. L'image tremble, celui qui tient l'appareil a peur, il se cache. Il semble avoir filmé d'une position surélevée. Tout se calme. Des silhouettes apparaissent dans la lueur de torches. Elles fouillent les bâtiments. Tout se passe dans une obscurité plus ou moins profonde même quand, au bout d'un moment, un groupe électrogène est mis en route. Vers la fin du fichier, le détenteur du portable est repéré. Il bouge. Ça tire. Il se déplace, court, saute, se cache dans le noir. Choc, l'appareil lui échappe, ne capte plus que les ténèbres. Deux coups, puissants, étouffés. Puis deux voix. Elles passent très bien, des Américains. *Un gamin, putain !* Silence. *Reste pas là, Ghost.* Deux hommes différents. Et un troisième. Le dernier à s'exprimer est calme, possède un timbre assez grave. Silence. *Bill avait dit que des adultes, merde ! Pourquoi ?* Silence. *Allez, dégage, ça vaut mieux.* Quelques secondes s'écoulent. Une grenade est dégoupillée. *Frag !* Elle explose. La vidéo s'arrête. Assez longue, elle ne permet cependant pas d'identifier qui que ce soit, la résolution n'est pas assez bonne et la luminosité trop faible.

Sher Ali vient s'accroupir devant Rouhoullah et se met à le fixer. « Tu te moques de moi ? Tu vas demander à ton traître qui sont ces Américains, sinon je te tue. »

Après un nouvel ordre silencieux les combattants lâchent le trafiquant et il s'effondre au sol en pleurant.

« Ne tarde pas. » Sher Ali s'enfonce dans la forêt.

« En conclusion, nous constatons que depuis 1965 et la signature du premier accord de commerce de transit entre l'Afghanistan et le Pakistan, le terme *transit* a été totalement vidé de son sens, vu que la nature et la valeur des biens échangés sont désormais indexées sur celles desdits biens au seul Pakistan. Cet accord s'est, au fil du temps, métamorphosé en cadre paralégal pour les flux massifs de réexportations dont bénéficient plusieurs groupes d'intérêts, au premier rang desquels figure le secteur du transport. Ils échappent ainsi à toute forme de taxation et de réglementation. »

Peter Dang, derrière un pupitre, achève son intervention sur la *mafia* des camionneurs pakistanais, un lobby tirant d'énormes profits de la situation de l'Afghanistan. En vertu de traités bilatéraux, les produits destinés à ce chaotique voisin dépourvu d'accès à la mer ne sont pas taxés à leur entrée au Pakistan puisqu'ils ne font que traverser le pays. Et les marchandises *d'occasion* repartant aussitôt dans l'autre sens après avoir très brièvement respiré l'air pur des cimes afghanes ne le sont guère plus. Roupies ou afghanis, la chanson est connue, même si les enveloppes sont dans ce cas proscrites, les douaniers n'acceptent rien de moins volumineux que le sac plastique tant ces devises sont des monnaies de singe.

« À ce jour, toutes les tentatives de résolution de ce problème se sont révélées inefficaces du fait de la corruption endémique dont souffrent les administrations chargées de les appliquer. Merci et à bientôt. »

Des applaudissements soutenus montent du public de l'amphithéâtre bondé de la New York University où Peter vient de s'exprimer. Quelques étudiants du département des sciences politiques s'approchent pour le remercier et poser des questions. L'un d'entre eux lui fait signer un exemplaire de son livre *Irak, l'an un de l'occupation, récits de vie*. Dang se prête de bon cœur à l'exercice, surpris et heureux d'être encore sollicité pour ce premier ouvrage au succès très confidentiel, publié en 2005. Le journal de son année passée à sillonner le pays au plus près des gens, dormant souvent chez l'habitant, dans des conditions de confort et de sécurité précaires, s'était révélé moins vendeur, à l'époque, que les bouquins plus guerriers pondus au kilomètre par des correspondants planqués dans la *Green Zone* de Bagdad, ou baladés sous escorte par des blindés de l'armée. Il était plus sexy de narrer les exploits des soldats de la démocratie lancés aux trousses du méchant Saddam, *complice* d'Al-Qaïda, et de ses élusives armes de destruction massive. Son texte avait néanmoins attiré l'attention de milieux universitaires que la bonne connaissance du Moyen-Orient et de l'Asie centrale de Peter avait achevé de convaincre de son potentiel de conférencier. Une façon honorable de compléter ses revenus de journaliste indépendant.

Matt l'attend à l'entrée de la salle en compagnie de sa femme, Courtney. Il réprime un bâillement. « Tu as été super.

— Menteur, je t'ai vu roupiller. » Dang embrasse Courtney sur la joue et ils se mettent en route vers la sortie.

Ce soir, ils sacrifient à un rituel établi peu après qu'ils se sont rencontrés, pendant leur master à NYU, et vont dîner dans un petit chinois, leur petit chinois, situé à deux pas, près de Canal Street. Le décor du restaurant, au kitsch familier sous toutes les latitudes, et son menu n'ont absolument pas changé en douze ans, et la même foule d'immigrés du quartier et d'étudiants sans le sou s'y presse autour de tables bancales recouvertes de nappes en papier.

Une fois la commande prise, Matt interroge Peter sur sa journée et ses passages dans des émissions télévisées, sur MSNBC et CNN, au cours desquels il a longuement évoqué la situation en Afghanistan. « À ton prochain séjour, tu es invité sur notre antenne. J'en ai déjà parlé à quelques personnes. » Matt est l'un des rédac' chefs finance de Bloomberg News, l'agence de presse qui fournit sa matière première à toute la galaxie Bloomberg.

Cette promesse, une Arlésienne revenant à chaque voyage de Dang, est accueillie par une saillie ironique de Courtney et déclenche entre les époux un échange taquin, plein de mauvaise foi bienveillante. Peter les laisse se chamailler, rassuré par ce retour à la normalité. Ces deux-là sont sa boussole, le repère vers lequel il se tourne lorsque sa vie devient trop folle ou trop dure à supporter. Il est le héros de leur fils, jamais rassasié du récit des aventures de son parrain et toujours avide de ses cadeaux exotiques, et eux sont ses modèles à lui. Ils ne savent pas à quel point il les envie. Ensemble depuis onze ans, ils traversent l'existence avec la certitude de la présence de l'autre.

« Ça va ? » Voyant Peter dans la lune, Courtney pose une main sur son avant-bras. Elle reçoit un sourire triste en retour. Matt et elle se rendent bien compte que leur ami va mal. Il souffre depuis longtemps d'un mal incurable, le monde tel qu'il est, et la dégradation de sa situation familiale n'arrange rien. « Quand repars-tu ? » Elle ne précise pas à l'étranger, loin, là-bas, cela va de soi.

« Dans trois semaines. Fin avril au plus tard. Dès que j'aurai réglé tous mes trucs à Toronto. » Ses *trucs*, ce sont quelques démarches liées à la succession de son père, mort il y a cinq mois, et l'internement définitif de sa mère dans un établissement réservé aux malades d'Alzheimer. La sœur de Peter, Debra, dépassée par l'avancement rapide de l'affection, l'a appelé au secours. Il redoute le moment de leurs retrouvailles.

Courtney échange un regard avec son mari. « Veux-tu que je t'accompagne ? Je peux prendre quelques jours.

— Je te remercie mais je préfère y aller seul. »

C'est faux, évidemment. Courtney n'a pas le temps d'insister, leurs plats sont servis et Peter change de sujet. Les premières bouchées font remonter les souvenirs d'une période plus insouciante, lorsque tout était si important et absolu que rien n'était véritablement sérieux, et ils s'enferment un moment à l'abri d'une bulle de bon vieux temps.

Au dessert, une discussion sur l'élection présidentielle américaine de novembre prochain et la fin de règne de Bush les fait à nouveau dériver vers des sujets plus graves, les conflits irakien et afghan, la guerre contre le terrorisme, ses abus. À l'initiative de Matt, la CIA s'invite dans la discussion et Longhouse avec elle. Peter, qui n'a rien révélé des raisons l'ayant poussé à s'intéresser à la société militaire privée, interroge son ami sur les raisons de son glissement de l'Agence au groupe de sécurité.

« Kaerberus Investments.

— Le fonds d'investissements propriétaire de Longhouse ? »

Matt acquiesce. « Un fonds de fonds. James Bounderman, le big boss, est passé par une autre boîte de capital-risque appelée Zeitgeist avant de monter Kaerberus. Et comme par hasard, Zeitgeist est dans son capital.

— Je ne vois pas le lien avec la CIA.

— Toutes ces structures sont des paravents derrière lesquels se cachent des investisseurs désireux de rester anonymes. Difficile de savoir qui possède quoi, à quelle hauteur et où, mais la rumeur dit que derrière Zeitgeist il y a Carlyle, et derrière Carlyle…

— Il y a des figures du complexe militaro-industriel et de la CIA. Léger. »

Matt sourit. « Zeitgeist n'est pas tout seul dans le capital de Kaerberus. Il y a un deuxième fonds, appelé Peleus Ventures, qui pèse trente milliards de dollars là où Zeitgeist n'en pèse que vingt. Principaux portefeuilles : l'ingénierie, les nouvelles technologies, les technologies de l'armement et de la sécurité, et des entreprises de service spécialisées dans les questions de renseignement. Peleus est une structure assez ancienne, montée dans les années soixante, en pleine guerre froide. Avec, toujours selon la rumeur, du pognon de la CIA. Devinette : qui était à la tête de Peleus de 1997 à 2001 ? » Matt n'attend pas la réponse de Peter. « Robert G. Zinni. Après avoir quitté le poste de directeur des affaires militaires de l'Agence. Tout ce petit monde, pardonne-moi l'expression, s'encule en rond. Mais cette nouvelle-là n'est pas très fraîche. »

Peter n'entend pas la dernière remarque, déjà emporté par ses cogitations. La CIA et Longhouse seraient donc organiquement très proches, consanguines sur le plan financier et leurs liens renforcés par l'existence, parmi leurs dirigeants, d'un réseau d'anciens allègrement passés du public au privé sans déceler dans ces changements de casquette intempestifs le moindre conflit d'intérêts. Ou en ne le voyant que trop bien, mais pourquoi s'emmerder.

Vieille histoire.

L'aveuglement sur son propre modus operandi d'un système désormais en roue libre, la disparition de toute forme d'honorabilité en faveur du fric roi et le traumatisme d'un 11-Septembre autorisant les réactions expéditives sont autant de conditions ayant permis, en Amérique, l'élan de privatisation de la chose militaire sans précédent constaté à l'occasion des invasions de l'Afghanistan et de l'Irak. Pour les hérauts du capitalisme, l'enjeu commercial premier de ces deux guerres n'a jamais été la captation des richesses des pays en question mais la guerre elle-même, source d'immenses profits. En devises constantes, le soldat US de 1939-1945 coûtait cinquante mille dollars par an, celui du second conflit du Golfe, en 2003, cinq cent mille, et celui d'Afghanistan, du fait du casse-tête logistique posé par la situation géographique du théâtre d'opérations, Peter en sait quelque chose, il planche sur le sujet, en coûte aujourd'hui un peu plus d'un million.

Approvisionner, transporter, armer, habiller,

loger, nourrir, connecter mais aussi payer, assurer, soigner, construire, surveiller les grandes bases, les ambassades, les chantiers, et escorter, les convois ou les dignitaires, les humanitaires, les expatriés, voire les officiers généraux eux-mêmes, tout cela n'est plus du ressort de l'armée en campagne et de ses différentes branches, mais de celui de boîtes privées ; elles aussi livrent un combat sans merci, afin d'obtenir leur part d'un énorme gâteau qui, après six ans de barnum mortifère, se chiffre déjà à près d'un millier de milliards de dollars.

Par la magie de communicants, pros de la perte du sens et des repères et, plus généralement, de l'enfumage de l'opinion publique, on a peu à peu normalisé la présence, dans et autour du champ de bataille, des marques et logos qui balisent le quotidien du citoyen US. Plus insidieusement, on a rendu casher l'idée qu'il fallait assurer la protection de tout ce petit monde, voire des soldats eux-mêmes, une mission subalterne à laquelle l'appareil militaire ne devait plus consacrer de ressources, il avait mieux, plus urgent, plus grandiose à faire, traquer la bande à Oussama, abattre de vilains dictateurs et promouvoir les lumières civilisatrices de l'Occident. Les sociétés comme Longhouse, avec leurs mercenaires 2.0 rebaptisés *contractors*, un terme générique et inoffensif utilisé pour qualifier n'importe quel sous-traitant, se sont engouffrées dans la brèche avec une offre en apparence raisonnable, nos équipes de spécialistes formés à la meilleure des écoles, l'armée du peuple payée par le peuple, vont vous sécuriser tout ça vite fait, pour pas cher. Et il n'a pas fallu longtemps pour évoluer d'une posture passive de vigiles sous stéroïdes, à une plus active de défenseurs – quand on se fait tirer dessus, on riposte – voire carrément offensive de combattants.

Le chien de guerre *nextgen* a fini par ressembler à s'y méprendre à ses prédécesseurs. Pas plus qu'eux il n'est tenu par les Conventions de Genève, ces fragiles garde-fous des conflits qui dictent leur conduite aux troupes régulières, mais il bénéficie souvent de boucliers juridiques identiques à ces dernières. S'il est américain, ou sous contrat de droit américain, il est hors de portée de toute cour de justice, nationale ou internationale, et donc intouchable. En cinq années d'allers et retours sur les fronts de la guerre contre le terrorisme, Dang en a vu un paquet de ces types plus ou moins expérimentés, largués en plein bordel, la bride sur le cou, au service d'employeurs moins préoccupés par des idéaux politiques et diplomatiques que par leurs marges et la satisfaction de leurs actionnaires. Lui comme d'autres ont relaté les récits d'incidents, les plus scandaleux, ils sont trop nombreux pour être tous rapportés, et raconté, à longueur d'éditos, les risques que font peser sur la démocratie l'abandon progressif par l'État de son monopole sur l'usage de la force et la dérive vers une forme libérale de guerre sous licence.

« Tu t'intéresses à nouveau au sujet, Peter ? » Courtney intervient pour la première fois dans la conversation.

« Peut-être, Longhouse a des contrats en Afgha. C'est lié à mon reportage sur la log.

— Et que vient foutre la CIA là-dedans ? » Matt fixe Dang. Il a bien vu, tout à l'heure, sa réaction lorsque a été établi un parallèle avec le groupe de sécurité.

« Il est possible qu'ils fricotent ensemble.

— Pas étonnant, vu leur proximité, et a priori

pas grave. Langley confie pas mal de missions à des SMP, de la sécurisation de ses installations à une partie de la formation de son personnel. »

Courtney aussi dévisage Peter. Il hésite à jouer cartes sur table, ils l'ont pigé. Il est trop tôt, il n'a pas encore assez d'éléments et il a un truc tellement énorme en tête qu'il n'ose même pas le formuler. Tout à la fois par superstition, peur du ridicule ou, pire, de passer pour un prétentieux. Trop de *wannabes* Woodward et Bernstein encombrent déjà les salles de rédaction. Il doit également admettre qu'il ne veut pas risquer de voir son scoop potentiel s'ébruiter. Il a confiance en ses amis mais n'est pas à l'abri d'une indiscrétion involontaire de leur part. « Je me demande si Longhouse ne fait pas du renseignement en douce pour l'Agence. » En plus du marché de la guerre, les sous-traitants ont tout naturellement cherché à conquérir celui des services secrets et captent déjà près des deux tiers de la dépense publique dans ce domaine, même s'ils se heurtent à un obstacle de taille, la loi. Il est interdit à une personne privée, physique ou morale, de se livrer à des actes d'espionnage. Son bobard tient la route, beaucoup de journalistes planchent sur ce thème, traquent des programmes secrets, plus noirs que noir, d'effractions, de rapts, d'assassinats, en Afrique, au Moyen-Orient, au Pakistan, fantasment le gros flag'. « Sur les autres boîtes, tu as des infos pour moi ? »

Le regard de Matt fait sentir à Peter que sa justification ne l'a pas convaincu. « Rien de très excitant. Global Air Services appartient à Mohawk qui, comme tu dois déjà le savoir est une autre filiale de Longhouse avec Oneida. Ils recrutent haut de gamme et leur réputation est bonne. »

Matt est déçu. Il fait la gueule et Peter préfère ne pas insister, ce qu'il vient d'apprendre suffit pour le moment. Ces informations confortent en partie l'histoire de Canarelli. La liaison CIA-Oneida via le coup de fil à l'Ariana évoqué par le sergent est plausible.

L'addition arrive et Dang propose au couple d'aller boire un verre. Seul, Matt aurait probablement refusé mais Courtney insiste, elle n'a pas envie de rentrer et veut profiter de son mari et de son meilleur ami, alors il cède.

Après deux cocktails dans un bar proche de la sixième avenue, l'ambiance s'est détendue. Avachi dans une banquette en cuir, mojito à la main, Dang épie la faune agglutinée au comptoir faussement art déco du rade. Hommes et femmes et hommes se mélangent, se parlent, rient, s'amusent, se branchent. Ils boivent, se boivent, se reniflent, se sniffent et plein d'autres choses encore. Cette liberté insouciante n'existe pas dans les pays où lui passe sa vie. Son absence se fait souvent cruellement ressentir mais elle simplifie parfois les rapports humains, les rend plus essentiels et plus vrais. Plus précieux. Ici, il y a trop de tout, là-bas, pas assez de rien.

L'alcool fait son œuvre, Peter n'a plus l'habitude, et une sombre torpeur s'empare de lui. Il ne s'est pas méfié, soucieux de ne pas laisser le moindre froid s'installer, pas comme ça, pas à cause de conneries de boulot, il a trop besoin de ses amis. Mais dans cet état il se sait très fragile et quand, un peu pompette, Courtney finit par demander « tu as quelqu'un, en ce moment ? » elle touche fort, juste, plein cœur. Ça lui brûlait les lèvres depuis le début de la soirée. Il répond d'une dénégation silencieuse et elle l'achève « tu as eu de ses nouvelles ? ».

Une heure plus tard, la question hante toujours Peter. Entre-temps, il a repris un verre, ce remède illusoire, au fond duquel il n'a pas trouvé de meilleure réponse que ce *non* qui l'abîme. Et Matt ne peut plus rien pour lui à présent, il est rentré avec sa belle le veinard, finie la solidarité des mâles à la merci des inquisitions dévastatrices de la gent féminine. Dans le mur vitré triple épaisseur de sa chambre d'hôtel ouverte sur Manhattan, Peter est réduit au reflet d'un homme seul et vaguement bourré. Où sont donc les Boeing kamikazes quand on a besoin d'eux ? Il pose son front contre la paroi glacée et regarde, vingt étages plus bas, une voiture de police dont les gyrophares se mettent à clignoter. Elle file dans l'avenue animée toute illuminée d'ambre. Peter n'entend rien mais imagine sans mal sa sirène résonner entre les tours de silice et d'acier. À New York, tous les sons ont un écho particulier.

Il n'aurait vraiment pas dû boire, l'ivresse est l'ennemie. Elle le renvoie à des souvenirs forcément trop doux. Saoul, le manque est plus terrible encore et le risque de laisser-aller démesuré. Peter s'installe devant son MacBook, ouvre la boîte mail et tape quelques mots. *Il est devenu si difficile de nous parler. Ce silence, depuis novembre, je nous en veux beaucoup.* Le curseur clignote, noir sur fond blanc, crache des lettres en rafales. *Pourquoi est-ce tellement compliqué de te demander comment tu vas ?* Il poursuit. *Pourquoi est-ce que tu ne me le demandes plus ?* Il s'arrête, considère un instant les deux lignes affichées à l'écran, amères et suppliantes, et se demande ce qu'il en penserait, s'il les recevait. Il détesterait. Peut-être. Dans le minibar, il va trouver une demi-bouteille de rouge, l'ouvre et, à même le goulot, commence à la descendre en revenant s'asseoir. Il efface tout, reprend. *J'aimerais avoir de tes nouvelles.* Bien, plus sobre. Froid. Il réfléchit, complète, change. *Je suis à New York pour quelques jours, avec Courtney et Matt. Ils m'ont demandé comment tu allais.* Non, pas vrai et pas besoin d'eux pour cela. *Je suis à New York pour quelques jours, avec Courtney et Matt. J'ai pensé à toi. J'aimerais avoir de tes nouvelles. P.* Suffisant.

Peter inscrit un A dans le champ réservé au destinataire. Le programme lui propose une liste d'adresses électroniques. La troisième est la bonne et il reste un long moment à la regarder, en surimpression, avant de la choisir. Il ne sait plus à combien de reprises, au cours des derniers mois, il l'a croisée fortuite, au détour d'un courriel envoyé à un autre, alphabétiquement proche. Avec le même sursaut du cœur à chaque apparition. Ce soir, pas de hasard. Maintenant, y a plus qu'à. Il voudrait une dernière gorgée pour se donner du courage mais son flacon est vide, déjà, et sa raison pas assez muselée, sa sale colère contre elle loin d'être calmée. Alors, à contrecœur, Peter écoute ces deux harpies et supprime le message avant d'aller se coucher.

10

PERTES COALITION	Mar. 2008	Tot. 2008 / 2007 / 2006
Morts	20	41 / 232 / 191
Morts IED	12	22 / 77 / 52
Blessés IED	62	111 / 415 / 279
Incidents IED	250	593 / 2677 / 1536

Fox trouve Voodoo seul en entrant dans le B-Hut de 6N à Fenty. Il a attendu dix minutes après le départ de Data pour se pointer et il sait les autres en plein dîner.

Il a un cylindre de métal à la main et Voodoo reconnaît immédiatement un emballage de whisky. Il se met à sourire, délaissant sa paperasse, et se laisse aller dans son fauteuil. « Tu as quelque chose à te faire pardonner ?

— Non. » Fox pose la boîte sur le bureau. « Un pote de Kaboul a mis la main sur quelques bouteilles, je me suis dit que ça te ferait plaisir.

— Tu as des potes à Kaboul, toi ?

— Au moins un. »

Voodoo dévisage Fox un instant avant de déballer son cadeau. Il prend le temps de lire l'étiquette.

« Un Laphroaig non filtré à froid de chez Signatory, il a de la chance, ton ami. Et bon goût.

— Valait mieux pour toi, j'y connais rien.

— On l'ouvre ?

— Si tu ne crains pas de le gâcher.

— Assieds-toi. » Voodoo chope deux tasses propres et leur sert une dose. « La première gorgée sera dure mais les arômes vont remonter et après, tu verras, ce sera le pied. »

Ils boivent en silence. Voodoo apprécie. Fox essaie de suivre le conseil. Le goût est fumé et il n'est pas sûr d'y revenir plus tard. Dans l'immédiat, il doit faire bonne figure.

« Le filtrage vire les résidus qui troublent le whisky. » Voodoo examine le contenu très nuageux du flacon. « Les gens trouvent ça moins appétissant quand c'est pas clair comme de l'eau de roche. Ils se méfient. »

La phrase reste en suspens pendant quelques secondes.

« Ça te plaît ?

— Une boisson d'homme. »

La remarque de Fox est accueillie par un éclat de rire. « Surtout celui-là. Un autre ? »

Les tasses sont à nouveau remplies. Un BlackBerry se met à sonner sur le bureau de Voodoo. Il regarde l'écran, esquisse une brève grimace. Fox l'aperçoit. Voodoo voit qu'il a vu. « Ma femme.

— Tu décroches pas ?

— Je divorce.

— Désolé.

— Faut pas.

— Elle le prend comment ?

— Mal. Elle y pense depuis un moment, elle arrête pas de me répéter qu'elle s'emmerde avec moi quand je suis là, mais que j'y suis jamais assez, que je l'aime plus, que les maris de ses amies sont mieux, eux, plus attentionnés, bla bla bla. Là, je me barre et elle ne veut plus. Les femmes. » Voodoo boit. « T'es marié ?

— Non. J'ai failli. Une fille bien, j'y ai cru.

— Et ?

— Elle se faisait deux autres mecs, des potes. Elle les trompait aussi, chacun pensait être son seul amant.

— Une championne. » Voodoo ricane. « Tu l'as foutue dehors ?

— En mettant tout le monde au parfum. Petit moment de plaisir, énorme bordel. » L'histoire est vraie, semble déjà vieille d'un siècle. Fox était à Cyr, l'école l'a aidé à tenir. Il garde ces détails pour lui.

« C'était ça ou le divorce peu de temps après. Heureusement que ça existe.

— T'es pas catholique, toi ?

— Touché.

— De toute façon, il y a trop de jolis culs et on n'a pas assez de temps.

— T'es bien musulman, non ? »

Fox soutient le regard de Voodoo. Le prénom inscrit sur son passeport US, Majid, le Glorieux, un des nombreux noms d'Allah, le suggère. Le boss de Silent Assurance le connaît et connaît sa signification, mais ils n'ont jamais parlé de ça. Qu'y aurait-il à dire, Fox a tourné le dos à Dieu il y a longtemps. Il a tourné le dos à tout. « Pareil que toi.

— Amen ! » Voodoo sourit et lève sa tasse pour trinquer. « De toute façon, on se marie tous par flemme. Ou par fatigue. Ceux qui racontent le contraire disent des conneries. On cherche, on cherche, un jour on en a plein le cul, on en dégote une qui a faim et on la garde, c'est pas exactement ce qu'on voulait, on se fait un peu chier, mais c'est pratique.

— Pratique jusqu'à ce qu'elles demandent une pension alimentaire.

— La tranquillité n'a pas de prix. »

La conversation marque une pause.

« La neige a bien fondu.

— Ça arrive, au printemps. T'es inquiet ?

— Pas toi ?

— Pas que les moudjes sortent enfin de leurs grottes, non. J'espère même qu'on nous en laissera un peu. »

Fox hoche la tête, boit. « Comment tu envisages la suite ?

— J'attends de savoir qui sera notre prochain grand chef mais à mon avis la fête est finie. Nos compatriotes commencent à trouver le temps long.

— Et on coûte cher. »

Voodoo acquiesce.

« Même si ce ne sera jamais assez, vu les risques.

— T'es venu renégocier ton contrat ? C'est pour ça le single malt ?

— Non. » Fox pose sa tasse vide. « T'as pas l'impression d'être passé à côté du truc, par moments ?

— Du truc ?

— Il y a plein de mecs qui se sont fait un max de blé entre l'Irak et ici, sans jamais être allés au front. Beaucoup plus que toi, moi et les autres.

— C'est ça l'Amérique, frère, un pays d'opportunistes planqués derrière un drapeau, pas une nation de guerriers. Ici, les mecs sont des guerriers.

— Mais pas nous ?

— Nous, on se bat parce qu'on nous paie, mieux que les autres, et qu'on se marre.

— Toi au moins t'as des points dans 6N, ça compense.

— T'es jaloux ? » Voodoo reprend un whisky. Il en propose à Fox, qui accepte. « C'est des miettes. Le jour où je veux vendre, ils se démerderont pour que ça vaille que dalle. On est passés à côté de rien, on n'est juste pas faits pour les affaires.

— J'ai un peu de fric en banque, mais ça va pas être lourd si tout s'arrête. Faut que je trouve autre chose. » Au regard appuyé de Voodoo, Fox sent qu'il a peut-être marqué un point. Il décide d'en rester là et termine sa tasse cul sec.

Une explosion retentit dehors. Pas toute proche et pas assez forte pour provenir d'une voiture piégée. Probablement une roquette. Hair Force One se met à aboyer de l'autre côté de la cloison de contreplaqué. Un second boum de même amplitude suit bientôt. Roquette, sûr. La sirène de la FOB se déclenche. Troisième explosion. Ils ont été peinards tout l'hiver mais ça y est, c'est officiel, les talibans bourgeonnent.

Fox attrape son 416, Voodoo son M4, et ils sortent du bureau pour aller voir de quoi il retourne. Il fait nuit mais du côté des soutes à carburant, à environ cinq cents mètres à l'est, une opaque colonne de fumée enflammée s'élève vers le ciel. Des hommes de la police militaire, suivis d'autres soldats et de civils armés, passent en courant devant eux et filent vers le lieu de l'attaque. Des gens sortent de leurs baraquements, des radios se mettent à crachoter des ordres et des rapports de situation d'un bâtiment à l'autre. Aux déflagrations succèdent des tirs, on se bat à l'intérieur du camp.

Fox veut y aller mais Voodoo l'arrête. « Pas ce soir. » Il va sortir son chien de son enclos et l'emmène à l'intérieur. « On a une bouteille à finir, viens. »

Thu Apr 10, 2008 - 14 :04 : 15

De : pdang@lavabit.com

À : redbaron@riseup.net

CC : theeye@riseup.net

RE : N-8183G & N-913AJ

Merci pour tout. Très utile. Du coup, j'ai d'autres questions :

1 - Pour être sûr que j'ai bien compris, il y a eu, depuis un an, deux vols par mois Kaboul > Sharjah > Pristina et retour, c'est ça ?

2 - Pour qui : GAS, Mohawk, autre ?

3 - Cette demande va peut-être sembler naïve mais est-il possible de savoir ce que les avions transportaient, au cours de ces vols ?

4 - Pourquoi pensez-vous que les autres voyages mériteraient qu'on s'y intéresse ?

À très bientôt.

P.

Thu Apr 10, 2008 - 06 : 04 : 15

De : redbaron@riseup.net

À : pdang@lavabit.com

CC : theeye@riseup.net

Sujet : N-8183G & N-913AJ

Quelques nouvelles du ciel. Il nous a fallu un peu de temps pour mobiliser les copains et nos autres ressources, pardon, mais cela en valait la peine.

Très intéressant, le C130 N-8183G. Nous nous sommes

contentés de l'activité des douze derniers mois mais si vous en avez besoin, nous pouvons essayer de remonter plus loin dans le temps.
Au cours de cette période, il s'est beaucoup baladé et a fait quelques voyages qui mériteraient un examen approfondi : Angleterre puis Égypte puis retour Kaboul, Allemagne puis Pologne, Italie puis Jordanie, Irak puis Jordanie puis retour Kaboul... On creuse ?
Un trajet revient régulièrement : Bagram > Sharjah > Pristina et retour. Dix-sept fois au cours de l'année écoulée, en moyenne deux par mois (dates et horaires en pièce jointe). À Sharjah, il fait systématiquement escale chez STI Inc. À Pristina, il se gare toujours dans la zone militaire de l'aéroport. Ce sont des rotations rapides, quarante-huit heures au plus.
STI Inc. est une société émiratie et il est difficile d'obtenir des informations sur ce qui se passe là-bas. Malgré tout, notre petit doigt nous a dit qu'elle s'occupe d'entretien et de logistique aérienne. Elle possède également une flottille : deux hélicoptères de transport russes Mil Mi 8T et deux bimoteurs d'affaires Merlin III. Elle appartient à un ancien pilote de l'US Air Force nommé Timothy Pere. Il est à la retraite et vit en Floride, à Fort Lauderdale. Pour mémoire, la société Global Air Services est aussi installée à Fort Lauderdale.
Par curiosité, nous avons cherché à savoir si d'autres avions de GAS utilisaient les services de STI. Il y en a plusieurs mais l'un d'entre eux a particulièrement retenu notre attention : leur Boeing 767 300 BCF immatriculé N-913AJ. Les mois où le C130 N-8183G n'a pas assuré la liaison Bagram > Sharjah > Pristina et retour, c'est cet appareil qui a effectué le trajet à sa place,

dans les mêmes conditions. À sept reprises, donc (voir aussi pièce jointe).

Voilà, nous espérons que tout ceci sera utile.

RB & EITS

Anhydride acétique (à vérifier) + col. Tahir Nawaz (homme fort local, proche US, corruption + trafic ?) → Trafic H + conteneur Oneida (SMP, proche CIA) + réaction CIA et QG 173e (à recouper) → US impliqués ? Longhouse et/ou CIA complices ? Kurtz ? (id. Kurtz ?)

Tout est calme dans la maison d'enfance de Peter. Sa mère dort encore à l'étage, assommée par les antidépresseurs qui régulent ses humeurs, et sa sœur n'est pas arrivée. Il est encore tôt, elle sera là dans quelques heures seulement, il lui accorde ce répit. Installé dans la cuisine devant un thé et son Mac, il profite de l'aube. Après dix jours d'allers-retours plombés entre des cabinets médicaux et juridiques, et ce lieu que la mort et la maladie ont transformé en territoire hostile, l'échange de mails de la veille et les réflexions qu'il a suscitées lui offrent une échappatoire salutaire. Son carnet Moleskine est posé sur la table mais il n'est pas ouvert, et il note pour le moment faits et hypothèses sur des feuilles d'imprimante piquées dans le bureau de son père, sanctuarisé après son décès.

Deux avions-cargos appartenant à la filiale transport aérien d'une société militaire privée ont effectué en un an vingt-quatre rotations entre Kaboul et Pristina. L'Afghanistan et le Kosovo. On ne fait pas voler ce genre d'appareils à vide mais pour livrer quelque chose ou prendre livraison de quelque chose. Ou les deux. Des marchandises ou des personnes. Ou les deux. *Quoi ? Légal, illégal ?* Peter espère que ses indics planespotters pourront le renseigner bientôt.

Il n'est pas un spécialiste de l'ex-Yougoslavie, a de vagues souvenirs des événements ayant marqué cette région à la fin du siècle dernier, mais en fouillant la mémoire plus étendue du web, il parvient vite à cette constatation, au Kosovo, les États-Unis ont, comme en Afghanistan mais à une échelle moindre, mené une guerre, fait des coups tordus et mis au pouvoir des hommes à leur pogne, anciens combattants pas toujours réputés pour leur honnêteté. Hashim Thaçi, par exemple, Premier ministre depuis janvier 2008 de cette ex-province serbe qui, il y a deux mois, s'est autoproclamée État indépendant, est un ancien ponte de l'UCK, l'Armée de libération du Kosovo, très soutenue par l'Oncle Sam – *Et la France. A. ?* – où il officiait sous le joli nom de Serpent. Une organisation longtemps soupçonnée d'avoir des liens avec des groupes mafieux originaires de l'Albanie voisine et de financer ses activités en trafiquant entre autres de l'héroïne. Ces soupçons pèsent toujours sur Thaçi et ses proches, tous libérateurs, malgré l'apparence de respectabilité que leur confèrent leurs nouveaux trois-pièces gris de politiciens, plus seyants que leurs treillis d'antan. *UCK → CIA → Longhouse ? À creuser.*

Le Kosovo et l'Albanie sont au cœur des Balkans et quiconque connaît un peu l'Afghanistan et son petit commerce stupéfiant sait l'importance de ce coin, pas besoin d'Internet. Au départ de la principale région de production afghane, la province méridionale du Helmand, l'héroïne emprunte plusieurs routes pour atteindre l'Europe. L'une d'elles est celle du nord. Elle file à travers le Tadjikistan et le Kazakhstan en direction de la Russie, pays dans lequel une large part des chargements s'arrêtent pour la consommation locale, et de l'Ukraine, pour entrer en Pologne et en Allemagne, ou de la Biélorussie, pour alimenter le trafic aux Pays-Bas et en Scandinavie. Une autre, plus récente, coupe par l'Afrique après avoir navigué des côtes d'Iran et du Baloutchistan pakistanais vers celles du Mozambique, de la Tanzanie, du Kenya ou de la Somalie. Des petits malins ont constaté que cet itinéraire, via des États instables où les forces de l'ordre sont globalement nulles, très corruptibles, les frontières laissées à l'abandon et les criminels, rebelles ou islamistes extrêmement nombreux, violents, toujours prêts à se faire du fric pour financer leurs luttes ou leurs putes, était peu surveillé. Et les autorités européennes ne se méfient pas encore assez des cargos en provenance du continent noir. Mais la plus importante est sans conteste la route des Balkans, qui traverse l'Iran et la Turquie avant de rejoindre soit les États de l'Ex-Yougoslavie, pour monter ensuite par voie de terre vers la Bulgarie, la Roumanie, la Hongrie, la Slovaquie, l'Autriche et l'Allemagne, soit l'Albanie, pour approvisionner l'Italie et l'Espagne par bateau et, à partir de là, arroser tout ce qui reste.

Mohawk/GAS (Longhouse, Oneida) + A/R Afg. (producteur H)/Kosovo (trafic H) → Longhouse et/ ou CIA transportent H ? (chargement des avions ?) Qui Kosovo ? Pourquoi Europe et pas US ?

Peter relève le nez de ses notes. Il a beaucoup de détails à valider mais il doit commencer par celui sur lequel repose tout le raisonnement : est-ce bien de l'anhydride acétique que le sergent Canarelli a aperçu au milieu de la livraison pour Oneida ? Il sera sans doute impossible de remettre la main sur ce chargement plus d'un mois après l'incident mais il peut parler à RCL ou au transporteur routier pakistanais et essayer d'obtenir une copie des manifestes. Ou trouver l'expéditeur.

Il doit également retourner voir Canarelli pour l'interroger sur l'origine du tuyau ayant conduit les militaires à stopper les camions à Torkham. Il a raconté à Dang qu'ils étaient intervenus sur la base d'un renseignement mentionnant des armes et des explosifs destinés aux talibans. Un renseignement faux. D'où vient ce renseignement, était-il intentionnellement faux et dans ce cas pourquoi a-t-il été transmis, sont autant de questions auxquelles il lui faut aussi répondre.

Il est ensuite impératif d'essayer de déterminer ce qui voyage dans les avions de GAS entre Kaboul et Pristina. Red Baron et Eye In The Sky vont peut-être aider Peter mais il a des pistes à exploiter de son côté. Il connaît des gens à Bagram, rencontrés dans le cadre de son enquête sur la logistique de guerre, et il peut prendre contact avec Mohawk, GAS et STI Inc. en s'abritant derrière l'excuse de son sujet pour voir ce qu'ils ont à dire.

L'horloge du MacBook indique sept heures trente-six. Trop tôt pour téléphoner en Floride ou en Virginie, sur le même fuseau horaire que Toronto. À Sharjah, en revanche, il est déjà plus de quinze heures.

Aucun site Internet pour STI et pas d'information dans les pages web de l'aéroport de Sharjah. Dans celles de la zone franche de l'émirat, Dang découvre en revanche un annuaire professionnel où sont mentionnés le numéro de téléphone et le mail général de la société. Son adresse est une simple boîte postale. Il n'est fait mention nulle part d'un éventuel nom d'interlocuteur. Minimum syndical, ils font profil bas. Il tombe sur un répondeur. En anglais et en arabe, une voix enregistrée lui explique qu'il est au bon endroit mais devra rappeler plus tard. Pas possible de laisser de message.

« Je vais les tuer. »

La voix de sa mère, enrouée de sommeil, fait sursauter Peter. Elle se tient sur le seuil de la cuisine, dans sa chemise de nuit trop grande, pieds nus, les cheveux en bataille, une paire de ciseaux à la main, et fixe son fils avec des yeux fous. Passé la surprise première, sans faire de mouvements brusques, il se lève et s'approche. Elle ne bouge pas, le dévisage sans le reconnaître. Son regard change, retrouve un peu de lucidité, suffisamment pour comprendre que Peter ne lui veut pas de mal, et elle se laisse faire lorsqu'il lui retire les ciseaux. Il l'accompagne ensuite à la table et la fait asseoir. « Tu as faim ? » Elle n'a jamais été très épaisse mais à son arrivée, fin mars, Dang l'a trouvée amaigrie. Elle ne mange presque plus.

Pas de réaction, la crise n'est pas tout à fait passée.

Quand il a débarqué à Toronto, Debra l'a mis en garde à propos des obsessions de sa mère, induites par la maladie. Parmi celles-ci, il y en a une qui revient plus souvent et implique leur père. Avocat militant, il fut un jour attaqué dans sa propre maison, ici même. Kim Dang trouva son mari sérieusement amoché en rentrant ce soir-là de l'université. Elle voulut porter plainte, il refusa. Pendant quelque temps, des nervis firent parfois le tour du quartier pour les intimider. Jamais le père de Peter n'accepta de confirmer qu'il s'agissait bien de ses agresseurs comme le soupçonnait son épouse. Mais un jour elle sortit de la maison alors qu'ils étaient là. Elle les interpella, les prit en photo, attira l'attention de tout le voisinage et réussit à les faire déguerpir. Trop de témoins. Ils ne revinrent plus. Ce sont eux qu'elle veut tuer aujourd'hui, après plus de trente ans. Sa mémoire se déglingue, restent des lambeaux de sentiments, des angoisses et des rages.

Kim se met à picorer un fruit pelé et découpé par son fils. Derrière elle sur le mur, le passé familial s'affiche pêle-mêle. Une vision cruelle, il reste si peu d'eux.

« Où est ton père, Peter ? »

Dans cette simple question réside tout leur malheur. Peter sent les larmes monter. Sa mère s'en aperçoit. À cet instant, elle pose sur lui le regard d'une vraie maman, se lève, vient le prendre dans ses bras et il se laisse aller contre elle, comme autrefois. Il y a dans cette étreinte l'avant-goût amer de la perte à venir. Il va être tellement seul.

Sa sœur les rejoint vers dix heures trente du matin, après avoir déposé ses enfants à l'école et fait quelques courses. Elle trouve Peter dans le salon. Il veille sur leur mère endormie dans le canapé. Elle semble plus vulnérable encore dans son sommeil. Son frère est à l'agonie. Debra a sa famille mais lui n'aura bientôt plus rien. Et plus de raison de revenir. Il fera ce qu'il faut et il disparaîtra. Ici, ce sera trop dur. Préféré de leurs parents, Peter n'a jamais eu à se battre pour leur affection et leur admiration, et croyait dur comme fer à leur immortalité. Cigale avec leur amour, il ne s'est pas préparé à en manquer un jour. Il partait et savait qu'il pouvait revenir sur un coup de tête, attendu, espéré, jamais ils n'avaient assez de lui.

Peter croise le regard de sa sœur et la pitié qu'il y décèle, ce qu'elle annonce, le terrifie. Il monte s'enfermer dans sa chambre. Une virée stérile sur Facebook suivie d'une descente dans sa boîte mail déjà consultée l'aident à fuir. Il s'attarde sur la réponse à une conversation épistolaire entamée l'avant-veille. Elle concerne le kidnapping de Sean Langan, un journaliste britannique, et de son traducteur, le 28 mars dernier, dans l'est de l'Afghanistan. Pour l'instant, l'incident est resté secret, sauf dans la profession. Une volonté de la famille, de sa chaîne de télévision et des autorités anglaises. L'un des interlocuteurs de Dang s'interroge sur le bien-fondé de cette stratégie. Un autre confrère croit savoir qu'une négociation est déjà en cours pour le paiement d'une rançon. Le chiffre d'un million de livres sterling circule et un cabinet privé serait à la manœuvre pour le compte du diffuseur. À Kaboul, après cet enlèvement, le dernier d'une liste déjà longue, c'est parano à tous les étages.

Peter est impatient de retourner au front.

Son courrier expédié, il rappelle STI, à Sharjah, et tombe sur la même annonce sans issue. Il essaiera plusieurs fois au cours des jours suivants, à des heures différentes, sans que personne décroche jamais.

Ensuite, Peter joint Global Air Services. « Je m'appelle Peter Dang et je suis journaliste. » À l'autre bout du fil, une jeune femme courtoise lui demande ce qu'il veut. « Parler à une personne à même de me renseigner. Je m'intéresse aux activités de votre société en Afghanistan et aux Émirats arabes unis. » Elle le fait patienter.

Un cadre de GAS le prend en ligne après d'épuisantes minutes de musique insipide. Sans s'identifier, il le renvoie vers le service de presse de Mohawk dont il lui file le téléphone. Peter l'interroge, cherche des détails, insiste mais se heurte à un mur. Il finit par remercier le gars et essaie immédiatement la ligne directe obtenue. Une autre femme décroche. À la voix, d'un certain âge. Nouvelles présentations. Elle donne juste son prénom, l'écoute attentivement mentionner son enquête sur la logistique militaire, l'Afgha, Sharjah, les vols vers l'Europe, son souhait de rencontrer un représentant de la société ou même, soyons fous, de visiter les installations de Bagram. Il questionne, elle ne lâche rien, note, c'est une pro, et enfin prend ses coordonnées. Elle va le rappeler. Dans la journée, oui, promis.

Peter file sous la douche, besoin subit de laver frustrations et tristesse. Quand il en sort, un quatrième larron a essayé de le joindre. Le ton de son message n'est pas réservé ou agacé. Il a laissé son nom complet, semble aimable, il travaille pour Longhouse et attend son appel avec impatience.

Assis sur la berge, Sher Ali écoute la Kaboul dont la fonte des neiges a gonflé le débit. Longtemps, le chant des eaux a été pour lui une source de joie, associé, lorsqu'il était plus jeune, aux aventures lointaines promises par l'océan et, plus tard, aux cris émerveillés de Badraï, quand elle courait, au printemps revenu, le long du vif ruisseau de leur village pour chasser les têtards. Ce temps est révolu, il ne faut plus y penser. Ce soir, la rivière n'est plus qu'un obstacle à franchir.

Dans l'obscurité, il distingue le tracé du chemin de rochers par lequel il s'apprête à rejoindre l'autre rive. Là-bas, il peut apercevoir les lignes sombres des constructions les plus proches, des fermes, proximité de l'eau oblige. Certaines sont fortifiées.

Il attend un appel radio de Qasâb Gul. Lui est à l'autre bout de la ville avec une dizaine de combattants du clan, une troupe locale de talibans emmenée par le Moulvi Fawad et deux artificiers venus du Waziristan. Cette force s'est déployée de façon à bloquer l'entrée et la sortie de l'agglomération durant l'assaut.

Nous sommes prêts…

Sher Ali se lève et tout le rivage s'anime. À la tête d'une colonne d'une quarantaine d'hommes, il traverse le gué. Dojou est avec lui. La Kaboul derrière eux, ils se séparent. Un groupe, le plus gros, part avec le Zadran. Ils suivent en silence une piste parallèle au cours d'eau, en limite de zone verte près des habitations, jusqu'à une qalat située à la pointe nord de Gardi Ghos. Le second groupe, plus restreint, sous les ordres de l'Ouzbek, oblique légèrement vers le sud entre les constructions, pour atteindre une maison élevée, à un jet de pierre de l'objectif. Son toit constitue un point haut précieux pour soutenir l'engagement et repérer d'éventuels ennemis.

Cette maison est mal protégée. Dojou n'a aucun mal à en forcer l'accès et capturer ses occupants, une famille pauvre d'une quinzaine de personnes, adultes et enfants. Pris par surprise, terrifiés, ils n'ont pas le temps de se rebeller ou crier, et sont regroupés sous bonne garde dans l'une des chambres de l'étage.

Au signal de l'Ouzbek, Sher Ali déclenche l'attaque principale. La fortification compte une tour basse. Au sommet, une sentinelle somnole sur une chaise. Elle est rapidement neutralisée au couteau, sans un bruit, par trois combattants hissés sur une échelle humaine.

Usant du même stratagème, Sher Ali, AKSU sanglé dans le dos, passe par-dessus l'enceinte et atterrit dans l'une des cours de la ferme. Deux pickups de la Border Police sont garés là, devant le bâtiment où, d'après les rapports des espions envoyés sur place avant-hier, dorment une dizaine de policiers.

Il prend le temps de faire un tour d'horizon et d'écouter, et se dirige ensuite vers le portail principal de la qalat en longeant le mur. Il est verrouillé par un simple loquet taillé dans la masse d'une poutrelle de bois et bloqué par une goupille accrochée à une chaîne. Récalcitrante. Sher Ali essaie de la retirer, le plus discrètement possible. Tout à sa tâche, gêné par les ténèbres et son œil mort qui le prive d'une partie de son champ de vision, il ne remarque pas une ombre sortir du cabanon d'aisance installé à quelques mètres.

C'est un homme de la Border Police et lui non plus n'aperçoit pas l'intrus tout de suite. Lorsqu'il se rend compte de sa présence, captant des mouvements incongrus dans le noir, il ne pense pas à une agression – qui oserait s'en prendre à Tahir, son chef ? – mais croit bêtement que l'un de ses camarades cherche à sortir.

En pleine nuit. Pas en uniforme. Pas normal.

Entre deux cliquetis de chaînette, Sher Ali entend quelqu'un arriver sur sa gauche, enfin. Il se retourne, surpris par cette apparition, mais se ressaisit vite et attrape le kard de son père glissé dans son brêlage. Trop tard pour le fusil d'assaut. Son adversaire se laisse bousculer et ne commence à se battre qu'une fois au sol. L'affrontement se focalise immédiatement sur le poignard, dans un concert de râles étouffés par l'effort. Ils roulent. L'AKSU de Sher Ali se détache dans le noir et le contrôle du couteau lui échappe peu à peu, son adversaire est plus puissant. Trop. La lame se retourne. La lutte se poursuit en grognements, crachats, coups de tête maladroits. Une de ses mains glisse brusquement, lâchant le manche du kard. Elle rencontre la poignée d'un pistolet, au niveau de la ceinture du policier, la saisit, est aussitôt bloquée. Pendant de longues secondes, deux volontés, deux forces s'affrontent, se neutralisent jusqu'à ce que le coutelas ripe, déchire superficiellement l'épaule du Zadran et s'enfonce dans le sol. Sa petite victoire déconcentre suffisamment le flic pour qu'il oublie son flingue. Le canon remonte vers son ventre, un coup de feu claque, l'homme braille de douleur. Un deuxième le fait taire.

Sher Ali repousse le mort et se précipite vers le portail. Il entend les appels de ses combattants dans la ruelle. Plus question de discrétion. Il arrache la goupille capricieuse, relève le lourd fléau et libère l'entrée de la qalat. Des ombres en armes s'engouffrent dans la cour au moment où, en face, une porte s'ouvre sur une silhouette débraillée.

Rafale, rafale, elle tombe.

Un combattant du clan se pointe avec un RPG. Sher Ali lui fait signe de viser l'accès du bâtiment et il pose un genou à terre, ajuste le tube, appuie sur la détente. La roquette pénètre plein cadre, explose à l'intérieur. Il y a un flash blanc, une dépression qui leur pète les oreilles, une brève boule de feu et une bourrasque de poussière brûlée. Sher Ali chope une seconde roquette dans le dos du tireur, l'aide à recharger. Passé le deuxième boum, quatre militants abrités derrière les pickups entrent pour achever les blessés.

Dans l'autre partie de la ferme fortifiée, les tueurs de la tour ont été pris à partie par des sbires de Nawaz. Eux gardent ce que Sher Ali est venu chercher. Il rallie une petite bande et grimpe sur un toit pour passer par les hauts.

Les policiers se sont barricadés dans une annexe et allument tout ce qui bouge à travers les fentes des volets. La voix d'un mec hurlant dans son portable pour prévenir des renforts monte par une cheminée grossière.

À partir de maintenant, chaque minute compte.

Une grenade est balancée par l'orifice. En bas, tout le monde se met à gueuler, se marche dessus, un fuyard saute par une fenêtre, sprinte, accueilli par une volée de 7.62 et poursuivi par la déflagration.

À l'intérieur, plus rien ne bouge.

Le calme revient, trop bref. Des détonations éclatent hors de la ferme, dans le quartier, vers la position de Dojou. Le colonel Tahir Nawaz a de nombreux alliés dans cette ville, pas tous sous l'uniforme. Et des curieux sont probablement sortis de chez eux. À la radio, Qasâb Gul signale de l'agitation dans la caserne de l'Armée nationale afghane, à l'entrée de Gardi Ghos.

Chaque. Minute.

Dans la pièce ravagée, Sher Ali et ses hommes trouvent un survivant, le chef du détachement ennemi. Il s'appelle Akmal, c'est le neveu de Nawaz. Sa cage thoracique a été transpercée par des éclats, il va crever bientôt. Son souffle est bouillonnant, laborieux, son marcel blanc plus saturé de rouge à chaque inspiration. Le khan se penche sur lui. Le garçon, il a à peine dix-huit ans, cherche par réflexe un dernier contact humain, sourit quand il chope un doigt. Dans ses yeux, Sher Ali croit un instant entrevoir son fils et il serre plus fort la main agonisante. Mais déjà le regard devient vitreux, c'est fini. Il prononce une prière silencieuse et recouvre le visage d'Akmal d'un linge.

Un combattant appelle, il a localisé l'entrée de

la cache, une cave de terre battue accessible par un escalier aux degrés de guingois. En bas est conservée une partie du trésor de guerre du chef de la Border Police, des plaques d'opium brut, au jugé plus d'une tonne, plusieurs centaines de kilos de brown conditionnée en gros baluchons opaques, des briques de haschich scellées par du gaffeur et rangées dans des caissettes de métal, et des sacs-poubelle remplis de roupies et d'afghanis. Il y a également de l'anhydride acétique, des armes et des munitions. Tout ce que Rouhoullah avait annoncé.

Une puissante explosion retentit au sud de la ville, très certainement l'un des IED placés sur l'autoroute. Leurs ennemis arrivent, il est temps de partir.

Shere Khan rassemble ses hommes, fait manœuvrer les pickups et organise une noria. Dans l'un des véhicules, les blessés, quatre, et leurs morts, deux. Dans l'autre, l'armement, tout ce qui peut être embarqué. L'argent, l'héroïne et le shit sont déposés dans la grande cour et partiront à pied, avec la troupe.

À la radio, Dojou est prévenu de l'avancement de l'assaut. Il n'a encore perdu aucun combattant et reçoit l'ordre de venir à la qalat. Qasâb Gul et Moulvi Fawad résistent avec difficulté. Des véhicules militaires ont été détruits mais ils sont accrochés par de nombreux soldats. Sher Ali leur demande de tenir encore cinq minutes avant de filer sur leurs motos. Les guetteurs placés sur les hauteurs qui cernent Gardi Ghos ne signalent aucun hélicoptère à proximité. C'est une bataille entre Afghans, les Américains ne s'en mêleront pas, surtout si elle s'arrête bientôt.

Dojou se pointe avec son groupe, huit hommes au lieu des dix du départ. Dans la maison qu'il occupait, il a laissé deux convertis, arrivés des zones tribales avec lui et les artificiers. Des kamikazes, prêtés par Tajmir. Sher Ali le renvoie aussitôt vers les parcelles cultivées avec une partie du butin.

Les voitures s'en vont ensuite, également par la zone verte, en direction de l'ouest, où un gué praticable a été préalablement reconnu. Le Boucher annonce qu'une colonne de 4 × 4 arrive sur l'autoroute et signale son repli. Fawad suit.

Dans la qalat, les cadavres des policiers sont transportés au milieu de la cour, pas question de les laisser brûler, c'est haram. Sher Ali fait répandre de l'essence sur l'opium restant avant d'y mettre le feu et file, lesté de vingt kilos de drogue récupérés en quittant les lieux. Quelques secondes plus tard, il court à travers champs avec ses combattants et il sourit, heureux.

Ils sont en train de retraverser la rivière lorsque les martyrs, sans doute sur le point d'être submergés par l'ennemi, font détoner leurs gilets. Deux grondements successifs, étouffés par des murs, secouent la nuit. Sher Ali s'est figé. Il n'a pas demandé à l'Ouzbek s'il avait laissé partir les otages. Sa joie s'envole. Son épaule blessée se met à lui faire mal et il repense soudain au poignard de son père. Il l'a oublié là-bas. *J'avance sur un chemin sans retour, Spin Dada, il m'éloigne de toi, de moi, de tout.* C'était écrit.

Le chaos règne dans la ville assiégée. Des bagnoles sillonnent les allées et les rues, leurs phares balayant l'obscurité en vain. Il n'y a plus personne à tuer. De hautes flammes s'élèvent de la qalat de Tahir et vers l'A1 d'autres incendies illuminent les ténèbres. Au loin monte l'écho de tirs isolés et de lamentations auxquels viennent répondre les *Allahû akbar !* des hommes du clan rassemblés sur la rive.

Dans les heures qui suivent, les assaillants prennent du champ, se regroupent et, avant de se disperser à nouveau, répartissent les prises de guerre. Les pickups de la Border Police à Sher Ali et les siens, avec l'argent, partagé entre eux et ceux de Miranshah. Ils ont une bonne surprise, au fond de l'un des sacs se trouvent cent mille dollars. Fawad garde les armes. Rouhoullah récupère toute la drogue mais les contrebandiers toucheront leur part sur son transport hors du pays. Les Haqqani aussi, c'est la dîme.

Au matin, une foule d'hommes se presse dans le quartier meurtri de Gardi Ghos, tenue à l'écart de la qalat par un cordon de la Border Police et de l'armée afghane. L'incendie est éteint depuis l'aube et de la rue on ne voit pas grand-chose des dégâts, à l'exception des murs noircis de la tour de guet et des policiers tués durant l'attaque. Leurs cadavres sont alignés devant le portail, sur des charpoys, et cachés sous des draps.

Le colonel Tahir Nawaz passe de l'un à l'autre et prend le temps de dire une courte prière pour chacun. Il s'arrête plus longuement devant le corps de son neveu, s'attarde sur son expression apaisée dans la mort. On lui a rapporté qu'il avait été respectueusement allongé dans la cour, à la différence de ses compagnons d'infortune. Une étoffe lui recouvrait la face. Qu'importe le respect des meurtriers d'Akmal, Tahir les trouvera et les tuera tous.

Son recueillement est interrompu par l'arrivée peu discrète du Bell 412 de 6N. Tout le monde lève la tête et observe l'appareil atterrir dans un champ proche. Il était attendu. Des soldats montent la garde autour de la zone de poser et guident ensuite Voodoo, Ghost, Wild Bill et Rider, tous armés, porte-plaques bien garnis, jusqu'à la ferme assiégée. L'hélico redécolle sans tarder pour se mettre hors de portée d'une éventuelle attaque.

Le colonel afghan semble affecté et sa rage affleure, Voodoo le sent. Il le salue avec toute la courtoisie dont il est capable.

« Ils ont assassiné le fils de mon frère. » L'émotion rend approximatif l'anglais de Tahir.

Voodoo se contente de hocher la tête mais derrière ses lunettes miroir son regard est ailleurs, il scrute la populace. Les visages barbus, moustachus, glabres, sous les pakols, les calots, les turbans, derrière les patous, jeunes, vieux, tous lui adressent la même question sur le ton agressif du silence tendu : « Que faites-vous ici ? » Il ne faut pas rester là, debout en pleine rue, avec tous ces gens, civils et militaires, rassemblés autour d'eux. Ils offrent une trop belle cible. Ses mecs sont mal à l'aise, comme lui, et ont pris position pour couvrir ses arrières. Ils chouffent l'attroupement d'où un kamikaze peut surgir à l'improviste. Voodoo avise le portail entrebâillé de la qalat et prend Tahir par le bras pour le guider vers la cour déserte.

Suivis par quelques policiers, ils vont se mettre à l'abri derrière le mur d'enceinte. Ghost reste près de son boss, Rider mate l'entrée et Wild Bill monte sur le toit du bâtiment principal, pas trop endommagé. Après avoir déplié le bipied de son SR25, il entreprend de surveiller les environs à travers sa lunette.

La colère de Nawaz déborde sans prévenir. « Ils ont osé me voler, moi ! »

Voodoo laisse passer l'orage, un galimatias de pachto et d'anglais, de menaces, d'insultes imagées et de bribes d'explication. Il comprend que l'assaut a été mené par au moins deux cents combattants – probablement beaucoup moins, le colonel est prompt à l'exagération – et qu'en fait seul son taryak a cramé, avec une réserve d'anhydride acétique. Le reste de ce qu'il avait temporairement stocké ici a été emporté par les attaquants. Des témoins les ont vus partir les bras chargés de sacs. Nawaz blâme Rouhoullah.

« Avec quels hommes ? Hekmatyar et lui sont fâchés.

— Moulvi Fawad a été aperçu près de la caserne. »

Voodoo est destinataire de nombreux rapports dans lesquels Fawad, un commandant taliban très actif à Nangarhar, est mentionné. La CIA et l'armée l'ont inscrit sur leurs listes de cibles prioritaires, mais il a pour l'instant échappé aux opérations de capture ou de neutralisation lancées contre lui. Il frappe et se replie de l'autre côté de la frontière, dans les régions tribales de Khyber et Kurram, où il passe beaucoup de temps.

« Il faut tuer Rouhoullah, tu m'entends. Tu vas t'en occuper. » Tahir s'est collé à Voodoo et dans l'énervement, malgré sa petite taille, il lui postillonne à la figure.

Désagréable. L'Américain recule d'un pas. « Non. »

Les flics présents ne pigent pas l'anglais mais ce mot-là, ils le connaissent. Ils ont également capté le ton sec de la réplique.

« Je ne suis pas un de tes larbins.

— Et moi je ne peux pas te donner ce que je n'ai plus. »

Voodoo a besoin de ce nabot pour s'approvisionner, s'enfoncer plus avant dans l'échange d'amabilités serait stérile. Rappeler à Nawaz ses mises en garde contre la vulnérabilité de l'endroit tout autant. Dans l'esprit obtus de l'Afghan, il était impossible que l'on ose s'en prendre à lui ici, dans son fief. Mais le remettre à sa place tout en lui proposant de l'aider reste nécessaire. « Il y a un traître parmi les tiens. » Cette déduction est venue à Voodoo après l'échec du troisième raid de la JSF contre Rouhoullah. Les occupants du labo avaient déguerpi pendant la nuit précédant leur arrivée. Prévenus, à coup sûr. Par quelqu'un de l'intérieur. La même personne a sans doute renseigné le trafiquant pour qu'il puisse envoyer Afzal, l'indic exécuté au RPG, auprès des militaires, afin de débiter sa fable sur des armes talibanes et donner une description précise des camions et leur date de passage à Torkham.

Évidemment, cette histoire de trahison est difficile à digérer pour Nawaz, même s'il y a pensé. Il s'offusque pour la forme et refuse l'assistance de Voodoo par fierté, mais il sait que l'Amrikâyi a raison. Surtout depuis cette nuit. La qalat sert de lieu de stockage de façon irrégulière et jamais très longtemps, deux jours, trois tout au plus. Seul l'un de ses proches ou peut-être un voisin mal intentionné a pu cafter. « Il faut éliminer Rouhoullah.

— Ce n'est pas le moment. »

L'Américain est réticent et cela ne surprend pas vraiment Tahir, il l'a toujours su au fond de lui, ces gens sont sans courage et sans honneur, des barbares méprisables, indignes de l'amitié qu'il leur offre. Il ne fait aucune remarque, l'entrevue est terminée. Il réglera ses problèmes seul, vieille habitude.

« Trouve-moi de la marchandise, je paierai à nouveau. » Voodoo encaisse sans rien dire le regard méprisant du chef de la Border Police et le laisse s'éloigner avec ses hommes avant d'interpeller Wild Bill. « Contacte l'hélico. »

Ghost s'est rapproché. « On a un problème ? » Lui aussi a senti l'hésitation de son pote.

Oui, on a un problème, tu t'enfiles trop de saloperies, je sais plus qui t'es. Voodoo ne répond pas tout de suite, il n'est pas sûr de pouvoir encore compter sur Ghost et il aurait bien besoin de se confier à quelqu'un. Hier soir, il a reçu un coup de fil de Falls Church. Son boss, le boss de son boss et le grand boss de tous les boss, Zinni. Ça puait. Ils n'appellent que rarement et jamais tous ensemble. Un enculé de journaliste, un certain Peter Dang, une vraie teigne selon eux, s'intéresse aux vols de Mohawk entre Kaboul et Pristina ; il veut savoir quoi, pourquoi, pour qui. Et eux se liquéfient. Les retombées financières du conflit afghan sont énormes pour Longhouse et rien ne doit venir les menacer, surtout en plein milieu d'une année électorale où les cartes risquent d'être redistribuées. Ils ont posé des questions, Voodoo les a rassurés. Les marchandises transportées sont dans les clous de la mission 6N, du matériel sensible et des armes à la limite de la légalité, parfois des gens, le genre cagoulé option survêt' orange, couches pipi et suppos pour faire de beaux rêves, rien d'autre. Ensuite, il a contre-attaqué, faut-il tout arrêter, parce que l'Agence risque de râler si ses milices locales manquent subitement de joujoux pour leur sale petite guerre. Ils peuvent essayer d'autres routes ou sources d'approvisionnement, même si celles utilisées à l'heure actuelle sont bien pratiques. *Et elles m'arrangent à fond*, une pensée que Voodoo a gardée pour lui. On lui a répondu de ne rien changer dans l'immédiat mais aussi de ne rien laisser traîner, en particulier à Bagram.

Il n'a pas aimé toutes ces questions. Et ses patrons ont été peu enclins ou incapables de lui dire comment ce fameux Dang avait été mis sur la piste des avions de la boîte. Savoir d'où vient le danger lui permettrait de mieux y réagir. Ils ont promis de le tenir au courant, Voodoo ne les a pas crus. Il est un simple pion qu'ils sacrifieront au besoin.

Pourquoi ça part en couilles maintenant, putain ? Une grosse année, il a encore besoin d'une grosse année. Pas question que des connards, journaliste, camé, colonel de merde ou planqué affairiste, lui niquent sa retraite. Ghost attend toujours sa réponse, alors Voodoo louvoie. « Des moudjes dehors la nuit, c'est rare. Et ceux d'hier ont travaillé propre. L'ami Nawaz a été trop gourmand, il s'est foutu dans la merde.

— Et faut pas qu'on se fasse éclabousser. »

Voodoo acquiesce.

« Tu veux faire quoi ?

— Être malin.

— Je suis clean ! »

La sueur sur son front, ses tics, son regard fuyant disent tout le contraire. *Tu t'enfonces, petit frère.* « Je sais. » *Et tu piges tout de traviole.* « Garde ça pour toi. » Pour cette minuscule confidence, Voodoo est récompensé d'un sourire qui le peine, il est beaucoup trop désireux de plaire.

L'hélico se pointe et, avant de descendre du toit, Wild Bill siffle pour les prévenir. Rider rejoint la ruelle. Devant la qalat, toujours autant de monde. Des policiers chargent les morts à l'arrière de camions, il est temps de les ramener à leurs familles. Voodoo dégage, suivi de Bill.

Au moment de quitter la ferme, l'attention de Ghost est attirée par un reflet au sol. Dans la terre battue friable de la cour, il déterre un poignard traditionnel afghan dont la longue lame effilée est couverte de sang séché et de sable. Content de sa trouvaille, il la glisse dans son dos le long de son tomahawk et rattrape ses copains. Pas plus que les autres il ne remarque un gamin planqué parmi les adultes avec une caméra vidéo. Il filme discrètement depuis leur arrivée.

11

Le camp de moudjahidines se trouve en altitude, près d'un col venteux, dans un désert de rocailles et de grottes. Elles servent de bunkers naturels. Sher Ali, le jeune Fayz et une trentaine d'hommes du clan, accompagnés d'un natif du coin, l'atteignent à la nuit tombée, après trois heures d'une ascension éprouvante au départ du village de Shabak Khel, dans le district de Shwak, en Paktiya.

Ils sont accueillis, et c'est une surprise, par Tajmir. Voilà presque un mois que Sher Ali ne l'a pas vu, n'a pas eu de nouvelles directes, et il reste distant quand l'autre le salue, insensible à ses compliments.

« Siraj était satisfait après Gardi Ghos. »

L'argent aura aidé à faire passer la pilule de cette initiative personnelle.

« Ceux de Goulbouddine se sont plaints. Mais qui se soucie d'eux ! » Tajmir éclate de rire et entraîne Sher Ali vers l'une des cavernes.

« Que fais-tu ici ? »

Taj baisse d'un ton, se fait conspirateur. « Je suis venu à Gardez pour voir des gens de Kaboul. » Il n'en dira pas plus, même s'il en crève d'envie, et ressent une pointe de déception quand Sher Ali ne manifeste pas la moindre curiosité.

Une toile sombre protège l'entrée et empêche lumière et chaleur de sortir. À l'intérieur, les deux hommes traversent d'abord une antichambre fortifiée, dans laquelle des talibans aux visages poupins sous leurs barbes clairsemées montent la garde, poussent plus profond et arrivent dans une vaste cave, tout à la fois hujra, cuisine et dortoir. Il y a là plus de vingt combattants qui roupillent, mangent ou discutent dans un confort sommaire, humide et enfumé par quelques petits foyers.

Omer Gul, le chef, il règne sur Shabak Khel et tous ses environs, se lève et vient les saluer. Il semble heureux de rencontrer enfin le légendaire Sher Ali, se montre chaleureux, propose le thé. Ils vont s'asseoir, Omer fait le service, verse le breuvage, le trouble avec du lait, sert le sucre, le *gur*, à base de jus de canne séché, en grande quantité. Sher Ali est un invité d'honneur, il tient à le lui montrer. Ensuite, ils boivent en silence, prenant le temps de quelques gorgées avant de parler.

« Les miens m'ont prévenu que la voiture était bien arrivée. »

Sher Ali hoche la tête. Il est venu ici livrer de l'engrais, des tenues militaires afghanes et l'un des pickups de la Border Police volés à Gardi Ghos. Et combattre. « Quand attaquons-nous ?

— Dans trois jours, à Ibrahim Khel. » Omer explique que la cible est une jirga de représentants de ce village, d'officiers de l'ANA, d'Américains et de sous-traitants de la société indienne chargée du développement de l'axe Khost-Gardez. Y seront négociés l'aide des villageois pour les travaux et la sécurité de la zone, et les paiements à recevoir en échange de leur bonne volonté. À Shabak Khel, les anciens voient d'un très mauvais œil que leurs meilleurs ennemis et pas eux gagnent tout cet argent. Ils ont fait appel à Omer Gul et ses combattants pour nuire à la réputation de leurs voisins de vallée en empêchant cette assemblée. Siraj a approuvé. Tout ce qui peut perturber l'avancée de ce maudit chantier d'autoroute dont ils ne veulent pas convient aux Haqqani. « Nous mettrons une bombe dans la voiture que tu nous as donnée. Ils ne se méfieront pas de nos martyrs en uniforme. Après, toi et moi nous tuerons tous les survivants avec nos hommes. Ce sera une grande victoire.

— Si Dieu le veut. »

Plus tard, après le repas et la prière du soir, Taj attire Sher Ali à l'écart. « À Miranshah, ils aimeraient que tu n'ailles plus à Nangarhar. Pour le moment. »

Si ce n'est pas un commandement, cela y ressemble, et Sher Ali se demande s'il vient de Sirajouddine ou de Tajmir s'abritant derrière Sirajouddine. Ce dernier a l'oreille de l'héritier de Jalalouddine, plus que ses propres chefs de guerre. L'ISI, disent les envieux, dicte leur conduite aux Haqqani. Cette même ISI qui n'a jamais totalement rompu avec son ancien protégé, Goulbouddine Hekmatyar. Finalement, peut-être doit-on se soucier des humeurs du vieux chef du HIG. « Je vais où il me plaît. Je retourne là-bas après l'embuscade pour en savoir plus sur ces étrangers alliés de Tahir Nawaz. Je connais leurs visages à présent.

— Méfie-toi de Rouhoullah, ce serpent maléfique. » L'agacement de Tajmir est perceptible. « Tu es avec nous, mon frère, mieux vaut nous écouter.

— Qu'ai-je donc à écouter, d'autres ordres ? »

L'insolence manifestée par Sher Ali est dangereuse. Au cours des dernières semaines, Siraj a fait exécuter trois commandants qui avaient désobéi ou mal obéi à ses ordres.

« Un nom. J'ai trouvé celui qui vend ses chevaux aux Américains. Il s'appelle Haji Moussa Khan. »

Shabnameh distribuée en Paktiya à partir du 20 avril 2008.

Aux habitants du district de Zourmat.

Nous informons ceux qui aident les Américains à construire les routes et déshonorent les vrais Musulmans que leurs gardiens étrangers ne seront pas là pour les protéger toujours. Retenez la leçon infligée aux esclaves des russes, bientôt vous tomberez sous les balles et les couteaux des Moudjahidines. Nous connaissons les noms et les maisons de tous.

Respectueusement.

« Attrape. » Voodoo balance à Ghost un téléphone satellite, pris au milieu du fatras d'autres terminaux, tous de fournisseurs télécom différents, qui traîne sur son bureau. « Tu pars à Torkham. » Il montre du menton une malle kaki rangée à ses pieds. « Pour payer ça.

— Reçu.

— Le Bell est en vadrouille, vous volez avec Jessie, il est prévenu.

— Vous ?

— Tu y vas avec Fox.

— Pourquoi ?

— Rider et Wild Bill sont pas là et moi je peux pas. »

Data ouvre le coffre-fort et en extrait des liasses de dollars. « Cent à deux mille l'unité. » Il les compte à voix basse et les range au fur et à mesure dans une besace. « Et deux cent mille. » Il la tend à Ghost sans que celui-ci la prenne.

« Depuis quand Fox est dans le coup ?

— Depuis que je l'ai décidé.

— Tu m'en as pas parlé.

— T'es pas vraiment dispo ces derniers temps. »

Ghost arrache le pognon des mains de Data et fait demi-tour, mécontent. Dans son dos, Voodoo lui lance le *merde* traditionnel des opérateurs, « impose ta chance ! », mais ce matin il est à double sens, Ghost doit arrêter de déconner, vite. La porte claque. Data referme le Chubb et ose un « il part vraiment en couilles » qui ne s'adresse à personne en particulier. Voodoo fixe un long moment l'entrée.

Casque d'iPod sur les oreilles, en T-shirt, short et tongs, Fox nettoie ses armes assis sur une toile plastique tendue par terre dans le cagibi de contreplaqué qui lui sert de chambre. Devant lui, démonté, son AKM spécial zones tribales. À côté, un Colt M4, un HK416, deux pistolets Glock, un Beretta 92F piqué à un officier pakistanais et un Sig P220 Combat attendent leur tour. Il n'entend pas les premiers mots de Ghost lorsque celui-ci se pointe, note juste qu'il trimballe une M249 Para avec une optique Trijicon et a enfilé son porte-plaques. En plus de la pochette souple couleur camouflage déjà engagée sur la mitrailleuse, deux autres, renfermant également des bandes de cent 5.56, sont fixées à son gilet. Fox éteint la musique et vire ses écouteurs. « Tu pars à la guerre ?

— Décollage dans vingt minutes.
— On va où ?
— Torkham. »

Quand Fox demande ce qu'il y a dans la besace, Ghost l'envoie chier, pas ses oignons. « Je t'attends au hangar, grouille. »

Le vol aller se passe sans incident. Leur hélico est une version civilisée du MH6 Little Bird employé par les forces spéciales US, maniable, rapide, peu encombrant. Il fonce plein est à plus de deux cents à l'heure, sans portières, à l'aplomb du trafic assez dense de l'A1, suivant les reptations de la fertile vallée de la rivière Kaboul. Champs et vergers offrent à l'œil vagabond de Fox un spectacle coloré, contraste bienvenu avec le nuancier gris désert des montagnes, éternelles vigies dressées à l'horizon. Il a beau chercher, il n'aperçoit nulle part le rose sale appuyé si caractéristique du pavot en fleur. À Nangarhar, la culture de la plante, très limitée, s'effectue en secret dans des combes perdues. Ailleurs dans le pays, elle s'affiche avec moins de retenue et dans certaines provinces, carrément au grand jour.

Ghost a pris place à l'avant, à droite de Jessie. Il fait la gueule, enfermé dans sa petite prison perso de tension agressive et, avec sa M249, prend des visées compulsives sur l'autoroute. Le mec va imploser. À quelques poussières près, vingt années sur la brèche, d'une paix relative à la guerre totale, de troufion à sous-off, des Rangers à la Delta et à la CIA, pour finir chez 6N, à relever des défis, tout d'abord contre soi, contre ses camarades et ensuite avec eux, contre tous les ennemis désignés, les tangos, les corbeaux, les méchants, les hajis, les enculés, motivé, entraîné, testé, suivi, contrôlé, réparé au besoin, testé à nouveau, contrôlé encore et encore, présélectionné,

sélectionné et remis en cause, toujours, même adjugé et intégré à l'élite, renvoyé patauger dans un inconfort plus grand, une fatigue infinie, une peur de tous les instants, l'adrénaline à haute dose et la mort partout, qui déteint et dégoûte et marque, même si personne dans la caste n'osera l'avouer, on en chie tous ensemble, isolé dans sa tête. À la merci de tout, tous, tout le temps. Certains en crèvent, d'autres lâchent l'affaire au bon moment ou traversent tout ça comme si de rien n'était. Quelques-uns se brisent d'avoir trop tenu bon. Ghost fait partie de ceux-là et il résiste de plus en plus mal. Et seulement à grand renfort d'expédients. Au fond, Fox ne peut qu'avoir pitié de lui, ils sont dans la même galère, Ghost a juste pris de l'avance.

Le coup du whisky a peut-être fonctionné mais plus sûrement un clou est en train de chasser l'autre. Autrement, Fox ne serait pas dans cet hélico. Et ça l'emmerde d'endosser une fois de plus le costume du traître et d'être l'instrument d'un double cocufiage. Si seulement Voodoo avait rattrapé son pote à temps. Si seulement il n'y avait pas de cash dans le sac posé entre les pieds de Ghost ; pas besoin d'être Madame Soleil pour deviner son contenu. Quoi qu'ils aillent foutre à la frontière, ça vaut pas mal de fric. Incident à Torkham, paiement à Torkham, il se passe plein de trucs à Torkham, ou plutôt avec le boss de Torkham, le caractériel Tahir Nawaz. L'un des récipiendaires habituels des largesses de la CIA. Fox aimerait ne voir là qu'un geste destiné à calmer les humeurs du petit colonel mais cela ferait deux fois ce mois-ci et l'autre ne les vaut pas.

Ils arrivent à destination en moins d'une demiheure. Ghost débarque, après qu'ils se sont posé à l'écart de la base de la Border Police, du passage frontière et des yeux indiscrets des militaires US, se fait instantanément pourrir par la poussière et rejoint un pickup qui attend. Il revient rapidement, le temps de filer la besace au blasé Naeemi, et Fox, même s'il n'a pas envie d'affronter son hostilité et craint la vérité, se force à poser à nouveau la question : « Qu'est-ce qu'on est venus branler ici ? »

Ghost ne répond pas, c'est heureux, se contente de faire signe d'y aller. Ils redécollent. Au retour, même spectacle de six pieds de long, ennui technicolor. Ils doivent virer au nord à l'approche de Fenty et se mettre en attente, le ciel est encombré. Débute une boucle lente au-dessus de la plaine de parcelles cultivées et de hameaux de fermes en face de la base. Quand celle-ci se fait allumer à la roquette, ça vient souvent de là, un vrai nid à embrouilles.

Jessie prend conscience de voler un peu bas et commence à grimper quand une série de pings retentit contre le fuselage. Une balle vient percuter le plafond, à l'intérieur de l'appareil, au-dessus de la tête de Fox et lui projette des éclats au visage. Elle a tapé fort, c'est du 7.62. Il jure en français, surpris, mais personne ne fait attention. D'autres ogives pénètrent la bulle à l'avant et traversent le pare-brise. L'une d'elles se fragmente sur le montant de la portière, au niveau de l'épaule de Ghost, en limite de protection balistique. Des morceaux lui déchirent le haut du bras, déclenchant une bordée d'injures au moment où le pilote gueule à la radio « contact tribord ! » et effectue une manœuvre d'évitement sur la gauche.

À l'arrière, Fox s'accroche. Il essaie de repérer le point d'origine des tirs mais n'a plus d'horizon pendant de longues secondes. Il ajuste sa ligne de vie, vérifie son mousqueton, assure sa position et relève son 416 prêt à aligner une cible.

L'appareil semble tenir le coup. Ils s'éloignent et l'alerte est lancée sur les ondes.

« Putain d'enculés de leur mère ! » Ghost avait envie de faire payer quelqu'un aujourd'hui et sa colère vient de trouver un exutoire. « On se les fait ! » Le refus de son voisin le fait exploser.

« On y retourne. » Fox est lui aussi en rogne. « Ghost, ça va ? »

Le sourire carnassier de l'Américain est la seule réponse à cet inattendu soutien. « Occupe-toi de ton front ! » Il cogne le biceps de Jessie. « T'as entendu mon pote, on y retourne. »

Le pilote cède, manœuvre, annonce ses intentions à la tour de la FOB. Ils n'obtiennent pas l'autorisation attendue mais il est trop tard, ils sont déjà revenus au point d'accrochage.

Sans perdre les champs de vue, Fox essuie le sang qui lui coule sur le nez d'un revers de la main, il s'en fout plein le gant, râle, et aperçoit in extremis deux silhouettes courir vers une rangée d'arbustes plantés au bord d'un canal d'irrigation. Des hommes. Ils n'ont rien dans les mains et ressemblent à des paysans. Sans son arme, n'importe quel taliban ressemble à un paysan. Et beaucoup de paysans sont aussi talibans. Évidemment, lorsqu'on les flingue, ils se transforment tous illico en martyrs collatéraux par l'opération du Saint-Esprit médiatique. Les bonnes âmes n'en ont rien à carrer que ces connards planquent souvent kalaches et RPG au milieu de leurs cultures, pour les récupérer ou les abandonner au gré des circonstances, et mieux flinguer dans le dos leurs concitoyens en uniforme ou les soldats de la coalition.

Fox signale les fuyards.

Ghost entend, les repère à son tour, exige qu'ils

foncent sur eux, « putain tourne, donne-moi un angle ». L'hélico se met à glisser latéralement. Dès qu'il le peut, le paramilitaire envoie la purée. La M249 crache quatre salves courtes, soulève de la terre, fait sauter quelques feuilles et des bouts d'écorce, rate de pas grand-chose.

Les mecs ont plongé dans le fossé. Le Little Bird descend, plus bas et il taille les haies, et passe au-dessus d'eux. Fox vise la tranchée. Sous les patins, il voit clairement les deux gusses barbotant comme des merdes dans trente centimètres de bouillasse, enregistre leurs visages terrifiés, adolescents, l'absence d'arme. Ils leur ont peut-être tiré dessus. Ou peut-être pas. Ils n'ont aucune arme. Il se retient d'ouvrir le feu.

« Bordel, tu branles quoi ? » À la radio, ça hurle. Ghost par-dessus tout le reste, contrôle Fenty compris. Après le pilote, après l'autre sans couilles, après la terre entière. Il lâche une rafale prolongée en direction des arbres. Trop haut, trop loin, trop tard.

Fox jette un œil vers la base. L'accès principal est ouvert, des véhicules de l'ANA en sortent, ils viennent par ici. « On dégage.

— Reçu. » Jessie obéit sans attendre.

« On n'a pas fini ! »

Le pilote ignore son turbulent voisin. Fox calme le jeu, ils courent le risque de se faire salement allumer s'ils restent là trop longtemps. Il a raison, Ghost le sait. Il repense à Voodoo, à ses mises en garde et, à contrecœur, décide de laisser courir. Rentrés au bercail, ils apprennent que les gamins ont disparu avant l'arrivée des soldats. Un fusil-mitrailleur RPK a été retrouvé à environ cent mètres du canal.

La nouvelle, prévisible, fait sourire Fox, il n'a pas de regret. Il traîne un peu au hangar, le temps d'arrondir les angles avec Jessie et les mecs de Mohawk, et de s'assurer que tout va bien. Ils lui filent de l'eau et des compresses pour nettoyer ses blessures et il va prendre la mesure des dégâts dans un rétroviseur. Il a deux impacts superficiels au-dessus de la tempe droite et une belle entaille en biais du milieu du front au sourcil gauche. Il aurait dû prendre son MICH.

Quand Fox rejoint les bureaux de 6N, il est aussitôt agressé par Ghost. « Au cas où t'aurais pas saisi, on est là pour buter des moudjes.

— Première nouvelle.

— Ouais. On est là pour en buter, en buter plus et en buter encore. Pour pas qu'ils nous butent eux, ou nos potes, ou les potes de nos potes. Et on va le faire jusqu'à ce qu'il n'y ait plus un seul de ces fils de putes debout. » Ghost est venu coller son visage à quelques centimètres de celui de Fox.

« T'es plus à l'armée, Ghost, il serait peut-être temps de percuter. »

Data observe les deux hommes, curieux de la suite.

Voodoo intervient. « Ça suffit.

— Ce connard va tous nous faire plonger !

— Tu la fermes, Ghost, et tu files voir le doc. »

Toute la manche droite du haut de treillis Crye du paramilitaire est rouge sang. « Ça va, je t'ai dit.

— Tu y vas. Maintenant. Je passe te voir après. »

Ghost sort. Voodoo fait asseoir Fox, jette un œil à sa tronche. « Toi aussi, il faut que tu y ailles.

— Je préfère lui laisser un peu d'avance. »

La remarque les fait tous marrer.

« Vous avez de la flotte ? »

Voodoo se lève pour aller chercher un pack d'eau minérale. « Désolé pour la fin de la balade. » D'un signe, il montre le coffre-fort à Data.

« T'y es pas pour grand-chose.
— Je t'ai envoyé là-bas avec Ghost.
— Personne d'autre pouvait l'accompagner.
— Tu aurais dû y aller seul.
— Je me serais quand même fait allumer au retour. »

Voodoo tend une bouteille à Fox, le fixe longuement, acquiesce avec l'air d'apprécier la réponse. Il reprend place derrière son bureau.

Fox remarque seulement maintenant la cantine métallique cadenassée. Ce n'est pas la première qu'il voit traîner ici. Il reçoit une enveloppe fermée de Data. « C'est quoi ?
— Une prime. »

Voodoo ajoute : « Dix mille dols.
— La même que pour Nawaz ?
— Lui, il a eu plus. Et pas pour les bonnes œuvres de la Border Police.
— Pourquoi maintenant ?
— On peut compter sur toi. »

Un clou chasse l'autre. « Tu en distribues beaucoup, des comme ça ?
— Ça dépend si t'en veux plus ou pas. »

Fox glisse l'enveloppe sous son porte-plaques, il sourit à Voodoo.

23 AVRIL 2008 – PAKTIYA : DES INSURGÉS ATTAQUENT UN CHEF-LIEU de district. Après avoir fait exploser un véhicule militaire volé à proximité d'un poste de police, plusieurs dizaines de talibans ont essayé de s'emparer du bâtiment où se tenait une importante réunion. Ils ont été repoussés par l'Armée nationale afghane assistée de soldats de l'ISAF. Quatre personnes ont été tuées et dix-huit autres blessées parmi lesquelles se trouvent des policiers, un ancien du village d'Ibrahim Khel et des enfants. Quinze militants ont péri au cours de l'affrontement et six autres ont été capturés [...] Zabiboullah Moujahid, porte-parole des talibans, a déclaré : « Nos martyrs ont empêché la construction de cette autoroute qui nous gêne et ne présente aucun intérêt pour les habitants. Elle permet seulement aux infidèles de poursuivre leur invasion. »

Il y a deux Peshawar. Une Peshawar moderne, développée à l'est autour de l'université et d'un quartier d'affaires, le long de cette autoroute N5 au trafic incessant qui mène, à cinquante kilomètres de là, à la passe de Khyber et, au-delà du poste-frontière de Torkham, à l'Afghanistan en guerre. Et une deuxième plus ancienne, marquée par les ethnies, civilisations et conquérants qui s'y sont succédé, abritée derrière ses vieilles fortifications, plantée de hautes portes de briques rouges rongées par le temps et la pollution, et parcourue de bazars aux noms évocateurs, le Bazar des Conteurs, le Bazar aux Oiseaux et bien d'autres encore.

Une perle touristique. Dans laquelle il est néanmoins fortement déconseillé de venir flâner. Ici, avec la bénédiction des maîtres espions d'Islamabad et l'argent de l'Arabie Saoudite, la CIA a financé, recruté, entraîné et armé des centaines de combattants pendant l'invasion du voisin afghan par les Russes. Et la ville a gardé de cette euphorique période des stigmates nombreux. Certains vous sautent tout de suite à la gueule, les civils aux airs de talibans, en armes dans les rues, la multitude de madrasas, l'omniprésence des mosquées. D'autres sont plus subtils, dissimulés aux yeux des profanes. Les services secrets pakistanais sont partout, ils veillent, et leurs sbires manipulent la plupart des succursales locales des petites entreprises de résistance, ou terroristes c'est selon, actives dans cette partie du monde. Et même parfois ailleurs, très loin. À bien des égards, Peshawar pourrait revendiquer le titre de capitale mondiale du djihadiste en campagne.

Tajmir aime revenir ici, il apprécie la richesse et l'énergie des marchés mais surtout la ferveur des écoles et des salles de prière, et cette longue histoire à laquelle Allah lui a permis de participer. Il a vu le jour dans la province de Khost mais il est né véritablement dans cette cité, à la mort de son père, parti faire la guerre sainte. À Peshawar, petit gamin pris en main par l'ISI, il a découvert le vrai sens de sa vie.

Il boit un thé au fond d'une échoppe située à deux pas de la Porte de Ganj, entrée du bazar du même nom, en compagnie d'un homme d'un certain âge, au crâne dégarni sous son topi immaculé. Son compagnon termine de régler quelque affaire au téléphone et Taj se laisse hypnotiser par le flux et le reflux de la houle bigarrée et bruyante canalisée dehors par la ruelle. Une rêverie de sons, couleurs et mouvements de nature à calmer la tension des dernières semaines. Aujourd'hui est un jour d'exception et sa présence en ce lieu, à la date de la commémoration de la Journée des Moudjahidines, fête du retrait des troupes soviétiques, est très symbolique.

« C'est fait. »

Tajmir sourit. « Merci. » Celui avec qui, ce matin, il partage son thé s'appelle Yasir Afridi, c'est un *hawaladar*, agent réputé d'un très ancien système de transfert de fonds basé sur la confiance et la parole de ses opérateurs. Il vient de conclure une série de transactions avec des homologues afghans. Eux vont, après ponction d'une modeste commission, verser à des bénéficiaires auxquels un paiement a été promis en échange de leurs services les sommes attendues. Aucun argent ne sera physiquement échangé entre Yasir et ses confrères, les montants dus seront compensés plus tard dans l'année par d'autres dettes ou du troc. La *hawala* est pratique, rapide, peu coûteuse et totalement opaque, idéale pour les criminels et les terroristes. Depuis des années, elle fait chier les services de police et de renseignement du monde entier.

« Un autre ? » Yasir hoche la tête et Tajmir leur sert un second chai. Dans un bol, il prend une capsule de cardamome et l'écrase entre ses doigts avant de saupoudrer leurs tasses avec les graines ainsi extraites. Vaporisée par la chaleur du breuvage, l'essence agréablement camphrée de la plante chasse un instant les remugles du bazar. Taj inspire profondément, ce parfum lui rappelle son enfance. Et son père.

Trois téléphones sont posés devant lui. Un terminal Thuraya et deux mobiles jetables. L'un de ceux-là se met à sonner. Tajmir fronce le sourcil, vérifie l'heure sur l'écran à cristaux liquides. Presque neuf heures et demie. L'unique personne possédant ce numéro se trouve à Kaboul et ne devrait pas être en train de l'appeler. Il décroche, par réflexe répond au *salâm* qu'on lui adresse, écoute.

Yasir perçoit la voix anxieuse et lointaine d'un interlocuteur très agité, des bruits semblables à des coups de fusil et la frustration grandissante des réponses de son voisin.

« Ta place est bonne… Si tu es trop loin, tire donc sur les gradins et la foule… Et utilise plus de roquettes… Vous êtes des combattants d'Allah, soyez dignes. » Tajmir raccroche. Il ne semble vraiment pas content. Il retire puce et batterie de ce premier portable puis récupère le deuxième, compose un numéro, patiente. « Il vient de m'appeler… Je ne sais pas, mon frère… Ils ont coupé ? Peut-être ont-ils réussi… À bientôt. » Il démantèle le second téléphone, détruit les puces en les brisant avant de noyer les morceaux dans le pot de thé, et invite le hawaladar à l'accompagner dehors. Arrivé dans la rue, il donne les jetables à l'un des trois gardes du corps qui se sont levés avec lui et l'homme va les écraser un peu plus loin. Tajmir salue chaleureusement Yasir, le remercie une dernière fois et file avec ses gorilles. Il ne remettra pas les pieds dans cette chai khana avant des mois.

27 AVRIL 2008 – QUATRIÈME TENTATIVE D'ASSASSINAT CONTRE HAMID KARZAÏ. Kaboul. Le président Hamid Karzaï a survécu ce matin à une attaque déclenchée pendant la parade militaire organisée à l'occasion du seizième anniversaire de la victoire des moudjahidines sur le gouvernement communiste prosoviétique de Mohammed Najiboullah [...] Les talibans auraient pris position dans un immeuble situé à la périphérie de l'esplanade où se déroulait le défilé. À l'aide d'armes automatiques et de roquettes, ils ont ouvert le feu sur le podium présidentiel où étaient assis de nombreux membres du gouvernement, des généraux et des dignitaires étrangers. Une personne est morte et plusieurs autres ont été blessées. **28 AVRIL 2008 – HAMID**

KARZAÏ ÉCHAPPE À UN ATTENTAT perpétré durant le défilé de Kaboul [...] Peu avant d'interrompre la retransmission de son direct, la télévision nationale a filmé des députés touchés par des tirs avachis sur leurs sièges. L'un d'eux, assis à moins de trente mètres du président Karzaï quand la fusillade a éclaté, est mort des suites de ses blessures. Deux autres personnes sont décédées, un chef tribal et une fillette touchée au cours d'un échange de coups de feu entre les forces de l'ordre et les terroristes. Onze personnes, surtout des militaires et des policiers, ont par ailleurs été blessées [...] « Trois de nos combattants ont été tués mais trois autres ont pu fuir », a affirmé Zabiboullah Moujahid, en ajoutant que « nous ne pouvons pas célébrer l'Afghanistan libre, l'Afghanistan est occupé par les infidèles ». [...] D'ores et déjà, les investigateurs soupçonnent le réseau terroriste de Jalalouddine Haqqani, soutenu par l'ISI, d'être le commanditaire de cette attaque, mais une autre source, anonyme, aurait revendiqué l'attentat pour le compte du Hezb-i-Islami Goulbouddine, l'organisation combattante de Goulbouddine Hekmatyar. **29 AVRIL 2008 – ATTENTAT CONTRE LE PRÉSIDENT KARZAÏ : QUESTIONS autour de la sécurité** [...] L'armée, la police et le renseignement, tous impliqués dans le dispositif de protection déployé à l'occasion de la commémoration, semblent avoir été pris de court par l'audace de l'attaque. À l'heure qu'il est, les différents services se rejettent la faute les uns sur les autres et nul n'est en mesure d'expliquer comment les talibans ont pu apporter des armes aussi près des gradins. Ces dernières années ont surtout été marquées par des attentats à la voiture piégée ou de la part de tireurs isolés, et la dernière opération de cette envergure est l'attaque contre l'hôtel Serena, en janvier [...] Dans son communiqué, Zabiboullah Moujahid, porte-parole des insurgés, précisait que « l'OTAN et les autorités afghanes n'ont cessé de répéter que nous étions sur le point d'être anéantis. Nous venons de leur prouver que nous pouvions frapper aussi bien dans les provinces que dans la capitale ».

Pénétrer dans Bagram deux jours après l'attentat contre le président afghan se révèle compliqué, malgré les rendez-vous confirmés et l'autorisation que Peter a pris soin de faire renouveler avant son retour à Kaboul. Dang s'attend au pire en se rendant ensuite dans la zone réservée aux OGA pour sa première interview du matin, mais la présence de Dan Keating, le cadre de Mohawk qu'il est venu rencontrer, l'aide à passer les points de contrôle intérieurs sans encombre. Une heure quarante-cinq minutes après être arrivé, il parvient enfin au bâtiment aperçu quelques semaines plus tôt, de loin, en compagnie du sergent Canarelli. Pas d'avion garé devant ce matin, juste un hélicoptère de transport d'un type inconnu de Peter, sans doute pas américain. À l'intérieur, il y en a un autre, plus petit, gris anthracite, version civile d'un modèle employé par certaines unités de l'armée US. Son pare-brise constellé d'impacts est en cours de remplacement.

Les deux hommes rejoignent des Portakabin aménagés en bureaux installés au fond du hangar. Peter note la présence d'autres modules préfabriqués, d'espaces de stockages protégés par de solides grillages et d'un important système de vidéosurveillance. Tout est bien rangé sous l'immense abri, rien ne traîne, à croire que le ménage a été fait pour sa venue. Il n'aperçoit aucune affichette, plaque ou étiquette portant les noms ou logos de Longhouse, Mohawk, Oneida ou le mystérieux sigle 6N, et le personnel s'est fait discret. En fait, il n'y a pas âme qui vive à part eux et les mécaniciens.

Après une première heure détendue, au cours de laquelle sont évoqués les périmètres des partenariats conclus avec l'état-major et les problèmes spécifiques posés par la coopération avec des structures militaires à la lourdeur légendaire, Peter se risque à évoquer les activités de l'autre filiale de Longhouse présente sur le site, Oneida.

« À ma connaissance, Oneida ne possède aucune représentation à Bagram.

— Vous ne partagez pas ces locaux avec eux ? »

Keating sourit et secoue la tête.

« Je suis surpris, ne se font-ils pas livrer du matériel ici ?

— Non.

— On m'a pourtant affirmé le contraire.

— Qui ? »

Au tour de Peter de sourire. « Donc le 28 ou le 29 février dernier, il n'y a pas eu de livraison à Bagram, dans ce hangar ou ailleurs, de conteneurs destinés à la société Oneida ou à une autre entité dénommée 6N ? »

À la mention de 6N, Keating plisse très légèrement les yeux. « Une fois de plus, pas que je sache.

— Non et pas que je sache, ce n'est pas la même chose.

— Non.

— Non ce n'est pas la même chose ou non pas de livraison ?

— Non pas de livraison.
— Qu'est-ce que c'est 6N ?
— Je ne sais pas.
— C'est un service interne à Mohawk ou à Oneida ? Un programme ? Une autre filiale de Longhouse International ? »
Aucune réaction.
« Quelles sont les activités d'Oneida en Afghanistan ?
— Il faudrait le leur demander. Moi, je travaille pour Mohawk.
— Donc ils travaillent bien en Afghanistan ?
— Je ne suis pas un employé d'Oneida.
— Sur le site web de Longhouse il est écrit qu'Oneida bosse en Afghanistan.
— Vous avez votre réponse alors.
— Il n'y a pas beaucoup de détails.
— Nous avons accepté cet entretien afin de vous aider pour votre reportage sur la logistique de guerre. Je ne suis pas en mesure d'aborder d'autres sujets.
— Pas en mesure, c'est-à-dire pas qualifié ou vous n'avez pas le droit ?
— Pas qualifié. Prenez rendez-vous avec des représentants d'Oneida.
— Difficile, s'il n'y en a pas ici. »
Keating hausse les épaules. « Lors d'un prochain séjour aux États-Unis ?
— Sont-ils installés ailleurs en Afghanistan ?
— Je ne sais pas.
— Pourraient-ils m'expliquer ce qu'est 6N ?
— Aucune idée. Je suis là pour parler de Mohawk et il me semble avoir plus que satisfait votre curiosité à cet égard. » Keating commence à se lever.
« J'ai encore quelques questions concernant

Mohawk. » Dang voit le cadre se crisper. Il reprend néanmoins sa place après un court temps d'hésitation. *Il a eu des consignes, faire montre d'une relative bonne volonté, me donner l'illusion de l'attention et de l'ouverture, me désamorcer.* Peter consulte ses notes. « Au départ de Bagram, vous volez vers différents pays, j'imagine.

— Oui. Cela dépend des besoins d'approvisionnement ou de rapatriement.

— Il y a des routes régulières ?

— Certaines, oui.

— Les Émirats ?

— Sharjah. C'est surtout une escale technique.

— L'Europe, les États-Unis ?

— Souvent les deux ensemble, il n'est pas rare que nos appareils passent par la base de Ramstein sur le chemin de la maison.

— Vous êtes très bien intégrés dans l'appareil militaire.

— C'est une question ?

— Une remarque. Vous transportez quoi ?

— Je vous l'ai dit, rien de très sexy. Des fournitures, de l'équipement, des matériaux pour des administrations ou des chantiers. Et on rapatrie ce qui doit l'être. » L'expression de Keating se fait plus grave. « Parfois des corps.

— De soldats ?

— C'est arrivé, mais le plus souvent il s'agit de civils.

— Des espions ?

— Non, des membres d'ONG ou des contractuels.

— C'est tout ?

— Oui.

— Jamais de prisonniers ?

— Qu'insinuez-vous ?

— Rien. Avez-vous oui ou non transporté des prisonniers ?

— Je crois qu'il est temps de conclure. » Keating se lève à nouveau.

« C'est si compliqué de me répondre ?

— Non, c'est le principe.

— Dan, essayons de nous mettre d'accord sur un point.

— Lequel ?

— Vous n'êtes pas idiot et moi non plus.

— Je n'ai jamais dit cela.

— Pourtant, nous voilà ici, au milieu d'une zone ultrasensible, à l'intérieur de la plus grosse base militaire d'Afghanistan, entourés d'unités, de services et de sous-traitants privés tous habilités top secret, et vous essayez de me faire croire que vos coucous transportent juste des fournitures de bureau et, à l'occasion, les dépouilles de héros anonymes, civils ou militaires ?

— Je n'ai pas dit ça non plus mais vos insinuations sont insultantes.

— Pourquoi ne pas simplement répondre à ma question ? »

Le cadre se rassoit. « Nous ne transportons pas de prisonniers.

— Jamais ?

— Jamais.

— Même dans le passé ?

— Même dans le passé. Certaines missions prévoient que nous acheminions des marchandises sensibles mais je ne peux pas les évoquer avec vous. Vous le saviez, on vous l'a annoncé au moment d'organiser cette interview.

— Revenons à l'Europe. D'autres destinations sur ce continent-là ?

— C'est possible, je ne les ai pas toutes en tête.

— Le Kosovo ? »

Keating garde le silence.

« Je sais qu'au moins deux avions de transport de votre filiale GAS ont régulièrement effectué la liaison Bagram-Pristina au cours des douze derniers mois.

— Si vous le dites. »

Peter sort une page imprimée d'une pochette cartonnée. « Les jours et heures de décollage et atterrissage, et les immatriculations des appareils. » Il la tend à son interlocuteur. « Que pouvez-vous me dire sur ces vols ?

— Pas grand-chose.

— Sensibles eux aussi ?

— J'en sais rien, en fait. Je viens d'arriver et je suis encore en train de me mettre à jour.

— Est-ce que quelqu'un d'autre peut me renseigner ?

— Je ne crois pas, malheureusement. Toute l'équipe a été renouvelée.

— Problème ?

— Fin de contrat. Laissez-moi ce document, je vérifie et je reviens vers vous très vite. »

Cette promesse devient l'unique réponse aux interrogations suivantes de Peter. Il n'insiste pas, il ne tirera plus rien de Keating. Son discours correspond peu ou prou à celui des représentants des différentes branches de Longhouse à qui Dang a déjà parlé au téléphone. Il remballe son enregistreur et ses affaires, et se lève pour partir. Deux types équipés de fusils d'assaut et de protections balistiques marquées par le temps et l'usage discutent à la sortie du préfabriqué. Un petit, surfeur barbu pousseur de fonte, et un très grand, moustachu, plus vieux. Avec une lenteur délibérée, ils s'écartent pour les laisser passer.

Keating, surpris, s'empresse de justifier leur présence. « Ces messieurs sont en charge de la sécurité de nos installations. »

Pas de noms, juste une fonction, passe-partout. Il est gêné. Cette rencontre n'était pas prévue. Peter tend la main. « Peter Dang. »

Le géant ignore le salut. « Pas prudent.

— Pardon ? »

Le surfeur montre son propre porte-plaques. « Vous devriez en porter un, on sait jamais. » Sa voix est monocorde, désincarnée.

Peter exhibe son carnet Moleskine et son crayon. « Chacun ses armes. » Il n'obtient qu'un sourire figé en guise de réaction. Il aimerait bien voir les yeux de ses nouveaux interlocuteurs mais ils sont dissimulés derrière des lunettes à verres miroirs. Il a déjà croisé d'autres brutes du même genre, elles ne l'impressionnent pas. « Et puis je ne risque rien, vous êtes là.

— Nous devrions y aller. » Keating tente de mettre fin à l'échange et place une main dans le dos du journaliste pour le pousser.

Il n'est pas seulement gêné, il a la trouille, cela s'entend. Il est cadre et ces mecs, ou ce qu'ils pourraient dire, lui font peur. *En charge de la sécurité mon cul.* Peter se laisse entraîner à l'extérieur, vers le 4 × 4 qui l'a amené jusqu'ici. Les deux paramilitaires suivent mais eux se dirigent vers le Little Bird gris, stationné devant le hangar. Un pilote est déjà à bord, il procède aux vérifications avant le vol. Le géant s'installe à côté de lui, ne perd pas Dang de vue. Juste avant que la turbine ne se mette à siffler, il crie : « Sortez couvert ! » Son compagnon prend place à l'arrière de l'hélico. Dans son dos, Peter remarque alors, fixé à son porte-plaques, sous un très beau kard afghan glissé dans un fourreau en cuir, une hachette noire en métal coulée d'une seule pièce.

Tomahawk. Surfeur. Grand, barbu, moustache, cheveux gris. Où Peter a-t-il entendu ça ? Il l'a relu récemment. Dans son carnet Moleskine. Le témoignage du sergent Canarelli. Kurtz. Avec l'un de ses sbires. *Putain, c'est eux. Ils étaient là pour moi. Ils m'attendaient.* Son cœur se met à battre. Discrètement, avant de monter en voiture, le reporter se met à filmer leur décollage avec son mobile et a le temps d'enregistrer une vingtaine de secondes avant de se faire rappeler à l'ordre par Keating, pressé d'en finir. En chemin, l'employé de Mohawk refuse de révéler les identités des deux gorilles et minimise ce qui s'apparente à un avertissement sans frais. Peter est surexcité, il voudrait pouvoir visionner son film sans attendre, voir s'il a pu choper les deux mecs, mais devant Keating, c'est impossible. Et il a une autre interview à assurer derrière.

La matinée continue en compagnie du lieutenant-colonel Tepone et du sergent maître Wilson de la 455e Escadre expéditionnaire de l'armée de l'air, l'unité en charge de la base aérienne. Peter connaît Wilson mais pas Tepone, un officier au physique d'ascète qui ne peut s'empêcher d'essuyer ses lunettes de vue toutes les cinq minutes. Après un passage par la tour de contrôle, où lui est exposé le travail des employés civils chargés de la régulation du trafic aérien, une collaboration *fluide* selon Tepone, le journaliste a droit à un discours fastidieux sur la gestion de la base au quotidien. Cette responsabilité occupe l'essentiel du temps du colonel, conséquence du rythme accru des opérations et de l'expansion des installations, une réalité illustrée par la révélation du budget des nouveaux aménagements de Bagram prévus pour la fin de l'année, plus d'une centaine de millions de dollars.

Lorsqu'à treize heures le sergent Wilson rappelle à son supérieur qu'il a un déjeuner, il gagne la reconnaissance éternelle de Peter. « Il adore s'écouter parler, votre colonel. »

La remarque fait sourire Wilson. « Je vous raccompagne. » Dehors, il allume une clope et se dirige vers un Hummer découvert.

« Vous êtes bientôt en perm', sergent ?

— Dans dix jours.

— Votre famille doit être contente.

— Ça va. » Wilson laisse filer quelques secondes. « Avec mon épouse, c'est pas simple. Elle me voit pas beaucoup depuis cinq ans et elle fait la gueule. » La cigarette terminée, ils se mettent en route. « Le retour sera pas gai. »

Peter croise le sergent pour la troisième fois et sa femme s'invite dans tous leurs échanges. Les femmes s'invitent dans toutes les conversations qu'il a avec des soldats. Habituellement, il est à l'écoute, accepte leurs confidences, préambules nécessaires à d'autres révélations, plus intéressantes, mais là il n'est pas d'humeur à jouer les conseillers matrimoniaux. « Vous ne manquez pas de boulot, j'ai l'impression.

— On bosse comme des clebs. Les insurgés font de plus en plus chier au sud, ils se réveillent à l'est et ils approchent de Kaboul.

— Ils y sont déjà, à Kaboul. »

Wilson acquiesce. « On a encore quinze jours peinards. » Dans tout le pays, l'opium arrive à maturité et, dans les zones de culture, les accrochages resteront limités jusqu'à la mi-mai. Tout le monde ou presque sera aux champs, talibans inclus. « Après, ça va plus rigoler, l'été va être chaud. »

L'an dernier à la même période, Peter se trouvait dans la province de Kandahar pour un papier commandé par le magazine *Harper's* et avait pu profiter des derniers jours de la floraison du pavot. Il garde en mémoire ces étendues couleur de jade parcourues par de lentes vagues fuchsias que soulevaient les vents de printemps. Il se souvient aussi de moments de très grand calme, toujours trop brefs, bercés par le bruissement des hautes tiges serrées les unes contre les autres. Il avait pris des photos pour son père. Très parlantes à défaut d'être très réussies, Peter n'a jamais eu l'œil magique des virtuoses de l'objectif, elles ne rendaient pas justice à la beauté vénéneuse des prairies de l'opium. On y voyait des soldats de l'ISAF en patrouille dans les parcelles en fleur. Des soldats à la recherche de talibans, pas du tout préoccupés par le ramassage de cette drogue dont une part des profits servait et sert toujours à acheter des armes destinées à les tuer. Parce que dans un pays où les populations, pour l'essentiel rurales, sont déjà aux abois, et certains dirigeants, alliés de l'OTAN, profitent largement de ce lucratif bizness, mieux vaut éviter de détruire l'unique moyen de subsistance des uns, poule aux œufs d'or des autres. Une triste ironie politique savourée par Bao Dang. Peter a retrouvé l'une de ces photos sur l'écran d'accueil du PC paternel après son décès, en rangeant son bureau. Une découverte qui l'avait fait sourire et ensuite pleurer.

Le physique exotique du journaliste, un accoutrement local et l'hospitalité protectrice de la famille de son guide lui avaient permis de rester discrètement à Kandahar jusqu'à la récolte, après que les pétales rose fané soient tous tombés. Pendant trois jours, il s'était mêlé aux paysans et mis dans leurs pas quand ils parcouraient les champs à la recherche des bulbes les plus mûrs, pour les inciser délicatement à l'aide de petits peignes de métal appelés *neshtar*. Lorsqu'ils sont ainsi griffés, une sève blanche suinte lentement. Elle s'oxyde, épaissit au contact de l'air et devient ce taryak ensorceleur des hommes. Le lendemain, la pâte noircie et gluante est récupérée avec un autre outil, une sorte de raclette à bord tranchant dont Peter a oublié le nom, avant qu'une nouvelle incision soit pratiquée, plus profonde. Et ainsi de suite, quatre ou cinq fois, jusqu'à épuisement. Le boulot est pénible. Il faut procéder lentement, plant par plant, tout bien récupérer dans des petits sachets portés à la ceinture, faire attention de ne pas s'en foutre plein les fringues. Pas parce que c'est impossible à laver mais pour ne pas en perdre une miette. À vingt ou trente dollars le kilo, chaque gramme compte.

Une fois l'opium ramassé, il est vendu frais à la sortie des prés ou séché, après quelques semaines, quelques mois ou même quelques années. Il se conserve sans problème, bien mieux que ses dérivés raffinés, et gagne même en valeur et en qualité avec le temps. Une chose que l'on n'avait pas tout à fait saisie en Occident quand, en l'an 2000, on s'était mis à encenser, à longueur de discours et d'éditoriaux, la décision du Mollah Omar d'interdire la culture du pavot. Jamais le grand gourou des talibans n'avait voulu juguler quoi que ce soit, il poursuivait seulement deux objectifs à court et moyen terme : se racheter à peu de frais une conduite auprès de la communauté internationale, le temps de faire oublier les aspects les plus controversés de son régime, et surtout provoquer une remontée des cours de la principale matière première exportable de son pays, en tarissant la source d'un marché mis à mal par le déclin de la consommation d'héroïne. Le sida et la concurrence d'autres drogues, jugées moins dangereuses et plus cool, comme la cocaïne, étaient passés par là. Au moment où le monde entier applaudissait des deux mains la prohibition *made in talibanistan*, le boss et ses affidés trafiquants préparaient l'avenir. Ils possédaient d'énormes stocks, des milliers de tonnes, acquis à vil prix les années précédentes, suffisants pour survivre à un moratoire de deux ou trois saisons, et avaient profité de la ruine de fermiers soudain privés de leur unique source de revenus pour accaparer leurs terres.

Avant-hier, hier et aujourd'hui, les paysans afghans se font toujours baiser, contraints par les tenants de l'autorité, violentés par leurs adversaires, abusés par de nombreux intermédiaires aux amitiés changeantes. Quand ce ne sont pas les talibans qui, au nom de l'Islam et du djihad, prélèvent *ushr*, la dîme, en nature, opium, gîte et couverts, fillettes à marier, parfois les trois, les forces de l'ordre, ou plutôt leurs chefs, officiers et gouverneurs, *taxent* les récoltes et, en cas d'opposition, menacent de revenir l'année suivante pour les détruire au nom de la loi. Peter les avait vus à l'œuvre, ces ripoux, le jour où quelques-uns avaient fait une descente dans les champs en compagnie d'un grossiste du bazar voisin. L'homme voulait acheter le taryak à peine ramassé, et donc moins cher, mais les agriculteurs refusaient de le lui vendre. Une impasse débloquée à coups de crosse et de prélèvements obligatoires. Au cours des semaines suivantes, nombre de fermiers étaient partis grossir les rangs des insurgés. L'ISAF avait fermé les yeux, comme toujours, et le journaliste avait dû filer le soir même de l'incident. Les flics ne s'étaient pas rendu compte de sa présence mais ses hôtes redoutaient que celle-ci ne reste pas secrète très longtemps. S'ils avaient été mis au courant, eux ou d'autres complices du grossiste seraient revenus pour le tuer.

« J'aimerais pas être à votre place. »

Pris par ses souvenirs, Peter a cessé d'écouter les lamentations du sergent Wilson. « Hein ?

— Je disais, faut que j'arrête de râler. Ici, je suis à l'abri.

— Et vous n'aimeriez pas être à ma place.

— Putain ça, non ! » Wilson se marre, accélère pour traverser le tarmac devant un gros-porteur de retour au parking. « Vous avez vu qui avant nous, ce matin ?

— Mohawk.

— Ils ont été gentils avec vous ?

— J'ai croisé deux de leurs gorilles et je ne suis pas sûr que le qualificatif gentil soit approprié.

— Des mecs de leur boîte de sécurité ? »

Peter tente un truc. « Oneida ?

— Ouais.

— Ceux qui partagent leurs installations ?

— Affirmatif.

— Ils font quoi, tous ces mecs ?

— J'en sais foutre rien.

— Rien ?

— On n'a pas le droit de mettre les pieds chez eux, toutes leurs installations sont top secret, même les chiottes. Ça rentre, ça sort, ça décolle, ça atterrit, sans qu'on sache qui, quoi et où. Nous, on guide, on file du carburant, on note les horaires et les dates, et basta.

— Allons sergent, vous voulez me faire croire que Bagram est la première base militaire du monde garantie sans rumeur ni ragot ?

— Je vous jure.

— Rien ne peut vous échapper ici. Pas à vous. »

Ils approchent de l'entrée.

« Leurs manifestes sont pas toujours très carrés, c'est sûr. »

Grosse pipelette, je te tiens. « Genre ?

— Genre, ils marquent qu'ils ramènent ci alors qu'en fait ils ramènent ça.

— Et ils ramènent quoi, alors ? »

Le sergent ne répond pas. Son visage s'est fermé. Il vient de comprendre qu'il a fait une connerie. « Je sais plus. On est arrivés. »

12

PERTES COALITION	Avr. 2008	Tot. 2008 / 2007 / 2006
Morts	14	54 / 232 / 91
Morts IED	17	39 / 77 / 52
Blessés IED	56	167 / 415 / 279
Incidents IED	331	924 / 2677 / 1536

Après avoir longé la FOB Fenty sur plus de deux kilomètres, l'A1 se met à zigzaguer dans Jalalabad. Parvenue au centre-ville, elle traverse quelques-uns des nombreux marchés de la capitale de Nangarhar. L'un de ceux-ci est le bazar aux épices, un inextricable enchevêtrement de rues, allées et galeries, dans lequel les boutiquiers en dur disputent le moindre espace aux itinérants à ciel ouvert, pour présenter mille patchworks de poudres, graines et plantes aromatiques. Une anarchie très odorante dont l'épicentre est la fontaine de céramique bleu piscine de la place Dand Ghara.

Dojou s'est installé là, sur une caisse, en bordure de trottoir, entre un vendeur de poivres et un autre de noix, à l'ombre d'un arbre étouffé par la poussière polluée de la circulation. Sur ses genoux, caché par son châle, se trouve un fusil d'assaut à la crosse repliée. Tout en buvant un thé à petites gorgées, il observe le grouillement du matin, les clients, les livreurs, les rickshaws bariolés, les voitures et même les camions qui se risquent, téméraires, au milieu du carrefour encombré. Il écoute les voix, les cris, les mélopées haram que des sonos de mauvaise qualité crachent vers lui entre deux coups de klaxons. Il guette le moindre mouvement suspect ou bruit déplacé. Il surveille. Dans son dos, à l'intérieur d'un minuscule bureau de change, Sher Ali et Qasâb Gul parlent avec Rouhoullah.

« Tu donneras à ton agent le nom de ton père », le trafiquant trempe un morceau de sucre couleur caramel dans son chai et le porte à sa bouche, « pour obtenir la somme convenue ».

Ce code authentifiera la requête de Sher Ali auprès du hawaladar choisi par lui. Il pourra ainsi se faire payer les services rendus à Rouhoullah, la livraison de précurseurs chimiques à un nouveau laboratoire tout juste installé en Logar, une province coincée entre la Paktiya et Nangarhar, et la prise en charge de deux cents kilos d'héroïne à transporter jusqu'à l'Agence de Kurram, de l'autre côté de la frontière. « Qasâb Gul s'occupera de la caravane du retour, ce soir.

— Pas toi ? » Les yeux de Rouhoullah glissent sur le Boucher. Il n'aime pas cette brute sans cervelle.

« J'ai à faire. »

Le trafiquant pousse un soupir d'agacement.

Qasâb Gul se penche vers son khan et lui dit à l'oreille mais suffisamment fort : « On dirait une femelle. »

Sher Ali ricane sous ses lunettes de soleil. Aujourd'hui, il les a préférées au bandeau couvrant habituellement son œil mort, elles sont plus discrètes en ville. « Je dois partir, parle-moi de ton affaire.

— Tahir Nawaz va faire escorter le chargement d'un de ses protégés. Ils vont se retrouver près d'ici, dans quatre jours. Tu pourrais voler ce chargement.

— Les risques sont grands.

— Il y aura beaucoup de taryak et je n'en veux qu'un quart. »

Sher Ali réfléchit. Il doit, dans la journée, se rendre à Gardezavec Dojou, pour joindre à nouveau ses forces à celles d'Omer Gul. Ensuite, il est attendu ailleurs. Mais l'orfèvre sait la valeur de l'or, dit le proverbe, beaucoup de taryak, c'est beaucoup d'argent. « Je réfléchis. »

Rouhoullah acquiesce. « J'ai une autre nouvelle. Un de mes cousins a un travail à la base des Américains de Tahir, je peux lui demander d'espionner pour toi.

— Ils ne m'intéressent plus.

— Pourquoi ?

— Garde tes questions pour toi, femelle ! » La voix de Qasâb Gul tonne dans l'échoppe. Dehors quelques passants se retournent.

Rouhoullah ne répond pas à cette nouvelle provocation mais Sher Ali voit un mélange de peur et de colère agiter son visage grassouillet. Il reprend la parole sur un ton plus doux. « Que fait ton cousin ?

— Le ménage pour les soldats.

— Toute une famille de femelles. » Le Boucher éclate de rire. Son chef pose une main sur son bras, il se calme aussitôt.

« Il me sert pour d'autres choses. Les jeunes Américains ont aussi peur que les bébés Russes venus jouer aux guerriers. » Le trafiquant sourit. « Et ils paient mieux. »

Shabnameh distribuée en Paktiya à partir du 2 mai 2008.

Salutations aux honorables anciens de la province de Paktiya.

Nous vous ordonnons de renoncer au travail du chantier de l'autoroute. Si vous refusez d'obéir, le destin frappera et remplira de chagrin vos vies et celles de vos familles. Pour nous, vous serez de faux musulmans, sans foi, sans dieu et nous vous attaquerons et vous tuerons partout.

Dieu accorde la victoire aux Moudjahidines !

3 MAI 2008 – AUTOROUTE KHOST-GARDEZ : NOUVEL ATTENTAT SUICIDE. Ce matin, un convoi d'engins de travaux a été attaqué par une voiture piégée alors qu'il partait pour le chantier de l'autoroute. Au moment de l'explosion, les premiers véhicules venaient de franchir l'entrée du camp retranché où vivent les ouvriers, à la sortie de la ville de Gardez, capitale de Paktiya. En plus du kamikaze, dix-huit personnes ont été tuées et vingt-sept autres blessées [...] Cette attaque intervient au lendemain d'une déclaration du président des États-Unis, George W. Bush, promettant l'envoi prochain de sept mille soldats supplémentaires en Afghanistan [...] Ailleurs, en Paktika, quatre civils et deux talibans sont morts lors d'un assaut sur un barrage de la police afghane. **3 MAI 2008 – KHOST : TROIS MEMBRES DU RÉSEAU HAQQANI capturés par les forces de la coalition.** Cette arrestation a lieu deux jours après que les autorités aient officiellement accusé le mouvement fondé par l'ancien moudjahidine Jalalouddine Haqqani, héros du djihad antisoviétique, d'être à l'origine de la tentative d'assassinat du président Hamid Karzaï de dimanche dernier [...] Ce jeudi, après la revendication de cet attentat par différents groupes, les talibans avaient déclaré ouverte leur offensive de printemps pour l'année 2008. Elle a été baptisée Ebrat, la leçon. **4 MAI 2008 – ATTAQUE CONTRE KARZAÏ : DEUX OFFICIELS ARRÊTÉS.** Un fonctionnaire du ministère de l'Intérieur et un autre du ministère de la Défense ont été interpellés ce matin, à Kaboul, dans le cadre de l'enquête sur la tentative d'assassinat du président Hamid Karzaï à l'occasion de la commémoration de la victoire des moudjahidines. Ils sont soupçonnés d'entretenir des liens avec la nébuleuse terroriste, proche d'Al-Qaïda, implantée autour de Miranshah, dans les régions tribales [...] Après avoir dénoncé le double jeu du Pakistan et l'implication de l'ISI dans l'attentat, Amroullah Saleh, chef du NDS, le renseignement afghan, a promis que d'autres arrestations auraient bientôt lieu.

À cinq heures du matin, peu après le lever du soleil, deux jingle trucks bâchés traversent Mya Bandeh, un tout petit village de fermes collé à l'autoroute, quinze kilomètres à l'ouest de Jalalabad. Plusieurs escortes militaires et policières, aux chefs complaisants, se sont relayées à leurs côtés tout au long de leur périple. La dernière est restée avec eux jusqu'à Sarobi, avant de retourner à Kaboul. Les chauffeurs et l'unique garde du corps permanent du convoi, assis dans le camion de queue, sont fatigués. Ils ont dans les pattes une nuit entière de roulage, à peine interrompue par un ravitaillement en carburant et la prière du matin, vingt minutes plus tôt.

Le hameau dépassé, ils poursuivent leur route jusqu'à ce qu'ils aperçoivent trois pickups vert bouteille de la Border Police garés sur le bas-côté, contre une ruine. À l'arrière de chaque tout-terrain, des hommes en uniforme prennent leur mal en patience. Les poids lourds s'arrêtent conformément aux instructions reçues et le conducteur du premier descend payer les flics. En approchant, il remarque sans leur accorder plus d'attention quelques anomalies. Des vestes réglementaires trouées et tachées de sombre. Le pare-brise de l'une des voitures fissuré à différents endroits. Et des mecs qui portent des salwars, pas des pantalons de treillis. Le camionneur se fige. Il se retourne vers ses compagnons, restés dans leur cabine. Eux pigent à son air que les choses ne se passent pas selon le plan prévu. Il entend du bruit derrière lui, celui des policiers qui sautent de leurs bagnoles. Au moment où l'autre chauffeur lui lance un avertissement inaudible, une main tire sa tête en arrière et un objet métallique est appuyé contre sa gorge.

Dans le second jingle truck, le garde cherche désespérément la poignée de la kalachnikov abandonnée à ses pieds. Il n'a pas le temps de la saisir. Une baïonnette Izhmash vient lui perforer le cou à travers la portière. Ses dernières pensées vont à cette vitre abaissée pour profiter de l'air frais qui, à cet instant, le trahit. Son voisin subit le même sort. Ils n'ont pas vu Dojou et les hommes de Sher Ali, dissimulés par la ruine, se glisser le long de leur véhicule pour les surprendre. Leurs cadavres sont rapidement évacués derrière un muret et leur complice égorgé est jeté plus loin, au même endroit que les corps de la douzaine de policiers envoyés ici pour protéger leur cargaison d'opium.

Vous m'appelez plus maintenant, je veux pas d'emmerdes. Les derniers mots du sergent Canarelli à Peter Dang, après qu'il lui eut donné un nom, Afzal, et un lieu, Khaca Chinga. C'était au téléphone, il y a deux semaines, après une série de coups de fil où il avait fallu insister, le militaire s'étant montré peu enclin, pour ne pas dire carrément hostile, à l'idée de parler à nouveau au journaliste. Peter avait fini par brandir la menace d'une requête officielle, le plus sûr moyen d'exposer Canarelli, si celui-ci ne lui révélait pas l'identité de leur source, celle dont les informations les avaient conduit à contrôler les conteneurs d'Oneida le 28 février à Torkham. Il s'était fait traiter de tous les noms, accuser de trahison, n'avait pas cédé lorsque le sergent s'était rabattu sur la corde sensible, la naissance de sa fille, l'avenir de sa famille, avant de se résigner à cracher le morceau. Un nom. Un lieu. Pas une adresse, juste un lieu, paumé au milieu de rien, dans la montagne, à l'ouest du poste-frontière. Peter n'a pas eu de mal à imaginer quelques pauvres cubes beiges accrochés à une pierre friable, couleur de désert, reliés au reste du monde par une vague piste. Impossible d'aller là-bas tout seul, trop dangereux, et pas question de faire appel à l'armée américaine ou aux autorités afghanes, il doit parler à cet Afzal à leur insu.

Son fixer, Javid, a su contacter les bonnes personnes, en faisant jouer ses relations, les relations de ses relations, les proches des relations de ses relations, les membres de la même tribu, du même clan que les proches des relations de ses relations, beaucoup de thé a été bu, de l'argent a été échangé, le mobile a pas mal chauffé, et il est finalement parvenu, en moins de dix jours, à identifier et parler à un certain Khalil, qui se prétend oncle d'Afzal et a accepté de les voir. Dans une petite ville appelée Gardi Ghos. Aujourd'hui.

Pourquoi l'oncle et pas le neveu, Javid a été incapable de répondre à Peter, il n'a pas compris tout ce que son interlocuteur lui disait. La liaison téléphonique était mauvaise et il s'exprimait mal. Le fixer a également mis son journaliste en garde, l'endroit est au cœur du territoire du colonel Tahir Nawaz et, malgré les assurances des uns et des autres, le rendez-vous pourrait très bien être un piège. Ils sont partis quand même, dans le Toyota Corolla branlant de l'Afghan, qui pue l'huile et le vieux plastoc chauffé au soleil, tous les deux habillés couleur locale. Et très angoissés, par la route à faire, un simple trajet en voiture est source de mille dangers dans ce foutu pays, et par l'incertain vers lequel ils foncent à quarante kilomètres heure de moyenne, obstacles divers et IED obligent. À leur arrivée à l'endroit choisi par Javid, une station-service où stoppent les bahuts en transit pour Kaboul, leur malaise se dissipe rapidement. Il y a foule et celui qu'ils viennent voir attend en compagnie de trois jeunes garçons. Animé de mauvaises intentions, il aurait été seul à coup sûr.

Le vieux Khalil a le corps usé par plus de cinquante ans de rudesse afghane, une barbe blanche couverte de henné, des vêtements élimés et il parle, d'une toute petite voix éraillée, un *dari* limité et un pachto si dialectal que Javid doit souvent le faire changer de langue pour être sûr de saisir le sens de ses propos et pouvoir les traduire à Peter. Il paraît inquiet et veut savoir pourquoi un étranger s'intéresse à son neveu.

« Afzal a parlé aux soldats américains de Torkham. »

Khalil prétend n'être pas au courant.

« Il a dit que des camions avec des armes pour les talibans allaient venir.

— Je ne sais pas, je ne sais pas. » Les yeux du vieil homme filent ailleurs et il se met à secouer la main pour chasser les paroles de Dang.

« Comment a-t-il su, pour ces armes ? »

La main continue à s'agiter. Pendant une demi-heure, Khalil répond à côté, ou pas, ou à moitié, ou Javid pige à moitié. Il refuse de donner les raisons de l'absence d'Afzal et revient toujours à celles qui poussent le journaliste à vouloir le rencontrer, comme si répéter la même question encore et encore allait finir par changer les motifs de cette entrevue.

Inlassablement, Peter évoque Torkham et se heurte à un mur de *je ne sais pas* de plus en plus anxieux. Il finit par se rendre compte que Khalil est terrorisé par l'incident du poste-frontière. « Afzal a eu des problèmes après être allé voir les soldats étrangers ? »

Un des enfants se serre contre le vieux et tous deux adressent à Peter un regard d'une infinie tristesse.

« Comment il s'appelle, le petit ? » Le journaliste montre le gamin réfugié dans les bras de Khalil.

« Wais.

— C'est son fils ?

— Non.

— Celui d'Afzal ?

— Il s'est caché quand ils ont pris sa famille. »

Khalil hésite longuement à poursuivre. La trouille, toujours. Cependant, au fil des mots, son appréhension s'envole, remplacée par le chagrin. Javid écoute, fait répéter, traduit. Des hommes sont venus chez Afzal, à Khaca Chinga. La nuit, après la prière du soir. Ils ont égorgé les deux frères de Wais. Sa sœur, ils l'ont violée, avec sa mère, et ensuite ils les ont égorgées aussi. Wais était dehors à leur arrivée, aux *toilettes*. Il s'est caché et ils ne l'ont pas vu.

Le gamin pleure en silence. Khalil lui essuie les yeux puis essuie les siens.

« Qui étaient ces hommes ?

— Des policiers de Nawaz.

— Ils avaient des uniformes ?

— Non.

— Comment sait-il que c'étaient des flics de la Border Police, alors ? »

Le vieil homme fait une grimace résignée, *qui d'autre ?* semble-t-elle dire.

« Les villageois ne sont pas intervenus ? »

Non silencieux.

« Pourquoi ? »

Javid répond à la place de Khalil. « Ils ont eu peur, monsieur Peter. »

Wais ne sanglote plus mais son nez coule encore. Les larmes et la morve ont dessiné des traces propres sur son visage noir de crasse. Il fixe Peter et il y a dans son regard un mélange de résignation et d'interrogation, *qui es-tu, pourquoi es-tu là, peux-tu me dire pourquoi toutes ces choses m'arrivent à moi, que vas-tu faire pour moi, toi, l'étranger.*

« Où est Afzal ?

— Aussi mort. »

Après quelques encouragements, Khalil reprend son récit. Afzal a disparu avant l'attaque de sa maison, le même jour. Il n'était pas rentré, une absence anormale, son épouse en avait parlé au vieux, affolée. Lui avait voulu la rassurer, promis de chercher son neveu dès le lever du jour. Il ne pouvait rien faire dans les ténèbres, les ténèbres, c'est le royaume des loups et des démons. Et des étrangers. Il ne le dit pas, mais c'est là, entre eux. Ils ont trouvé Afzal plus tard, après avoir inhumé le reste de sa famille, le temps qu'un policier vienne leur dire où chercher. Ce qui restait de lui était dans un hameau abandonné proche de Gardi Ghos.

« Le policier, c'était un homme de Nawaz ?

— Non, de la police normale. Il avait honte et il voulait qu'Afzal soit enterré correctement.

— Comment il s'appelle, ce policier ?

— Il ne sait pas.

— Où peut-on le trouver ?

— Il ne sait pas.

— Il ne sait pas ou il ne veut pas nous le dire ?

— C'est pareil, monsieur Peter. »

Peter soupire et il s'en veut immédiatement, sa réaction est déplacée. « Il a dit : ce qui restait d'Afzal. Demande-lui ce qu'il entendait par là, s'il te plaît. »

Javid acquiesce, pose la question. Il demeure longtemps sans parler, bien après que Khalil s'est tu, l'air d'abord horrifié et ensuite en colère. Enfin, il raconte à Peter, le corps déchiqueté, en lambeaux, la tête méconnaissable, par terre, attaquée par les animaux, les bras accrochés à leurs chaînes et ces mains préservées auxquelles il manque un doigt, le même qu'à Afzal, perdu quand il était ado. Il explique l'exécution au RPG, la marque de fabrique de Tahir Nawaz, sa façon de faire sa loi.

Pour lutter contre la nausée, Peter essaie de se concentrer sur ce qu'il peut faire. « Il faut aller voir cet endroit, prendre des photos. Où est-il ?

— Pas prudent.

— Il doit nous accompagner là-bas.
— Il ne voudra pas aller dans le village mort.
— Alors, il nous montrera et nous irons sans lui.
— Pas aujourd'hui, monsieur Peter. Trop de gens pour nous voir ici. » Javid donne un discret coup de tête vers l'arrière. « Nous n'avons pas de temps. »

Le journaliste dévisage son guide avant de faire un tour d'horizon. Ils sont installés sur des charpoys, contre la casemate de béton craquelé faisant office de maison, boutique, garage, bar à thé au pompiste. Il est dix heures du matin et le soleil commence à taper. Des vapeurs d'essence se mêlent à l'étouffante poussière déplacée par le va-et-vient des camions et des bagnoles sur l'aire de stationnement de la station-service, c'est oppressant. Pas loin, d'autres hommes, sur d'autres châlits, des routiers. Ils discutent, boivent du chai, ne font pas attention à eux. Ils n'ont rien à faire d'un vieil homme, trois enfants et une paire d'Afghans de passage. Dans la direction montrée par Javid, à l'ombre d'une autre baraque de béton, deux jeunes mecs les observent. Le plus grand, coiffé d'un topi sombre, est au téléphone. Il parle et ne les perd pas de vue.

Talibans. Ou petites frappes de Nawaz. Des emmerdes, à n'en pas douter. Son fixer a raison, ils ne peuvent ni rester trop longtemps, ni se rendre sur le lieu du meurtre. Pas tout de suite. La frustration fait monter la colère de Peter d'un cran. « Pourquoi Afzal est-il allé voir les soldats américains ? »

Khalil plante ses yeux dans ceux du journaliste, leur premier contact visuel aussi franc. « Je lui ai dit, Afzal n'accepte pas de parler aux étrangers, ils sont les amis de Tahir et il fait ce qu'il veut avec cette amitié.
— Les militaires américains étaient avec Tahir

Nawaz quand il a tué Afzal et sa famille ? Ils sont complices ? »

Khalil secoue la tête. « Pas ceux de Torkham, d'autres, plus forts encore. »

Des étrangers, potes du chef de la Border Police, plus forts que des soldats, ça réduit considérablement la liste des suspects. « Il a vu ces étrangers chez Afzal quand on a tué sa famille ?

— Non.

— Quelqu'un d'autre les a vus ou lui a dit qu'ils étaient là ?

— Non.

— Il les a vus se battre avec les soldats américains ?

— Non. » Javid écoute le vieil homme qui continue à parler. « Il dit tous les étrangers sont les mêmes. »

Peter pense immédiatement *pas moi. Et je leur en veux. De leur petitesse, de leur bassesse, de la destruction et de la peine qu'ils sèment en tous lieux. De faire ou laisser faire des choses monstrueuses pour des causes dégoûtantes. En notre nom.* La rage le submerge et il se met à marcher de long en large pour se calmer. Il s'arrête brusquement pour défier en silence les deux chouffes, toujours adossés à leur bicoque grise, toujours attentifs et curieux.

Javid discute avec Khalil. Ça dure, le défi, la conversation. Bruit de fond des jingle trucks qui foncent sur l'asphalte. Le fixer l'interpelle enfin. « Il m'a raconté pourquoi Afzal était allé voir les soldats.

— Pourquoi ?

— Pour manger. »

Peter se contente de hocher la tête. Il est soudain épuisé.

« Il y a la guerre ici. »

Sourire triste du journaliste. « Il y a la guerre partout dans le pays.

— Non, non, pas la grande guerre, monsieur Peter. Khalil dit que Tahir se bat avec d'autres hommes. Pour le taryak. Un de ces hommes, il a payé Afzal pour aller dire des choses aux militaires et Tahir a appris.

— Il sait comment il s'appelle, cet homme ?

— Rouhoullah. »

Peter s'apprête à poser une nouvelle question lorsque l'un de leurs voisins de charpoys se met à gesticuler. Avec ses copains, il se lève à grand bruit, en désordre, montre l'autoroute. Des pickups de la Border Police viennent de la quitter et foncent sur eux. Dang chope le gamin le plus proche, avec lui se colle au mur. Javid l'imite. Il écarte Khalil et les deux autres enfants juste à temps. Les lits de bois volent, il y a des cris de panique. Des flics bondissent de voiture et agitent leurs fusils pour éloigner les témoins. Dang et ses compagnons se trouvent bientôt seuls, entourés d'un cordon menaçant.

Le vieux et les gosses sont terrorisés. Les larmes coulent à nouveau sur le visage de Wais. Javid s'avance, essayant de cacher sa frousse, temporise, offre un salut courtois et son nom. Il est jeté à terre à coups de crosse. Malgré les risques, Peter s'interpose, se fait violenter à son tour, gueule en anglais qu'il fait partie de la presse, plie sous l'irrésistible déferlante. Quelqu'un hurle des instructions et les policiers s'écartent.

Un officier paraît. Il est grand, maigre, d'abord très calme. Il ignore Peter, se pose devant le fixer dont l'arcade ouverte pisse le sang et, en douceur, l'aide à se remettre à genoux. Il s'adresse à lui en pachto. « Comment tu t'appelles ?

— Javid.

— Pourquoi tu amènes des étrangers, Javid ?

— Il est journaliste, il travaille.

— Ici ?

— Oui.

— Pourquoi ici ?

— Je ne sais pas.

— Menteur ! »

Une gifle part, Javid vacille, Peter crie, une crosse lui défonce le dos. Peter gémit, le souffle coupé.

« Je ne sais pas, je promets.

— Tu parles pour lui, oui ? »

Le fixer acquiesce.

« Tu entends ses questions, alors. Pourquoi vous êtes avec ce menteur ? » L'officier montre Khalil. « C'est un sale voleur. Il veut de l'argent, c'est tout. »

« Je suis journaliste. » Dang halète en parlant. « L'armée américaine sait où je me trouve.

— Dis-lui de se taire ou je te tue.

— Silence, monsieur Peter, s'il te plaît.

— J'appartiens à la presse. Vous n'avez pas le droit.

— Monsieur Peter, tais-toi.

— La ferme ! » L'officier dégaine son pistolet, le colle sur le front du fixer.

Les enfants, réfugiés contre Khalil, sanglotent tous les trois.

Javid implore. Peter se débat, essaie de s'approcher mais il est retenu par deux policiers. « Nous sommes journalistes !

— Tu préfères que je te tue d'abord ? » En un pas, l'officier rejoint Dang, appuie son arme contre sa tête, de force la pousse sur le côté. « Tu n'es rien pour moi. »

Peter ferme les yeux, serre les dents, grogne. Dans sa tête, en boucle, ça ne peut pas finir comme ça, ça ne peut pas finir comme ça. Pas. Comme. Ça. Tout son corps se tend, dans l'anticipation. *Est-ce que je vais avoir le temps d'entendre le bang ou pas ?*

Un téléphone mobile sonne. Trois notes légères, électroniques, incongrues. La voix de l'officier répond. « Naeemi. » Rien puis des mots épars, contrariés, et encore rien. Plus rien. Le canon se retire. Le commandant Naeemi aboie après ses hommes et ils s'éloignent, remontent tous en voiture. Peter regarde à nouveau. Juste avant de démarrer, l'officier sourit, coude à la portière, les met en garde, Javid traduit. En gros, mieux vaut ne pas revenir. Les pickups dégagent vers l'ouest en soulevant de grands nuages jaunâtres.

Le journaliste et son interprète se relèvent mutuellement, examinent leurs dégâts. L'arcade de Javid est la plus touchée. Dang ressent encore l'écho des beignes, a des taches de douleur sur tout le corps. Khalil et les enfants ne sont plus là, ils ont fui. La ville commence à l'orée du parking de la station-service et ils ont pu emprunter plusieurs ruelles, les rattraper est illusoire. Autour d'eux, les curieux se massent. Timide, le garagiste vient arranger ses charpoys. Certains sont cassés, il se plaint. Les deux mouchards sont encore là, au même endroit, ricanent en les matant. Javid retient Peter qui montre les dents et le pousse vers sa voiture. Il faut rentrer.

Ils se glissent entre deux poids lourds, roulent longtemps en silence. Javid conduit avec toute la délicatesse dont il est capable, cela semble vital, après l'incident. Il s'écarte même sans râler lorsqu'une colonne de blindés américains se pointe en face. Enfreindre cette consigne, au royaume des IED et des kamikazes motorisés, c'est risquer de finir en statistique collatérale. D'habitude, le fixer insulte la terre entière, pas ce matin.

À ses côtés, Peter tremble. La vraie pétoche monte peu à peu et avec elle vient la colère d'avoir la pétoche. Ses colères s'accumulent, s'empilent les unes sur les autres. Il va falloir écrire, c'est sa seule soupape. Dire, encore, toujours, tout le mal des choses qui se passent, qu'on laisse se passer, auxquelles on permet de se passer. En approchant de J-Bad, il parvient à ouvrir la bouche et interroge Javid sur le contenu de l'appel reçu par l'officier.

« Il a dit son nom, Naeemi. » Et aussi *Mya Bandeh*, *problème* et *j'arrive*.

« C'est quoi, Mya Bandeh ?

— C'est sur la route, plus loin. »

Plus loin, ils finissent par y parvenir vers midi. La circulation est ralentie, ils bouchonnent au pas. Naeemi est là. Il ne les voit pas au milieu de la circulation mais eux ont le temps de l'apercevoir, de l'observer à distance. Il y a de nombreux uniformes autour de l'officier de la Border Police, militaires pour la plupart. Et des morts cachés sous des draps. Bordure d'A1, en plein jour, le résultat probable d'un accrochage avec les talibans. Des poseurs d'IED se seront fait repérer et flinguer. Javid et Peter cachent leurs visages quand ils sont trop près. La *fucking* peur qui va avec la fucking vie d'ici.

Bob.

« Salut. »

Comment tu vas ?

« Bien. Toi ? »

En chasse, comme d'hab'. Je te vois bientôt ?

« Dans trois jours. Je viens récupérer mes gars. »

Dernier contact il y a trois heures. RAS.

« Bien. Ghost est avec toi ? »

Parti bouffer.

« Ça va ? »

Pourquoi tu demandes ça ?

« Je sais que tu as du mal avec lui. »

Non, c'est bon. Mais il a besoin de vacances, je crois.

« On en a tous besoin. »

Putain, ouais.

« Dis, des infos Border Police, tu prends ? »

Fiables ?

« Border Police. »

Tu m'envoies un compte rendu et tu mets Kaboul en copie ?

« Je vais t'écrire ça. Sois pas pressé, tu connais mes talents de dactylo. »

Bob ricane. *C'est quoi ?*

« Deux noms et des numéros de mobiles. Et du contexte. »

Source ?

« Le big boss de la frontière. »

Attends, j'attrape de quoi noter… OK, les noms d'abord.

« Sher Ali Khan Zadran. » Voodoo a appris l'existence de ce putain de moudje de la bouche du colonel Tahir Nawaz, hier soir, alors qu'il se trouvait dans l'une des villas de Haji Zaher. D'après lui, et la rumeur dans toute la province, c'est ce Sher Ali qui, le matin même, a piqué cinq tonnes d'opium à l'un de leurs protégés. Ils ont perdu la face. Et du fric, beaucoup. Trop.

Un Zadran, à Nangarhar ?

« Ouais. » Tahir prétend que c'est un contrebandier passé du côté obscur. Il vient de Loya Paktiya. Ça, Voodoo aurait pu le deviner rien qu'à son nom. À participer à la traque des vedettes de la tribu, pépé Haqqani et ses rejetons, il a appris un truc ou deux sur eux et leur région d'origine. « C'est la merde. »

Ouaip, la grosse merde. Lié aux Haqqani ?

De Gardez à Khost, rien ne se passe chez les Zadrans sans que Jalalouddine soit au parfum. « Probable, mais j'ai pas de rens' qui le dit. »

Je vais le passer dans notre moulinette.

Je n'en attendais pas moins. Voodoo remercie le ciel en silence.

Il a fait quoi pour que la Border Police t'en parle ?

Chier. « Pas mal de dégâts, en deux ou trois attaques. » La cargaison volée n'est pas son seul exploit ce mois-ci. La même rumeur dit que la qalat de Tahir à Gardi Ghos c'était lui et qu'après, il a tapé un labo. Ses obligés et ceux de Zaher, son nouvel allié, sont mécontents et remettent en cause les accords passés et leur mainmise sur le trafic dans la province.

Et ils branlent quoi, nos putains de soldats ?

« Ne me demande pas ça à moi. »

Si les Haqqani sont déjà chez vous, ça va pas plaire à Kaboul.

« Selon ma source, il serait allié à un trafiquant local. » Le seul qui a refusé de baisser son froc, contrairement à ses potes. Mais si le roi des animaux n'arrête pas ses conneries, ils vont tous finir par remettre la main sur leurs *cojones* et le chef de la Border Police tirera vraiment la gueule.

Qui s'appelle ?

« Rouhoullah. » Voodoo aurait dû faire plaisir à

Nawaz et tuer cette salope dès que possible. Maintenant, il est coincé, même s'il a fait valoir que les aléas de gestion du bizness de Zaher et Tahir ne le concernaient pas. Lui, il est juste client. Parfois, il rend service, mais c'est un bonus, pas un dû. Là, il est trop exposé, s'impliquer dans leur guéguerre alors qu'il doit gérer sa participation à l'autre, la vraie, n'est juste pas possible, ses employeurs posent déjà trop de questions.

Il arrose les talibans ?

« Possible. »

C'était le deuxième nom ?

« Rouhoullah ? Affirmatif. » Et si Bob trouve quelque chose à se mettre sous la dent, il va vite l'inscrire, avec celui de Sher Ali et toutes les infos ad hoc, sur la liste des cibles prioritaires de la CIA. Un Zadran, si loin de son territoire, faut s'en occuper vite, à l'heure où le réseau Haqqani étend son théâtre d'opérations. Après celle de la CIA, ils se retrouveront sur celle de l'ISAF puis celle du JSOC. Tous ces gens aiment bien se piquer les hommes à abattre. Plus on en dégomme, des grands méchants, plus les statistiques gonflent, les objectifs se remplissent, la hiérarchie applaudit, les politiques jubilent et les budgets augmentent. Ou, a minima, sont sanctuarisés. Tuer pour survivre, une règle immuable.

À partir du moment où le Roi Lion et son copain figureront dans toutes ces rubriques nécrologiques prospectives de milliers d'insurgés, les JPEL ou JIPTL ou Dieu sait quel putain de sigle, tout ce que la coalition compte de militaire, paramilitaire, secret, spécial ou conventionnel, sur terre ou dans les airs, se mettra en chasse pour, avec un peu de bol, débarrasser Voodoo d'un énorme souci. Sans risque d'éveiller le moindre soupçon. Deux morts totalement perdues dans le brouillard de la guerre. Qui arrangeront ses affaires, Tahir et son patron n'ayant pas estimé son *je ne suis qu'un simple client* recevable. Pas question pour eux de laisser quoi que ce soit menacer la dîme collectée sur le trafic de came. Et la récente multiplication d'incidents constitue une menace sérieuse. Ils ont donc exigé que Voodoo fasse de leur problème son problème, faute de quoi la CIA et l'état-major de l'ISAF pourraient entendre parler de ses activités parallèles.

Ces enculés les tiennent par les couilles. Voodoo n'a pas encore évoqué le souci avec sa garde rapprochée mais il n'a guère de doute sur les réactions de ses mecs. Ils vont faire la tronche, certains risquent même de vouloir tout laisser tomber. Une option qui ne lui plaît pas, il n'en a pas encore assez, mais n'est pas plus idiote qu'une autre, ils ont déjà tous pas mal de fric de côté. Elle implique cependant de pouvoir sortir du jeu le cul propre et ça, c'est pas gagné.

C'est quoi les mobiles ?

Voodoo énumère un des numéros connus du trafiquant, obtenu auprès d'un concurrent. « Il est censé être à Rouhoullah ou à l'un de ses proches. »

Il l'a eu comment, ton grand chef ?

« Une descente. Le téléphone était avec le reste. »

On pourrait tirer d'autres trucs de l'appareil, il l'a encore ?

« J'ai demandé mais non. À mon avis, un des flics de Tahir l'a piqué. » Un mensonge plausible, ces mecs sont tous des charognards.

Il sort d'où, le numéro, alors ?

« J'en sais foutre rien. »

Putain de hajis de merde.

« Entre l'Irak et ici, j'ai appris à me contenter de peu. »

Le second numéro, c'est quoi ?

Piochant sans le dire dans le répertoire de l'un de ses portables de travail, Voodoo donne à Bob les coordonnées du commandant Naeemi. Il ne précise pas son nom. Il soupçonne le bras droit du colonel d'être celui qui renseigne Rouhoullah. Et il veut en être sûr avant de le dénoncer. Identifier cette taupe et la neutraliser mettrait un coup d'arrêt immédiat à la guérilla du trafiquant. Mais bien qu'il ait admis l'hypothèse du traître, Nawaz a encore refusé l'assistance de l'Américain pour régler le souci. Ses putains de troupes, son putain de clan, son putain de problème. Putain d'orgueil pachtoune. *Je t'encule Tahir, je vais te le prouver que ton petit capitaine de mes deux te la met bien profond depuis des mois.*

Il suffit que Bob ne se doute de rien.

Autre chose ?

« Non. » Ce n'est pas vrai, Voodoo a eu des infos supplémentaires, mais il ne peut pas les partager avec l'agent de la CIA. Le chef de la Border Police lui a parlé de la visite d'un journaliste, qui a réussi à rencontrer un oncle de la balance payée par Rouhoullah. Tahir lui a même donné un prénom, Peter, obtenu après une discussion virile avec le tonton d'Afzal. Là, c'est Voodoo qui a tiré la gueule. Peter Dang. Il n'a encore rien pour les menacer réellement mais il est au courant du sort du mouchard et de sa famille. Et il a entendu parler de Rouhoullah. Connard de fouille-merde. S'il se mangeait une balle perdue, Voodoo ne pleurerait pas.

OK. Envoie-moi ton compte rendu.

« Pas de problème. » Jamais. Voodoo n'a pas l'intention de laisser une trace écrite. Dans quelques jours, Bob n'y pensera plus, pris par le rythme soutenu des opérations de Chapman. Et s'il insiste, Voodoo temporisera encore, jusqu'à ce que l'autre oublie vraiment. Il ne craint rien côté téléphone, leurs échanges sont fréquents, réguliers et jamais enregistrés. « À dans trois jours. »

Impose ta chance ! C'est bien ça que vous vous dites entre vous, non ?

« Ouais. » Voodoo raccroche son terminal sécurisé. *Entre nous.* Dans un tiroir de son bureau, il récupère un autre portable et y insère une puce prépayée neuve achetée à Kaboul. Il le met sous tension, compose un numéro de mémoire, attend que la liaison se fasse. Son interlocuteur décroche après la troisième sonnerie. Voodoo sourit lorsqu'il entend son accent français.

Comment vas-tu ?

« On peut se voir bientôt ? »

C'est si grave ? Montana se marre. *L'endroit habituel ?*

« Oui. Le 12 ? »

Je me libère. Tout va bien ?

« J'ai besoin de ton avis. »

D'accord.

« Prends soin de toi. » Voodoo met fin à la communication.

13

Tlalai ouakht berta pa laas na razi. Le passé ne revient pas. Sher Ali pense à ce *matal* populaire, souvent prononcé par son père, alors qu'il contemple les silhouettes ligotées et bâillonnées de Haji Moussa Khan et de son aîné, Akib. Le passé ne revient pas. Il devrait être heureux d'être ici, devant l'un des porcs sans honneur complices de la mort de ses enfants, totalement à sa merci au moment où il lui prend ce qu'il a de plus précieux, ses armes, ses terres, ses femmes, son *namous*. Pourtant le cœur de Sher Ali est juste rempli d'effroi. La haine ressentie avant l'attaque de la qalat de l'éleveur de chevaux a disparu. Dans son esprit, Badraï et Adil, convoqués pour assister à la vengeance de leur père, n'ont plus de visages, ils se sont estompés, ne sont plus que sensations, impressions, souvenirs. Leur image, le son de leurs voix fuient sa mémoire. Et cela le terrifie.

Le temps est une rivière qui coule et use. Et le passé ne revient pas.

Sher Ali ne montre rien. Ses traits à lui sont nets, durs, figés, c'est en dedans qu'il se dissout. Sur un signe de sa part, Qasâb Gul et d'autres hommes du khel s'emparent des prisonniers et les entraînent dehors. Dans la cour principale de l'énorme ferme fortifiée de Haji Moussa, à la lumière de torches, le reste de la troupe finit de rassembler les membres survivants des trois familles qui habitent là, une grosse vingtaine. Un vieillard, avec le frère de l'éleveur et l'un de ses cousins, les épouses, les fils, des gamines en pagaille. Trois d'entre elles, des adolescentes, sont à moitié dénudées. Elles se font tripoter, pas le temps pour autre chose. Elles se débattent, essaient d'esquiver ces mains étrangères qui fouissent et violent l'intimité de leur peau, néantisent leur honneur. Elles pleurent, leurs mères pleurent, leurs pères et leurs frères gueulent et pleurent. Les assaillants rient. L'humiliation avant la mort.

Sher Ali envoie Dojou et des talibans locaux plus quelques arabes – une contrainte imposée par Tajmir pour ne froisser aucune susceptibilité provinciale – hors les murs, aux enclos. Haji Moussa Khan et Akib sont conduits contre un parapet. Impuissants, forcés de regarder, ils voient les poignards sortir des fourreaux, les cous de leurs proches se tendre contre leur gré, les gorges entonner des mélopées poisseuses, les sangs gicler et se mélanger, les corps s'affaisser les uns sur les autres. Certains petits, incrédules, se laissent faire, d'autres appellent leurs parents et se mettent à hurler comme hurlent les agneaux sous le couteau. Une fillette se rebelle et parvient à échapper à Fayz, son exécuteur. Elle se rue vers le portail avant d'être stoppée dans son élan par un croche-pied du gamin à la fleur qui suit Sher Ali partout depuis la décapitation. Fayz se rapproche et offre son *chora*, un autre coutelas traditionnel, à son jeune frère d'armes. Lui, excité, encore maladroit, voulant sans doute bien faire, y va tellement fort qu'il sectionne presque la tête de la fille d'un seul coup. Il en perd sa tulipe du jour et termine le travail, intoxiqué par l'excitation de la mise à mort. Ensuite, il reste un moment interdit devant cet objet sphérique dans sa main, étrangement lourd. Il le soulève pour l'examiner, paraît content de son labeur et finit par le balancer plus loin, désinvolte. Il y a un bruit mat au moment du choc avec le sol. Derrière eux, une femme s'évanouit. Elle est égorgée à son tour, comme ça, par terre, inconsciente.

Sher Ali fixe le tableau sanguinaire inspiré de son chagrin, immobile et le cœur tourmenté. Il repense à son père, au père qu'il aurait lui-même été s'il n'avait pas décidé d'éloigner ses enfants, et de les perdre, à leur innocence gâchée et à celle qu'il assassine ce soir. *C'était écrit*, tente-t-il de se rassurer, *ici aucun de nous n'est innocent, nos destins s'entrecroisent selon le dessein d'Allah, nous n'avons pas le choix*.

À côté de lui, Haji Moussa s'époumone dans son bâillon, ruisselant de sanglots de souffrance et de rage, le corps en lutte pour rejoindre les siens. Son fils ne bouge pas, les yeux grands ouverts, assommé par les coups portés à ses proches. Sher Ali se penche vers l'oreille paternelle. « *Zma zrou de oukhouarou.* » Tu as mangé mon cœur. « À moi de dévorer le tien. » Moussa cesse de s'agiter, il ne produit plus le moindre son et se contente de dévisager son bourreau.

Des tirs retentissent derrière l'enceinte, ils se mêlent aux cris des suppliciés, aux râles victorieux des tâcherons imprégnés d'un rouge noir de nuit et, maintenant, aux hennissements de panique de chevaux qu'on abat. Accrochée au brêlage de Sher Ali, sa radio diffuse l'alerte. Des hommes du village d'Abbas Khan Kala, dans la vallée, ont entendu les tirs, ils viennent. Une roquette explose hors de la qalat. Dojou qui s'empresse de terminer le travail avec les bêtes. Dans la cour, ça se calme. Deuxième explosion. Des moutons se mettent à bêler, fracas d'une cavalcade, les rafales reprennent. Des ordres sont donnés pour partir ; les prisonniers d'abord, avec le Boucher et la plupart des combattants. *Allahû akbar !* Fayz et le gamin à la fleur commencent à répandre de l'essence à l'intérieur des bâtiments. Les torches suivent, embrasent.

Sher Ali sort, rejoint les enclos. Dojou a annoncé son repli mais il y a encore des détonations sporadiques. Un des étalons n'est pas mort. Il agonise sur le flanc, le corps lacéré, la jambe gauche arrachée. Il gaspille ses dernières forces à essayer de se remettre debout, s'arrête quand le khan apparaît. L'animal le dévisage d'un regard fou, bien plus humain que le sien. Une prière silencieuse est articulée et, maintenant qu'il est seul, la tristesse coule enfin sur le visage du Roi Lion. De ses deux mains ouvertes et raides devant lui, il essuie ses larmes, effleure sa bouche, touche son cœur. L'AKSU chante une fois et la tête du cheval s'affaisse lourdement.

Le passé ne revient pas.

La terrible nouvelle attend Hafiz et Akbar à leur retour des FATA. Un représentant d'Abbas Khan Kala est venu tout exprès les prévenir. À la lisière de la nuit, gris dans ce gris terne qui toujours précède l'aube, ils le trouvent accroupi hors du périmètre de sécurité de la base et filent aussitôt, sales et épuisés, au village de Haji Moussa Khan. Fox part avec eux, escorté d'une dizaine de CTPT, à bord de deux pickups, contre l'avis du chef de station CIA et du commandant des forces spéciales de la FOB Lilley. Et de Tiny. Lui ne veut pas venir, il a peur. À raison. Fox comprend.

À l'entrée du village, les habitants vont et viennent nombreux, en armes, agressifs, et prennent très au sérieux le rôle de sentinelles qu'ils ont endossé de leur propre initiative. Leur manière de canaliser un besoin de vindicte et de faire face au chagrin. Il faut parlementer pour accéder à la veillée puis Hafiz s'énerve et ils peuvent passer.

Les corps ont été ramenés dans la vallée dès cette nuit et répartis chez des proches. Là-haut c'est un enfer, expliquera l'imam plus tard, tout est cramé et les bêtes massacrées empestent. Même chez ces gens habitués au malheur, le carnage a frappé les esprits des premiers arrivés chez Haji Moussa Khan.

Des anciens sont déjà à pied d'œuvre pour nettoyer les morts à l'abri des regards et leur rendre un soupçon d'humanité, et la plupart des enfants sont de corvée de tombes. Sous bonne garde, on craint d'autres attaques. Il leur faut en creuser trente-quatre pour l'après-midi. Ici on ne traîne pas pour ensevelir les trépassés.

Dans plusieurs cours voisines les unes des autres, les cadavres apprêtés ont été disposés sur des charpoys. À peine descendu de voiture, Hafiz se met en quête de Haji Moussa et de l'épouse de celui-ci, sa sœur, et de leurs enfants. Fox le suit jusqu'à un portail où on lui fait comprendre qu'il ne peut aller plus loin. Il a juste le temps d'apercevoir des femmes se lamenter autour de lits disposés côte à côte. L'une d'elles se roule au sol et se frappe le visage en une transe douloureuse. La porte refermée, Akbar emmène Fox à la petite mosquée d'Abbas Khan Kala qui sert également de hujra. Il attendra là jusqu'à la procession et la mise en terre, confié aux bons soins d'un vieillard et de quelques supplétifs. Ils le protégeront, lui donneront à manger.

À mesure que la matinée avance, les cris des femmes, dehors, sont moins fréquents. La modeste salle commune se remplit. Quelques visiteurs viennent de très loin, l'émotion au bord des lèvres, et tous ont les bras chargés d'offrandes, même les plus démunis. Dans un pays de miséreux, ce n'est pas rien. Fox porte les vêtements couleur locale de son infiltration de l'autre côté de la frontière et se fond dans le décor, discret. Il partage cigarettes et charas, boit des litres de thé, écoute surtout. Les inquiétudes, les douleurs et les mots distillés aux enfants apeurés. Les fantasmes sur ce qui s'est vraiment passé. L'attaque a été menée par des centaines de *tatou*, des bâtards d'âne et de jument. Il y avait des Tchétchènes, des Arabes et aussi des Ouzbeks. Il fallait au moins ça pour surprendre Haji Moussa et abattre les siens. Toutes les femmes auraient été violées. On parle de se venger mais on dit aussi que l'éleveur avait été prévenu de ne plus faire commerce avec les étrangers, les lettres nocturnes étaient fréquentes. La parole se libère avec les passions et tous ne semblent pas peinés par les morts de la nuit. Parfois, des regards pleins de haine fusent vers Fox, des coups d'épaule également. Il les ignore.

Hafiz vient prier avec lui à la mi-journée. Il semble épuisé, a le teint de pierre et le regard noyé des gens touchés au cœur. La montagne vacille et Fox souffre de le voir si vulnérable. Hafiz aime Haji Moussa Khan et il a disparu. Il confirme la rumeur, son cadavre n'a pas été retrouvé, pas plus que celui d'Akib, son aîné. Même dans les cendres de leur qalat. Hafiz craint un enlèvement, ne croit pas à une demande de rançon. Il sait que le père et le fils seront torturés avant d'être exécutés de façon spectaculaire. Les tribus et les clans pachtounes de la vallée de Barmal sont parmi les plus rétrogrades et les plus conservateurs du pays. Sur ce territoire, les talibans agissent à leur guise. Haji Moussa, Akbar et quelques autres sont des ennemis, des mécréants qu'il convient de punir. Hafiz insiste, Fox doit rentrer à Lilley, il n'est pas en sécurité. Le refus est net, ils y retourneront tous ensemble, avec Akbar. Ici, le danger est grand pour chacun d'eux. Après un sourire, Hafiz disparaît encore.

Vers quinze heures, le guide vient chercher Fox. La procession a commencé. Escorté par les CTPT en armes, le paramilitaire suit le lent cortège où ne marchent que des hommes. Les femmes ont disparu quand leurs plaintes se sont tues. Il se dirige vers la sortie d'Abbas Khan Kala. Là-bas se trouve l'alignement de tombes, toutes orientées, selon les usages, du nord au sud. Les corps des plus jeunes y sont déjà, devant leurs emplacements, acheminés à l'avance. Les autres victimes, allongées sur leurs châlits, progressent lentement au-dessus d'une mer de porteurs qui se relaient en chemin, chacun les soutenant sur quelque distance, au rythme de murmures psalmodiques pour la paix éternelle des disparus. Fox, encadré par Hafiz et Akbar, s'avance un instant pour participer à l'effort commun et honorer la famille de Haji Moussa, et ne s'écarte que lorsque tous les morts sont enfin réunis. Le silence se fait et l'imam du village entame la *janaza*, il demande pardon à Dieu au nom de tous les défunts.

Les visages des hommes sont graves, respectueux, la plupart gardent les yeux baissés. De rares personnes, Fox en fait partie, observent l'assistance et suivent ses réactions. Le paramilitaire s'arrête sur un paysan, très jeune, à la tenue modeste, la face en partie dissimulée derrière un pli de son turban. Il le remarque parce qu'il se pointe après tout le monde. Le retardataire arrive par l'extrémité gauche du rassemblement, à une cinquantaine de mètres de l'endroit où Fox a pris place. Engoncé sous un patou posé sur ses épaules, il longe la foule endeuillée par l'arrière, essayant de se faufiler à l'intérieur. Fox n'aime pas son air et, tout en essayant de suivre la cérémonie, continue à le surveiller.

Un à un, les morts sont descendus dans leurs sépultures, leurs têtes tournées vers la Kaaba. Quand le premier petit corps disparaît, des sanglots aigus viennent troubler le silence recueilli du moment. Fox ferme les yeux, il aimerait pouvoir se boucher les oreilles et ne plus rien entendre. Depuis cinq ans, il en a vu des enfants morts, ceux-là ne sont pas les premiers. Ce sont peut-être ceux de trop. Le lent rituel des cadavres engloutis par la terre étire sa peine et attise sa révolte. Demandées par des proches, d'autres prières sont dites et, si peu à peu, attirés par ses incantations, tous se resserrent autour de l'imam, devant les tombes qui se remplissent, pour Fox aucune de ces oraisons ne fait sens. Plus grand-chose ne fait sens.

Il repère Hafiz aux côtés du religieux et finit également par retrouver le paysan, un moment perdu de vue. Il est à une vingtaine de mètres, au milieu des gens, et avance, attentif à son environnement, toujours plus loin, plus profond. Pour passer entre deux hommes, il lève les bras.

Un câble électrique sort de sa manche.

Il a un interrupteur dans la main.

Fox regarde Hafiz. Il est de dos, ne fait pas attention à lui.

Fox regarde le paysan, crie *bam !* Bombe.

Le paysan se fige. Il se tourne vers Fox.

Hafiz se tourne vers Fox.

Chacun se tourne vers Fox.

Ils ont tous l'air surpris. Sauf le kamikaze.

Sans espoir.

Il y a une boule de lumière, une surpression assourdissante, les silhouettes devant Fox sont avalées par la blancheur subite et une masse noire fonce sur lui. Choc. La collision et l'effet de souffle le projettent en arrière. Son dos heurte la rocaille, l'impact lui coupe la respiration et il perd connaissance un temps indéterminé. Il reprend conscience avec l'impression d'étouffer. Sa poitrine lutte pour se gonfler. Son nez coule, ses yeux pleurent, il a dans la bouche un goût d'explosif détoné et de barbaque mal grillée. *Je bouffe les morts.* Dans sa tête, c'est une cacophonie de sifflements. Plus aucun autre son ne lui parvient. Il essaie de faire bouger ses membres, trouve la terre dure et poussiéreuse sous ses doigts, la creuse avec ses ongles. Ça fait mal, c'est bon. Il remonte ses genoux, grimace d'élancements dans tout son dos. Supportables. Il se marre. *OK, je vais me lever.* Trop vite, la tête lui tourne. Juste avant de sombrer à nouveau, Fox aperçoit le visage grisâtre d'un gamin, à quelques centimètres du sien. Il a le regard figé, rougi. Le sommet de son crâne est posé sur le sol. Parce qu'il est à l'envers. Fox pense *il fait le poirier*. Il est maintenu dans cette position tarabiscotée par l'un de ses poignets, replié du mauvais côté. Le reste de son corps malingre, dépenaillé, tout sale de rouge et de débris, articulé en dépit du bon sens, est avachi sur celui de son père. À qui il manque l'avant-bras. Du moignon survivant, dont l'extrémité est en lambeaux, le sang gicle. Gicle. Gicle.

Ensuite, Fox s'est réveillé juste avant l'arrivée du premier hélico d'Evasan. Qui a prévenu l'armée, il n'en a aucune idée et il s'en fout. Akbar se tenait au-dessus de lui, indemne, et ça lui a fait plaisir. La boucherie était partout, onze tués et dix-sept blessés. Les femmes avaient réapparu. Dans ces moments du pire, au milieu des bouts d'hommes, leurs larmes purificatrices et cette tendresse dont elles seules sont capables, même confrontées à la mort, sont toujours bienvenues. Le garçon disloqué se trouvait dans les bras de sa mère. Elle l'avait rhabillé, avait dû essayer de le remettre dans le bon ordre mais avait renoncé et se contentait de coiffer ses cheveux, gras de suie et de sang, encore et encore et encore, murmurant à sa sourde oreille mille douceurs rassurantes.

Hafiz faisait partie des éclopés. Lui, ce n'était pas trop grave. Le *blast* et une longue entaille causée par un fragment, on ne saura jamais de quoi. Il en est quitte pour une cicatrice supplémentaire sur son corps déjà bien couturé. Un coup de bol, il était très près du kamikaze. Avec l'accord de Voodoo, joint par téléphone dans la soirée, Fox est resté à Salerno, où Hafiz et lui ont été transportés en compagnie d'Akbar. Après avoir été soumis à divers examens médicaux, gavé d'analgésiques, Fox a somnolé auprès de son camarade, gardé en observation postopératoire à l'hôpital de la base. Au milieu de la nuit, les appels d'Hafiz l'ont tiré de son sommeil chimique. Il avait besoin de demander pardon d'avoir ainsi manqué à tous ses devoirs protecteurs d'honorable Pachtoune. S'ajoutaient à sa triste honte d'autres chagrins, celui de la dévastation et du désespoir de la perte irrémédiable. Ils ne reverront plus Haji Moussa Khan dévorer ses barres chocolatées. Fox n'a pas su trouver les mots justes et il se sentait mal lui aussi, alors il s'est excusé, il aurait dû savoir, voulu réagir plus vite. « J'ai failli perdre un ami. » Ils ont pleuré côte à côte dans l'obscurité et se sont rendormis, terrassés.

Au petit matin, après un pillage en règle des réserves de l'ordinaire de la FOB, malgré la fièvre du contrecoup et les vives douleurs, Fox file en secret vers la ville de Khost, dans un uniforme afghan prêté par Akbar, au milieu d'une patrouille de l'ANA. Cette folie l'obsède depuis le vol retour, quand le monde autour de lui n'était plus que métal, angles, saillies, vacarme, tremblements de machines, de chairs et d'esprits en lutte contre un réel trop fort. À admirer béat la puissance de la mort et la lutte dérisoire de l'infirmier de bord autour du corps relâché, presque gélatineux, d'une victime de l'attentat traversée de part en part par un éclat brûlant.

Fox retrouve le lieu sans problème, guidé par son souvenir et son instinct de survie. Ce n'est pas le souteneur qui lui ouvre la porte mais Storay elle-même. Son visage est dissimulé, comme la première fois, seuls ses yeux sont visibles et passé la surprise, ils ne peuvent mentir, elle est heureuse de le voir. Et lui aussi, plus encore qu'il ne l'aurait imaginé. Tout le monde est absent, elle est seule et nettoie, elle ne sort jamais.

Sans perdre un instant, en dépit des consignes, elle le fait entrer et va le cacher dans sa minuscule chambre, en haut, tout au bout du couloir. Quand ils sont tous les deux à l'abri, Fox n'a pas le temps de faire tomber le voile. À peine est-il assis qu'elle lui dit de l'attendre, de ne pas faire de bruit, de ne pas la laisser, encore de l'attendre, elle va revenir, un faux départ ponctuant chacune de ces injonctions précipitées. Il rit gentiment de cette panique, elle le remplit de joie.

Elle file et Fox se laisse aller sur le lit. Au bout de cinq minutes, il sombre sans angoisse, il n'a plus la moindre volonté de rester sur ses gardes. Combien de temps Storay est-elle partie, quand est-elle revenue, reste-t-elle longtemps à le regarder dormir, Fox ne saurait le dire mais lorsqu'il rouvre les yeux, elle est à côté de lui. L'odeur d'un savon bon marché plane dans la pièce et l'étoffe sur ses cheveux est tachée d'humidité. Elle est allée se laver. Pour moi. Ému, il la remercie tout bas, en français. Elle comprend peut-être, sourit en retour. Elle a vraiment un joli sourire. Son visage est à nu. Elle a pris le risque de s'exposer. Seule.

Elle m'a fait confiance.

Fox se redresse en position assise, il doute brusquement de ce qu'il est venu chercher. Pour temporiser, il ouvre et retourne entre eux le baluchon emporté avec lui. Une cascade d'oranges, de pommes, de bananes, un melon, du pain frais, un peu de chocolat, du sucre, son Glock, un couteau, le Thuraya, de l'argent s'abat sur le lit. Le voilà, dans son minable uniforme, proposant ce minable pique-nique, enfermé dans une chambre minable de ce claque innommable, à une pauvre petite pute défigurée. Il ne peut s'empêcher de penser aux repas, beaucoup plus élégants, qu'il a offerts à d'autres femmes, en d'autres occasions, quand il faisait encore partie de l'autre monde. Cet homme-là a chuté et maintenant il est réduit à acheter l'amour avec un peu de bouffe et de la monnaie de singe. Et surtout, il n'oublie pas ses capotes. Elles sont là, dans leur emballage brillant, au milieu de tout son fatras. Émerveillée par la nourriture, Storay ne les a pas remarquées. Fox les a piquées à l'infirmerie de Salerno avec une idée en tête. Il n'aurait pas dû. Elles disent des tas de choses, ces capotes, et aucune n'est belle. Elles réduisent la jeune femme à sa sordide réalité et renvoient de lui une image méprisante et méprisable qu'il n'aurait jamais pensé avoir à contempler un jour.

Storay n'ose pas toucher aux fruits. Pour faire diversion, Fox lui tend une orange. Pendant qu'elle la pèle, gourmande, il fait disparaître dans son sac les préservatifs et tout ce qui n'est pas comestible. Elle prend son temps pour détacher les quartiers un à un et les savourer, concentrée, oublieuse du reste. À chaque mastication, sa balafre remue. Malgré lui, Fox ressent le besoin de la caresser. Au contact de ses doigts, elle s'interrompt et le dévisage, attentive au regard qu'il porte sur elle à cet instant précis. La méfiance est revenue d'un coup et il regrette son geste, ce réflexe morbide. Il ne veut pas retirer sa main, ce serait pire, alors il la fait glisser le long du cou de Storay, derrière sa nuque, et l'attire doucement à lui. Elle se laisse faire et il sent un frisson la parcourir, réplique de ses propres tressaillements. Elle accepte ses lèvres. Ce premier baiser, fermé, chaste, a la fraîcheur et l'acidité de l'agrume. Il dure juste assez. Fox recule et, avec la langue, se lèche les contours de la bouche, parfumée à l'orange. C'est délicieux.

Le joli sourire revient. Il a de la chance.

12 MAI 2008 – Journal opérationnel de la Base de feu Lilley.

ID Référence : AFG20080512n1291		**Détenus :**	**0**
Région : RC-Est	KIA -	**Ennemi :**	**2**
Latitude : 32.53627396		**Ami :**	**0**
Longitude : 69.22351837		**Civil :**	**0**
Date : 12-05-2008 10 : 56		**Hôte :**	**3**
Type : Action Ennemie	WIA -	**Ennemi :**	**0**
Catégorie : TI		**Ami :**	**0**
Cible : Ennemi		**Civil :**	**0**
Exp. : Task Force Currahee		**Hôte :**	**2**

ACTSIG Resp. S-3

Nom Unité Engagée : ODA 3315

Type Unité Engagée : Appui Feu

ACTSIG :

Couleur : Rouge

Classification : Distrib. ISAF

42 SWB 18300 00000

Chronologie : à 0954z, COP SHKIN BAZ. bomb. par 3xTI. 2ximpacts / COP, imp. dég. struc. int. + 3xASG KIA, 2xASG WIA, PO acquis par AN/TPQ36 (WA 24731 95713). Tir neutr. à 0959z sur PO et rout. rep. 2xEKIA.

Cib. 1 (WA 24731 95713) : 9x105mm OE, 9x155mm OE

Cib. 2 (WA 23 855 93823) : 5x105mm OE, 5x155mm OE

Eval. S2 : en cours

MàJ : 2xASG WIA EVASAN FOB Salerno à 1047z

FinEv : 1134z

(Chronologie : À 9h54 zoulou, l'avant-poste du bazar de Shkin a été touché par trois tirs indirects. Deux ont atteint les infrastructures internes de l'avant-poste et provoqué des dégâts importants. Trois ASG ont été tués

en action, deux ASG ont été blessés en action. Le point d'origine du tir a été acquis par radar aux coordonnées WA 24731 95713. À 9h59 zoulou un tir de neutralisation a été déclenché contre le point d'origine et sur l'itinéraire de repli des insurgés. Deux ennemis ont été tués en action.
Mise à jour : deux ASG blessés en action ont fait l'objet d'une évacuation sanitaire à la FOB Salerno à 10h47 zoulou.)

Le cœur gros, Fox se résigne à appeler Voodoo après avoir passé la journée et la nuit avec Storay. La liaison satellite n'est pas terrible, son boss paraît lointain, ça résonne autour de lui et il y a des bruits de fond. Il présente ses excuses sans fournir d'explication, du reste aucune ne lui est demandée. Voodoo est distant, il a visiblement d'autres préoccupations en tête. Une heure plus tard, Rider vient chercher Fox au bordel avec un groupe de ses commandos afghans et le ramène à Salerno. Le soir même, il rentre à Jalalabad. Il n'en a pas envie.

14 MAI 2008 – DEUX MISSILES FRAPPENT LE VILLAGE DE DAMADOLA dans les zones tribales pakistanaises
[...] Premier bombardement de drone depuis la formation d'un nouveau gouvernement au Pakistan, six semaines après la fin de l'ère Moucharraf, il aurait eu pour objectif de tuer Abou Soulaïman al-Jazaïri, un expert en explosifs d'Al-Qaïda. Al-Jazaïri, originaire d'Algérie et haut placé dans la hiérarchie de l'organisation, est suspecté par les services de renseignements d'avoir préparé plusieurs attentats contre des capitales euro-

péennes [...] « Nous n'avons pas de détails », a confié un responsable local de la sécurité à notre correspondant, confirmant les déclarations du porte-parole de l'armée pakistanaise qui a prétendu qu'aucun bombardement n'avait été prévu ou autorisé [...] La maison détruite abriterait souvent des militants de passage et appartiendrait au commandant taliban Moulvi Obaidoullah. Hier, elle était occupée par plusieurs personnes dont des enfants. « Quatre moudjahidines et trois jeunes garçons ont été tués lors de cette attaque », a annoncé le Moulvi Omar, porte-parole du TTP, le Mouvement des talibans du Pakistan, avant d'ajouter : « Nous nous vengerons. » D'autres sources estiment à vingt le nombre de victimes [...] Ce n'est pas la première fois que les forces américaines bombardent Damadola. Elles avaient déjà ciblé la zone en janvier 2006 dans l'espoir de tuer le bras droit d'Oussama Ben Laden, Ayman al-Zaouahiri, supposé résider ici [...]

« Amiral.

— Comment allez-vous, mon cher Montana ? » Le chef de l'état-major particulier du président de la République attrape mollement la main qui lui est tendue avant de prendre place à table. Il est habillé en tenue de ville, le rendez-vous est informel. Il laisse son regard errer dans le bar aux boiseries crème de l'hôtel Bristol, repaire privilégié du locataire de l'Élysée, et semble satisfait de la clientèle, elle lui convient.

« Bien.

— C'est vrai que vous avez bonne mine.

— Je rentre de deux jours dans le Golfe.

— Un voyage intéressant ? » L'amiral n'ajoute pas *pour nous*, c'est inutile.

« Je le crois, oui.

— D'après ce que j'entends, nos amis qataris n'ont que des choses agréables à dire sur vous. »

Montana ne réagit pas, bien qu'une marque supplémentaire d'humilité de sa part soit sans doute attendue. Il n'a rien à faire des compliments factices d'un officier supérieur qui tordrait le nez s'il avait connaissance du dixième des choses auxquelles il est mêlé pour le bien de la France.

Le militaire commande un Perrier et attaque sans perdre de temps. « Vous savez à quel point le décès du regretté Charles Steiner a été durement ressenti par nombre d'entre nous. »

Steiner. Ce nom, Montana ne l'a plus entendu depuis plusieurs années. Et il ne s'en plaint pas. « Nous ?

— Une fraternité de camarades qui se préoccupent de tout ce qui touche aux Armées. » L'amiral sourit. « À l'époque de sa disparition, certains craignaient que son bon travail s'évapore avec lui. »

Son bon travail c'est-à-dire la SOCTOGeP, Société de traitement opérationnel, gestion et participation, et ses réseaux. Une officine privée, un faux nez bien pratique, qui intervenait dans le domaine de la défense lorsque l'État avait besoin de garder ses distances avec quelque négociation, manœuvre ou action. Elle avait été fondée par ledit Steiner, ancien cadre des services secrets, décédé en janvier 2002 dans l'incendie *accidentel* de ses bureaux. Une mort nécessaire pour clore discrètement une opération délicate, baptisée Alecto, menée sur le territoire national en pleine parano post-11-Septembre. Feu le patron de la SOCTOGeP ayant refusé de lâcher un agent clandestin dont le silence devait être garanti, et menacé de cracher le morceau, il avait été neutralisé. Montana dans ses œuvres. À l'époque, ça n'avait pas fait dix lignes dans la presse et, parmi les gens informés, personne ne s'en était formalisé. Pas même cet amiral assis aujourd'hui en face de lui.

« Mais vous avez su reprendre le flambeau avec un succès que beaucoup apprécient. PEMEO est votre grande réussite, même le PR en convient. Vous êtes bien sûr au courant de l'extrême attention qu'il porte aux enjeux méditerranéens.

— Bien sûr. » PEMEO, Perspectives Méditerranée Orient. Une initiative de Montana, née de la fusion d'un cabinet de veille diplomatique, IMED, Intelligence Méditerranée, et de la SOCTOGeP. Une structure qu'il a dirigée jusqu'à l'année dernière, après avoir quitté son poste d'éminence grise à la Direction générale de la sécurité extérieure. Il a considérablement étendu le champ d'action de l'affaire de son prédécesseur, par d'habiles montages juridiques et des remontées d'actifs jusque dans des holdings des îles Anglo-Normandes. À l'insu de ses autorités de tutelle, cette mafia de hauts fonctionnaires incompétents et d'officiers de temps de paix, élite rétrograde persuadée de savoir tout et mieux, et surtout occupée à bâfrer sur la bête.

Montana les a bien baisés, tous. Le dépaysement du siège de PEMEO, validé en haut lieu, lui a permis de créer en toute opacité, avec des associés de son choix, toute une galaxie de filiales dont certaines ont des objets généralement mal cernés ou mal vus dans l'Hexagone, l'intelligence économique, le lobbying, ou carrément illégaux puisqu'il a, entre autres, monté une société militaire privée, activité encore assimilée, en France, à du mercenariat. Et puisque ses excellents résultats financent généreusement les initiatives qu'il mène au nom du pays – un atout en cette période de contrôles accrus des fonds secrets et de disette budgétaire – aucun importun n'est encore venu mettre le nez dans les comptes de Montana. Pour préserver la confiance, il a même organisé volontairement sa succession et adoubé un ancien du Quai d'Orsay issu de l'énarchie, donc insoupçonnable, ex-ambassadeur essentiellement réputé pour le faste de ses réceptions passées. Et ses frasques sexuelles. Un idiot utile, mondain et priapique, à l'impeccable vernis, comme il s'en épanouit tant sous les ors de la République.

« Ce ne sont pas les seuls enjeux qui intéressent le PR. Je crois savoir que vous exercez encore des fonctions à l'intérieur de PEMEO.

— Très symboliques. » Montana voit l'amiral le fixer derrière ses lunettes avec l'air de penser *symboliques mais généreusement rémunérées. Elle est bonne la soupe, hein, mon salaud.* Connard. « Guy m'a fort généreusement gardé un petit espace dans ses locaux. » En fait, Montana occupe toujours son ancien bureau, le plus grand de la boîte. « Il m'envoie parfois à l'étranger et il est suffisamment aimable pour me demander mon avis, à l'occasion. Mais il n'aura bientôt plus besoin de moi. » D'ici à quinze ou vingt ans.

« Tant mieux. Vous n'ignorez pas que le président a de grandes ambitions pour le renseignement. Une première étape vient d'être franchie avec la DCRI, mais il souhaite ne pas en rester là. »

Montana, en fin connaisseur de l'administration française, doute de la réussite, à terme, de la toute jeune Direction centrale du renseignement intérieur, engeance bâtarde de la psychorigide DST et de Renseignements généraux plus folkloriques, que certains journalistes ont eu tôt fait de moquer sous l'appellation *french bi aïe*. Pour le moment, le regroupement des deux entités, officiellement décidé afin de mutualiser les moyens et renforcer la coopération, donne surtout à quelques préfets et commissaires l'occasion de se tailler des équipes sur mesure, non pas dans le but de bosser plus efficacement contre l'ennemi, quel qu'il soit, mais pour atteindre le quota de subordonnées ouvrant mécaniquement droit à une promotion. Et accessoirement à une augmentation de leur traitement. Classiques avanies des cousins d'en face.

« Il aimerait que les différents services, aussi bien extérieurs qu'intérieurs, avancent de concert, avec des ordres de mission précis, des objectifs définis, des moyens appropriés et des responsabilités clairement réparties.

— Ce n'est pas déjà le cas ? » Montana se permet un sourire.

L'amiral également, les espions français forment tout sauf une famille soudée, collaborant en bonne intelligence. « Dès cet été, un coordonnateur national du renseignement va être nommé. Il sera placé directement sous l'autorité du PR et fera la liaison entre nos différentes maisons. »

D'aucuns verraient dans la création de ce nouveau poste le moyen, pour un chef de l'État à l'omniprésence déjà vivement décriée, de rogner un peu plus sur les attributions de son Premier ministre, dont le Secrétariat général à la Défense nationale gère un comité interministériel aux fonctions similaires. Et d'autres, un gaspillage supplémentaire des deniers publics. La soupe est bonne, oui, mais pas celle que l'on croit.

« Mais ce n'est pas tout, il sera également chargé de réfléchir à l'avenir, aux réformes qui s'imposent et sans doute de les mettre en musique. L'Intérieur a déjà beaucoup trop l'oreille du Président à notre goût, la récente fusion en est la meilleure preuve. Néanmoins, nous avons obtenu que ce ne soit pas quelqu'un de chez eux qui soit choisi. Tout le monde s'est entendu pour désigner une personnalité neutre.

— Neutre ?

— Un diplomate.

— Guy ?

— Non, évidemment. On vous le laisse, celui-là. »

Montana dévisage l'amiral. *Pas si con.*

« Mais quelqu'un d'aussi consensuel.

— Voulez-vous des recommandations de ma part ?

— Un nom a déjà été évoqué et validé, merci.

— En quoi puis-je vous être utile, alors ?

— Que diriez-vous de rejoindre ce coordonnateur à l'Élysée ?

— Je ne comprends pas.

— C'est très simple. La personne en question ne connaît rien à rien. Nous avons la volonté de peser sur toutes les décisions mais nous devons avancer masqués. Donc nous aimerions vous placer dans la roue du prétendant actuel le temps pour lui de démontrer les limites de ses capacités et, au moment opportun, dans six mois, un peu plus peut-être, nous vous pousserons à sa place. Vous aurez d'ici là su vous rendre indispensable.

— Pourquoi moi ?

— Très cher Montana. Vous avez fait une carrière fort utile au pays, peu orthodoxe mais brillante. Personne ne maîtrise le sujet aussi bien que vous. »

Sous-entendu, n'est aussi tordu. Montana est flatté.

« Vous êtes fidèle. Nous savons que vous aurez à cœur de préserver les intérêts qui doivent l'être. Et en accédant à ces responsabilités, vous terminerez en beauté une vie professionnelle déjà bien remplie. Vous pourrez marquer de votre empreinte l'histoire de l'espionnage français. »

Montana voit l'attention de l'officier de marine glisser vers l'entrée du bar et fixer quelque chose ou quelqu'un. Sur ses traits, il observe successivement la surprise, la gourmandise et, il le comprend lorsqu'une main délicate se pose sur son épaule, accompagnée par le *bonjour* d'une voix familière, la concupiscence. Il se lève, constate que dans la salle l'amiral n'est pas le seul homme scotché au cul de sa maîtresse et, sans rien laisser paraître de sa jubilation, dépose une bise unique et à peine trop longue sur sa joue.

Chloé est vêtue d'une très courte robe ivoire sous une veste de cuir légère, avec des cuissardes Louboutin en daim beige, lacées surle devant et surélevées sur d'acrobatiques talons. C'est Montana qui les lui a offertes et il aime la prendre debout par-derrière quand elle les porte. Avec sa tenue, elles mettent en valeur ses jambes fuselées et sa sensualité androgyne. Un effet renforcé par le blond paille à la garçonne encadrant son visage sculpté en V, dont chaque élément semble avoir été choisi pour dégager cette forme d'innocence faussement fragile qui rend les mâles à la fois protecteurs et pervers. Elle a une bouche étroite, malicieuse, aux lèvres généreuses, un nez court, arrondi avec grâce, et des yeux à l'effronterie bleu glacier aujourd'hui rehaussée par une nébuleuse noire, négligemment punk. Avec son allure, elle peut tout se permettre, même cette pointe de vulgarité.

Les présentations sont faites a minima, dignité d'un côté, prénom de l'autre, Montana et Chloé s'amusant en complices silencieux du baisemain maladroit qui s'ensuit. La jeune femme ne reste pas, elle est attendue. Et bien sûr, l'amiral veut en savoir plus.

« C'est la cadette de Guy.

— Vous semblez bien la connaître.

— Depuis longtemps. Je l'adore et veille sur elle comme si elle était ma propre fille. »

Avec l'annonce de l'âge de Chloé, vingt-quatre ans, cette remarque semble finir de doucher les ardeurs du marin. Il ne peut cependant renoncer à un dernier coup d'œil en direction de la table où elle s'est installée. « Une demoiselle fort charmante. »

Oublie, mon cher ami, tu boxes pas dans la bonne catégorie, pas assez taré. Montana rappelle le toutou galonné du Président à la réalité. « Puis-je avoir quelques jours avant de vous donner ma réponse ? Il me faut en parler avec mon épouse. Elle se réjouit de ma retraite prochaine et risque de ne pas apprécier de me voir prendre de nouvelles responsabilités, si vitales soient-elles.

— Les femmes ne comprennent pas toujours la notion d'intérêt supérieur de la nation.

— Peu de gens la comprennent. »

15 MAI 2008 - Journal opérationnel de la Base de feu Lilley.

ID Référence : AFG20080515n1299		**Détenus :**	**0**
Région : RC-Est	KIA -	**Ennemi :**	**N/A**
Latitude : 32.51543045		**Ami :**	**0**
Longitude : 69.226191711		**Civil :**	**0**
Date : 15-05-2008 19 : 05		**Hôte :**	**2**
Type : Action Ennemie	WIA -	**Ennemi :**	**1**
Catégorie : Embuscade		**Ami :**	**0**
Cible : Ennemi		**Civil :**	**0**
Exp. : N/A		**Hôte :**	**7**

ACTSIG Resp. S-3
Nom Unité Engagée : N/A
Type Unité Engagée : ASG
ACTSIG : Oui
Couleur : Rouge
Classification : Distrib. ISAF
42 SWA 24600 97600
Chronologie : à 1728z, col. VHC OGA an. cont. 40xINS av. RPG + armes leg. / route WA 246 976. 1xVHC OGA dét. par IED. 1xVHC OGA endom. par RPG. À 1739z FRR LILLEY en alerte vers WA 246 976. À 1742z FB LILLEY déc. Tir neutr. / INS. INS romp. cont. À 1751z FRR LILLEY rej. conv. OGA et prép. ZP pour EVASAN. 2xOGA KIA, 7xOGA WIA, 1xEWIA. EKIA inc.
Cib 1 (WA 24622 97634) : 9x120mm OE
Eval S2 : RAS
MàJ : 7xOGA WIA + 1xEWIA EVASAN FOB Salerno à 1822z
3xHAM aper. WA 246 976 à 1534z
FinEv : 1807z

(Chronologie : à 17h28 zoulou, une colonne de véhicules paramilitaires annonce un contact avec une quarantaine d'insurgés équipés de RPG et d'armes légères sur la route au point de coordonnées WA 246 976. Un véhicule OGA est détruit par un IED, un deuxième est endommagé par un tir de RPG. À 17h39 zoulou la Force de réaction rapide de LILLEY est mise en alerte et se dirige vers le point de coordonnées WA 246 976. À 17h42 zoulou, la Base de feu LILLEY déclenche un tir de neutralisation sur les insurgés. Les insurgés rompent le contact. À 17h51 zoulou la Force de réaction rapide de LILLEY rejoint le convoi paramilitaire et prépare une

zone de poser pour une évacuation sanitaire. Deux OGA ont été tués en action, sept OGA ont été blessés en action, un ennemi a été blessé en action. Nombre d'ennemis tués en action inconnu.
Mise à jour : sept OGA et un ennemi ont fait l'objet d'une évacuation sanitaire vers la FOB Salerno à 18h22 zoulou. Trois hommes d'âge militaire ont été aperçus vers WA 246 976 à 15h34 zoulou.)

14

À Kaboul, le quartier de Char Qala se trouve juste au nord du centre-ville, enclave des ministères et des représentations diplomatiques, et à l'ouest de la zone résidentielle de Taimani, où vit Peter Dang lorsqu'il séjourne ici. Il étend son monotone nuancier brun-gris autour de la colline pelée de Tapa-i-Bibi-Marhou, dont les pentes sont peu à peu envahies par des constructions à la fragilité croissante avec le temps et l'altitude. Ces dernières années, son repeuplement s'est effectué par vagues successives, sociales et ethniques, du plus *riche* au plus pauvre, du Tadjik au Pachtoune en passant par le Hazâra, au rythme de l'urbanisation du pays et de ses soubresauts économico-politiques. Premiers revenus, les Kaboulis exilés par la guerre civile et le joug taliban, rentrés dès le début de l'invasion américaine, ont repris possession de leurs maisons. Elles ont retrouvé portes et fenêtres, eau courante et électricité, autant de petits luxes acquis avec les fonds de l'OTAN et des Nations unies. Dans les espaces laissés libres ou à l'abandon par cette vague initiale, d'autres réfugiés sont arrivés ensuite et le ciment, les briques, les vitres, les murs droits, les toits plats, ont cédé la place à la tôle, au torchis, aux bâches plastique translucides, aux assemblages de guingois, aux foyers en plein air et à l'indigence sanitaire. Les voisins les plus récents, surtout des paysans chassés par l'insécurité des provinces et les années de sécheresse mortelle, débarquent maintenant où ils peuvent et souvent en hauteur. Seul avantage pour eux, leur air est plus respirable, ils ne sont pas noyés dans le smog persistant de la capitale afghane. Avec ses avenues boueuses et ses ruelles défoncées où s'entassent ordures et excréments, Char Qala n'est guère plus qu'un bidonville, le plus densément peuplé de la capitale, une sorte d'immense camp de déplacés en dur.

Javid y habite. Par tradition et devoir familiaux plus que par envie. Dans la baraque appartenant auparavant à ses parents. Il a pu la remettre en état avec l'argent gagné à jouer les poissons pilotes pour la presse étrangère, et son père est très fier. Sa famille vit confortablement mais il se verrait bien déménager ailleurs. Kaboul change et il veut changer avec elle, suivre son mouvement, son élan d'espoir. Se tirer de cet insalubre coupe-gorge.

Lorsqu'il part ce matin, ce n'est pas pour aller voir Peter mais un autre journaliste avec lequel il doit passer la journée. La rue devant chez lui est déserte, il est encore tôt. À peine sorti, il est accosté par quatre hommes surgis de nulle part. Il a juste le temps de voir qu'ils portent des uniformes camouflés, et un sac de toile épaisse est enfilé sur sa tête et serré très fort autour de son cou. Il est frappé, aux jambes, au ventre, dans le dos, balancé dans une bagnole. Elle démarre sans attendre. Il perçoit plusieurs voix, demande ce qui se passe, essaie d'appeler au secours, se débat, mais la branlée reprend de plus belle et il perd connaissance.

Ses bras lui font très mal quand il se réveille. Même s'il ne voit rien, il porte toujours son couvre-chef opaque, il comprend qu'ils sont tendus au-dessus de lui et retenus par des entraves métalliques. Avachi, il tire dessus de tout son poids et elles lui ont arraché la peau au niveau des poignets. Javid se remet debout pour soulager muscles et articulations, calmer la douleur, mais bientôt la fatigue l'envahit et il relâche ses épaules. Le contact soudain de l'acier avec la chair à vif lui arrache un gémissement. Son râle et les cliquetis produits par ses chaînes à chaque mouvement résonnent dans la pièce où il se trouve. Elle est humide et froide, il le sent sur son corps entièrement dénudé. C'est une cave. Il est pendu par les mains au plafond d'une cave, à poil.

Quelqu'un bouge, les pieds d'une chaise raclent sur un sol dur et des coups sont donnés sur une porte. Elle s'ouvre après quelques secondes et plusieurs personnes entrent.

« Qui êtes-vous ? »

Pas de réponse.

Des gens se répartissent autour de Javid, il l'entend. « Où suis-je ? » Un direct puissant, pénétrant, l'atteint aux côtes flottantes. Brusquement, il a du mal à respirer, se force à déglutir et manque de vomir dans sa cage de tissu. En pensée, il se voir mourir ainsi, étouffé, et il est terrifié. « Arrêtez ! Arrêtez au nom d'Allah ! » La punition continue. Aux poings se substituent des bâtons, fins, cinglants, qui meurtrissent son dos, ses cuisses, fouettent ses couilles et son pénis. Javid hurle, entend des rires, les claquements des impacts sur son corps. Tout n'est plus que souffrance. Javid finit par plier et se laisse aller au bout de ses liens, incapable de se tenir droit. Il n'est pas mis fin à la correction pour autant. Elle dure, interminable. Il se pisse dessus et ça lui fait un mal de chien. Le liquide chaud coule le long de ses cuisses, irrite sa peau fouettée et il se met à pleurer de honte et d'agonie. Là, une voix masculine dit *ça suffit* en dari et tout s'arrête. On s'approche et la même voix lui parle tout bas, juste à côté de l'oreille, toujours en dari.

« Tu sais où t'es ?

— Non.

— T'as pas une petite idée ? »

Le fixer secoue la tête.

« Tu sais pas qui on est ? » L'homme s'énerve et tire sur la cagoule.

« Pitié, au nom d'Allah.

— Allah est pas ici. Ici, tu es en enfer. »

La langue, l'accent de l'inconnu, proche du sien, son insistance sur le mot *enfer*, les uniformes entraperçus tout à l'heure font craindre le pire à Javid. Il pense se trouver au Département 90, la prison secrète du QG des services secrets afghans, dont les membres sont en majorité des Tadjiks comme lui. Y sont conduits les captifs prioritaires des étrangers, les individus soupçonnés de terrorisme par le régime et également tous ceux qui dérangent. Qu'a-t-il fait pour atterrir dans cet endroit maudit, il ne le sait pas, mais il est terrifié à l'idée de ne jamais en ressortir, de ne plus revoir sa famille. Il se met à trembler.

La porte s'ouvre une seconde fois. Nouvel arrivant. Des messes basses précèdent la voix, toujours la même. « Tu parles anglais avec tes journalistes ?

— Oui.

— Bien. »

Javid reçoit une petite tape derrière le crâne.

« Hello, Javid. »

Seconde voix, plus grave, plus étale, avec un fort

accent yankee. Javid est bien au quartier général du NDS, le service est très proche des Américains. Il se met à respirer péniblement, étourdi par sa grande frayeur et la puanteur du mélange salive bile qui tapisse l'intérieur du sac sur sa tête.

« Chut. » L'invitation à se calmer est prononcée avec douceur. « Là. Tout va bien. On va juste parler. » L'homme se tient tout près. « Es-tu le fixer du journaliste Peter Dang ?

— Je… » La demande a pris Javid au dépourvu. « Non ! Je ne comprends pas votre question. » Il entend un soupir et son interrogateur se recule. Il sort. Dès que la porte est fermée, ses tortionnaires se remettent au travail.

Cette seconde dérouillée dure une dizaine de minutes. Il s'évanouit à moitié. On le laisse tranquille un certain temps et les cogneurs font leur retour. Ils le battent, s'arrêtent, repartent. Plus personne ne lui parle même quand il supplie. L'Américain ne revient pas. Les idées se bousculent dans l'esprit de Javid, pourquoi monsieur Peter, que sait-il de lui, il ne peut pas les aider, il n'est que son traducteur. Il leur dira tout. Quatrième tabassage en règle. On garde son visage intact, les triques se concentrent sur ses bras et ses jambes. Ses poignets sont humides sous les menottes, en sang, ils le brûlent.

L'Américain est de retour. Au bout d'une éternité de coups et de douleur. Il fait virer la toile qui aveugle le fixer et lui propose de l'eau. Lui-même porte une cagoule noire. Elle ne laisse entrevoir que ses yeux, marron, sans pitié. Pour le reste, il est habillé en civil, à l'occidentale. Javid pense espion. Tout en buvant dans un verre maintenu contre sa bouche, il examine sa cellule. C'est un cube de pierre fermé par une porte en bois mal ajustée. Le sol est en béton, poussiéreux. Au plafond, il y a des tuyaux, auxquels il est attaché, et une ampoule nue. En plus de l'Américain, il y a quatre hommes avec lui. Tous, à l'instar de l'étranger, sont masqués et, dans leurs mains gantées, ils tiennent de longs bouts de tuyau d'arrosage.

Quand Javid a fini de boire, l'interrogatoire reprend.

« Tu es bien le fixer du journaliste Peter Dang ?

— Oui, oui.

— Et tu travailles souvent avec lui ?

— Dès que monsieur Peter a besoin de moi, je viens.

— Ces jours-ci ?

— Il a demandé de chercher quelqu'un pour lui. Alors je cherche.

— Qui ? »

Javid hésite. Il a peur mais il ne veut pas causer d'ennuis à monsieur Peter.

« Je suis patient, Javid », l'Américain montre les gardes derrière lui, « mes amis beaucoup moins.

— Il s'appelle Rouhoullah. »

L'Américain acquiesce. Il semble connaître le nom. « Tu l'as trouvé ?

— Non, non. Et monsieur Peter n'est pas content. »

Nouveau hochement. « Très bien, on va peut-être pouvoir s'entendre, toi et moi. »

Il est seize heures quand Voodoo sort avec deux bières dans le jardin d'une villa louée à l'année par Oneida. La boîte l'utilise pour des missions ponctuelles ou le séjour de cadres de passage à Kaboul. Cette semaine, elle est vide. Wild Bill est là, assis sur une chaise en plastique blanc, et prend le soleil torse nu, musique dans les oreilles. Si fort que Voodoo peut l'entendre.

You're alright, you come to me in times

You make me realize, I'm not the kindest guy…

Voodoo écoute, attend puis lui effleure l'épaule avec le cul d'une des bouteilles, Wild Bill se retourne, sourit et retire son casque d'iPod.

To just kill, kill, kill, kill,

You kill what you can

And you kill, kill, kill, kill

Anything you want…

« Coupe-moi ça. »

L'agaçant bourdonnement musical s'arrête.

« Il va faire ce qu'il faut ?

— Il a le choix ?

— Et s'il l'ouvre ?

— Il le fera pas. Je lui ai dit de penser à son gosse. » Voodoo boit.

Wild Bill boit. « On est cool, alors ?

— On garde Dang à l'œil mais ça va aller, ouais. Je suis plus inquiet pour Mohawk, je sens pas d'ouverture avec la nouvelle équipe. On va plus rien stocker là-bas.

— Chiant.

— Data a géré les pilotes.

— Cher ?

— Il a fallu rallonger. » Voodoo vide sa bière. « Rien de mortel. » Il récupère une liasse de billets dans la poche cargo de son pantalon. « Pour tes gars. »

Wild Bill prend l'argent. Ils ont monté leur petite manip' avec six de ses stagiaires commandos de la JSF. Des mecs sûrs, choisis par Roshad.

« Tu gardes l'interprète au frais jusqu'à la nuit.

Oublie pas de lui laisser le mobile jetable quand tu le balanceras dans son quartier. Et file-lui un peu de fric. »

19 MAI 2008 – Journal opérationnel de la FOB Orgun-e.

ID Référence : AFG20080519n1307		**Détenus :**	**1**
Région : RC-Est	**KIA -**	**Ennemi :**	**3**
Latitude : 32.93416977		**Ami :**	**0**
Longitude : 69.15585327		**Civil :**	**0**
Date : 19-05-2008 11 : 11		**Hôte :**	**1**
Type : Action Ennemie	**WIA -**	**Ennemi :**	**1**
Catégorie : TI		**Ami :**	**0**
Cible : Ennemi		**Civil :**	**0**
Exp. : N/A		**Hôte :**	**4**

ACTSIG Resp. S-3

Nom Unité Engagée : N/A

Type Unité Engagée : ASG

ACTSIG : Oui

Couleur : Rouge

Classification : Secret / NOFORN

42 SWB 14570 44000

Chronologie : pm 19 mai, ASG COP SOUTH bomb. par 9xTI. 6ximpacts / COP, imp. dég. struc. int. + 1xASG KIA, 4xASG WIA, 1xVHC ASG dét. PO acquis vis. à 4.5 km SE / FOB ORGUN-E (WB 17625 40062). FOB ORGUN-E déc. tir neutr. sur PO. CAR (DOG6 - F15) / WB 179 409. FRR ORGUN-E en alerte vers WB 179 409 post frappes, loc. 3xEKIA + 1EWIA / PO + 1xHAM + 1 AD prox. rout. rep. / vil. QUAL EH-YE AHANGARAH. Impos. IDP 1xHAM donc capt. pour TRT à FOB ORGUN-E.

Cib. 1 (WB 17625 40062) : 10x155mm OE

Cib. 2 CAR / WB 179 409 : 2xGBU38 Airbursts

Eval S2 : RAS
MàJ : 4xASG WIA + 1xEWIA EVASAN FOB Salerno à 1447z
TRT neg. 1xHAM lib. à 1734z
FinEv : 1506z

(Chronologie : le 19 mai après-midi, l'avant-poste ASG SOUTH a été touché par neuf tirs indirects. Six ont atteint les infrastructures internes de l'avant-poste et provoqué des dégâts importants. Un ASG a été tué en action, quatre ASG ont été blessés en action, un véhicule ASG a été détruit. Le point d'origine du tir a été localisé visuellement à 4,5 kilomètres au sud-est de la FOB ORGUN-E au point de coordonnées WB 17625 40062. La FOB ORGUN-E a déclenché un tir de neutralisation sur le point d'origine. DOG6 (indicatif chasseur F15) engage couverture aérienne rapprochée sur point de coordonnées WB 179 409. La Force de réaction rapide ORGUN-E se dirige vers point de coordonnées WB 179 409 après les frappes. Elle trouve trois ennemis tués en action, un ennemi blessé en action au point d'origine des tirs et un homme d'âge militaire avec un animal domestique (âne) sur la route de repli à proximité du village de QUAL EH-YE AHANGARAH. Impossible d'identifier positivement l'homme d'âge militaire comme un insurgé donc il est conduit à la FOB ORGUN-E afin d'effectuer des tests de résidus de tir.
Cible 1 - (coordonnées : WB 17625 40062) : dix obus explosifs de 155 mm.
Cible 2 - Couverture aérienne rapprochée sur WB 179 409 : deux bombes guidées Airbursts.
Mise à jour : quatre ASG blessés en action et un ennemi

blessé en action ont fait l'objet d'une Evacuation Sanitaire à la FOB Salerno à 14h47 zoulou.
Tests de résidus de tir négatifs, homme d'âge militaire libéré à 17h34 zoulou.)

La maison d'hôtes où Peter a ses habitudes est exclusivement occupée par des journalistes étrangers. Doté d'un certain sens du commerce, son propriétaire y a aménagé une petite salle de rédaction, accessible pour un forfait modeste, dotée d'une connexion Internet assez rapide pour satisfaire tout le monde, de téléphones fixes, de plusieurs imprimantes, d'une photocopieuse et d'un fax.

Quand elle est prise d'assaut, par exemple à l'occasion d'événements marquants, il est impossible d'y avoir une conversation confidentielle. Ce soir, il n'y a personne. Dang en a donc profité pour appeler James, le rédac' chef du magazine qui finance son reportage sur la logistique de guerre, *The Atlantic*. Il est tendu, James l'a senti. Il veut une rallonge pour rester en Afghanistan quelques semaines de plus mais l'affaire est mal embarquée. Peter a fourni un aperçu et des extraits du dossier à venir et ils ont plu. James veut la suite et il ne comprend pas l'intérêt de cette extension de séjour, tout est là, il faut produire à présent.

À contrecœur, Peter parle d'un autre sujet, pour lequel il a déjà quelques pistes. « C'est très gros. » Il évoque Torkham, l'héroïne, la CIA et ses sous-traitants. Il ne donne pas trop de détails, il craint les fuites et la fureur de James s'il se rendait compte du temps passé – et du fric dépensé – à faire autre chose que ce pour quoi il est payé. « Nangarhar est au centre de nombreux trafics, licites et illicites. Sherzaï, le gouverneur actuel, a toujours été proche de la CIA. C'est un violent. Quand il était à Kandahar, on le soupçonnait déjà de toucher à l'héroïne. »

Ahmed Wali Karzaï, le demi-frère du président, aussi. La presse du monde entier est sur son dos et il est encore plus exposé, mais personne ne l'a coincé.

« Ça ne veut pas dire que personne n'y arrivera. »

C'est quoi ton lien entre Sherzaï, la CIA, tes sous-traitants, la drogue ? Où sont tes preuves ?

« Les sous-traitants et la drogue, j'ai ce qu'il faut. Presque. »

Presque, c'est pas assez. Et le reste, la Border Police, l'Agence ?

« J'ai besoin de temps. »

Et moi j'ai besoin des articles que tu me dois. Tes billets de retour ont été réservés pour le 31. Reviens, écris, après on reparle du reste.

Fin de la discussion, Peter n'insiste pas. *James a raison, termine le travail en cours et libère-toi la tête, ensuite tu feras le point.* Retour à Toronto à la fin du mois, donc. Toronto, ça veut dire visite à sa mère. Rester ici pour le boulot est une excuse bien pratique pour ne pas avoir à affronter la culpabilité de son placement dans un mouroir. Et si elle ne le reconnaissait plus du tout ? Sa sœur l'attend également de pied ferme. Elle veut vendre la maison familiale, elle le lui a écrit dans un récent message Facebook. Elle dit que c'est nécessaire pour payer une partie des frais médicaux. C'est vrai, ils n'ont pas le choix, mais cette fatalité le rend très triste. Le passé de Peter se délite et il pressent son avenir compromis. Il ne vit plus que dans le présent. Comme l'Afghanistan.

Le lendemain matin, Javid l'attend dans la salle

à manger de la *guesthouse*. Il est venu récupérer un reliquat de salaire et faire le point sur ses recherches pour trouver Rouhoullah. Il se lève avec difficulté à l'arrivée du journaliste et tous ses gestes trahissent une grande souffrance.

« Ça va, Javid ?

— Pas de problème, monsieur Peter. » Réponse polie, l'Afghan est gêné.

Dang insiste, il a clairement un problème aux jambes, et finit par lui faire relever son salwar khamis pour découvrir avec horreur les hématomes, les chairs fendues, les plaies qui suintent. Javid raconte l'agression. Trois jours plus tôt, des voleurs devant chez lui, il s'est défendu, ils l'ont frappé. Il lui parle vite des autres blessures, sur les bras et le dos.

« Il faut te faire examiner. Je t'emmène voir un ami. »

« J'aime pas Kaboul.

— Tu préfères Miranshah ?

— Non, mais j'aime pas être ici. Ça pue. »

Un temps.

« C'est pas dans notre contrat.

— Ils s'arrêtent. Fous-toi là. »

Tiny gare leur Mazda pourrie le long d'un trottoir. Lui et Fox suivent Peter Dang et son fixer. Leurs objectifs ont fait halte une trentaine de mètres devant eux, dans la rue des Bouchers, près de l'entrée du centre hospitalier installé là par l'ONG italienne Emergency. Ils voient le journaliste aider Javid à sortir de voiture et le soutenir pour entrer dans le bâtiment.

« Cette fois, tu y vas.

— Je conduis.

— C’est ton tour. » Fox sourit à son voisin. « Et sois discret. »

Tiny soupire, sort de voiture. Il traverse en faisant attention à la circulation et pénètre à son tour dans l’hôpital. Les gardes l’interpellent quelques secondes et le laissent passer. Avec sa tenue locale, sa peau très foncée et sa barbe hirsute, il ressemble à n’importe quel autochtone.

Fox a récupéré un téléphone dans le gilet qu’il porte par-dessus son salwar khamis. Il l’a mis sous tension mais n’a pas encore composé de numéro. Voodoo leur a fourni une raison plausible. Il a été prévenu par la hiérarchie de Longhouse qu’un *fils de pute* de la presse s’intéressait à leurs activités et, s’il n’a pas reçu l’ordre explicite de voir de quoi il retournait, il aimerait bien savoir *ce qu’il veut*. Puisque Tiny et Fox étaient dispos, il les a envoyés jeter un œil. Ils sont là pour suivre, rien d’autre, et identifier ceux à qui Dang parle.

Mais filer un civil n’est pas dans leur contrat, Tiny a raison.

Si Longhouse est au courant, Pierce l’est peut-être aussi. Il faut vérifier. Son ancien patron a essayé de le joindre à plusieurs reprises au cours des dernières semaines, par mail et au téléphone. Fox a seulement répondu à l’un des courriers, invoquant sa récente mission dans les FATA et l’incident d’Abbas Khan Kala, à son retour de celle-ci, pour justifier qu’il n’avait pas eu le temps de bosser pour lui. Il n’a rien dit sur l’aller-retour en hélico à Torkham, pour graisser la patte à Tahir Nawaz, ou la petite prime qui a suivi, ou le transit, à deux reprises, de certaines malles par les bureaux de 6N. Il ne sait rien de leur contenu, n’a pas très envie d’en connaître la nature, ça l’emmène trop loin. Et jouer les balances l'emmerde toujours autant. Mais il craint le pouvoir de nuisance de Pierce.

Fox aimerait se tirer d'ici. Réminiscence fugace d'un visage couvert par une cascade de cheveux humides au-dessus de lui, dans la pénombre d'une chambre à l'électricité intermittente. Odeur de savon mêlée à la sueur et aux parfums du sexe. Une idée idiote germe dans sa tête. Un passeport. Un visa. Des thunes. Pour elle et lui. Fox dérive un instant sur une mer d'impossibles. Débile. *J'ai besoin de vacances, je ne pense plus droit*. Il appuie sur le bouton d'appel. En Virginie, il est un peu plus de deux heures du matin mais il s'en branle.

Tu as réveillé ma femme.

« Tu viens bientôt ? »

Dans deux semaines.

« Si je suis là, on se parle. »

Parle-moi maintenant.

« Je surveille un journaliste. »

Peter Dang ?

« T'es au courant ? »

Qu'il existe, oui. Que vous le suivez, non. C'était pas prévu.

Tiny ressort de l'hôpital.

Fox se sent brusquement très merdeux. « Il faut que je te laisse. »

Rappelle-moi.

« On se parle dans deux semaines. » Fox raccroche. Pierce savait déjà pour Dang. Une certitude, c'est lié à Torkham. Frontière, Tahir Nawaz, cash, malles suspectes. Journaliste. Et lui au milieu, le plus mauvais endroit.

Tiny reprend place derrière le volant.

« Alors ?

— J'ai vu Javid entrer dans une salle de consultation. Dang a parlé à un mec, infirmier ou médecin. Il semblait le connaître. Là, il attend. Il a l'air bien, ce mec.

— Et ?

— Rien. C'était qui, au téléphone ?

— Un pote. » Sale menteur, putain de harki.

« Son visage est intact. » C'est l'infirmier qui parle.

« Qu'est-ce que tu sous-entends ? » Peter et lui, un compatriote, presque un ami, sont sous un auvent, en bordure du jardin intérieur du Centre chirurgical pour les victimes de la guerre de l'ONG. C'est l'un de leurs trois hôpitaux de campagne. Ils accueillent les Afghans ordinaires frappés par les combats.

« On a évité de l'abîmer. »

Javid est installé sur un banc, à quelque distance, au soleil. À côté de lui, il y a une gamine amputée sous le genou gauche. Vestige antipersonnel des conflits passés ou IED de faible puissance. Un autre enfant est assis plus loin, par terre, contre un muret. Ses deux prothèses articulées par des câbles sont écartées de façon désordonnée, comme le seraient les jambes d'un mannequin de bois. Son regard est perdu dans le vide.

« Des traumatismes dans ce genre-là, j'en ai déjà vu. Ils n'avaient pas été infligés par des voyous surexcités.

— Des flics ?

— Ou des militaires. Ou des talibans. Une punition ou un avertissement. »

Une femme encore jeune passe devant eux dans un fauteuil roulant. Elle n'est pas voilée, à la différence de l'aide-soignante qui la pousse. Ce n'est plus nécessaire. Son visage est brûlé du nez jusqu'au sommet du crâne. Ses joues et sa mâchoire sont constellées de plaies provoquées par des éclats. Et elle est aveugle. Quelque chose lui a pété à la gueule. Regarder ou pas, contempler le malheur en face pour nourrir sa colère ou se montrer pudique, Peter ne sait plus. « Il aura des séquelles ?

— Des cicatrices. Faut surveiller l'appareil génital. Il peut revenir ? »

Le journaliste hoche la tête.

« Il a des ennuis, ton copain ? À cause de toi ? »

Haussement d'épaules. « Il bosse aussi pour d'autres.

— Je vais aller lui chercher ses médocs.

— Merci. »

L'infirmier s'éloigne.

Peter rejoint son fixer. « Qui t'a fait ça, Javid ?

— Je te l'ai dit, monsieur Peter, des bandits.

— Tu es sûr ? »

L'Afghan hoche vivement la tête. Il veut convaincre.

« Ce n'est pas à cause de notre travail ?

— Non, non. Juste des bandits, c'est tout. »

Peter ne le jette pas dans ses derniers retranchements. Il lui ment, au moins en partie, c'est évident. Il doit avoir ses raisons et sûrement honte de le faire. Inutile de lui faire perdre la face plus encore.

« Merci pour le docteur, monsieur Peter. »

L'habitude date de plusieurs années. Un dîner par mois, parfois un peu plus. Depuis quelques temps un peu moins. Toujours au même endroit, chez Bofinger, une brasserie à l'ancienne proche de la place de la Bastille. Toujours à la même table, au premier, en face du vitrail, dans un angle, chacun pouvant ainsi profiter de l'une des confortables banquettes. Et surveiller la salle et le grand escalier. Leur petite parano des débuts, oubliée désormais. Tout a commencé pour être ensemble, elle était rassurée qu'il lui tienne compagnie. Il pouvait encore lui arriver des choses, du moins le pensait-elle, et elle était terrifiée. Elle avait également besoin d'entendre qu'elle n'avait pas eu le choix, qu'elle n'était pas, comme elle le ressentait alors et peut-être le ressent-elle encore dans ses moments de doute, juste une sombre merde. Le spectre des événements qu'ils ont traversés de concert est toujours présent mais il s'est fait discret, et s'ils ont continué à se voir c'est d'abord par envie.

En regardant Amel Balhimer parcourir la carte des vins, son privilège, il n'est pas très calé et elle a développé un goût sûr pour ces choses, Daniel Ponsot prend conscience qu'elle lui a manqué. Un petit trimestre sans se voir. C'est de sa faute à lui. Trop de remarques sur sa vie, ses chances gâchées, ses fréquentations, pas toujours très fréquentables. *T'es pas mon père et arrête de faire le flic.* Leur dernière rencontre s'était conclue sur ces mots. Il l'avait trouvée peu en forme, ce n'était pas une première, et il n'aimait pas son tout nouveau copain. Il avait vérifié son pedigree, par instinct. Ne s'était pas trompé. Rien de méchant, juste pas un mec bien. Juste pas un mec pour elle. Il comprenait pourquoi et ça le rendait triste, ça ne lui plaisait pas, il l'avait dit.

Un petit trimestre sans se voir.

Amel a le même air fatigué ce soir. Celui des gens qui sortent trop et regardent dehors pour ne rien voir dedans. Les *intranquilles* qui se fuient. Le tamisage lumineux de leur coin à l'étage dissimule, bien pratique, les reflets gris insomnie de sa peau naturellement ambrée, masque les joues creusées et les cernes sous les yeux aperçues, en entrant tout à l'heure, sous l'éclairage beaucoup moins indulgent du foyer. Cependant, l'irréelle intensité de son regard vert d'eau, un truc vraiment frappant pour quiconque la croise pour la première fois, est toujours là. Son feu n'est pas éteint. Pas encore. Amel n'a que trente ans mais certains n'ont pas besoin de vivre très vieux pour être consumés.

Ponsot sourit, pour un temps une crainte l'abandonne.

« Pourquoi ce petit air satisfait ?

— Je suis ravi d'être ici.

— Nous dînerons au meursault. » La jeune femme referme bruyamment la carte et se tourne vers le policier. « Moi aussi, je suis contente de te voir. » Un instant son visage s'illumine.

« Comment vont tes parents ?

— Ils vieillissent. » La lumière disparaît. « Mais je les trouve en forme.

— Quand leur as-tu rendu visite pour la dernière fois ?

— Ils t'ont encore téléphoné ?

— Ils aimeraient de tes nouvelles.

— C'est pour ça qu'on est là ? »

Ponsot secoue la tête, il force son sourire. « Juste mon bon plaisir.

— Il y a trois semaines j'ai vu mes neveux. Et ma sœur. Elle aurait pu leur en donner.

— Elle et moi, c'est pas pareil, tes parents le savent. » Ponsot laisse passer quelques secondes. « Ses affaires vont bien ?

— À qui ?

— Ta sœur.

— Elle réussit tout, Myriam, et son mari aussi. Et ses enfants sont beaux. » Amel se lève brusquement. « Excuse-moi. » Elle file aux toilettes. Lorsqu'elle revient, ses yeux sont plus humides, et elle renifle sans la moindre discrétion. Une provocation.

Ponsot ne dit rien, se contente de déguster le vin blanc servi pendant qu'elle se poudrait le nez.

« Comment ça se passe, chez les espions ? » Amel prononce le dernier mot en faisant traîner le *s* final. Sa voix est cassante de tension stupéfiante.

« Mon ancienne section est morte avec les RG. Tous les survivants sont passés sous la coupe des nouveaux *opérationnels* de la DCRI. » Ponsot émet un petit rire désabusé. « En jargon DST, ça veut dire les analystes, les mecs dans les bureaux. Les contre-espions nous l'ont mis bien profond.

— Sur quoi ils te font trimer ?

— J'ai évité de peu l'extrême gauche, on m'a collé aux Basques.

— Ils bougent encore ?

— Oui.

— Tu dois bien t'amuser.

— Eux ils bougent, les Espagnols aussi. Nous on est juste là pour la popote.

— Explique.

— C'est pas intéressant, bataille de quéquettes. » Ponsot n'élude pas parce qu'il craint Amel, il est juste trop vieux pour ces conneries. Il ne lui cache pas de grand secret, il n'en a pas vraiment, à part un, celui qui les a réunis. Et ils le partagent. Ici, ils ont créé une zone de confiance et de confidence, un espace préservé, privilégié. Elle ne l'a jamais oublié. Lui non plus. « Parle-moi un peu de toi. Tu écris pour qui en ce moment ?

— Des humanitaires. Et quelques associations

écolos. Avec le Grenelle Environnement, ils ont du boulot. J'ai encore table ouverte à *The Nation* pour des tribunes et toujours ce projet de livre sur l'Irak. »

Ponsot écoute Amel énumérer, avec un enthousiasme artificiel, pas seulement stimulé par la cocaïne, ses collaborations présentes. De l'expédient, du fragile, du peut-être. Ses doutes doivent se lire sur sa gueule car elle détourne le regard, honteuse. Elle est en train de s'égarer, de se planter. Grave. Elle le sait.

En 2002, après l'*incident*, Amel a intégré le service politique d'un grand quotidien. Le prix de son silence. Après le bâton, les menaces contre elle et sa famille, il fallait une carotte. Une façon, accessoirement, de lui faire sentir la portée de l'influence de certaines personnes. Elle s'y est d'abord plu, dans cette rédaction. Un temps, le prestige enivrant de se retrouver là si jeune, les perspectives, lui ont fait oublier le pourquoi et le comment. Elle a divorcé de Sylvain, pas une grosse perte selon Ponsot, et ça l'a libérée un peu plus. Et puis, l'euphorie des débuts s'est envolée et la vérité du métier lui est revenue dans la poire. Elle en avait déjà eu un bon aperçu avec Bastien Rougeard mais là, c'était sous son nez tous les jours. La censure insidieuse et l'absence de courage, les grands discours et la posture, la servitude des uns, l'acceptation silencieuse des autres, l'inculture crasse et l'à-peu-près dissimulés derrière le prestige d'être la référence, un titre gagné de haute lutte par les plumes passées, le manque d'objectivité face à un réel décidément capricieux et rarement comme il faut, l'impossibilité de penser contre soi, voire l'interdiction de le faire, la défense de caste. Amel a commencé à l'ouvrir, Ponsot a essayé de la calmer, au sein de son institution, il supporte les mêmes tares depuis longtemps. Il n'a pas réussi. Les doutes et la culpabilité étaient de retour. La jeune femme percevait d'autant mieux tous ces défauts chez ses confrères qu'elle avait, très tôt, fait l'expérience intime du reniement de soi. Chaque jour, ils l'exposaient à l'insupportable reflet de sa propre faiblesse.

À l'époque, la guerre prenait de l'ampleur en Irak. La violence, les otages, ça se passait là-bas. Elle parlait arabe et avait connu son baptême du feu, le lourd secret enfoui pour pouvoir continuer à vivre, avec l'islam et le djihad. Partir était logique, Amel s'est portée volontaire. Elle voulait se faire mal et ça arrangeait ses chefs d'éloigner la petite beurette si peu reconnaissante. On l'a changée de service et tenue à l'écart du journal, le plus possible, à Bagdad et ailleurs. Chaque fois qu'elle revenait, elle foutait le bordel et repartait avec de nouveaux ennemis. Elle n'avait pas nécessairement tort mais en France, on a rarement raison d'avoir raison, surtout dans la *médiacratie*. Et surtout quand on est *une grande gueule*, ça c'était encore gentil, et une *gonzesse*. Le côté Maghrébine, ils ont pas osé, racisme à l'envers, et sont restés classiques, sur la ligne du jeune et jolie. Pour les gérontes machistes du journal, forcément, elle les avait écartées pour être arrivée là si rapidement – Amel elle-même n'était pas loin de le penser – et très vite, à trop dire de choses pas faciles à entendre, la grande gueule est devenue une petite pute.

L'aventure grand quotidien s'est achevée fin 2005, par une démission. Un mal pour un bien. À l'étranger, d'autres opportunités s'étaient présentées, Amel avait fait des rencontres dans un cadre privé, et ce perso avait débouché sur du pro. Du vrai, du prometteur, de quoi la sortir durablement d'elle-même et de Paris, du pays. À ce moment-là, Ponsot l'avait crue tirée d'affaire. Qu'elle parte peut-être bientôt pour de bon ne le réjouissait pas mais il était rassuré pour elle. Et elle ne devait rien à personne cette fois. Ses démons l'ont laissée tranquille presque deux ans. Il a cherché à comprendre quand tout s'est arrêté, mais Amel a toujours refusé d'aborder le sujet. Non qu'il ait eu véritablement besoin d'éclaircissements. Le bonheur, l'accomplissement, la sérénité, pas pour elle, elle ne croit plus les mériter, pas après ce qu'elle a fait. Alors elle se saborde, encore et encore. Gris insomnie, joues creusées, cernes, mauvaises fréquentations, le genre à faire briller les yeux et renifler à tort et à travers.

Leur plateau de fruits de mer, toujours le même, arrive. Amel et Ponsot se répartissent coquillages et crustacés en parfaite connivence, boivent, bavardent sans rien se dire comme le ferait un vieux couple blasé. Mais Ponsot n'est pas tranquille, il n'est pas là simplement pour le plaisir de la voir, il a une chose à lui annoncer et redoute sa réaction. Il prend son courage à deux mains quand le café est servi. « Montana va rejoindre l'Élysée avant la fin de l'année. »

Haine et désarroi troublent le regard d'Amel. « Pourquoi ? » La question, étranglée par l'émotion, va bien au-delà d'une demande d'explication et exprime à la fois son désespoir et un profond sentiment d'injustice.

« C'est lié à la nomination prochaine du coordonnateur national du renseignement. J'avoue ne pas comprendre, telle que je vois la chose, ce nouveau bidule ne va servir à rien. Il ne le fait même pas pour le prestige, il ne sera pas en première ligne.

— Il n'a jamais été en première ligne et il n'est pas devenu con avec l'âge. »

Ponsot voit Amel se perdre quelques instants dans une réflexion lointaine.

Lorsqu'elle revient son visage n'est plus qu'un masque de froide colère.

« Reste éloignée de lui.

— C'est toi qui en as parlé.

— Je voulais te prévenir, c'est tout.

— Plusieurs mois à l'avance ?

— Peut-être aurais-je dû laisser tes confrères te l'apprendre par voie de presse. »

Ponsot est blessé, Amel s'en aperçoit. Elle pose une main sur son bras et lui présente ses excuses. Elle tremble, se rend vite compte qu'il l'a senti, se retire. « Tu sais bien que je l'ai toujours évité comme la peste. Moins je le vois, mieux je me porte. » Un pieu mensonge. Même si elle a toujours maintenu entre eux une distance respectable, Amel n'a jamais lâché Montana. De la fin de sa carrière à la DGSE jusqu'à la création de PEMEO, une sorte de SOCTOGeP en mieux. Elle sait qu'il passe beaucoup de temps au Maghreb et dans le Golfe, parfois en Afrique de l'Ouest et donne des cours à l'Institut des hautes études de Défense nationale. Elle a discrètement assisté à deux d'entre eux à l'École militaire, avant de renoncer à se faire ainsi du mal en le voyant pérorer sur une estrade.

Amel a pleuré quand elle a appris que Montana avait été élevé au grade d'officier de la Légion d'honneur à titre militaire. Une faiblesse idiote mais irrépressible. Ce jour-là, elle s'est brusquement retrouvée projetée quelques années en arrière, confrontée à des tas de choses encore très douloureuses. Au souvenir de cet homme officiellement mort dans l'incendie de sa maison et dont le cadavre a disparu. Montana a fait procéder à une crémation discrète une semaine après le sinistre, c'est Ponsot qui le lui a appris. Une façon, peut-être, de se débarrasser de ce corps encombrant. Celui de Jean-Loup Servier, de son vrai nom Ronan Lacroix, un agent clandestin tombé pour une certaine France, pas celle des Légions du déshonneur. Montana a été promu en juillet dernier et depuis, sans qu'elle puisse l'empêcher, elle a laissé sa vie repartir à vau-l'eau et s'est détournée peu à peu des gens qui l'aiment, rattrapée par son impuissance à solder les comptes. Rien n'est oublié, rien n'est digéré, Amel ne passe pas à autre chose, elle ne pardonne pas. Elle ne pourra jamais se pardonner.

À la sortie de la brasserie, Daniel Ponsot propose à la jeune femme de la ramener chez elle. Elle refuse poliment, besoin de prendre l'air, dit-elle. Il l'embrasse sur la joue et à l'oreille lui glisse : « J'avais moins peur pour toi quand tu étais à Bagdad. Fous-toi la paix. » Amel sourit et disparaît en direction de la place de la Bastille.

Ponsot rejoint Nathalie, sa femme, dans le quinzième arrondissement, à son cabinet. Elle travaille tard pour préparer un jeu de conclusions dans une affaire de contrefaçon littéraire et il a promis de passer la prendre après son dîner.

« Comment va la belle Amel ?

— Tu es jalouse ?

— Tu entretiens depuis six ans une relation privilégiée et régulière…

— Et innocente.

— Privilégiée et régulière, avec une jeune beauté orientale. D'autres que moi se feraient du souci.

— Elle est complètement paumée, la jeune beauté orientale.

— Tu as toujours eu un faible pour les petits oiseaux blessés.

— Tu es un petit oiseau blessé, toi ? »

Nathalie sourit et cela fait plisser les fines rides au coin de ses yeux et de sa bouche.

Ponsot adore.

« Notre fille m'a appelée.

— Quand rentre-t-elle ?

— Pas avant samedi. Elle se plaît là-bas, je crois.

— Ça y est, elle ne doute plus ?

— Elle n'a jamais douté.

— Douce arrogance de la jeunesse. » Ponsot est très fier. Et rassuré. Marie, son aînée, a trouvé sa voie et vient de passer très sereinement les épreuves du concours d'entrée à la faculté de médecine, à Lyon. Quant à son fils, il achève sa première S et prépare son bac de français. « Et les révisions de Christophe ?

— Ça n'a pas l'air de l'angoisser. » Nathalie rigole. « Nous avons enfanté des monstres.

— Tu es sûre qu'ils sont de moi ? »

Amel est retournée chez elle, pas là où elle habite, mais là où elle se sent bien parce qu'elle ne ressent rien. Lorsqu'elle arrive au Baron, une ancienne boîte à culs de l'avenue Marceau, énième avatar de la suffisance parisienne, ils jouent *Señorita* de Christophe et elle se précipite sur la piste, bousculant au passage quelques égéries rock et toc, trop jeunes, trop dévêtues, trop haut perchées sur leurs talons de douze, et leurs habituels poissons pilotes, clowns *fashion*, jeunes premiers du mois ou minimarquis de chaîne privée pressés de glisser la main dans leurs petites culottes. Quand elles en portent. Elle revit au contact de cette engeance mondaine, vulgaire, dont la décadence est la principale contribution à l'histoire de l'humanité, et ne craint plus d'être jugée. On ne peut pas être jugé par ceux que l'on méprise.

Sa bacchanale terminée, elle va se refaire une petite ligne après une longue queue dans les chiottes. Ça pue, il fait chaud, ça résonne d'humidité crade et de basses mal calibrées, les filles se matent toutes de travers, Amel se marre malgré l'envie de chialer. Rien qu'un peu de coke ne puisse arranger. Ensuite, elle retrouve des visages familiers, se fait payer des verres, ici une jolie paire de fesses vaut cent, mille, dix mille têtes bien faites, suit, dissipée, souriant comme une conne, des conversations aux accents très sérieux et sans la moindre importance. S'étourdit. C'est ce qu'elle veut, ce soir plus que les autres. Plus de secret, de bagage, d'échec, de désastre. Plus d'Amel. À défaut de pouvoir changer sa réalité, tuer la conscience de sa réalité.

Souvent je me demande si je rêve
Si je n'ai pas tout inventé…

Ensuite, elle danse de nouveau, lassée par toutes les inanités entendues depuis son arrivée, devant la cabine-son, tout au fond. C'est là qu'Olivier vient l'enlacer. Il est bientôt trois heures du matin, il ne la cherchait pas mais espérait bien la trouver là. Il l'embrasse, elle se laisse faire, prend soudain conscience qu'elle a grand besoin de cet ersatz de chaleur humaine.

Je la rencontre toujours la nuit
Toujours au même endroit…

Olivier-Victor Thiébault est un type qui sort, il connaît tout le monde, il est léger. Il organise des soirées. Oiseau de nuit pro, c'est son job. Accessoirement il deale. De la cocaïne, parfois de l'herbe après un échange de bons procédés. Jamais d'héro. Ça, il ne fait que l'acheter, question de principe, et pas souvent, pour le fun. Son petit commerce est limité, sert surtout à sa conso personnelle. Et à lui donner un arrière-goût d'interdit, à peu de frais. Et à niquer. Il ne demande pas à Amel comment elle va, pas de ça entre eux, et suit le rythme qu'elle lui impose en se collant à lui, en essayant de se fondre en lui. Elle veut se faire sauter. Il ne va pas dire non, lui aussi il veut, ça l'aidera à redescendre.

Venue des mondes qui dérangent
Les yeux troublants, cheveux d'ange
C'est moi la fille très étrange…

Amel dit « je me sens sale » et ils partent. Chez lui, encore un *G*, de la baise chimiquement assistée, sale comme elle, des injures, des gifles, elle aime, un truc inédit pour lui à leurs débuts, en janvier. Pauvre petit hétéro métro, il y prend goût mais n'arrive pas à y aller comme un vrai mec. Elle s'en amuse. Et elle aime qu'il fasse où on lui dit. Cette nuit, elle a envie qu'il lui éjacule sur la gueule. Après, Amel se barre à toute vitesse pendant qu'il est dans la salle de bains, le temps de se passer de l'eau sur le visage et de lui piquer de quoi fumer pour essayer de se supporter.

La fille très étrange.

24 MAI 2008 – Journal opérationnel de la FOB Orgun-e.

ID Référence : AFG20080524n1319		**Détenus :**	**0**
Région : RC-Est	KIA -	**Ennemi :**	**0**
Latitude : 32.93416977		**Ami :**	**0**
Longitude : 69.15585327		**Civil :**	**0**
Date : 24-05-2008 15 : 01		**Hôte :**	**0**
Type : Action Ennemie	WIA -	**Ennemi :**	**0**
Catégorie : Activité suspecte		**Ami :**	**0**
Cible : Ennemi		**Civil :**	**0**
Exp. : N/A		**Hôte :**	**0**

ACTSIG Resp. S-3
Nom Unité Engagée : N/A
Type Unité Engagée : N/A
ACTSIG : Oui
Couleur : Rouge
Classification : Top Secret / NOFORN
42 SWB 14570 44000
Chronologie : à 1515z, 6xcav. PILGRIM att. par # inc. FAA / 42 SWB 46200 51000 (Pak.). PILGRIM rip. / FAA. À 1526z FAA romp. cont. PILGRIM cont. exfil.
Eval S2 : Recrud. TAL + TI + IED / OGA dep. 12j. 6xFOB LILLEY (13xCTPT KIA, 19xCTPT WIA), 3xFOB ORGUN-E (1xCTPT KIA, 7xCTPT WIA). Mod. RE + doc. emp. + éval. RENS. en cours.
FinEv : 1529z

(Chronologie : à 15h15 zoulou, une colonne de six cavaliers PILGRIM a été prise à partie par un nombre inconnu de forces antiafghanes au point de coordonnées 42 SWB 46200 51000 (Pakistan). PILGRIM a riposté sur les forces antiafghanes. Les forces antiafghanes ont rompu le contact à 15h26 zoulou. PILGRIM a poursuivi son exfiltration.
Évaluation échelon de commandement 2 : depuis douze jours, nous notons une recrudescence des accrochages contre les OGA. Six attaques ont eu lieu à proximité de la FOB LILLEY (treize CTPT ont été tués en action, dix-neuf CTPT ont été blessés en action) et trois attaques ont eu lieu à proximité de la FOB ORGUN-E (un CTPT a été tué en action, sept CTPT ont été blessés en action). Nous recommandons de modifier les règles d'engagement et la doctrine d'emploi des OGA, une évaluation des unités de renseignement est en cours.)

Apocalypse trois zéro de Cardinal un cinq…
Apocalypse trois zéro…
Apocalypse trois zéro, attention Rouge un un deux et Rouge un un trois en position sur le col au sud. Leurs strobos sont allumés… Rouge un un quatre et six sont à un kilomètre au nord, en aval, avec l'A-N-A…
Apocalypse trois zéro, reçu…

Silence.

Cardinal un cinq …
Apocalypse trois zéro…
Apocalypse trois zéro de Cardinal un cinq, tir au cent cinq sur Mike autorisé…
Apocalypse trois zéro, reçu, tir autorisé… Airburst…
C'est parti mon kiki…
Première salve… Sur cible. Mike un et trois détruits…
Reçu, emplacements de mitrailleuses un et trois détruits…
Seconde salve… Cent cinq sur cible. Mike quatre détruit…
Attention mouvement autour de Mike deux… La mitrailleuse est en batterie…
Apocalypse trois zéro, reçu. Cible repérée. On y va au quarante mil.…

Silence.

Deux détruit…
Apocalypse trois zéro de Cardinal un cinq… Vous avez un visuel sur les personnels au nord de Mike deux ?

Affirmatif trois zéro. Une dizaine de hajis. Entre les tentes…

Tir autorisé…

Silence.

Wouhou ! Je kiffe le cent cinq…

Ça bouge toujours, Apocalypse trois zéro…

Reçu… Vingt mil., la tente de droite. En limite de campement…

Vingt mil. reçu…

Silence.

Dans ton cul !

Hé, t'as défoncé un putain d'âne… Y en a un autre à côté…

On se le fait !

Silence.

Apocalypse trois zéro de Cardinal un cinq… Attention, quatre personnels ouest-sud-ouest… Ils ont des RPG…

Près des tentes en croix, vus… Cent cinq ? Feu quand vous voulez…

Reçu… Airburst… Maintenant…

Silence.

Sur cible…

Il y en a un qui essaie de se barrer…

Je le vois… Où tu crois que tu rampes comme ça, connard ?

Silence.

Boum ! Un fils de pute de moins…
Cardinal un cinq…
Apocalypse trois zéro…
Attention à la zone de Mike trois. Il y a des femmes et des enfants…

Silence.

Aqal Khan, le père de Sher Ali, est le premier à avoir utilisé ce site pour établir un campement. Il est à une vingtaine de kilomètres de Sperah, proche de la frontière avec le Pakistan, niché dans une haute vallée boisée, fermée au sud par un col difficile d'accès, et constitue un emplacement idéal pour établir une base arrière discrète et inexpugnable, un lieu sûr pour prendre du repos après une rude campagne d'embuscades. Ou organiser une jirga avec tous les commandants de la région, en vue de discuter des opérations à venir. Et ils sont venus nombreux, dès ce soir, pour préparer la grande assemblée du lendemain. Certains sont même arrivés accompagnés de leurs familles. Confiants.

C'était sans compter sur les Américains et leur couardise. Ils sont semblables aux Russes, avec leur feu venu du ciel. Ils ne se comportent pas en guerriers.

Sher Ali se réveille, le cœur dans les oreilles, à tout rompre, dès les premières explosions. Il se rue hors de sa tente, juste vêtu du salwar khamis gardé pour dormir, AKSU à la main. Déchaussé. Partout c'est le chaos et, par-delà la frayeur stridente des hommes et des bêtes, et les tirs sporadiques en direction d'un ennemi invisible, caché dans les ténèbres, il entend le vol lourd de l'avion qui tournoie au-dessus du campement et les bombarde, hors de portée de n'importe laquelle de leurs armes. Ici, il n'y a pas de grotte où se réfugier et aucun de leurs postes de combat ne peut les protéger d'une attaque aérienne. Leur seul espoir, c'est la dispersion et la fuite, pour offrir à l'ennemi un maximum de cibles, trop, à poursuivre. Sher Ali se met à hurler pour se faire entendre en dépit du vacarme, court entre les abris pour mettre chacun en branle. « Il ne faut pas rester là, fuyez par le col, fuyez par la vallée. Fuyez ! »

L'appareil se rapproche. Sher Ali perçoit, en plus du grondement sourd de ses quatre moteurs, le bourdonnement plus léger d'une mitrailleuse qui foudroie les inconscients décidés à riposter. Il entend les impacts se rapprocher et il a l'impression de les sentir juste derrière lui quand ils frappent la terre et la font trembler. Instinctivement, il s'aplatit sur le côté. Un réflexe inutile, même s'il s'en sort indemne.

Il ne perd pas de temps et se remet en route vers la tente de Qasâb Gul. Il veut le retrouver, son instinct lui crie de le retrouver. Une angoisse l'a pris et il craint de ne pas le retrouver. Ils ont eu des mots très durs l'un pour l'autre, au dîner. Et il doit le retrouver. Le Boucher se méfie de Dojou, parce qu'il n'aime pas Tajmir. Il ne goûte guère le rôle tenu par l'Ouzbek, trouve la confiance placée en lui par Sher Ali imméritée. Son chef a perdu de vue les intérêts du khel. Il s'est lancé dans une série d'offensives mal préparées, précipitées, loin de leurs bases, en Paktika, aveuglé par son désir de vengeance, ne voyant pas qu'il rendait surtout service aux Haqqani et aux talibans locaux. On les a laissés sacrifier beaucoup d'hommes pour occuper les Américains. Oui, ils ont capturé Haji Moussa, oui, il a donné les noms d'autres esclaves de l'ennemi, impliqués dans ses affaires de l'autre côté de la frontière, mais leurs morts sont nombreux pour un maigre résultat. Telle n'est pas la guerre apprise par Sher Ali et Qasâb Gul lorsqu'ils étaient enfants. Le khan n'a pas supporté les critiques, il a accusé son ami de jalousie, lui a reproché de ne pouvoir le comprendre comme le comprenait Dojou, il n'a pas perdu son fils, lui. Le coup, porté avec une froideur calme, a touché et le Boucher, blessé, a préféré couper court à l'échange avant que les choses n'aillent trop loin. Il y avait des témoins, il a aussi perdu la face. Sher Ali regrette leurs mots. Et il a peur à présent. Du pire. Tout ne peut pas s'achever sur ces mots.

Certains de ses combattants se joignent à lui dans sa course. Pris par la panique, ils ne l'écoutent pas lorsqu'il leur commande de partir, de s'éloigner, de ne pas rester si près. Il faut attendre que l'un d'eux soit littéralement pulvérisé sous leurs yeux par une rafale pour les voir réagir. Un instant, il est là, à fuir avec eux, et l'instant d'après il se volatilise dans une gerbe sombre. Les survivants s'éparpillent dans les ténèbres.

Sher Ali retrouve Qasâb Gul à genoux près d'un feu. Il serre son fils aîné, Jan, dans ses bras. Il manque à l'enfant la moitié du crâne et l'humeur noire qui s'échappe de sa tête coule en abondance sur la tunique de son père.

« Il faut partir d'ici. »

Le Boucher ne réagit pas aux paroles de son chef. Autour d'eux, ça pète, ça crame, ça se casse la gueule, des femmes crient, hommes et animaux agonisent, une mule fuit, le pelage enflammé. Un grand théâtre d'ombres de l'horreur sur un fond sang et feu.

« Viens. » Sher Ali se penche vers Qasâb Gul pour le séparer de son garçon et l'aider à se relever mais l'autre ne veut pas et le repousse violemment.

« Maintenant, je suis comme toi, je comprends ! »
Un obus éclate à proximité et les deux Pachtounes sont précipités au sol par le souffle de la déflagration. L'atmosphère est brusquement saturée d'air brûlé. Les vêtements déchirés, collés à sa peau, Sher Ali se redresse sur ses jambes, titube, couvert de poussière et de terre humide. Son ami gît à côté de Jan, à quelques pas de lui, inanimé. Il n'est pas mort, juste inconscient. Il le charge avec difficulté sur son épaule et commence à descendre vers le fond de la vallée, abandonnant le camp au pilonnage. Sher Ali avance sous le couvert des arbres, doucement, par prudence autant que par nécessité. Qasâb Gul est lourd, inerte, et la plante de ses pieds nus complètement déchirée. Chaque pas est une torture.

Ils se sont à peine éloignés d'une centaine de mètres quand des tirs se font entendre devant eux. L'ennemi a créé une nasse, des troupes au sol bloquent les voies de fuite. Et il est impossible de rebrousser chemin, le bombardement se poursuit. Alors Sher Ali se met à gravir l'un des versants abrupts du vallon, dans l'espoir de pouvoir arriver suffisamment haut pour contourner la zone dangereuse et se planquer, le temps pour les Américains de s'en aller. Ils n'aiment pas s'attarder après une opération. L'ascension est pénible, lente.

L'équipage de l'AC130 Spectre, vigilant, surexcité par sa mission, dispose d'une technologie d'imagerie infrarouge frontale qui lui permet de voir dans le noir presque aussi bien qu'en plein jour. Il distingue sans problème les deux ectoplasmes marchant au milieu de la masse grise de la forêt. Un changement de cap, un passage bas au canon Gatling de vingt millimètres et la paire d'abrutis en train de se tirer en douce roule dans la pente et disparaît des écrans.

Sher Ali revient à lui juste avant l'aube. Son corps

est meurtri et il ressent une immense fatigue, mais dans son malheur il a eu de la chance, il n'a pas été touché et il a été arrêté par un bosquet d'épais buissons juste avant de heurter un tronc. Le choc l'aurait tué. Ou paralysé à vie. Il entend des voix étrangères et afghanes, en contrebas de sa position. Il se redresse, à peine, juste assez pour constater qu'il est loin du campement, sur une hauteur. Il ne pensait pas avoir parcouru autant de chemin. Dans les lambeaux de grisaille nocturne précédant le matin, il voit les silhouettes des soldats occupés à ratisser le camp, où brûlent de nombreux petits incendies, et à rassembler les cadavres. Certains prennent les visages en photo, très près, avec de gros appareils, tandis que d'autres tripotent leurs mains pour voler des empreintes et du sang. Quelques militaires patrouillent en lisière de forêt mais ne semblent pas décidés à venir vers eux.

Vers eux. Eux. Sher Ali se rappelle de Qasâb Gul et trouve bientôt sa silhouette allongée à proximité, entre deux arbres. Il ne bouge pas. Comment le pourrait-il, son dos est déchiré sur toute sa largeur et sa longue chemise bleu ciel est trempée de sang. Dans la crevasse de ses chairs à vif, on peut apercevoir des taches plus claires, à l'emplacement de l'épine dorsale. Et même suivre les lignes tracées par les côtes. Le Boucher a été quasiment fendu en deux. Sher Ali se souvient de la montée, exténuante, des gémissements soudains des arbres tout autour d'eux, élagués par les balles tirées depuis l'avion. Du puissant coup qui les bouscule et lui fait perdre l'équilibre.

Le Roi Lion rampe jusqu'à Qasâb Gul. Il l'attrape par la jambe et, lentement, essaie de le tirer jusqu'à l'abri de sa cachette de fortune. *Ils n'auront pas son cadavre, même si je dois mourir pour les empêcher de le dérober. Ils ne le photographieront pas, ne violeront pas sa mort*. Le buste du défunt, qui n'est plus soutenu par sa colonne, se plie en deux dans des poses grotesques lorsque ses membres butent sur les irrégularités du terrain. Sher Ali s'en rend compte avec horreur et manque de renoncer, brisé par la tristesse, mais il s'obstine malgré tout, avec l'absolue conviction qu'à sa place, le Boucher irait au-delà de son désespoir et de son dégoût pour l'amour de son frère d'enfance. Après une vingtaine de minutes d'un effort éprouvant pour l'esprit et le corps, il peut enfin serrer son ami dans ses bras. Son visage est détendu, la mort l'a trouvé inconscient, exempt de toute peur ou douleur, et il a les yeux grands ouverts, probablement la violence de l'impact ou de leur chute. L'impression laissée par ce regard est étrange, on dirait qu'au moment de perdre la vie Qasâb Gul a entrevu une chose rassurante. Une vérité primordiale, très belle, inaccessible aux vivants. La lumière d'Allah. Cette pensée renvoie aussitôt Sher Ali à Badraï. L'éclat de Dieu brillait également en elle. Et il s'est éteint.

À cause de lui

Allah se détourne du chemin de Sher Ali.

27 MAI 2008 – Journal opérationnel du Commandement Interarmes des Opérations Spéciales.

ID Référence : AFG20080527n1324		**Détenus :**	**19**
Région : RC-Est	**KIA -**	**Ennemi :**	**37**
Latitude : 32.931633		**Ami :**	**0**
Longitude : 69.45578003		**Civil :**	**0**
Date : 27-05-2008 08 : 15		**Hôte :**	**1**
Type : Action Amie	**WIA -**	**Ennemi :**	**6**
Catégorie : Capture - Neutralisation		**Ami :**	**2**
Cible : Ennemi		**Civil :**	**0**
Exp. : CJTF - 101		**Hôte :**	**1**

Nom Unité Engagée : N/A
Type Unité Engagée : N/A
ACTSIG : Oui
Couleur : Rouge
Classification : Top Secret / NOFORN
42 SWB 4890 5668

Chronologie : à 2145z Op. NO MERCY par TFRED / com. TB SHER ALI KHAN ZADRAN [...] 1xANA KIA, 37xEKIA, 2xTFRED WIA, 1xANA WIA, 6xEWIA,19xDét. # inc. FAA disp. Tous FAA HIIDE.

ROEM : (2203z) Bla-bla Icom : bombardement sur le camp par des avions, ils tuent même les animaux.
(2207z) Bla-bla Icom : le chef a ordonné de fuir.
(2215z) Bla-bla Icom : un com. TB (objectif ?) essaie de riposter avec RPG pour détruire les avions.
(2233z) Bla-Bla Icom : les femmes descendent dans la vallée.
(2308z) Bla-bla Icom : êtes-vous blessé, nous n'avons pas de blessés, nous allons vers le nord mais il y a des ennemis, nous sommes fatigués.
(2324z) Bla-bla Icom : où est SHERE KHAN, il a disparu, nous partons vers le col.
(2357z) Bla-bla Icom : ils nous tuent [...]

Eval S2 : En cours.
FinEv : 0245z

(Chronologie : à 21h45 zoulou, la Task Force RED a lancé l'opération NO MERCY en vue de capturer ou

tuer le commandant taliban SHER ALI KHAN ZADRAN [...] *Un soldat de l'Armée nationale afghane a été tué en action, trente-sept ennemis ont été tués en action, deux opérateurs de la Task-Force RED ont été blessés en action, un soldat de l'Armée nationale afghane a été blessé en action, six ennemis ont été blessés en action, dix-neuf ennemis ont été capturés. Un nombre inconnu de Forces antiafghanes a disparu. Biométrie de tous les éléments des Forces antiafghanes capturés ou tués effectuée et entrée dans les fichiers. Renseignement d'origine électromagnétique : extraits d'interceptions radio.)*

KAIA, ça sonne bien, tel un prénom de fille exotique, mais dans la *lingua franca* pressée et compressée de l'OTAN, c'est le sigle du *Kabul International Airport*, un groupe de bâtiments fatigués, couleur de béton, aux encadrements de fenêtres bleu sale dans le ton du ciel de la capitale, dont les abords sont semés de conteneurs. Piquée d'une forêt d'antennes, sa tour de contrôle se dresse telle une vigie esseulée au milieu d'un océan brunâtre de banlieues de moellons et de boue encerclées par des terres arides. À sa base se trouve un terminal unique, vieillissant, orné en façade de deux portraits naïfs, l'un du héros national à titre posthume, Ahmad Shah Massoud, et l'autre de celui qui aspire à le devenir avant de crever, Hamid Karzaï. Alentour, de rares arbres et un jardin luttent pour leur survie, et il se dégage de l'ensemble une impression de délabrement triste commune à tous les aéroports des pays du tiers-monde déchirés par la guerre.

La sécurité y est plus pénible que réellement efficace. Une série de points de contrôle disséminés sur les routes d'accès, très en amont des installations, à travers un quart-monde sans richesses naturelles, archaïque, délabré, infertile, où sont vérifiés les passeports, les billets d'avion, les bagages, les véhicules acheminant les voyageurs, parfois les voyageurs eux-mêmes, tout cela à la fois, ou successivement,et c'est reparti pour un tour, le zèle des policiers et des militaires dépendant de l'heure, de la température, de la poussière et de la bonne volonté des contrôlés. Pas besoin d'enveloppe, de sac plastique ou de mallette, un simple petit billet glissé dans ses papiers d'identité suffit à faciliter bien des choses.

Après plusieurs danses du ventre, Javid et Peter Dang atteignent enfin le principal parking, une étendue de terre desséchée et cabossée, balayée par les vents de plaine. Elle est entourée de barbelés en piteux état, incapables d'arrêter le moindre véhicule piégé si l'idée venait à germer dans l'esprit d'un kamikaze de se faire exploser ici. Il ne ferait pas beaucoup de dégâts à l'aérogare elle-même, située trois cents mètres plus loin, au-delà d'un gymkhana de chicanes et de barrières, mais expédierait certainement *ad patres* des dizaines de pauvres Afghans, sempiternels mendiants, porteurs, taxis improvisés, vendeurs à la sauvette, guides approximatifs, fixers, interprètes, gardes du corps ou simples migrants avec leurs familles, et autant d'expatriés, obligés de transiter par ce lieu avant de pouvoir rejoindre Kaboul ou le terminal par lequel ils s'apprêtent à quitter le pays.

Le regard de Javid fuit au moment des adieux. Peter aimerait croire qu'il regrette son départ mais il paraît plutôt pressé de le voir dégager. Peut-être le fixer s'en veut-il de l'avoir déçu, en ressent-il quelque embarras, lui d'habitude si efficace n'a pas réussi à trouver Rouhoullah, le trafiquant d'héroïne en guerre avec Tahir Nawaz. Ce n'est certainement pas la seule raison. Javid a changé après l'agression dont il a été victime dans son quartier et il semble depuis mal à l'aise en présence du journaliste. Possible également que le clash à Gardi Ghos, avec la police des frontières, ait laissé des traces. *Pour lui, je suis devenu une source d'emmerdes*, pense Peter, *et ma mauvaise humeur, dernièrement, n'aura rien arrangé.* Pas une de ses initiatives n'a révélé un élément concret, de nature à faire bouger sa nouvelle enquête et en garantir le préachat par une publication, condition financièrement nécessaire à son retour ici, pour l'approfondir et la boucler. Rageant.

Dang avait placé ses derniers espoirs dans un rendez-vous, quelques jours auparavant, avec le général Khodaïdad, tout récemment nommé ministre antidrogue de plein exercice, après l'avoir été par intérim pendant près d'une année. Ce Hazâra, officier supérieur formé en Inde, personnage clé de l'ultime gouvernement communiste d'Afghanistan, est ce qui se fait de plus honnête dans le pays. Il n'a jamais caché son aversion pour les actions menées par l'ISAF et plus particulièrement par l'armée US, et l'impact très négatif de celles-ci sur la corruption et la prolifération des stupéfiants. À l'instar de nombreux observateurs, il pense nécessaire de se débarrasser de certains relais locaux, gouverneurs, chefaillons et seigneurs de guerre, et de repenser intégralement la stratégie de l'OTAN pour y inclure le combat contre le commerce illicite d'opium et d'héroïne. Jusqu'ici, le gouvernement américain a estimé que les problématiques liées à ce dernier relevaient de la compétence des juges et des policiers, pas des militaires. Cependant, avec des évaluations basses faisant état de quatre cents millions de narcodollars tombés dans l'escarcelle des talibans pour la seule année 2007, il devient de plus en plus difficile de ne pas voir que lutte antiterroriste et lutte antidrogue sont étroitement liées et doivent être menées ensemble.

À son arrivée au ministère de l'Intérieur, le matin du 27 mai, Peter pensait pouvoir évoquer la situation à Nangarhar, le rôle trouble de Nawaz et de ses soutiens, et le nom de Rouhoullah, dans l'espoir d'obtenir des informations off et de l'aide pour faciliter une rencontre avec la supposée bête noire du chef de la Border Police, faisant sien l'adage les ennemis de mes ennemis sont mes amis. Il avait vite déchanté en étant accueilli par un troisième couteau, sous-fifre non pas du ministre mais de Mohammed Daoud, l'un de ses adjoints imposés. D'origine tadjik, lui-même général, Daoud a la réputation d'être pourri jusqu'à l'os et complice de moult trafics. On avait tout simplement court-circuité la demande d'entrevue de Peter.

La manœuvre confortait la rumeur, colportée dans Kaboul par les mauvaises langues, selon laquelle Khodaïdad n'est pas maître chez lui. Et ne le sera jamais. C'est un Chiite – la plupart des Hazâras le sont – dans un pays en majorité sunnite, sans assise tribale ni contacts dans les provinces, surtout chez les Pachtounes du grand sud. Impuissant donc. Beaucoup voient dans sa nomination une énième preuve de la réticence du président afghan à s'attaquer avec force au problème. Des gens avaient néanmoins dû estimer plus prudent de tenir le *tsar de la lutte antidrogue* éloigné de certains journalistes et Peter s'était retrouvé coincé dans un bureau aux murs craquelés, en face d'un pantin tout juste bon à débiter les chiffres officiels sous un portrait d'Hamid Karzaï fixé de traviole. Tout un symbole. Il avait eu droit à la longue litanie des centaines de millions de dollars investis dans la formation de policiers et de juges au-dessus de tout soupçon, et la construction de tribunaux d'exception, hors de Kaboul, loin de toute influence néfaste, loin de tout. Et des dizaines de millions supplémentaires consacrés à l'arrachage du pavot, confié à des sous-traitants privés tels Dyncorp, l'un des concurrents de Longhouse. Avaient suivi les résultats obtenus de haute lutte. Arrestations à la pelle, aucune pointure, que des petites frappes ou des insurgés, souvent des paysans hostiles aux trafiquants, et recul marqué de la culture du *papaver somniferum* – le mec connaissait l'appellation latine et se sentait obligé de la placer à la moindre occasion, avec son accent c'était comique – dans toutes les provinces. Et, avait-il insisté, sa disparition quasi totale d'une vingtaine d'entre elles. Sauf, malheureux hasard, dans les méridionales Helmand et Kandahar d'où sortent plus des trois quarts du taryak national et où les surfaces plantées croissent avec régularité. Cette même région dans laquelle les affrontements entre les talibans et les forces de la coalition sont les plus durs depuis 2004, quand le pays a commencé à battre ses propres records annuels de tonnage d'opium. En parlant à des copains bossant pour l'ONU, Dang a appris que 2008 ne ferait probablement pas exception à la règle. Les premières estimations du service chargé de la drogue et du crime des Nations unies, dont le rapport doit être publié en août prochain, ne sont pas bonnes, l'Afghanistan en produira encore près de huit mille tonnes cette année.

Ensuite, l'entretien avait tourné court. L'interrogation de trop sur Nangarhar, une zone où se concentrent les laboratoires de raffinage, suivie d'une demande de rencontre avec le chef local des stups et Dang avait pris la porte.

À la sortie du ministère, grosse déprime. Et impossible d'en parler avec Javid, il limitait déjà sa conversation à des réponses monosyllabiques. Depuis, ça ne s'est pas arrangé, ni du côté de son fixer, ni surtout du sien. Le découragement éprouvé par Peter n'est pas une première. En Irak, à plusieurs reprises, il s'était senti totalement dépassé par la quantité et la complexité des sujets à traiter pour évoquer des problèmes sans solution immédiate, ou à moyen terme, ou simple, ou sans violence, séquelle ou mort. De quoi se poser des questions sur son job, l'intérêt et la portée de celui-ci. Combien d'articles avaient exposé mensonges d'État, décisions politiques prises en dépit du bon sens, collusions public privé, bavures, abus, tortures, drames ineffables vécus par les populations, autant d'avanies l'ayant conduit, avec ses confrères, à soutenir en creux le régime préexistant d'un dictateur finalement pendu en place publique. Un comble. Tout cela pour que George W. Bush soit réélu, aucun de ses acolytes, à présent tous beaucoup plus riches, inquiété, et ses complices à l'étranger, tel Tony Blair, acclamés comme des stars lors de conférences données à titre très onéreux.

Un de ses copains, un vieux de la vieille, correspondant permanent à Bagdad pour une chaîne de télévision, lui avait dit un jour : « On n'est pas là pour penser à la place des Irakiens, ni même pour les aider à penser. » Là résidait, selon lui, l'erreur commise par les gogos qui avaient cru, et pour certains croyaient encore, aux salades de l'exécutif américain et, d'une façon générale, à celles des élites des grandes puissances, souvent occidentales, pour lesquelles les lubies de l'ouest, progressistes ou conservatrices, doivent guider le monde. « On est là pour faire en sorte d'empêcher nos grands chefs de continuer à déconner en notre nom. C'est pas sur l'Irak qu'on doit braquer notre regard, mais chez nous, aux États-Unis, en Angleterre, au Canada et sur tous les autres crétins de la *coalition des gens de bonne volonté*. »

Peter a adhéré un temps à cette vision des choses, elle faisait sens. Mais sa réalité le rattrape. Tout le papier noirci, tous ces octets balancés à travers le Net ne changent rien à rien. Qu'en font ceux qui les reçoivent ? Pour peu qu'il faille en faire quelque chose. Pas un seul de ses articles n'a eu le moindre effet durable et réellement positif, une notion toute relative il faut en être conscient, sur la marche du monde. Certains ont réussi à provoquer de petites secousses temporaires mais celles-ci ont été amorties très vite. De plus en plus, Peter se sent réduit à l'état de minuscule rouage d'une immense machine, sa vocation étant de produire de l'info quand d'autres produisent des légumes ou des appareils électriques. Info dont la valeur fluctue. La sienne aussi par conséquent. Et en ce moment, c'est plutôt à la baisse. Trop de plumes pour se penser incontournables, de moins en moins de gens pour lire, ou écouter. Ou comprendre qui a raison. Si raison il y a.

Être journaliste, jeter une lumière, et accessoirement gagner sa vie, tel était son désir initial. Pas juste être journaliste pour gagner sa vie.

Peter part démoralisé, mécontent de lui-même et brouillé pour il ne sait quelle raison avec un fixer dont il se croyait jusqu'ici assez proche. Il ne se réjouit pas d'en finir avec son dossier sur la logistique de guerre, un très beau boulot pourtant, appelé à être remarqué, au moins dans certains cercles déjà convaincus, et ne parvient pas à oublier son malaise. Hier soir, agité, impatient, il a failli rédiger une tribune dans laquelle il aurait révélé quelques-uns des faits en sa possession et posé une ou deux questions délicates. Pour mettre un coup de pied dans la fourmilière. Nul doute qu'il aurait rencontré un écho favorable au *Toronto Star*, au *New York Times* ou au *Guardian*. Il a préféré renoncer. Pas son genre ou trop tôt, il voulait se laisser du temps pour naviguer sous le radar. Encore un peu. Pour protéger son travail.

Son gagne-pain.

Être journaliste pour gagner sa vie.

Chassé par le soleil qui écrase le parking, Peter adresse un dernier salut à Javid. Ils échangent des sourires gênés, une poignée de main maladroite et se détournent l'un de l'autre. Fin de séjour étrange, très amère.

Au vieux car bondé assurant la navette avec l'aérogare, Peter préfère la marche. Une façon de prolonger ses derniers instants afghans. Quand il jette un œil en arrière après avoir parcouru une vingtaine de mètres, il voit Javid au téléphone. Déjà infidèle, prêt à tomber dans les bras d'un confrère. Agaçant. Peut-être son émotion se lit-elle sur son visage, parce que son guide détourne le regard dès qu'il l'aperçoit et, sans plus faire attention à lui, rejoint sa vieille bagnole.

Il faut à Peter trois minutes brûlantes, elles en paraissent trente, pour atteindre le terminal où, devant les comptoirs d'enregistrement et au contrôle des passeports, se pressent de longues files désordonnées, bruyantes. Au milieu, une petite minorité d'Occidentaux. Pour simplifier, on pourrait les classer en deux catégories, les musclés et les maigrichons, rasés et chevelus, risette, pas risette, les privés de la sécurité et les autres. La plupart des femmes, et elles sont peu nombreuses, sont parmi eux. Le reste, majoritaire, est composé d'hommes du cru, ou de ce coin de planète, ou du Golfe. Ils traînent avec eux des cartons et des valises de fortune dont les chances de survivre intactes au périple à venir sont nulles ou presque. Régulièrement, des voix s'élèvent pour râler, un peu les Anglo-Saxons et assimilés, à grand renfort de *fuck !* et de *dear god !*, le plus souvent les Arabes et les Indiens. Les Afghans moins. Les Pachtounes jamais.

Peter prend son mal en patience. Il a très chaud, la clim' est aux abonnés absents et la densité des corps rend l'atmosphère plus suffocante encore qu'à l'extérieur. Tout semble progresser avec une immobile lenteur et son départ devient un supplice. Plus de deux heures après être arrivé, il franchit enfin la barrière de l'immigration et entre dans la salle d'attente. Ses jambes fatiguent mais il est inutile d'espérer s'asseoir, il n'y a pas assez de sièges pour tous, alors il va s'appuyer contre les baies vitrées du fond et profite du paysage.

La zone militaire est séparée du reste des installations par la piste d'envol. Immense, temporaire et bien plus moderne que tout ce qui l'entoure, y compris cet aéroport décrépit. Eux et nous. Il ne faut pas s'étonner du rejet de toute forme de progrès par l'Afghanistan, il s'y manifeste systématiquement de façon passagère et sous son visage le plus sombre, la guerre. L'étranger est d'abord un soldat, semblable à ceux que Peter voit à présent monter sans se presser à bord d'un Boeing gris mili. Ils sont venus six mois, huit, dix, ont fait des trous dans les locaux, c'étaient les ordres, et les voilà rentrant chez eux avec pour certains, pas tous loin de là, le sentiment du devoir accompli. Et peut-être aussi la douleur d'avoir perdu un camarade, un bout d'eux-mêmes, leur innocence.

Plusieurs Hercules et des hélicoptères aux looks très agressifs sont rangés derrière le transporteur de troupes, au cordeau, leurs silhouettes déformées par les volutes de chaleur. Ils disparaissent à sa vue lorsqu'un appareil de la compagnie aérienne nationale, Ariana, passe nonchalamment devant lui et va se garer à côté d'autres avions frappés des mêmes logotypes. Ses occupants en sortent après une éternité. L'un d'eux embrasse le bitume. Longuement.

L'agitation gagne à nouveau Peter. Il n'a plus envie de rester. Il ne veut pas partir. Il est perdu dans un entre-deux inconfortable. Pourquoi rentrer là-bas, son cœur n'y battra bientôt plus. Et même s'il éprouve de la tendresse pour les Afghans, son cœur ne bat pour rien ici. Un témoin, c'est tout ce qu'il est, le meilleur possible, à distance. À distance de tout. Et tout à distance de lui. Tentation de lui écrire, encore, violente, pour être à nouveau proche de quelqu'un.

Au loin, les montagnes semblent infranchissables.

15

PERTES COALITION	Mai 2008	Tot. 2008 / 2007 / 2006
Morts	23	77 / 232 / 191
Morts IED	11	50 / 77 / 52
Blessés IED	70	237 / 415 / 279
Incidents IED	394	1318 / 2677 / 1536

Hair Force One fixe Bob, l'œil vide et les oreilles dressées. Il n'aime pas les fumeurs.

« Tu balades la bête ? »

Pas rassuré, l'agent de la CIA, ça s'entend.

« Il aime bien faire de l'hélico. Hein, mon vieux ? » Voodoo flatte la tête de son malinois et celui-ci se met à lui mordiller les doigts avant de lui lécher la main.

« Comment c'était, à Salerno ?

— Nos Afghans accusent le coup. » Trois jours plus tôt, la dépouille de Haji Moussa Khan, identifié avec retard parmi les insurgés tués dans le bombardement de Sperah, a été rapatriée à Khost pour une autopsie, avant d'être rendue à sa famille. Avec celle de son fils. Voodoo et quelques membres de 6N ont fait le déplacement pour être présents à l'arrivée des corps. Avant-hier, il a autorisé Hafiz à utiliser le

Bell 412 de la boîte pour les transporter jusqu'à la vallée de Barmal. Cela lui a valu une remarque de Ghost, sur l'air de *putain, laisse les hajis se démerder, ils se flinguent entre eux, bon débarras* et un accrochage avec Fox qui a jugé bon de recadrer Ghost. Un *t'aimes trop tes Pachtounes, vous vous refaites le derche la nuit ou bien ?* a suivi, puis une beigne et une autre. Pénible. « Fox et Tiny aussi.

— J'ai vu les clichés des cadavres.

— Abattus au début de l'attaque, apparemment. On les avait bien attendris avant. »

Haji Moussa et son aîné gisaient au milieu de prisonniers suppliciés, couverts d'une crasse de plusieurs semaines, dans une tente presque intacte. Aucune blessure par éclats, juste une balle dans la tronche. Et des traces de sévices, antérieurs au décès. Hématomes et brûlures trop nombreux pour être comptés, ongles des mains et des pieds arrachés. L'éleveur avait le visage très abîmé, on lui avait coupé le nez et une oreille. Mais pas la langue.

« Quelqu'un a cherché à leur faire dire des trucs.

— Je t'ai fait venir pour ça. » Bob écrase sa clope à moitié fumée. « Rentrons. »

Les deux hommes pénètrent dans la Tour Sombre et rejoignent un bureau équipé d'un PC à l'écart des autres. « C'est le JSOC qui a tapé il y a quatre jours.

— Veinards.

— Sur la base d'infos à nous. En fait, sur la base d'une info à toi, le prépayé du fameux Rouhoullah.

— Il était sur place ? » Ça arrangerait tellement Voodoo qu'il ait été flingué.

« Non. »

Dommage.

La règle de base d'une bonne interception, c'est l'espionnage des lignes et des mobiles associés, identifiés par leur numéro unique, dit IMEI. Si une *agence amie*, spécialisée dans le renseignement d'origine électronique, dispose d'un accès permanent aux bases de données des opérateurs locaux et de beaucoup de mémoire, « on peut remonter loin dans le temps, explique Bob, c'est pratique. Langley a mis pas mal de fric dans un truc qui fait ça très bien ». Il réactive l'ordinateur en veille, clique sur une icône et tape un mot de passe. « T'es habilité, tes mecs aussi, mais tu vas garder la suite pour toi. » L'écran affiche un schéma embrouillé, multicolore, fait de boîtes nominatives fléchées entre elles.

Voodoo note plusieurs occurrences du patronyme Haqqani. « Je suis censé voir quoi ?

— Un nuage.

— Moi juste péteur de porte, moi pas comprendre. »

Trois ans plus tôt, In-Q-Tel, un fonds d'investissement de la CIA, a été approché par des jeunes Californiens surdoués en quête de financements. Ils avaient fondé une société, Palantir Technologies, dont le principal produit porte le même nom. « C'est de l'elfique. Ça veut dire *pierre de vision*.

— Arrête de fréquenter des informaticiens, Bob, c'est dangereux.

— Tu ne sais pas à quel point. » L'agent sourit. « Je te la fais simple. La première fonction de ce bidule, c'est la prospection de données. » Collecter de l'info non-stop, partout. En milieu ouvert, fermé, public, privé, confidentiel, sur tous les réseaux informatiques, radios, télévisés, sous toutes ses formes texte, photo, audio, vidéo. « Tu lui ouvres une porte, tu pointes ce que tu veux, il pompe. » Ensuite, le logiciel analyse ces renseignements, les classe, les agrège, les met à jour en temps réel. À partir du numéro de Rouhoullah transmis par Voodoo, il a retrouvé tous les contacts entrants et sortants depuis la mise en service de la ligne. Et tous les appareils avec lesquels cette même ligne avait été utilisée. Il a aussi récupéré l'historique de tous les bornages, les connexions aux antennes relais, tant pour l'abonnement que pour les mobiles en question. « On a pu le suivre à la trace, à rebours, chaque fois que ligne et téléphones étaient actifs, ensemble ou séparément. Évidemment, à partir de là, on a aussi eu les autres abonnements avec lesquels les appareils étaient utilisés. Et les numéros des gens appelés. La base du nuage, c'est tout ça. Mais la vraie force du programme est ailleurs, il peut voir des choses au milieu de ce bordel et établir des hiérarchies et des liaisons entre elles. » Bob poursuit en expliquant que le 24 mars dernier Rouhoullah a activé sa ligne sur un mobile précis. Puis il a éteint ce mobile. C'était à Kotkai Kalai, un bled de la province de Paktiya, près de la frontière avec le Pakistan.

« Un rendez-vous ?

— Peut-être. Ce mobile a été réactivé quelques minutes plus tard, avec une autre ligne prépayée. Le logiciel a jugé cette manipulation suspecte et s'est mis à analyser le second numéro utilisé par ton mec. Avant et après l'incident. Il a aussi mémorisé les paires IMEI-abonnements téléphoniques connectées aux tours relais les plus proches, aux mêmes heures. » Le 1er mai, ce second abonnement de Rouhoullah a été à nouveau actif à Jalalabad, mais avec un IMEI différent. Troisième appareil relié au trafiquant. Et peu après, l'une des autres paires du 24 mars a borné à cet endroit. Bob la baptise *Paire SAK*. Quand Voodoo lui demande pourquoi, il temporise. « Pour l'instant, retiens que Palantir l'a intégrée à ses surveillances.

— Tout seul ?

— Comme un grand. Donc, pour résumer, ton Rouhoullah s'est retrouvé deux fois pas loin de la ou les mêmes personnes, au même moment, à une semaine d'intervalle et deux cent kilomètres de distance. C'est ce que tu vois là. » Bob sélectionne l'onglet téléphonie dans un menu situé sur le côté de l'écran et effectue un tri par dates. Le nuage change d'aspect et de densité. « On peut même projeter les déplacements sur une carte. » Nouvelles manipulations et une représentation FalconView de l'Afghanistan apparaît à l'image, parcourue par des trajectoires. « Leurs mobiles ne sont pas allumés en permanence, ça explique les trous dans les jours et les heures, mais les parcours sont instructifs.

— Ils se sont parlés au téléphone ?

— Oui, mais pas ces jours-là, ni sur cette ligne-là ou ces téléphones-là de Rouhoullah.

— Sur d'autres encore ? Il en a combien ?

— C'est un trafiquant très prudent. »

Pas assez, mais cela ne réjouit pas Voodoo.

Voyant sa tête, Bob se marre. « Largué ? »

Hair Force One a senti la tension de son maître. Il gémit et lui prend délicatement la main dans sa gueule. Il veut l'emmener ailleurs.

Voodoo se libère pour le caresser. « Continue. »

Sans lâcher Rouhoullah, les analystes de l'Agence ont commencé à marquer à la culotte la Paire SAK. Et ils ont mis à jour de nouvelles correspondances pertinentes. « Nous avons accès à certains fichiers de l'ISAF et leurs journaux opérationnels, donc Palantir aussi. Le ou les copains de Rouhoullah branchent leur téléphone le 3 mars, dans la région de

Sabari. Juste avant une attaque attribuée au réseau Haqqani. Et à nouveau le 14 avril dans la matinée, le lendemain d'une autre attaque, sur une propriété du chef de la Border Police, à Gardi Ghos. J'imagine que c'est l'un des incidents qui t'ont incité à me contacter ? »

Voodoo acquiesce. Il se revoit traverser la foule agglutinée ce jour-là devant la qalat de Tahir Nawaz et se dit qu'il est peut-être passé à côté de ces mecs.

La liste des correspondances suspectes ne s'arrête pas là. Le 20 avril, la Paire SAK est signalée dans la zone de Shwak, trois jours avant une attaque sur le chef-lieu de district, également imputée au réseau Haqqani, et le 3 mai, vers Gardez, dans les heures précédant un attentat sur le chantier de l'autoroute. Là encore les Haqqani sont impliqués. « On le sait à cause du bla-bla Icom intercepté à cette date par les militaires. Quarante-huit heures plus tard, le 5, on trouve notre paire baladeuse vers Mya Bandeh, à Nangarhar. » D'après Bob, la FOB la plus proche signale une attaque contre des hommes de la Border Police sur l'autoroute A1. « Ça aussi, ça a dû énerver ton colonel Nawaz, non ? »

Moins que la perte de sa came et la remise en cause de sa mainmise sur le trafic dans la province.

« Le 9 mai, la Paire SAK borne sur une tour près de l'entrée de la vallée de Barmal, à Angour Adda. C'est le jour où votre éleveur a été kidnappé. Les jours suivants commence une série d'attaques rapprochées et ciblées sur les ASG chargés de protéger nos stations d'écoutes de Shkin et Orgun-e, et d'escorter nos infiltrations de l'autre côté de la frontière. Une dizaine en trois semaines, installations, patrouilles et itinéraires.

— L'embuscade contre Fox et ses cavaliers, à son

dernier retour de Miranshah, le 24, elle est dans le lot ? »

Bob hoche la tête. « Ils semblaient avoir des infos très précises.

— Obtenues en torturant Haji Moussa et son fils ?

— En partie. Les talibans ne manquent pas d'espions dans la vallée, surtout chez nos alliés. Le phénomène a été jugé assez inquiétant pour que nous puissions mobiliser plus de ressources. » SAK est active à plusieurs reprises à proximité des escarmouches en question, au moment où elles se produisent. « Palantir a poursuivi ses analyses en intégrant tous les survols de Loya Paktiya par l'armée depuis début mars. » La proximité des zones tribales et la tension grandissante le long de la frontière est de l'Afghanistan ont eu pour conséquence une forte augmentation des missions de surveillance aérienne de la région. « Entre nos drones, ceux des milis et leurs avions, on a des heures et des heures d'enregistrement. » Les capteurs les plus efficaces équipant les appareils sans pilote couvrent jusqu'à quatre kilomètres carrés de terrain à chaque instant, dans plusieurs spectres lumineux. Les opérateurs ne peuvent suivre en direct qu'une infime partie de ce flux vidéo mais l'intégralité de ce qui est filmé est enregistré et accessible a posteriori.

« Avec Palantir, en croisant les dates, les événements, les lieux et les survols disponibles, il est possible de retrouver qui était à tel endroit à tel moment, le nombre de personnes sur place, où elles sont allées en repartant, où elles étaient avant d'arriver. S'il y avait une ou des voitures et que c'était en plein jour, obtenir les plaques d'immatriculation. Si ces lieux ou bagnoles étaient déjà dans nos fichiers le programme nous le signale et met à jour les données de tout le monde. Et si on a de l'audio, du bla-bla Icom par exemple, cela nous donne de nouvelles infos ou confirme ce que l'on supposait. On peut associer des voix à des noms et d'éventuels portraits. » Bob affiche la carte une seconde fois. Elle inclut les nouveaux éléments. Il y a un énorme nœud dans la zone de Sperah. « On a localisé le camp en pistant les trajets et leurs intersections. » Depuis mars, les unités du coin étaient confrontées à un nouvel homme fort baptisé Shere Khan. « Sa base arrière était supposée être par là. Mais les soldats n'avaient jamais pu monter là-haut, trop dangereux, pas assez de moyens.

— Shere Khan et Sher Ali Khan Zadran sont la même personne ?

— Oui, m'sieur.

— La Paire SAK, l'interlocuteur de Rouhoullah.

— Après son raid, le JSOC a ratissé le site pour récupérer tout ce qui pouvait l'être à fin d'analyse, exploitation et transmission. Ils ont trouvé un téléphone et une carte SIM correspondant à la Paire SAK. Abandonnés ou perdus. Il y avait des empreintes dessus. Maintenant, elles sont dans le système.

— Et le mec ?

— Après comparaison, nous savons qu'il ne fait pas partie des morts ou des prisonniers de l'opération No Mercy. S'il était là-bas, il s'est tiré. Mais personne n'a pu se barrer, à mon avis il n'y était pas. »

Pas de Rouhoullah et pas de Sher Ali. « Fuck !

— Tu connais ce moudje ? » La saute d'humeur de Voodoo a surpris Bob.

« Jamais entendu parlé avant que Nawaz me file son nom.

— On dirait pas.
— J'aurais préféré que mes renseignements soient utiles, c'est tout.
— Ils l'ont été.
— Mais pas mortels.
— On l'aura, question de temps. Il est sur les listes maintenant. » Bob fixe Voodoo.
« Quoi ?
— Le mec est dangereux. Il est agressif, mobile, à la tête d'une troupe conséquente et a des liens avec les Haqqani. À plus d'un titre.
— Explique.
— Tu te souviens de Khushali Wazir, les VIP, le téléphone satellite vu par tes mecs ?
— Oui.
— On avait retrouvé les numéros de Thuraya présents dans la zone cette nuit-là.
— Et l'un d'eux conduisait à un paravent de l'ISI, correct ?
— À une société bidon, oui, et un dénommé Tajmir, agent d'influence des pakis, proche de Sirajouddine Haqqani. La Paire SAK a communiqué avec ce Thuraya. Une dizaine de fois depuis le 28 janvier. Et les deux sont également en contact fréquent avec un Ouzbek, ancien de l'IMU recherché par les autorités de son pays : Dojou Chabaev. Lui est passé par l'Irak, c'est une pointure.
— Fréquent ?
— Sher Ali et lui se trouvent souvent aux mêmes endroits, et Tajmir lui parle beaucoup au téléphone.
— Et ?
— Ces mecs nous en veulent.
— Tu connais un taleb qui nous en veut pas ?
— Là, c'est pas pareil. Liés aux Haqqani et à

un type comme Rouhoullah, ça veut dire soutien et argent. À Nangarhar, ils tournent autour de notre copain de la Border Police et en Paktiya ils ont concentré leurs attaques sur les bases de l'Agence, nos CTPT et nos amis.

— Pépé Jalalouddine règle ses comptes avec la CIA ? » Bob a peut-être raison mais si son hypothèse séduit Voodoo, c'est d'abord parce qu'elle masque le cœur du problème entre Nawaz et Rouhoullah, son gros souci du moment, le trafic d'héroïne. Le problème de Dang semble réglé, son fixer l'a prévenu qu'il était reparti d'Afghanistan. Restait l'Agence et, pour le moment, elle semble dans le noir en ce qui concerne leurs petites affaires.

« Qui a le plus intérêt à déstabiliser notre action dans les zones tribales ?

— Lui et, s'il est dans le coup, l'ISI aussi.

— Probable. Les Pakistanais sont fous, ils jouent triple jeu. Officiellement, ils nient les bombardements ou les condamnent. Officieusement, ils en veulent plus et nous assistent. Plus officieusement encore, nos actions commencent à les mettre mal à l'aise. Le peuple s'agite. Les choses vont se tendre de tous les côtés. Donc prudence. »

Hochement de tête de Voodoo. *J'ai bien compris, mec, mais pas pour les raisons que tu crois.* « Je vais prévenir mes gars. Sans leur en dire trop. » *Tu parles.* « On va revoir nos procédures de sécurité, contrôler nos CTPT et les mettre en garde.

— Une dernière chose. Tu m'avais donné un second numéro à vérifier. »

Celui de Naeemi. Voodoo joue les innocents. « Il est à qui ?

— À un autre officier de la Border Police, le bras droit de Nawaz. Méfie-toi de lui.

— Pourquoi ?
— Il communique avec Rouhoullah. Souvent. »

À Kaboul, le complexe où sont logés les employés du *Department for International Development*, l'équivalent britannique de l'USAID, l'agence de développement économique du gouvernement américain, se trouve à quelques centaines de mètres de l'ambassade du Royaume-Uni, dans le quartier chic – selon les normes locales – et sécurisé de Wazir Akbar Khan. L'entrée, masquée par de nombreux plots, murets et parois de béton supposés arrêter un véhicule piégé, est gardée par une troupe de vigiles armés d'AK47 supervisés par un ex-militaire anglais passé au privé. Ce soir, tendus, ils protègent une petite sauterie déguisée dont le thème est *Putes & Talebs*, où une large part de ce que la capitale afghane compte de belles âmes étrangères va se retrouver.

Fox est dans le ton de la soirée avec ses cheveux longs, sa barbe hirsute, son physique asséché par plusieurs mois sur le terrain et sa tenue spéciale zones tribales. Mais s'il n'a pas eu à faire beaucoup d'efforts pour ressembler à un moudjahidine descendu de sa montagne, parvenir jusqu'ici n'a pas été simple. Il a dû sortir son passeport US et parlementer à plusieurs reprises pour franchir les différents points de contrôle et, à voir le zèle dont le retraité de l'armée de Sa Majesté fait preuve, il se dit qu'il aurait sans doute gagné à occidentaliser son apparence. Et, problème supplémentaire, il n'est pas venu à poil. Il a pris un pistolet, oubliant la dimension *humanitaire et fun* de la fête, et la sécurité souhaite le fouiller. Lui ne veut pas. Heureusement, une jeune femme très court-vêtue et maquillée à outrance semble avoir guetté son arrivée. Elle apparaît pour faire entrer Fox au moment où les palabres menacent de s'envenimer. « Je m'appelle Sarah », sourire aux lèvres, elle glisse son bras au creux de celui du paramilitaire et l'entraîne dans la maison, « Dick vous attend ».

Le salon de la résidence, plutôt grand, ouvert sur un patio et un jardin, a été reconverti en boîte de nuit. Il empeste la bière renversée et le shit. Dans le fond, un long bar sur tréteaux est pris d'assaut par une foule en état d'alcoolisation avancée. Les couvre-feux avant minuit, conséquence de l'attentat du Serena et de la multiplication des rapts, ont pour effet secondaire d'accélérer la consommation de chacun lors des rassemblements festifs. Kaboul est désormais en état de siège. Fini l'optimisme béat des premières années post-Omar, l'euphorie se dope à la vodka et, si l'aspirine soulage les gueules de bois des lendemains de cuite, elle ne peut rien contre la trouille généralisée.

Le *dresscode* a été respecté avec plus ou moins de bonheur. Côté putes rien à dire, elles font le job, y compris les gusses en minijupes montés sur des talons. En revanche, les talibans de l'assistance, hommes et femmes, ne sont pas très crédibles. Comme cette blonde qui, debout sur une table basse, turban de travers, postiche à moitié décollé et tunique ouverte jusqu'au nombril, sautille à contretemps sur l'air d'*I wanna be your dog* des Stooges gueulé par les enceintes. Elle ne porte pas de soutien-gorge et l'un de ses seins, pris d'une envie de grands espaces, s'offre à la vue de tous. Demain, elle sera sans conteste la reine de tous les groupes *Expats à Kaboul* de Facebook, mais Fox ne peut s'empêcher de s'interroger sur les pensées des

Afghans préposés au service à la vue du spectacle désinhibé donné par cette clique dépressive venue pour les civiliser.

Sarah montre du doigt la table où est installé Pierce, dehors, à l'écart. Il est vêtu d'un discret salwar khamis et nul ne fait attention à lui. Fox le rejoint. Seul. « Si les insurgés ont envie de se payer une huile de la CIA, c'est le moment.

— La petite veille sur moi.

— Elle arrête les bombes ?

— Elle n'est pas seule.

— Tu as des amis dans l'assistance ?

— L'Agence a des amis dans de nombreuses ONG.

— Parmi les fonctionnaires du Département d'État aussi.

— Cela va sans dire. Et nous sommes ici en famille, ne l'oublie pas, chez nos cousins.

— J'ai toujours eu du mal à considérer les Anglais comme des cousins.

— Tes profondes racines françaises, j'imagine. »

Fox ricane.

« L'endroit est parfait pour notre rendez-vous. Regarde-les, ils s'amusent. »

Sur la terrasse, un groupe se met à asperger une fille avec de la bière. Trempée, les fringues collées au corps, elle glousse et hurle par-dessus la musique : « Qui pour un plan à trois ? » Elle est ovationnée par l'assistance.

Un sourire moqueur se dessine sur le visage de Pierce. « Ta dernière excursion à l'est s'est bien passée ?

— Les hôtels sont toujours à chier.

— Et sinon ? »

Finies les politesses. « On a suivi le journaliste cinq jours pour rien avant de le lâcher.

— Dang est reparti. Bredouille, apparemment.

— Tu ne veux toujours pas me dire ce qui te tracasse ?

— J'espère que tu n'as pas réveillé ma femme pour si peu. »

Fox soupire. « Ça se détend avec Voodoo, il commence à me faire confiance.

— Bien. » Pierce attend.

« Du cash circule entre lui, nos obligés de Jalalabad et Tahir Nawaz. N'ayant aucune idée de ce qui rentre, il est difficile pour moi de savoir si les gratifications reversées dépassent le cadre fixé par l'Agence.

— Juste du cash ? »

Fox hésite à parler des malles.

Cela n'échappe pas à Pierce. « Juste du cash ?

— Oui. J'ai convoyé du fric deux fois. La première avec Ghost et ensuite tout seul. Pour ça, j'ai eu une prime. En liquide. Ce n'était jamais arrivé avant. J'en ai eu une seconde après Dang.

— Les autres reçoivent aussi des bonus ? »

Tiny au moins, pour la surveillance du journaliste, Fox la lui a remise. Il préfère passer ce détail sous silence, son pote n'est pas malhonnête, inutile de l'impliquer. « Je ne sais pas.

— Tu penses que quelqu'un tape dans la caisse ?

— Possible. » Fox soutient le regard toujours soupçonneux de Pierce. Quels que soient ses péchés, Voodoo se soucie de ses mecs, il le constate depuis des mois et il respecte ça. Et le geste qu'il a eu pour Haji Moussa et son fils, en laissant Hafiz utiliser l'hélico de 6N, l'a touché. Sa façon à lui de montrer leur appartenance à une même fraternité qui transcende les origines et les nationalités. « Mais je te l'ai dit, vérifier les comptes, c'est pas mon job. Et j'ai pas le temps. »

Pierce est le pion servile d'un système dans lequel les

gens sont avant tout des ressources. Le genre à baiser tout le monde sans le moindre remords.

« L'élection présidentielle approche, la période est délicate.

— Et l'avenir de Longhouse est en jeu, tu te répètes.

— L'avenir de la CIA est en jeu. Et le tien avec. Tu t'en rends compte, j'espère ?

— Je vais finir par croire que c'est une menace. »

Silence. Pierce ne lâche pas Fox des yeux.

« Tu ne m'aides pas beaucoup. » Un temps. « Il se passe quoi si je tombe sur un truc ? Je suis couvert ?

— T'ai-je jamais lâché ?

— La question ne s'est jamais posée ainsi.

— En es-tu bien sûr ? » Pierce scrute encore le visage de son ancien protégé quelques instants et se détend. « Je comprends tes inquiétudes.

— Si je savais ce que je cherche, je serais plus efficace.

— De la drogue. »

Fox s'y attendait et ne réagit pas. Une erreur.

« Tu n'as pas l'air surpris.

— Tu trouves ? » Rester sobre, ne pas se justifier ni surjouer. Le regard du paramilitaire se perd dans le jardin. « Si tu as raison, ce sera la merde. »

Pierce acquiesce. « Mais si ça reste entre nous, elle n'éclaboussera personne. »

Sauf celui qui va la remuer. Dans la ligne de mire de Fox, l'humanitaire arrosée de bière se livre à un accouplement maladroit contre un tronc d'arbre. Il aimerait être ailleurs.

Hafiz est plein d'alcool et de charas. Il suit avec difficulté la fille dans l'escalier, titube derrière elle jusqu'au bout du couloir. Son ami de Jalalabad est revenu plusieurs fois tout seul, la vieille du bordel le lui a dit à son arrivée, et toujours il a pris Storay, a payé pour la nuit entière. Il apporte même des cadeaux. Les autres sont jalouses. Sauf la vieille. À elle aussi, il a apporté quelque chose.

Ça doit vraiment être une bonne pute. Ce soir, Hafiz a besoin d'une bonne pute. Il est triste, il a enterré un frère aujourd'hui. Et le fils de celui-ci.

À peine Storay a-t-elle ouvert la porte de sa chambre qu'il tire sur son voile pour l'arracher et la pousse en avant. Elle heurte le mur et glisse sur le lit. Il referme sans allumer et se jette sur elle, lourdaud, la retourne sans effort ni réelle conscience de sa brutalité. Lui fait mal. Storay ne résiste pas mais émet une plainte brève, terrifiée. Le Pachtoune s'en moque, il veut juste enlever ses vêtements et la fourrer, voir ce qui justifie les visites secrètes de Fox. Il n'aura même pas besoin de supporter sa sale gueule ravagée, ils resteront dans le noir.

Les gros doigts d'Hafiz peinent à déboutonner la longue chemise de la jeune femme. Elle essaie de l'aider mais il écarte ses bras et les plaque sur le matelas avant de s'écraser sur elle. Maladroit, il se met à lécher le tissu de sa tunique, remonte par saccades, se frotte, mord ses seins à travers l'étoffe. La douleur est aiguë, Storay éclate en sanglots. Et elle a honte. À cause de cet homme. C'est l'ami de Robert, elle le sait, mais elle n'a pas envie de lui.

Hafiz n'entend pas ses pleurs ou choisit de ne pas les entendre. Il continue à se perdre dans les fringues de la pute en quête de sa chatte bien humide. Et de l'embrasser, avide. Son sexe est dur, il est trop serré dans son pantalon. Il pose une main sur la gorge de Storay pour l'empêcher de bouger et se relève un instant, le temps de se libérer. Il se laisse à nouveau tomber sur elle et lui embrasse le cou.

Ivresse aidant, il faut quelques secondes à Hafiz pour prendre conscience d'une odeur étrangère. Pas une odeur rance de petite chienne afghane, une odeur agréable. Il n'en a jamais connu de pareille. Il renifle avec force bruit et laisse son nez traîner sur la peau de Storay. Son désir sauvage l'abandonne. Il se détend.

Elle le sent.

« C'est lui qui te l'a donné ?

— Oui. »

Hafiz bascule en arrière et s'assied lourdement contre la porte. Ils restent tous les deux sans bouger dans l'obscurité pendant d'interminables minutes. Ensuite, il l'entend arranger ses vêtements. Lui-même se rhabille. Elle se lève, fait quelques pas hésitants, la pièce apparaît dans une faible lumière. Les traits abîmés de la jeune femme également. Hafiz la dévisage. Elle a l'air si douce, il comprend Fox. D'un doigt, il indique son cou. « Montre-moi. »

Storay ouvre un tiroir de la commode, fouille sous des affaires et trouve une boîte en carton blanche couverte de mots écrits dans l'alphabet des Américains, incompréhensibles. Elle l'ouvre délicatement et en sort un flacon carré, rempli d'un liquide rosâtre. Il y a un large bouchon sur le dessus et elle le retire pour laisser l'homme humer le vaporisateur.

« Qu'est-ce que c'est ?

— Il a dit Coco. »

Coco, c'est un mot bizarre. Hafiz hoche la tête, grogne. « Fox est un homme bon.

— Fox ?

— *Gidër*, le renard. C'est son nom. »

Il en a donné un autre à Storay mais elle ne le

révèle pas, il est peut-être secret et elle ne veut pas le trahir. Penser à lui la remplit de joie cependant, et elle sourit malgré elle.

« Tu l'aimes ? »

Storay baisse les yeux, serre contre elle la bouteille de Chanel. Elle finit par acquiescer timidement après quelques secondes.

Hafiz grogne une deuxième fois. « Il a beaucoup de *ghairat.* » Des mots lourds de sens et extrêmement flatteurs. Le ghairat est le cœur du pachtounwali, la valeur fondamentale à partir de laquelle se mesurent tous les Pachtounes. Brusquement, Hafiz se détourne, incapable de regarder cette fille plus longtemps. *Où donc est le mien, d'honneur ?* Il se met à chialer comme un gosse.

Lorsque Sher Ali achève *salat al-fajr*, la prière de l'aube, la lumière rosée du soleil du matin perce enfin les rideaux de sa petite chambre. Par la fenêtre ouverte, il entend les enfants de la madrasa poursuivre leur psalmodie des versets du Coran. Il a été plus rapide. Trop. Et sa tentative de communion avec Dieu ne l'a pas apaisé. Il se sent à la fois plus seul, vide et tourmenté que jamais. Son vieil ami, son frère de cœur, s'en est allé. L'idée même est insupportable. Après sa chair, c'est l'âme qu'on lui a arraché.

C'était écrit.

Tels furent les premiers mots de Dojou, quand il l'a découvert, caché dans des buissons hors du campement détruit, allongé aux côtés de Qasâb Gul. Son cadavre était tellement froid, il voulait lui tenir chaud. Enfants de moudjahidines, fils des embuscades de montagne, souvent ils s'étaient mutuellement réconfortés dans les ténèbres glacées, se serrant l'un contre l'autre pour trouver le sommeil dans les abris d'altitude. Sher Ali se souvient d'une fois où la fièvre l'avait pris pendant une offensive. On était à l'automne, ils se trouvaient loin de tout. Un médecin était là. Venu du Pakistan, il aidait au djihad. Il avait préconisé le repos et surtout beaucoup de patience, avec un air grave. Aqal Khan était très inquiet après sa visite. Mais ils ne pouvaient rentrer au village, les Russes l'occupaient, et les combats faisaient rage. Le père de Sher Ali et ses frères avaient dû repartir au front, le laissant seul avec d'autres enfants et des blessés. Qasâb Gul aussi était resté, refusant de quitter son ami. Il avait couvert Sher Ali de son propre corps, entretenu le feu, préparé sa nourriture et des litres de thé bien chaud et bien sucré. À l'oreille, il lui avait répété avec ses propres phrases cette histoire qui leur plaisait tant et leur avait été racontée par les anciens, celle de Qais Abdur Rachid, le Pukhtu, père de tous les Pachtounes, le premier d'entre eux à avoir vu La Mecque, converti par Mahomet, prêcheur de l'islam à son retour, et dont les trois fils enfantèrent toutes les tribus du sud et de l'est et du nord de l'Afghanistan. Après trois jours, la fièvre avait fini par partir, vaincue par le Boucher.

Sher Ali, lui, n'a pas su partager sa chaleur. Il a pleuré au moment où on les a séparés et Dojou a pleuré avec lui. Il était sincère, n'ayant rien su des jalousies de Qasâb Gul. Les sanglots pour les amis, les rires pour les ennemis, ainsi l'énonce le dicton. Mais la joie a déserté la vie de Sher Ali et il ne sait pas s'il trouvera à nouveau la force de rire.

Le Boucher a été rendu à la terre sans son khan, emmené de force par l'Ouzbek à Miranshah, ordre de Sirajouddine. Retourner à Sperah était dangereux, les Américains et leurs valets afghans surveillaient. Sher Ali est recherché à présent, sa tête mise à prix. Pour Siraj et Tajmir, c'est une grande nouvelle, le prestige du Roi Lion rejaillit sur eux et arrange leurs affaires, les recrues affluent, pas question qu'il se fasse tuer ou capturer. Et il devait prendre du repos. Cela n'a pas duré. Peu après son retour dans les régions tribales, on l'a envoyé au Waziristan du Sud, à Makin, dans cette école coranique. Sans doute a-t-on bien fait de ne pas l'abandonner à sa paix plus avant, il se sentait devenir fou.

Dehors, les enfants se sont levés. Sher Ali entend le préau, qui sert à la fois de salle de prière et de classe, résonner de leurs bavardages. Des tables sont déplacées. Elles sont longues, larges et basses, il les a vues hier. Les jeunes étudiants vont y manger une collation légère, ici ils ne manquent de rien, l'une des raisons de leur présence, survivre à la famine, avant de s'atteler à la mémorisation du Saint Livre pendant quelques heures, sourate par sourate. L'éducation, autre raison officielle. Après, ils se rendront dans les jardins de la madrasa, clos de hauts murs aveugles, pour y recevoir leurs leçons officieuses à l'abri des regards. Tout l'après-midi, des hommes, certains venus de loin, leur enseigneront l'art du combat au corps-à-corps et la manipulation des armes. Des professeurs sévères et compétents, même avec les petits. Sher Ali a pu le constater lorsque plusieurs gamins se sont affrontés sous ses yeux. Le plus féroce était le moins âgé, il avait six ans à peine.

Le remue-ménage a cessé, un étrange silence a envahi la cour. Quelqu'un frappe à la porte et Sher Ali va ouvrir. C'est Hamza, un jeune homme gauche qu'on lui a présenté à son arrivée.

« Baitoullah veut te voir, Shere Khan sahib. »

Monsieur Roi Lion. Sher Ali sourit. « Je te suis. »

Son hôte l'attend assis sur un tapis, sous un arbre, un chapelet de perles à la main. Seul. La veille, il l'a accueilli au même endroit en compagnie de Tajmir et d'un Pakistanais glabre, tous les deux repartis dans la soirée. Massif mais de petite taille, tout est rond en Baitoullah, et s'il porte la virile barbe du chef pachtoune combattant, il conserve un air jovial à cause de ses yeux rieurs et mobiles. Ce matin, il a délaissé le turban noir des talibans pour un topi marron, mais il a couvert sa tête d'un châle qui ombre son visage. Sher Ali remarque son salwar khamis brodé, d'un blanc éclatant. Par cette riche tenue, Baitoullah manifeste son respect.

Les deux hommes se plient aux usages, échangent quelques politesses et commencent par déguster un thé agrémenté de friandises et de fruits. Après seulement, place est laissée aux mots.

« Nous n'avons pas pu parler, toi et moi, Shere Khan. Maintenant, nous allons le faire.

— Tu étais occupé, émir sahib.

— Il me fallait écouter l'esclave venu me présenter son maître.

— Le Penjabi d'hier venait d'Islamabad ?

— Tajmir pensait m'impressionner mais je n'aime pas ces créatures de l'ISI. Elles sont doubles. Toutes. » Baitoullah se penche vers son invité, à l'affût de la moindre hésitation. « Es-tu une créature de l'ISI, Shere Khan ?

— Allah, loué soit Son Nom, est mon seul maître.

— Bien parlé. Un jour, j'égorgerai tous ces pantins. »

Sher Ali se permet un sourire détaché.

« Je veux te féliciter pour tes exploits. »

Le sourire s'envole. « J'ai laissé les croisés faire couler mon sang et abattre mon ami.

— Une attaque terrible, ils t'ont frappé de toutes leurs forces. Preuve qu'ils ont eu peur. Mais ils ne t'ont pas tué. »

Sher Ali va répliquer mais il est dérangé par un bourdonnement aérien dont l'intensité va croissant. Il se met à observer le ciel et finit par repérer la silhouette minuscule d'un drone. « C'est un de leurs avions sans âme. Nous devrions rentrer, émir sahib.

— Il va falloir t'habituer à leur présence, ils viennent très souvent.

— Tu ne les crains pas ?

— Il faut bien mourir d'une chose ou d'une autre. » Baitoullah éclate de rire. « Nous ne risquons rien, mes jeunes garçons ne sont pas loin. » Il ressert du chai. « Sirajouddine est plus malin que l'ISI. Il veut aussi mes étudiants mais lui m'envoie un vrai guerrier.

— Tu m'honores, émir sahib.

— Tu repartiras avec Hamza, il est prêt pour le martyr. »

Sher Ali est encore distrait par la présence du drone, il ne peut s'empêcher de le suivre du regard.

« N'aie pas peur.

— Je n'ai pas peur.

— Une machine comme celle-ci a assassiné ton fils, non ?

— Oui. » Pour la première fois, Sher Ali ne ressent pas l'envie d'ajouter *et ma Badraï*. Ne plus prononcer son nom c'est la garder à distance, enfouir toute mémoire d'elle.

« Pourquoi te bats-tu, Shere Khan ?

— Les Américains ont meurtri ma famille, je veux me venger.

— Badal. » Baitoullah hoche la tête. « Bois. Après je te montrerai quelque chose. » Il se signale à Hamza, qui attend sous un patio. L'adolescent vient, écoute une messe basse et s'en va.

Quand il a terminé son second thé, Sher Ali est guidé jusqu'à une petite cour couverte d'un treillage. Là, dans la fraîcheur de l'ombre, sont réunis deux instructeurs et des gamins. Certains portent des gilets d'explosifs neutralisés. On dirait qu'ils ont été interrompus en plein cours. Hamza est également présent. Un prisonnier attaché, au visage déformé par les coups, se tortille à ses pieds. Ses vêtements sont déchirés et aux endroits où sa peau est visible apparaissent les marques laissées par la trique.

« Il s'appelle Manzour, c'est un fils de chienne de Wana, explique Baitoullah, tous ceux de Wana sont des chiens. » Il crache sur l'homme à terre. « Il est docteur et il prétendait soigner les gens d'ici. Menteur. » Du pied, il frappe Manzour au ventre.

Le médecin pousse un cri d'agonie. Il n'a presque plus de dents.

« Il en profitait pour recruter des espions. Nous les avons tous tués. Nous avons aussi pendu sa femelle et ses bâtards. Il ne reste que lui. » Baitoullah prend un pistolet caché sous sa tunique et le tend à Hamza.

Au contact de la crosse, sa maladresse l'abandonne et il se métamorphose subitement. Sa main est déterminée lorsqu'elle saisit le supplicié par les cheveux. Elle est forte pour le redresser à genoux. Elle ne tremble pas quand il pose le canon sur le front condamné.

Manzour entame une prière, il ne quémande pas, il n'a plus ni l'envie ni l'énergie.

Sher Ali est choqué de le voir ainsi réclamer la clémence de Dieu. Il s'avance et le gifle.

D'un geste, Baitoullah interrompt Hamza et l'invite à donner l'arme à leur invité. « Fais-le, Shere Khan. »

Sans la moindre hésitation, Sher Ali accepte cet honneur et exécute Manzour, ce traître vendu aux mécréants. Sang et matière cérébrale giclent derrière le crâne explosé, aspergeant un petit qui se tenait trop près, sur le côté. Il n'a pas bronché. Personne n'a bronché. Le corps s'effondre au sol et l'odeur de poudre brûlée envahit l'espace confiné. Dans la tête de chacun retentissent les échos de la détonation. Un des instructeurs engueule le garçonnet souillé, il aurait dû faire attention à son gilet lesté de pains de plastic, et lui file une beigne. L'enfant se met à pleurnicher.

Baitoullah s'amuse un instant du spectacle avant de prendre Sher Ali par le bras pour retourner aux jardins. « Nos destins sont tracés par le Très-Haut. Ta vengeance est la sienne, Shere Khan, tu te bats pour lui, ne l'oublie pas. »

Ce même 2 juin 2008, quand Abidjan s'éveille à son tour, la police nationale de Côte d'Ivoire investit simultanément les locaux de l'Ivoirienne de Sylviculture et la résidence de Thierry Genêt. Surpris dans son sommeil par le vacarme des béliers enfonçant sa porte d'entrée, il a juste le temps d'arriver dans le couloir principal de sa maison avant d'être jeté à terre et menotté sans ménagement par plusieurs membres des forces de l'ordre aux visages masqués.

Sa femme crie dans leur chambre, terrifiée par l'irruption de tous ces hommes en tenue d'assaut, et bientôt sa fille se met à pleurer, réveillée par le chaos. Genêt se rebelle, il est frappé. Dehors, il entend des coups de feu, ils semblent provenir du fond du jardin. Il pense *Samuel* et la crosse d'un fusil l'atteint à la tête. Il s'évanouit.

Lorsqu'il reprend connaissance, Thierry Genêt souffre d'une douloureuse migraine et il ne voit plus rien. Passé la panique initiale, il réalise qu'il porte une cagoule. Ses mains sont entravées dans son dos et il est couché sur le côté, sur un sol froid. Combien de temps reste-t-il ainsi, il ne saurait le dire. Longtemps. Il appelle, appelle et appelle encore, pour savoir où il est, où est sa famille, qu'est-ce qu'on leur veut, qu'on lui donne à boire, qu'on l'accompagne pisser – il finit par se laisser aller dans son pyjama – mais à chaque tentative ses hurlements se perdent dans le vide. L'écho suggère qu'il est dans une pièce minuscule, peut-être une cellule, et comme aucun son ne lui parvient de l'extérieur, elle doit se trouver dans une cave.

Un bruit d'ouverture, métallique, le ramène à la conscience bien plus tard, alors qu'il s'est assoupi. On le saisit pour l'asseoir sur une chaise. On défait ses menottes et on les rattache aussitôt devant lui. Enfin, un policier, noir, retire le sac de sa tête et ressort sans attendre ni répondre à ses questions. La porte se referme.

Thierry Genêt n'est pas en prison mais dans une salle sans fenêtre, de trois mètres sur trois, aux murs blancs cradingues, entachés de traces brunes inquiétantes. Elle est éclairée au néon. Devant lui, une table fixée au sol. Et la seule issue.

C'est par là qu'entrent peu après un couple, des blancs, habillés comme des expatriés et bronzés. Sans doute vivent-ils à Abidjan. Ils ont tous les deux un dossier sous le bras.

« Vous êtes de l'ambassade ? »

Personne ne réagit. La femme lui offre un sourire sans le quitter des yeux. L'homme consulte des notes.

« Où je suis, là ? »

Silence.

« Et ma femme et ma fille ? Elles vont bien ? »

Sourire.

« Pourquoi on m'a arrêté ? »

Notes.

« Vous êtes qui ? »

L'homme échange un signe de tête approbateur avec sa voisine.

« Vous allez me répondre, oui ou merde !

— Je m'appelle Jacqueline. » La voix est douce, calme. « Lui, c'est Michel.

— Pas de noms de famille ?

— Laissez-moi vous expliquer votre situation. Vous avez été arrêté ce matin pour trafic de stupéfiants.

— C'est une erreur, je suis un entrepreneur. »

Jacqueline lève une main pour faire taire Thierry. « Vous êtes sous surveillance depuis le début de l'année et la justice ivoirienne sait que vous sortez plusieurs centaines de kilos d'héroïne du pays chaque mois. Elle dispose de nombreuses preuves et…

— Quelles preuves ? Faites venir mon avocat. Il s'appelle Issiaka Camara.

— Et elle a en plus retrouvé chez votre homme de main, Samuel Atuma, donc dans votre propriété, deux cents grammes de cocaïne conditionnés en sachets prêts à la revente, du liquide et tout le nécessaire pour peser et couper de la drogue. »

Genêt se redresse sur sa chaise.

« Atuma *dealait* dans votre dos. Ils ne sont pas fiables ces gens-là, vous savez.

— Où est-il ? Je veux lui parler.

— Difficile, il a été tué en résistant à son interpellation. » Jacqueline marque une pause, dévisage son prisonnier. Le coup est rude. Bien. « Vos ennuis sont sérieux, monsieur Genêt, mais nous pouvons peut-être vous aider. »

Michel sort une photo de son dossier, la pose devant Thierry. Sorhab Rezvani. « Vous le connaissez, évidemment. »

Inutile de mentir. « C'est mon associé dans l'Ivoirienne de Sylviculture.

— Il est au courant de vos petits trafics ? »

Pas de réponse.

« Oui, il est au courant. Nous voulions lui parler mais les flics l'ont loupé, ce matin. Visiblement, même s'il comptait beaucoup sur vous à Abidjan, il a cru bon de développer d'autres contacts locaux. Qui l'ont prévenu. Il a disparu. On le cherche.

— En attendant, on vous a vous. » Jacqueline sourit toujours.

« Je ne sais rien de ses autres affaires. » Et si Thierry l'ouvre, il crève.

« Quelles affaires ?

— Je veux mon avocat.

— Pas la peine que je vous raconte ce qui se passe en ce moment dans ce pays, monsieur Genêt, si ? Certains veulent prendre le pouvoir, d'autres aimeraient le garder et la France a son mot à dire. Tout le monde veut nous faire plaisir. Et vous, vous voulez nous faire plaisir ? »

Thierry prend le temps de mieux examiner ses interlocuteurs. Elle est en forme, fait du sport. Brune, coupe à la garçonne, pratique. Pas trop de maquillage autour de ses yeux marron en amande. Le seul truc remarquable, c'est son nez aquilin, étroit, assez long mais pas vilain, il donne du caractère à son visage. La fille presque invisible, jolie si elle fait des efforts. Le mec doit passer plus de temps derrière son bureau. Il a un peu de bide et le visage arrondi par le manque d'activité physique. Quelques veines éclatées sur les joues et le pif, il boit. Ses cheveux commencent à tomber et les mèches châtains qui lui restent virent au gris. Mais il a été beau gosse, son regard sait capter l'attention. Ils ont à peu près le même âge, grosse trentaine ou petite quarantaine, et sont fatigués tous les deux. Les heures de veille. Un agent de terrain et un analyste. Entre ses dents, Genêt lâche : « Enculés de barbouzes.

— Inutile d'être vulgaire. »

Michel pouffe.

« Laissez-moi voir mon épouse. »

Le portrait de Sorhab retourne dans le dossier. « Elle se trouve au ministère de l'Intérieur. Leurs sous-sols sont très inconfortables. Ici, à côté, c'est un palace.

— Il paraît que pour les femmes c'est assez dur. J'ai entendu parler de viols.

— Petite salope.

— En attendant de voir si Mireille est votre complice ou pas, et ça peut prendre un peu de temps, votre gamine va être placée.

— Il faut qu'elle aille chez ses grands-parents !

— S'ils font les démarches. Ça aussi, ce sera long. » Le sourire de Jacqueline s'élargit. « Vous êtes sûr de ne pas vouloir nous faire plaisir ?

— Allez vous faire foutre ! Et appelez maître Camara. »

Michel secoue la tête.

Jacqueline soupire. Elle se lève pour partir, se ravise. « Avant que j'oublie. Les Américains ont arrêté Viktor Bout, votre ex-patron, vous le saviez, non ? Ils semblent déterminés à coincer tous ses anciens petits camarades. À l'heure actuelle, nous sommes les seuls à pouvoir empêcher votre extradition vers les États-Unis. Si on vous relâche dans la nature, disons, devant un de leurs avions, jamais plus vous ne verrez le jour. » Jacqueline se penche par-dessus la table. « Pensez bien à tout ça. »

16

6 JUIN 2008 – OPINION : L'INEXORABLE RETOUR DES TALIBANS, PRÉVISIBLE ? Était-il possible de ne pas se tromper à ce point ? Fin 2001, la rapide et victorieuse offensive des forces américaines contre les cohortes du Mollah Omar, allié et protecteur d'Al-Qaïda, largement soutenue par notre opinion publique et une population afghane lassée par les excès du régime de l'Émirat Islamique d'Afghanistan, laissait présager l'effondrement total du mouvement taliban et sa disparition à court moyen terme. Combinée à l'afflux de capitaux étrangers et à l'arrivée d'une force de sécurité internationale, l'ISAF, elle devait permettre l'installation d'une démocratie durable dans le pays. Du moins nous avait-on ainsi vendu la chose. Sept ans plus tard, le constat est amer. En dépit des milliards investis dans le développement et de l'augmentation des actions militaires, les talibans sont, selon les estimations les plus conservatrices, à nouveau présents sur plus de soixante pour cent du territoire. Depuis l'année 2004 et l'ouverture d'un front dans les provinces du grand sud, front sur lequel l'intensité des combats va croissant, l'implantation des insurgés n'a cessé de progresser. L'an dernier, c'est dans l'est que les hostilités ont commencé à prendre une tournure dramatique. Elles se déplacent maintenant, sans que personne parvienne à stopper leur progression, vers le centre ouest et le nord [...] Les loups sont aux portes de Kaboul. Les principales voies d'accès à la capitale, vers Kandahar, vers Gardez, vers Jalalabad – et même la route menant à notre grande base de Bagram, la principale implantation US en Afghanistan – sont devenues dangereuses, tant pour les civils que pour les militaires, et ses provinces limitrophes constituent autant de bases arrière permettant de lancer des attaques contre le gouvernement et ses alliés de la coalition. Malgré le durcissement des mesures de sécurité à Kaboul, attentats et enlèvements se multiplient [...] Au-delà de la légèreté naïve ou de l'aveuglement idéologique dont ont fait preuve nos gouvernants, la dégradation de la situation est liée à de nombreux facteurs qui vont des incidents causés par les opérations de l'ISAF à l'incompétence et à la corruption endémiques de l'État afghan, en passant par une série de mesures maladroites, comme par exemple l'interdiction de la culture du pavot et son arrachage, qui privent une large part de la population, déjà très fragile sur le plan économique, de son unique moyen de subsistance. Les promesses non tenues, la précarité et l'accumulation des victimes collatérales contribuent à favoriser le retour politique des talibans à l'échelon local, où leurs gouvernorats et tribunaux de l'ombre, établis pour pallier les incuries de l'administration officielle, s'enracinent. Elles gonflent également les rangs des principales forces insurgées : les talibans de la choura de Quetta, dirigée par le Mollah Omar et très active dans tout le sud, le réseau Haqqani, présent en Loya Paktiya, et à un moindre niveau le Hezb-i-Islami du revenant Goulbouddine Hekmatyar, au nord-est, à Nangarhar et au Kounar [...] La supériorité tactique des insurgés face à une force internationale en sous-effectifs malgré ses cinquante mille hommes, plombée par ses lourdeurs hiérarchiques, le manque d'homogénéité de ses troupes et son inadaptation à l'asymétrie du conflit, explique la rapide dégradation sécuritaire de ces derniers mois. Et ce ne sont ni l'Armée nationale afghane ni la police qui pourront aider l'OTAN. Plus de deux cent mille *policiers* et *soldats* ont été formés depuis 2001, le plus souvent dans l'urgence, par quelques États et surtout par des sociétés militaires privées, pour un coût dépassant déjà largement quinze milliards de dollars. La majorité est en mauvaise forme physique, illettrée, dramatiquement pauvre et uniquement motivée par la solde et la valeur de l'équipement qu'on lui remet – dans de nombreux cas revendu à la première occasion. Une fois sous l'uniforme, ces recrues se rendent rapidement coupables de nombreux abus. Quand elles ne désertent pas pour aller grossir les forces talibanes à qui elles s'empressent d'expliquer les tactiques de l'ISAF, exposant nos troupes à un danger plus grand encore [...] Le peuple afghan, si une telle chose existe, est ce qu'il est, le descendant de cultures millénaires, aux coutumes et aux habitus marqués, évoluant sur un territoire hostile, rien ne le fera changer. Il a, de surcroît, souffert ces trente dernières années d'une multiplication de conflits aux conséquences tragiques : disparition de générations entières, déplacements de populations se chiffrant en millions de personnes et paupérisation aiguë. Nombreuses sont les puissances étrangères qui se sont mêlées, et se mêlent encore, du sort de l'Afghanistan, mais parmi celles-ci les États-Unis ont été les plus actifs et les plus persévérants. Pourtant, ils semblent ne rien avoir retenu de l'histoire, la leur ou celle des empires passés, dont ce pays est, selon l'expression consacrée, le tombeau ; et ils refusent de voir cette réalité, ennuyeuse certes mais pourtant évidente : les Afghans ne pensent et ne réagissent pas comme nous. **6 JUIN 2008 – CRISE DES SUBPRIMES : RECHERCHE LIQUIDITÉS DÉSESPÉRÉMENT.** L'été dernier, la banque française BNP-Paribas prenait la décision de geler ses transactions avec trois fonds très exposés aux subprimes et, depuis, la panique a gagné l'ensemble des institutions financières de la planète. Plans de sauvetage et interventions des États se sont multipliés, et les chiffres donnent le tournis : cent milliards d'euros apportés par la Banque centrale européenne début août 2007, trois cents milliards de plus ce même mois, par cette même Banque centrale, associée à celles des États-Unis et du Royaume-Uni, mesures de relance pour un montant de cent cinquante milliards de dollars annoncées par George Bush en janvier 2008, multiples prêts de la Fed à des banques privées comme J.P. Morgan, pour des dizaines de milliards de dollars supplémentaires. Malgré ces initiatives, l'hémorragie continue, les démissions s'accumulent, Merrill Lynch, Citigroup, Bear Stearns, UBS et Lehman Brothers ont toutes été décapitées, et les faillites menacent. En mars, certains analystes estimaient les pertes liées à cette crise à deux mille milliards d'euros. Le monde entier manque de liquidités et cherche à s'en procurer par tous les moyens [...]

Rouhoullah ne devrait plus revenir à Jalalabad, il le sait, c'est dangereux, Tahir Nawaz y a de nombreux complices. Mais ce samedi matin c'est la passion qui l'a poussé à l'imprudence. Dans un salon de coiffure installé en retrait de l'une des artères principales du quartier où il aime conduire ses affaires, le marché aux épices, il couve des yeux un garçonnet de neuf ans, repéré il y a quelques mois par l'un de ses chimistes. Peu après cette découverte, ses parents, des péquenots illettrés et sans le sou de la province voisine de Kounar, ont reçu du trafiquant une proposition d'offrir à leur rejeton une belle éducation. Étaient-ils dupes quand ils ont accepté, personne ne saurait le dire, mais l'argent a fait rapidement taire leurs scrupules d'avoir à se séparer de l'un de leurs enfants. En guise d'enseignement, celui-ci a surtout appris à danser et chanter au son du rabab, s'habiller en fille et laisser le gros Rouhoullah l'enculer lorsque l'envie lui saisit les entrailles.

Le petit, dernier d'une longue liste de mignons achetés pour le plaisir et le prestige personnel de son *bienfaiteur* – plus de cinq cents, aime-t-il se vanter – reçoit une ultime coupe de cheveux avant d'être embarqué définitivement pour le Pakistan voisin. Assis au fond de l'échoppe, dans l'ombre, la jambe droite agitée par une incontrôlable tension, le trafiquant est partagé entre le désir qui l'a poussé à revenir ici pour chercher l'objet de tous ses fantasmes, une tâche qu'il n'aurait confiée à personne d'autre, et son impatience à déguerpir au plus vite. Il jette régulièrement des coups d'œil en direction de la rue où plusieurs hommes, des clients, patientent en discutant et, quand ce son qu'il ne voulait pas entendre, un sifflement aigu, retentit soudain à l'extérieur, il est presque soulagé. Rouhoullah adresse un regard peiné au gamin qui, incrédule, le voit se lever précipitamment, et balance sa tasse de thé pour se hâter de tout son poids vers une issue secondaire. Farouq, son garde du corps, pénètre en courant dans la boutique et lui emboîte le pas. C'est lui qui a donné l'alerte.

Les deux hommes atterrissent dans l'une des nombreuses allées du bazar, saturée de mille parfums capiteux, bruyante, sombre, étroite, encombrée. De chacune des extrémités de celle-ci leur parviennent les clameurs de brusques agitations. Des gens sont bousculés. Elles se rapprochent d'eux, menaçantes. En face, dans le rez-de-chaussée ouvert à tous les vents d'un immeuble, se déploie un marché couvert. Ils y plongent pour échapper à leurs poursuivants. Ils traversent la foule du matin avec difficulté, s'attirent les foudres de marchands aux étals renversés mais parviennent néanmoins à l'autre extrémité. C'est une impasse avec moins de monde. Poussé sans ménagement par Farouq, Rouhoullah commence à se diriger vers la sortie mais un pickup de la Border Police vient la bloquer. D'un coup d'épaule, le garde du corps défonce une porte et les entraîne à l'intérieur d'une résidence. Là, des femmes sans voile, trop choquées pour protester contre leur irruption, les suivent des yeux, le temps pour eux de disparaître par une fenêtre ouverte – un exploit pour le trafiquant essoufflé – sur une autre venelle enténébrée. Dans cette galerie au plafond constitué d'un assemblage de tentures multicolores règne à nouveau une cohue indescriptible et ils doivent s'y tailler à coups de poing un chemin pour atteindre la ruelle la plus proche. Des cris féminins, derrière eux, signalent que les policiers de Tahir ont, à leur tour, pénétré dans la maison dont ils viennent de sortir.

Ils se rapprochent.

Rouhoullah est sur le point de déboucher à l'air libre quand un homme armé d'une kalachnikov, le visage dissimulé par un pan de son turban noir, se plante devant lui. Il entend « baisse-toi », ne comprend pas et se sent plaqué vers le sol au moment où l'inconnu relève son arme pour tirer.

Farouq a eu le bon réflexe. Plusieurs rafales d'AK47 partent au-dessus de leurs têtes et résonnent, assourdissantes, dans le passage. La terreur s'empare aussitôt de la populace maintenant prisonnière de cet étroit goulot où deux clans ont décidé de s'affronter. Quelques tirs supplémentaires sont échangés et un deuxième homme, visiblement allié du premier, tend la main au trafiquant. « Le Roi Lion m'envoie. »

Rouhoullah hésite. « On m'a dit qu'il était mort.

— Si tu veux vivre, tu dois venir avec moi. »

Aidé par son garde du corps, Rouhoullah se relève et suit. Ils rejoignent des motos et leurs pilotes qui attendent à proximité, prêts à disparaître dans une circulation matinale rendue plus chaotique encore par la panique née de la fusillade.

Tahir Nawaz raccroche son téléphone portable et revient vers les fermes en ruine où patiente la vingtaine de soldats qui l'accompagnent. Accablés par la chaleur suffocante de l'été, ils se sont répartis dans les moindres recoins ombragés et surveillent, ensuqués, le commandant Naeemi.

Le bras droit du colonel de la Border Police, sérieusement amoché, est enchaîné à ce mur où lui-même a conduit des dizaines d'ennemis de Nawaz pour les exécuter. Il ne se fait guère d'illusions sur ses chances de survie mais espère que les révélations faites à son ancien chef permettront de sauvegarder ses proches.

« Rouhoullah était bien là où tu me l'as dit. »

Naeemi sourit malgré ses lèvres déchirées. Il lui manque plusieurs dents.

« Malheureusement, il n'était pas seul, d'autres sont venus à son aide. »

Le sourire s'envole. « Je ne le savais pas. » Que ces paroles sont dures à prononcer quand on n'a plus de souffle d'avoir trop hurlé.

Nawaz se penche vers le supplicié. « Quoi ? »

Naeemi répète qu'il n'était pas au courant, à peine plus fort.

« Moi non plus. Et il m'a échappé. » Le colonel invite ses hommes à s'éloigner et quand ils sont tous à bonne distance il se fait remettre un RPG chargé. Il tire, la roquette file en ligne droite sur une trentaine de mètres, le corps se désintègre dans un nuage de sang, de shrapnel et de poussière surchauffée. Tous ont détourné les yeux, sauf Tahir, malgré l'effet de souffle de l'explosion, il a ses lunettes de soleil. Il se fait passer une seconde munition et fait feu. Déflagration. Il ne bronche toujours pas. Il est très en colère. S'il a envisagé un instant la possibilité de se montrer clément, toute charité l'a abandonné depuis. Déjà humilié par les révélations et les preuves des Américains, le voilà à nouveau sur le point de perdre la face du fait de son incapacité à capturer Rouhoullah par manque d'informations. « Tuez tous ceux de sa famille et pendez-les aux murs de sa maison. » C'est insupportable. « Mort à celui qui essaiera de les décrocher. »

Jusqu'à ce que Sher Ali paraisse devant lui dans une ferme des environs de Jalalabad, quelques heures après la fusillade, Rouhoullah n'a pas cru que le moudjahidine était toujours en vie. Et il a ensuite fallu lui expliquer pourquoi les combattants du Roi Lion se trouvaient sur place au moment de sa tentative d'arrestation par les hommes de la Border Police. « Tu me paies pour que je te protège, alors je veille sur toi. » L'argent gagné grâce au trafiquant compte, évidemment, mais Sher Ali a omis de lui faire part de son manque de confiance à son endroit. Il le surveille plus qu'il ne le veille, et voilà deux mois qu'il paie Farouq pour le renseigner sur les faits et gestes de son patron. Mais là ne sont pas ses seules motivations. Sous la torture, Haji Moussa Khan a révélé que les espions américains auxquels il louait ses chevaux vivaient à la fois à Khost et à Jalalabad, dans les bases militaires. Si à Khost, proche de son village natal et point de passage obligé de ses divers commerces, Shere Khan a déjà des contacts, dans la capitale de Nangarhar il est plus démuni. Il s'est cependant souvenu des premières révélations de Rouhoullah à propos des étrangers complices de Tahir Nawaz et de ce cousin mentionné par lui, qui travaille à l'ancien aéroport. *La femelle*, avait ri son pauvre Qasâb Gul, parce qu'il fait le ménage pour les militaires de l'ISAF. Sher Ali a donc jugé plus utile de garder le trafiquant en vie, à sa disposition et, après l'avoir sauvé, il l'a fait conduire de l'autre côté de la frontière, au Pakistan. Rouhoullah y possède une maison. Il lui a également promis d'essayer de retrouver ce garçon pour lequel il a failli perdre la vie. Les contreparties viendront plus tard, mieux vaut le laisser recouvrer ses esprits, il n'en sera que plus réceptif.

Deux jours plus tard, à la nuit, Sher Ali arrive chez ce proche où, depuis plusieurs mois, son épouse l'attend avec leur seconde fille. Les quatre combattants de son escorte sont vite conduits à la hujra, où un repas leur est servi, et lui seul rejoint la partie de la qalat où se terrent les femmes. Kharo et Farzana occupent une modeste chambre, laissée libre par un fils aîné parti habiter ailleurs, et c'est là que le couple s'isole après un dîner venu ponctuer leur longue séparation. Comme pendant les agapes, où les siens ont beaucoup parlé, posé trop de questions, notamment sur le bombardement et la mort du Boucher, Sher Ali se trouve à court de mots. Il ne peut et ne veut décrire ce qu'il ressent. Son cœur est à la fois plein, de douleurs et de fureurs, et vide de toute émotion pour ceux de sa famille qui ont survécu. Après tous ces jours de peine, de rage, d'angoisse, d'inconfort, à courir, se cacher, combattre et tuer, il a l'impression d'être parti si loin et si longtemps qu'il ne les connaît plus. Alors il garde le silence et, à la lueur d'une lampe à pétrole dont l'intensité a été réduite au minimum, observe tour à tour Kharo, qui prépare leur couchage, et Farzana, muette dans le coin où elle s'est assise.

Elle aussi, discrète, épie cet inconnu à l'expression si dure.

« Tu as changé. » Kharo a parlé sans se retourner, elle évite de croiser l'œil valide de son mari, il lui fait peur. « Toi et tes hommes, vous avez effrayé ton cousin. Il a cru que vous étiez des talibans.

— Seuls les traîtres craignent les moudjahidines.

— Aqal Khan n'a jamais terrorisé sa famille. »

Le coup porte, dur, et Sher Ali ne trouve rien à répondre. Agacé, il s'en prend à sa fille. « Sors, Farzana, va me chercher de l'eau.

— Si tu as soif, il y en a ici. » Kharo a terminé son rangement et fait face à son époux.

« Sors, Farzana ! »

La petite commence à se lever mais un geste de sa mère coupe son élan.

« Il y a quelques semaines, un homme s'est présenté, il la veut pour son fils.

— Qui est cet homme ?

— Demande à ton parent, il le connaît.

— Ce n'est pas le moment.

— Si, mais tu n'es jamais là.

— Le moment viendra quand je le déciderai, femme.

— Son père seul a le droit de décider, c'est la vérité, mais je ne sais pas où est cet homme. »

Sher Ali se jette sur Kharo et la pousse violemment sur le lit. Il remonte d'un coup sa tunique et lui masque partiellement le visage, pelote sa poitrine d'une main empressée et entreprend ensuite de baisser son pantalon en tirant dessus par une succession de gestes secs. Il capte alors le regard désespéré que s'échangent la mère et la fille, et hurle, « si tu veux que Farzana se marie, montre-lui d'abord comment être une bonne épouse », et force sa femme sans ménagement, « redonne-moi mon fils ! ».

Quand le sexe de Sher Ali pénètre en elle, Kharo étouffe une plainte en se mordant l'intérieur de la bouche. Elle contracte son bas-ventre dans l'espoir d'apaiser la déchirure dans son vagin et le laisse s'exciter en adressant un signe discret à Farzana. *Ne bouge pas, ne dis rien.*

La gamine ne comprend pas le ballet de violence maladroit et discordant auquel elle assiste, captivée par l'œil fixe de son père braqué sur elle durant son accès de démence. Il se ferme seulement lorsque Sher Ali jouit, juste avant de s'effondrer sur Kharo. Une supplique vient, dans un souffle, porteuse d'un sanglot vite réprimé, « rends-moi ma Badraï », puis les deux adultes restent l'un sur l'autre, haletants, pendant plusieurs minutes, du moins est-ce ainsi que s'en souviendra Farzana à qui ce temps paraît très long. Elle entend d'autres mots, lointains, « demain, vous partez avec moi à Miranshah », prononcés par une voix masculine, étrange et familière. Plus tard, alors que tous sauf elle dorment en apparence paisiblement, elle se demandera si elle n'a pas tout simplement fait un cauchemar.

11 JUIN 2008 – BOMBARDEMENT DE SOLDATS PAKISTANAIS : ISLAMABAD ACCUSE les États-Unis. Après la mort hier à Gora Prai de onze membres des Frontier Corps, les relations entre l'hôte de la Maison-Blanche et le récemment élu Youssouf Raza Gilani se sont brutalement tendues. Les circonstances de l'incident sont pour le moment confuses. À l'origine de celui-ci, il y aurait une incursion involontaire d'unités afghanes et américaines en territoire pakistanais, dans la partie du pays appelée zones tribales, séparée de l'Afghanistan par une démarcation, la ligne Durand, difficile à identifier et toujours contestée par de nombreux habitants de la région. Au moment où les soldats US et leurs alliés de l'ANA se retiraient, ils auraient été accrochés par une centaine de talibans venus du Pakistan. L'intervention aérienne qui a suivi aurait eu pour objectif de protéger le repli des troupes. Le porte-parole du Pentagone a déclaré : « Les informations dont nous disposons indiquent que les actions entreprises étaient justifiées et relevaient de la légitime défense de la part de forces américaines prises pour cible à proximité de la frontière » [...] De son côté, le Premier ministre Gilani,

qui dirige un jeune gouvernement jugé très fragile par certains, a tenu à rassurer le Parlement : « Nous défendrons notre souveraineté, notre intégrité, rappellerons à tous le respect qui nous est dû et n'autoriserons (aucune attaque) sur notre sol » [...] Le jour même du bombardement, le chef d'état-major de l'armée des États-Unis rappelait qu'Al-Qaïda, aidée par les groupes insurgés qui l'hébergent dans les FATA, préparait de nouveaux attentats contre des cibles de la coalition, avant de critiquer le laxisme manifesté par le Pakistan en matière de lutte antiterroriste. Ces remarques font suite à la publication d'un nouveau rapport de Rand Corporation, une cellule de réflexion financée par la Défense américaine. Ce document avance notamment que des agents de renseignement pakistanais et des militaires des Frontier Corps prêteraient main-forte aux insurgés lors de certaines offensives. Autant de mises en cause rejetées par Islamabad.

La jeune secrétaire d'État chargée de l'Écologie aime que l'on parle d'elle dans les médias, à l'instar de tous les politiques aux longues canines. Elle a besoin que l'on parle d'elle dans les médias. Elle porte un projet de loi toujours à la mode, au service du moment marketing de son big boss et elle trime pour se faire pardonner sa *rupture des règles de solidarité du gouvernement*, l'expression consacrée quand, par besoin d'attention, on l'ouvre trop grande devant un micro pour dire son désaccord avec la navigation à vue des patrons. C'était il y a deux mois. Après, elle s'est barrée à Canossa et a bouffé un chapeau qu'elle n'en finit pas de digérer. Mais cela ne l'empêche pas d'adorer la lumière et de la rechercher par tous les moyens, bien au contraire, telle est la nature de la bête. Il faut dire que les confrères braquent assez facilement leurs projecteurs sur la jeune secrétaire d'État chargée de l'Écologie, les hommes principalement. Ils adorent sa silhouette gracile enserrée dans de stricts tailleurs cuir, très cuir, rallongée par des bottes sans fin, pointues, toujours très talonnées. Tenues, aigus du visage et peau diaphane évoquent ces bourgeoises fausses austères vraies perverses pour lesquelles la trique est objet de délices. Les journalistes du *sexe faible* sont plus réservées. Si elles doivent reconnaître son intelligence et la fulgurance de son ascension au milieu des fauves à grosses couilles de son parti, refusant par idéologie féministe de s'en prendre ouvertement à elle, en particulier à propos de ce look dont elle use et abuse, à un niveau plus reptilien, elles craignent le genre d'attraction fantasmatique exercée par cette femme sur les mâles qui l'approchent. Pour autant quand elle siffle, les *copines* rappliquent, son spectacle est encore divertissant et elle sait recevoir.

Amel n'en a rien à foutre de la jeune secrétaire d'État chargée de l'Écologie et de ses gesticulations politiciennes, elle se branle de savoir si oui ou non elle a besoin de scénariser ses plans cul à grand renfort de latex et de coups de martinet pour en combler le vide, l'ennui ou expier dieu sait quelle faute. Et elle ne goûte pas vraiment la bonne *sousoupe* républicaine offerte par une arriviste d'autant plus prompte à la servir qu'elle ne la paie pas et en jouit au passage. Même si c'est précisément lorsqu'elle a appris le nom du très beau lieu où elle était invitée à déjeuner, en compagnie d'autres plumes labellisées bio, vert et nature, qu'Amel s'est décidée à venir. À *la sortie du conseil des ministres*, disait le mail du service de communication, *ce sera à deux pas de l'Élysée, le 1728.*

Au 8, rue d'Anjou.

Dans l'immeuble situé à cette adresse, l'Hôtel Mazin La Fayette, il n'y a pas qu'un restaurant confidentiel apprécié des puissants et des hommes de l'ombre épris de discrétion, il y a aussi le siège de PEMEO. Amel connaît très bien l'endroit. *Reste éloignée de lui.* Les mots de Ponsot tournent et retournent dans sa tête depuis qu'il lui a annoncé la nomination prochaine de Montana auprès du président. Avec sa vieille colère, ses frustrations et l'envie d'en découdre. Sans oublier son éreintante culpabilité. Tous ces tourments aux aguets sous la surface de sa conscience, qu'elle refoule de plus en plus mal. La tentation était trop forte. Peut-être devrait-elle se mettre au fouet elle aussi.

Pour le moment, Amel attend son hôtesse en compagnie de ses congénères, un verre à la main, et suit vaguement une conversation à propos de Barack Obama. Le très récemment officialisé candidat démocrate à l'élection présidentielle américaine de novembre prochain a déjà acquis l'envié statut de chouchou du quatrième pouvoir parisien, ce n'est pas rien. Forcément plus intelligent, plus cultivé et meilleur que son adversaire du camp d'en face, celui des *néocons*, surtout cons. Et non, c'est pas vrai, la couleur de sa peau n'y est pour rien. D'ailleurs on ne devrait pas en parler. Mais quand même, un *renoi* – c'est pas raciste, la preuve, ils l'emploient eux-mêmes – à la tête des États-Unis, ça aurait de la gueule.

À travers l'une des portes-fenêtres du restaurant, Amel mate du coin de l'œil l'entrée des bureaux de l'ex-éminence grise de la DGSE, de l'autre côté de la cour intérieure. Plusieurs employés en sont sortis pour aller manger mais aucun visage n'a fait tilt. Seul un homme d'une soixantaine d'années, à l'abondante chevelure brune, très grand et portant beau, a quelque peu attiré son attention. À cause de sa prestance et parce qu'il est entré au 1728 avant de disparaître à l'étage.

Enfin, la jeune secrétaire d'État chargée de l'Écologie se pointe et passe à table, dans tous les sens du terme, avec la presse. Pendant une heure et demie, couverte par une attachée de presse affûtée, elle vend une salade bien moins appétissante que le menu servi, un velouté de petit pois avec ses gambas marinées, suivi d'un bar de ligne et d'une pâtisserie un poil trop cacaotée.

Tout au long du repas, Amel surveille alternativement les allées et venues à l'extérieur, ce n'est pas difficile, le lieu est par essence peu fréquenté, et au pied de l'escalier emprunté par l'élégant inconnu. Deux autres hommes seulement l'ont gravi à sa suite. Un vieux, moins bien conservé, et un jeune, petit, dont le seul trait remarquable est une mâchoire proéminente lui donnant un air de bouledogue. Aucun des trois n'est redescendu. Montana n'a pas daigné se montrer. L'opération de com' touche déjà à sa fin et Amel ressent une pointe de déception qu'aucune rationalisation ne parvient à dissiper. Au fond, que pouvait-elle bien espérer si ce n'est apercevoir l'objet de toutes ses rancœurs. À distance. Elle n'a pas prise sur Montana et si c'était le cas, il serait dangereux de chercher à en profiter. *Reste éloignée de lui.* Elle doit laisser filer le passé abîmé auquel ce type est associé, il est comme un chien errant qui lui collerait aux basques, pour s'en débarrasser, il faut arrêter de le nourrir.

Lorsque la jeune secrétaire d'État chargée de l'Écologie se lève, les hommes viennent à elle et les femmes tergiversent. Entre elles. Amel rit sous cape et récupère sa veste. Dehors, une berline noire pénètre dans la cour. Un chauffeur en descend et vient ouvrir l'une des portières arrière à une fille aux jambes magnifiques. Elle est très apprêtée, avec des cheveux d'un blanc artificiel, mais son ensemble minishort, blazer rouge et chemise de soie fait son petit effet. Amel n'est pas la seule à l'avoir remarquée. Un des maîtres d'hôtel, la petite quarantaine, s'est arrêté près d'une baie vitrée pour admirer la vue. Connaisseur, il esquisse un sourire et Amel l'imite, amusée. Il lui a fait du rentre-dedans pendant tout le déjeuner mais semble l'avoir maintenant oubliée. Distraite, elle rate presque totalement la sortie de voiture du compagnon de la peroxydée et se rend compte de sa présence uniquement lorsqu'il disparaît chez PEMEO. Cette vision fugitive, de dos, suffit à affoler le cœur d'Amel et lui tordre le bide. Elle reste plantée là, le regard fixe, sans réaction, jusqu'à ce qu'une conseillère vienne la saluer en lui prenant la main, et lui adresse le sourire pincé et l'*à bientôt* de circonstance.

Amel laisse ses confrères quitter le restaurant sans elle. Elle se rassoit en simulant un coup de fil. La bagnole n'est pas repartie. Son conducteur a juste manœuvré pour pouvoir filer rapidement. Assis derrière le volant, il attend. De façon arbitraire, la journaliste s'accorde dix minutes, ensuite il lui faudra dégager à son tour. Elle n'a pas à poireauter aussi longtemps. La fille réapparaît et se met à faire le pied de grue devant la caisse. Il y a chez elle un mélange d'assurance vulgaire et de grâce fragile très séduisant. Tout ce qu'elle porte pue le luxe, les fringues, les escarpins, les bijoux et la baguette Fendi de saison d'où dégueule une enveloppe kraft. Elle jure avec le reste. Assez pour qu'on la remarque vite. Or Amel ne l'a pas vue auparavant. Elle est épaisse cette enveloppe, possible qu'elle soit venue précisément pour la chercher. Du pognon. Possible également. Pro ou pas, difficile de trancher. Quant à savoir ce que Montana fait avec elle, amusement d'un jour, maîtresse régulière ou agent d'influence, tout est envisageable, même si Amel ne voit pas ce dernier très porté sur la chose. Un ressenti venant peut-être de sa méconnaissance de la vie privée d'un homme qu'elle sait juste marié depuis une quarantaine d'années et sans enfant.

Quelques instants plus tard, Montana lui-même revient dans la cour. Il a un bref échange avec la fille, ponctué par un *non* renfrogné de sa part à elle, une bise unique sur la joue et une caresse dans le bas du dos. Jusqu'au short. Le geste s'attarde et tient plus de l'attitude d'un propriétaire que de la manifestation tendre. Ces deux-là baisent ensemble. Pro, donc. La fille remonte dans la berline et l'ancien officier de renseignement se dirige vers l'entrée du 1728. Sans prêter attention aux gens encore présents dans l'enfilade de boiseries du rez-de-chaussée de l'établissement, ouvert sur l'extérieur, il prend à son tour l'escalier.

Pour ne pas être vue, Amel a fui vers le fond, où se trouvent les toilettes. Lorsqu'elle en sort, elle croise dans le vestibule le maître d'hôtel dragueur de retour des cuisines. Elle lui offre un regard appuyé auquel il ne reste pas insensible, et suit par un compliment sur la qualité de la cuisine proposée et du service. Il réagit à son flirt léger, elle pousse l'avantage, manifeste une jalousie de façade à propos *de la jolie blonde, là, dehors* et il se défend en riant, lui les préfère *avec plus de piquant*, évidemment. L'autre est trop jeune, *une prétentieuse*, elle s'appelle *Chloé. Elle vient souvent, c'est la gamine du patron d'en face.* Amel s'est trompée, ni pute, ni maîtresse, ils baisent pas, le geste était pourtant ambigu. Il faut qu'elle mette ses infos à jour, Montana a eu au moins une gosse. *Non, non, pas le monsieur avec qui elle est arrivée, l'autre, celui qui termine son déjeuner avec ses invités dans le salon des Trois Ors, au premier.* Finalement, la journaliste n'avait pas tout faux. Intéressant, Montana ne dirige plus PEMEO et il se tape la fille de son remplaçant. Demander le nom complet de ce dernier serait maladroit et n'est pas nécessaire, Amel peut le trouver facilement ailleurs. Si elle le souhaite. Il est temps de couper court. Elle salue le mec, souriante, et il tente une approche, normal, récompensée quand elle lui donne son 06. En changeant juste un chiffre. Sa déception passera vite et si elle a encore besoin de lui, elle pourra toujours s'abriter derrière une erreur de bonne foi.

Dans la berline qui la ramène à l'appartement de la rue Guynemer, Chloé répartit mentalement le contenu de l'enveloppe récupérée chez PEMEO. Un peu moins de la moitié telle quelle pour le copain de Montana, il doit passer tout à l'heure, et le reste pour elle, pour assurer jusqu'à la fin juillet et se faire plaisir à l'occasion. *J'ai encore de la caféine*, réfléchit-elle, *et un peu de saccharose.* De quoi commencer à bosser. Elle s'y mettra après avoir pesé le paquet de l'autre, en conditionnera une partie, elle doit refourguer quelques bonbonnes ce soir, et terminera le reste demain, après avoir refait le plein de paracétamol. Un de ses clients réguliers doit lui en rapporter un kilo. Ça en fait, des Doliprane à acheter et piler, et tout ça pour un ou deux grammes de bonheur non coupé en guise de pourboire.

Une nouvelle assemblée se tient dans le village où Sher Ali a scellé son alliance avec Tajmir. Cette fois-ci, ce n'est pas Moulvi Wali Ahmad qui préside au jugement, il n'a pas eu le droit. Il est juste là pour représenter le plaignant. Deux magistrats talibans récemment nommés dans la région de Sperah sont chargés de rendre la sentence. Ils sont accompagnés de Zarin. Venu à la place de l'accusé, il leur a également servi d'escorte avec cinq ou six de ses hommes.

L'audience a déjà débuté lorsque le Roi Lion arrive, discret, en compagnie de Dojou et d'une douzaine de combattants. Fayz et le garçon à la fleur, elle est rouge aujourd'hui, sont parmi eux.

L'un des juges, très jeune, il n'a pas vingt ans, sermonne un ancien du coin ayant osé critiquer une première décision, concernant le même différend, que beaucoup trouvent injuste. « Beaucoup ? Et où donc sont-ils ? » La question n'obtient pas de réponse.

Sher Ali reste à l'écart, hors de vue, et écoute, attentif, pour essayer de saisir le nœud du problème. Il est question d'une moto, achetée par un neveu de Zarin parti avec sans la payer. Celui-ci est absent, mais il nie la dette et son oncle le soutient, comme il soutient l'admonestation talibane.

« Trouves-tu la sanction juste, Zarin ? » Moulvi

Wali Ahmad a pris la parole après avoir appelé au calme d'un signe de la main.

« La sanction, quelle sanction ? Qui donc a été puni ?

— Celui qui n'a pas reçu son argent. Regarde-le, il est ici, devant toi.

— Et alors ?

— Où est ton parent ? Pourquoi a-t-il besoin que tu parles pour lui ?

— Et toi, tu n'es pas là pour cet homme ? » Zarin pointe du doigt l'ex-propriétaire du deux-roues.

« Vous refusez de l'entendre. Moi, vous m'écoutez encore un peu.

— Je te trouve bien arrogant, vieil homme. » En trois pas rapides, Zarin vient se planter devant un Moulvi Wali Ahmad toujours assis et le toise de toute sa hauteur. Le geste surprend l'assistance aussitôt parcourue par un murmure choqué. Quelques mois auparavant, il n'aurait pas osé se comporter ainsi.

« Et moi, je vous trouve tous fort peu respectueux. » Sher Ali s'avance au milieu de la petite place ombragée et poussiéreuse où se tient la jirga. « Nous voulons la même chose, non ? Plus de justice. » Approbation unanime. Il continue à s'adresser aux villageois. « Vous avez demandé à nos frères moudjahidines de vous aider et ils sont là à votre service. Souvent, je vous ai entendus vous plaindre que les gens envoyés par Kaboul étaient de malhonnêtes sangsues. Préférez-vous qu'eux s'occupent de vous ? » Tous ont baissé la tête, sauf Moulvi Wali Ahmad qui, en colère, dévisage Sher Ali. Zarin et les juges, eux, ricanent. Le Roi Lion leur fait ensuite face. « Il est étrange que celui dont l'honneur a été mis en cause n'ait pas pris la peine de venir. »

Soudain circonspect, Zarin lui répond. « Il ne pouvait pas.

— Ton neveu a eu un accident avec la moto, déjà ? Ces choses peuvent être très dangereuses. » La saillie de Sher Ali provoque un éclat de rire général.

Les sbires de Zarin se crispent mais leur chef ne dit rien.

En douce, Dojou envoie ses combattants aux quatre coins du *chawk*, l'agora où ont lieu les débats, de façon à pouvoir réagir au moindre embrasement. Le gamin à la fleur, une main sur le manche de son chora, s'est placé derrière les talibans. Fayz est à ses côtés.

« Elle marche bien, cette moto ?

— Je crois, oui.

— Elle était trop chère ?

— Pas que je sache.

— Donc les deux parties étaient d'accord sur le prix ?

— Oui.

— A-t-elle été payée ? » Au moment où il pose sa question, Sher Ali se détourne du commandant insurgé pour regarder Moulvi Wali Ahmad. Ils se sourient et le vieillard indique à son plaignant qu'il peut intervenir.

« Je n'ai pas reçu la somme convenue », Zarin est montré du doigt, « même s'il dit le contraire. Moulvi Ahmad sait que je ne mens pas ».

Sher Ali réfléchit un long moment en fixant l'homme floué. S'il donne raison aux militants, il remet en cause la parole d'un malik que lui-même respecte. Et à l'inverse, s'il les désavoue, en particulier Zarin, il s'en fait des ennemis. Ils n'oseront rien tenter contre lui, il est protégé par Tajmir, plus encore par Siraj, et ses combattants ont l'avantage, mais ils parleront dans son dos et un jour, qui sait, peut-être sera-t-il à leur merci. Si Allah le souhaite, il en sera ainsi, il n'y peut rien.

« Juge entre eux tous selon les commandements de Dieu, nous dit le Livre, et garde-toi, en suivant leurs passions, de t'éloigner de ce qui t'a été annoncé. » Ce verset de la cinquième sourate énoncé par Sher Ali d'une voix forte, son père le leur a souvent répété, à lui et à ses frères, quand il essayait de leur inculquer les règles auxquelles doivent se plier tous les vrais Pachtounes, la charia et le pachtounwali. Avec difficulté. Ils le questionnaient sans cesse sur ce qu'il convenait de faire dans telle ou telle circonstance quand l'islam et le code tribal entrent en conflit. Ils ne se lassaient pas de voir se manifester la grande sagesse d'Aqal Khan. Pourtant, ils obtenaient toujours la même réponse : « Je suis un Pachtoune et je dois suivre sans faillir la parole d'Allah. Mais je suis un Pachtoune et j'obéis d'abord au pachtounwali. Oui, cela est l'honnête vérité. » Izzat et ghairat avant tout le reste. Pukhtu.

En invoquant le Coran, Sher Ali rappelle aux magistrats au nom de qui et pourquoi ils doivent se prononcer. L'œil braqué sur eux, il poursuit : « Je sais que vous saurez discerner le vrai du faux, le juste de l'injuste. »

Les juges se consultent et le plus jeune reprend la parole. « Zarin, sur ton honneur, tu t'assureras avant la fin du jour que le prix a bien été réglé et si ce n'est pas le cas, tu veilleras à ce que l'argent ou la moto soit remis à son propriétaire légitime. » Bien qu'il les contrarie, c'est un jugement intelligent. Zarin n'est pas humilié mais il ne peut plus se dérober.

Il s'en va sans attendre avec ses hommes, agacé,

et Sher Ali propose aux deux talibans restés seuls de les faire raccompagner par Dojou. Ils acceptent, rassurés.

Quand ils sont partis à leur tour, les villageois viennent à la rencontre de Shere Khan, ils le touchent, lui embrassent les mains, certains osent placer leur paume droite sur son cœur, en guise de bénédiction. Ils sont heureux et reconnaissants. Le vieil Ahmad est le dernier à s'approcher. « Merci d'être ici. » Il a le souffle court, l'hiver a été dur avec lui.

« Nos montagnes, elles me manquent.

— Tu viens apporter encore les armes et la mort ?

— Je vais rester un peu.

— Méfie-toi de tes nouveaux amis. Ils te craignent comme nous les craignons mais ils sont aussi diaboliques et stupides que ceux de Karzaï. Ce qu'ils font au nom du djihad aujourd'hui, piller et racketter, demain, ils trouveront d'autres raisons pour le faire. Et ils te poignarderont. »

Sher Ali examine le visage soucieux de l'ancien. « Tu as l'air fatigué, kâkâji.

— Ton père et moi avons connu des temps meilleurs. Je ne sais ce qu'il dirait de tout ceci. » Moulvi Wali Ahmad voit les traits de son interlocuteur se crisper, il a touché juste.

Shabnameh distribuée à partir du 14 juin 2008 en Loya Paktiya.

Au nom d'Allah,

Message aux Musulmans respectables d'Afghanistan.

Le Jour du Jugement ne sera pas pour les Américains.

Ils retirent aux Croyants leur humanité, ils en font des

barbares haïs d'Allah, loué soit Son Nom, et ils ont tué des milliers d'enfants, d'hommes, de femmes, de savants et de combattants arabes. Ils ont détruit des hauts lieux de l'Islam. À ceux qui agissent à leur service pour construire des écoles, des usines, des routes, mais aussi aux policiers, aux soldats, aux fonctionnaires et aux mollahs vendus, à vous tous qui rejetez les ordres divins, le Djihad et le Saint Coran, nous disons que notre combat se poursuit et que vous êtes prévenus. Vous avez le droit de tuer tous les Infidèles qui viennent dans vos villages, faites-le ou ne venez pas vous plaindre.

Les Moudjahidines.

Sky Raider, en attente…

Métallique et distante, la voix familière du capitaine Naomi Wright suinte par les haut-parleurs.

Lightning, en attente…

Les moniteurs de Kill TV affichent les images noir et blanc d'un groupe de bâtiments, dans l'enceinte d'une qalat isolée, filmé sous des angles différents depuis les airs par les capteurs infrarouge frontaux d'une paire d'avions sans pilote. En surimpression, il est indiqué, en haut de chaque écran, *Nawaz Kot Makin*. À l'intérieur de la plus grosse construction, dans un spectre lumineux seulement visible par les drones, un objet clignote par intermittence. Sur le toit d'une bâtisse voisine, deux formes humaines, beaucoup plus blanches que leur environnement, elles sont plus *chaudes*, se tiennent debout côte à côte et semblent se parler. L'une d'elles fait un signe en direction des environs de la ferme, vers une piste qui la relie à un village proche. Un break arrive à toute vitesse, s'arrête devant le portail. Un des gardes s'éloigne de l'autre et fait des signes en direction de la grande maison. Quelqu'un en sort, va ouvrir à la voiture. Qui entre. Trois hommes apparaissent sur le seuil de la même maison. Deux d'entre eux montent à bord de la bagnole.

« C'est quoi ce bordel ? » La question de Bob se perd dans le vide.

À côté de lui, Voodoo, Ghost et Fox gardent les yeux sur les retransmissions vidéo.

Le break repart à toute allure, quitte la ferme.

Dark Tower, vous avez vu ça ? On fait quoi ?

« Attends, Nads. » L'officier de la CIA est tendu. « Le traqueur ? »

Un des opérateurs de la salle de contrôle répond sans lever le nez de son pupitre. « Il n'a pas bougé et il émet toujours. »

Un autre prend la parole. « Langley demande de confirmer que la cible est bien avec le mouchard. »

Bob lève les yeux au ciel et se tourne vers Voodoo qui se tourne vers Fox.

« Notre contact », Anwar, le cousin de Manzour, qui a miraculeusement échappé au massacre de sa famille il y a deux semaines, « m'a juré qu'un de nos corans a bien été offert à notre ami le jour où il a fait piller la baraque du docteur. Il l'a vu de ses yeux le prendre et l'embrasser. Dès qu'on a eu le message, le bouquin a été activé. Il n'a bipé qu'à des endroits identifiés comme des planques valides. Et le Minivan qui l'a emmené là-bas ce soir appartient à l'un de ses lieutenants, c'est vous qui nous l'avez dit.

— OK, on reste sur la ferme. Il y a encore du monde dedans. » Bob se concentre à nouveau sur les écrans.

À Makin, d'autres combattants ont rejoint les sentinelles. Ils montrent le ciel. Les drones.

« Ils se doutent d'un truc. On est à quelle distance ?

— Quatre kilomètres pour Raper, l'autre est un peu plus près.

— On attend quoi ? » Ghost aussi s'impatiente.

« Le feu vert des chefs. L'histoire de Gora Prai est mal passée, ils nous tiennent laisse courte.

— Si l'autre est encore là, il va finir par se barrer. »

Dark Tower de Lightning, je vois six... Rectification, sept individus dans la cour. On dirait que certains sont armés...

Personne, à Chapman, ne réagit à l'agitation de la qalat. Le silence s'installe.

Bob finit par meubler, n'y tenant plus. « L'Agence est en train de réfléchir à un nouveau protocole pour accélérer le mouvement, ils appellent ça la frappe signature. » La difficulté de recruter sur place des agents compétents et courageux, et la multiplication des cibles, des occasions de bombarder, à toute heure du jour et de la nuit, oblige la CIA à envisager d'industrialiser ses méthodes et d'autoriser les tirs de missiles non plus sur la base d'une observation directe ou d'une identification visuelle, par nature délicate à obtenir, mais d'un faisceau de conditions. Lorsque seraient réunies plusieurs d'entre elles, regroupement d'un certain nombre d'hommes d'âge militaire, armés, dans un lieu servant de refuge ou de base aux insurgés, utilisation de téléphones appartenant à des gens soupçonnés de terrorisme, etc., c'est-à-dire une signature particulière, élaborée à partir de renseignements de différentes origines, « l'exécution sera validée automatiquement.

— Tu crois qu'ils auront les couilles ? ». Ghost n'obtient qu'un haussement d'épaules.

Voodoo sourit à Fox. « Tu vas bientôt pointer au chômage avec Tiny. »

Ghost en rajoute une couche. « Je suis désolé, mec, j'ai déjà un haji pour la lessive. »

L'opérateur en liaison avec l'Agence reprend la parole. « Le tir est autorisé. »

Dans la salle de contrôle, le soulagement est manifeste. Les échanges reprennent avec les pilotes des Predator.

Sky Raider en approche…

La réaction des insurgés est surprenante. Ils disparaissent à l'intérieur du bâtiment de petite taille.

Armement du laser…

Dans l'autre, le traqueur continue d'envoyer ses signaux.

Illumination…

Un nuage très vif envahit peu après les écrans pendant quelques instants. Le premier Hellfire a touché sa cible. Ça crie, ça applaudit et ça se congratule chez les Américains. Quand l'image redevient normale, la grande maison est en partie effondrée. Il n'y a plus aucun clignotement. Des taches blanches instables, autant de foyers d'incendie, pigmentent çà et là le décor. Un homme sort de l'autre maison. Il tient quelque chose, semble viser.

« Il branle quoi, cet enculé ? » Bob secoue la tête.

« Il va essayer de se faire un de tes drones. »

Le taliban tire.

« Au RPG. » Voodoo ne peut s'empêcher de rire.

Nads aussi plaisante. *Chef ! Ils nous tirent dessus !*

« Sky Raider, vous doublez. »

La seconde frappe met fin aux illusions belliqueuses de l'imprudent militant dont le corps est violemment projeté contre l'une des murailles. Même s'il n'a pas été directement touché par le missile. Le souffle a suffi. Une troisième frappe suit.

Le QG de la CIA se manifeste à nouveau. « Ils veulent savoir si on peut rattraper la voiture.

— Hein ?

— On vient de leur signaler qu'un des Thuraya sur nos listes a appelé quelqu'un dans la ferme trois minutes avant l'arrivée du break.

— Passez-les-moi. » Bob attrape un combiné proche de lui, interroge son interlocuteur à propos de l'utilisateur du téléphone satellite en question, écoute pendant une vingtaine de secondes puis balance violemment l'appareil en jurant. Quand Voodoo l'interroge, il explique que *ces abrutis de la Maison-Blanche* ont demandé à Islamabad l'autorisation de bombarder la qalat. Et les Pakistanais ont mis un bon quart d'heure avant de donner leur feu vert. Le temps de prévenir la cible pour qu'elle dégage. « Dites-moi qu'on a encore un visuel sur la caisse.

— Lightning l'a perdue à l'entrée de Makin. »

15 JUIN 2008 – FRAPPE AÉRIENNE AU WAZIRISTAN DU SUD : un mort. Hier, des drones américains ont apparemment tiré trois fois sur une cachette présumée de Baitoullah Mehsud, chef du TTP, tuant au moins une personne. Le corps a été retrouvé dans les décombres d'une ferme proche de Makin, dans les zones tribales. On craint d'autres victimes [...] Un porte-parole de l'armée pakistanaise a déclaré qu'il lui était impossible de confirmer l'attaque ou le nombre de morts, les militaires n'ayant aucune présence dans la région

[...] Selon un témoin qui a préféré garder l'anonymat, les talibans auraient essayé de riposter avant d'être pris pour cible à leur tour. Après ce bombardement, un survol de la vallée de Shawal a été effectué par ces mêmes drones ou d'autres et, là encore, des militants ont ouvert le feu sur eux. Si elle est confirmée, cette frappe sera la cinquième depuis le début de l'année. **20 JUIN 2008 – UNE ATTAQUE TALIBANE EN PAKTIKA REPOUSSÉE.** Les talibans ont lancé ce vendredi une offensive contre les forces de la coalition dans le secteur d'Orgun-e [...] Cinquante-cinq insurgés ont été tués et une vingtaine d'autres ont été blessés. Trois ont pu être capturés. **21 JUIN 2008 – TIRS CONTRE DES INSTALLATIONS DE L'ANA.** Six roquettes et plusieurs obus de mortier se sont abattus sur un avant-poste de l'armée afghane dans la matinée de samedi. Ils ont été tirés depuis le Waziristan du Nord, dans les zones tribales pakistanaises. Aucune victime n'est à déplorer parmi les militaires de l'ANA mais une femme et des enfants sont morts. Ils ramassaient du bois à proximité de la zone bombardée. **23 JUIN 2008 – SEAN LANGAN LIBÉRÉ À ISLAMABAD, PAKISTAN.** On vient d'apprendre du *Foreign Office* – le ministère des Affaires étrangères britannique, NDLR – que, trois mois après avoir été kidnappé dans les zones tribales, où il était parti réaliser un documentaire sur les talibans, Sean Langan, journaliste à Channel 4, a été récupéré « sain et sauf ». Sa libération remonterait à samedi dernier et serait le résultat d'intenses tractations entre son employeur et ses ravisseurs. À l'heure qu'il est, on ne sait pas si une rançon a été versée, ni quel serait son montant [...] Ses proches affirment n'être au courant de son enlèvement que depuis deux semaines, suggérant que leur participation aux négociations a été très tardive [...] **24 JUIN 2008 – UN CHEF-LIEU DE DISTRICT PRIS D'ASSAUT.** Des bâtiments gouvernementaux ont été attaqués à Sayad Karam, en Paktiya, par des talibans aidés par des combattants arabes et tchétchènes. Ils étaient près d'une centaine selon les témoins survivants et ont été mis en déroute grâce à une intervention rapide de l'armée afghane appuyée par l'aviation de l'OTAN. Seize insurgés ont trouvé la mort au cours de ces combats [...] **25 JUIN 2008 – ATTAQUES SIMULTANÉES EN PAKTIKA ET PAKTIYA.** Les chefs-lieux de districts de Sarobi, Gomal et Wazi Zadran ont été assaillis dans la nuit de mardi à mercredi. Plusieurs groupes de militants aux effectifs assez importants auraient participé à ces offensives. Elles visaient des postes avancés occupés par les forces de la coalition. Celles-ci n'ont subi aucune perte mais vingt-deux talibans ont été tués [...] D'après le porte-parole de l'ISAF, on note une recrudescence du nombre de contacts entre les militaires de l'OTAN et les insurgés. Plus 40 % par rapport à l'année 2007 dans le seul est de l'Afghanistan. Ces attaques, bien que généralement peu efficaces, sont de plus en plus complexes et recourent à un nombre croissant de commandos-suicides entraînés au Waziristan du Sud.

De Montchanin-Lassée, c'est le nom de la fille. Ou plutôt celui de son père, prénom Guy. Amel a tenu trois jours avant de se mettre à le chercher. Et vingt minutes à le trouver. Grâce à Google, dans un très ennuyeux .pdf relatif aux activités de PEMEO dans le Golfe, déniché sur le site web d'un obscur *Bureau de promotion des échanges France Qatar*. En consultant ensuite le Who's Who, elle a pu se faire une meilleure idée de l'homme. Après une carrière de diplomate au Maghreb et au Moyen-Orient, il est passé par l'Élysée, entre 2002 et 2005, avant de terminer secrétaire général du Quai d'Orsay. En 2006, il est élevé à la dignité d'ambassadeur de France. L'an dernier, à soixante-six ans, il prend sa retraite et la place de Montana. Il est marié à une certaine Micheline et ils ont eu deux filles, Joy, trente-sept ans, cardiologue, mariée elle aussi, et Chloé, née à Bagdad au milieu des années quatre-vingt. Grosse différence d'âge entre les deux sœurs. Et elles ne se ressemblent pas vraiment sur les quelques photos disponibles en ligne. L'aînée n'a pas été gâtée, elle a un physique lourd et le visage carré et masculin de son père. La cadette, en revanche, est le portrait craché de sa mère.

Après, Amel a eu des scrupules et surtout du boulot. Elle n'a commencé à creuser du côté de la jeune Chloé que le lendemain, en allant au plus simple, le Who's Who 2.0, Facebook, le plus mouillé des rêves mouillés des nostalgiques de la Stasi. Son profil, trop public, indique *Lettres classiques* à la Sorbonne, *c'est compliqué* et témoigne d'une appétence certaine pour la fête. Elle a beaucoup d'amis, plus de mille au compteur, et elle est dehors tous les soirs. Amel a hésité à l'aborder par ce biais. Elle aurait pu toiletter sa propre page, faire disparaître les références au journalisme, ou en créer une nouvelle, sous un faux nom, pour le cas où Montana surveillerait l'activité Internet de sa maîtresse. Ensuite, une demande pour accéder à son cercle pas si restreint, un ou deux messages privés pour tâter le terrain et, sauf à se retrouver noyée dans la masse, elle aurait été dans la place. Encore fallait-il savoir dans quel but.

Reste éloignée de lui. Ponsot ne lâche pas Amel, ni dans sa tête, ni dans la vraie vie. Il l'a rappelée, veut dîner à nouveau. Elle a dit oui, sans engagement de date. Elle n'a pas non plus pris contact avec Chloé de Montchanin-Lassée mais a suivi avec attention son agenda social des dix derniers jours. Et a compris que ce soir CdM – pour ses proches – se rendrait à une soirée *Pétanque contemporaine*, organisée dans le Marais par des potes d'Olivier. Amel les a déjà croisés ceux-là, ça sert d'avoir un mec qui fréquente le Tout-Paris branchouille. Sur un coup de tête, elle a décidé d'y aller aussi et s'est démerdée pour se faire inviter.

On accède aux hostilités par la rue des Francs-Bourgeois, la frontière des troisième et quatrième arrondissements, après avoir traversé la cour pavée d'un bâtiment classé occupé par une annexe de la Mairie de Paris. Au-delà, un interphone, un hall, un couloir secondaire, une lourde porte en bois de facture moderne à serrure électromagnétique, un digicode – Olivier connaît le sésame, programmé pour l'occasion – et, derrière le sempiternel duo musclé de videurs blacks, apparaît un jardin paysagé. Privé. Un espace planté d'essences rares, carré, de quelque cinquante mètres de côté, sans vis-à-vis et ceint d'une muraille de pierre restaurée récemment, enduite à l'ancienne. Contre le mur du fond, un bâtiment de quatre niveaux. Sa façade, soutenue par des poutres en acier d'inspiration Eiffel, a été entièrement vitrée pour offrir son intimité de loft à l'indiscrétion des visiteurs.

Le copain d'Amel est familier de l'endroit et lui en fait l'article. La baraque, héritée sur le tard au milieu d'un énorme patrimoine immobilier, a été métamorphosée par son propriétaire, un galeriste du quartier, dans les années quatre-vingt-dix. Maintenant à la retraite, il s'est réfugié à la campagne et n'y habite plus. Ses enfants, eux-mêmes petits commerçants de l'art contemporain, ont préféré en faire un lieu d'exposition pour gens fortunés en quête de sens fiscal plutôt qu'une résidence. Ils l'utilisent parfois pour donner des fêtes, toujours très exclusives. Olivier insiste sur ce dernier mot, la procuration est sa façon de briller. La seule. Amel lui caresse la joue et ce geste le flatte. Elle s'en distrait, il ne le voit pas.

La nuit descend sur la capitale et des éclairages extérieurs s'illuminent peu à peu pour mettre en valeur le parc miniature et jouer avec les ombres. Impression d'avoir brutalement changé de réalité. Disparu, le monde d'où ils viennent, avec son anarchie sans grâce, ses dissonances et ses lumières trop criardes. Ils sont accueillis par le set langoureux d'une *DJette* de saison, cette race-là est éphémère. Les yeux rivés à l'écran du MacBook de rigueur, elle officie, avec un air sévère de grande prêtresse, la moue plus hautaine que boudeuse, sur une estrade posée à l'extrémité d'une allée de terre battue. Celle-ci, large, dessine un L autour de la terrasse de la maison et a été découpée en trois couloirs. S'y affrontent d'improbables boulistes, caricatures pagnolesques tirées à quatre épingles.

Olivier salue des amis, des clients, les deux se confondent, fait au début l'effort des présentations, se lasse, délaisse et Amel en profite, elle s'éclipse. La foule n'en est pas une encore, à peine soixante personnes. Une centaine ont été invitées. Elles viendront toutes, pour la plupart accompagnées. Partir en chasse sans attendre, dans une heure, il sera difficile d'identifier qui que ce soit. La pétanque concentre pour le moment toutes les attentions et, au son de la voix suave de David Bowie, la journaliste se mêle aux spectateurs.

She'll come, she'll go...

L'assistance est très monochrome. À part les deux cerbères de l'entrée et un autre black, gay cela va de soi. Il y a également quelques Japonais, à moins qu'il ne s'agisse de Chinois, ils sont riches et fréquentables désormais, et savent aussi se donner en spectacle en restant à leur place. Pas d'autre Arabe en vue à l'exception d'une fille très bronzée, qui parle fort un anglais accentué. Princesse délurée du Golfe, d'Égypte peut-être. Cosmopolitisme à la parisienne, on se mélange mais pas trop et surtout entre soi.

The lady from another grinning soul...

Tous sont beaux, lookés à mort, sûrs d'eux. Même Amel. Elle sait donner le change et se mettre au diapason de cette engeance dont l'inconsistante constance la repose. Ce soir, elle porte un bermuda en jean dont l'ourlet a été soigneusement replié au-dessus du genou, un simple débardeur blanc négligemment débraillé sous lequel elle n'a pas mis de soutien-gorge, pour suggérer l'érection de ses seins, et des escarpins à talons effilés et orteils apparents. Elle n'a pas abusé du maquillage, juste de quoi redonner des couleurs au mat de sa peau et jouer sur l'éclat aigue-marine de son regard. Elle est à l'image de toutes les autres jolies gueules de la soirée, ne sort pas du lot, semble à sa place, c'est le but.

Le blanc artificiel des cheveux courts de la maîtresse de Montana reste invisible. Amel délaisse la faune entourant les sportifs et reporte son attention sur l'intérieur du loft. Du personnel de service et une douzaine d'invités s'y promènent entre le rez-de-chaussée et le premier, où quelques sculptures sont montrées. Les deux étages supérieurs sont déserts.

She won't stake her life on you…

Là se trouvent les seules pièces fermées, vraisemblablement les quartiers privés. En plus d'escaliers en colimaçon, Amel remarque qu'un ascenseur aux parois grillagées dessert les différents paliers. À un train de sénateur, la cabine monte et elle la suit du regard, voit un homme en sortir, se diriger vers l'une des chambres closes. Quand il ouvre la porte, Amel aperçoit Chloé, debout avec un couple et une autre fille, assise sur un lit, penchée en avant.

Feel the love of her caress…

En deux ou trois secondes, avant que le mec referme, elle en saisit assez, l'attitude des corps, l'attente vaguement anxieuse, une main qui froisse et défroisse des billets, une deuxième plus nonchalante qui s'apprête à prendre l'argent et donner en retour. Le cerveau de la journaliste remplit les blancs sans effort. Elle a déjà vu pas mal de rituels de ce genre, dans d'autres alcôves, d'autres appartements, commis par d'autres gens, à commencer par Olivier. La petite CdM deale. Écouter les conseils de Ponsot va être difficile maintenant. Amel sourit.

She will be your living end…

Elle compte sept allées et venues, à chaque fois une personne, ou deux, avant la sortie de Chloé. La pétanque s'achève, la soirée enfle, s'excite, ça danse, ça divague dans le jardin.

Olivier la retrouve et vient monter la garde à ses côtés.

« Alors, heureux ?

— Ça va. T'as envie ?

— Pas tout de suite, mais donne toujours. »

Tout en glissant un petit ballon de cocaïne dans le sac d'Amel, Olivier lui susurre un « petite pute » à l'oreille.

« C'est vrai. »

Chloé a reparu au troisième, emprunte les escaliers.

Souriante, la journaliste la montre à son mec. « Tu as de la concurrence. »

Olivier se retourne. « T'as l'œil. Et t'as tout faux. Je fais grimper, elle fait descendre. Mais il nous arrive d'échanger des trucs. Viens, je te présente. »

Chloé les salue sans afficher l'euphorie de façade attendue en pareilles circonstances. Malgré le vernis sociable qu'Olivier semble vouloir lui donner, leur relation est pragmatique, transactionnelle et paraît très occasionnelle, sans plus. Ils ne font pas partie du même monde, la journaliste le sent immédiatement. La gamine se met à la toiser des pieds à la tête et s'amuse sans se cacher de leurs tenues similaires, à une paire de sandales Sergio Rossi près. Quand elle s'arrête sur ses yeux, Chloé doit y déceler quelque chose qui lui plaît, ou l'intrigue plutôt, car elle ne les lâche plus. Amel soutient son regard et essaie de garder le contrôle de ses émotions, de ne pas sombrer dans l'abîme que son imprudence vient d'ouvrir devant elle. *Calme-toi. Calme-toi, merde, assure.* Le petit copain et son remplissage verbal sans fond s'estompent. Rejetée sa demande de troc, CdM n'a plus rien, ou en aura plus tard, peut-être, et lorsque sa voix perdue dans la distance cherche à se refaire une place dans l'échange muet qui accapare les deux filles en disant, d'une vulgarité toc, « arrêtez de vous mater comme ça, on dirait deux chiennes qui se reniflent la chatte, *I'm so hard, babe* », Amel annonce « j'ai envie de danser » et Chloé lui prend la main.

Go ahead…

Elles plongent toutes les deux au milieu de la piste

sans se lâcher ni attendre Olivier, et ne rompent leur premier contact physique que pour se faire face. Tout en restant très près l'une de l'autre.

Tonight…

Elles se cherchent en rythme, dans une bulle musicale et sensuelle qui n'est plus tout à fait celle de la soirée. Les autres disparaissent pour un temps. Encombrée, Amel laisse tomber son sac à ses pieds. Le geste séduit Chloé. Elle l'imite et vient placer l'une de ses jambes entre celles de sa partenaire. Elle attrape le poignet de la journaliste et guide son bras autour de sa taille.

Keep your head…

Elles se touchent à présent, se frottent. Chloé ferme les yeux, bascule la tête en arrière, offre son cou. Amel pense *cette meuf est une bombe*. Elle ne peut s'empêcher de venir humer sa peau découverte qu'une perspiration naissante lustre sous les flashs lumineux. Ça sent bon.

Take my hand…

La main d'Amel glisse de quelques centimètres sur une fesse. Elle veut se reprendre mais Chloé interprète le geste comme une invitation et propulse son bas-ventre vers l'avant. Leurs pubis s'épousent. Ils ne se séparent plus, ondulent ensemble, se font du bien.

Tonight…

Le voisinage a pris conscience de leur sexy spectacle. Plusieurs garçons se lancent dans de ridicules parades nuptiales pour taper l'incruste. Elles ne les voient pas.

Keep your head…

Pas plus que les autres filles, dont la riposte tout en déhanchements saccadés est plus maladroite que lascive. Chloé fixe Amel d'un air de défi. Elles sont seules. Une zone tampon a fini par se former autour d'elles. Ce qui se joue là ne concerne personne. Amel est face au vide. *Elle veut ma bouche.* Elle regarde les lèvres de Chloé, rondes, bien dessinées, légèrement écartées. *Maintenant.* Chloé la voit les regarder. Amel voit Chloé la voir, voir son envie.

Tonight…

Non. Ce ne serait pas une première mais il n'est pas question de se laisser faire par la pétasse de Montana.

Play my game…

Les doigts d'Amel libèrent le cul de Chloé pour venir s'enfoncer dans ses cheveux, au-dessus de la nuque, les caresser, doucement les saisir par les racines. Et tirer dessus d'un geste sec. Elle capte un petit cri malgré la musique, de surprise douloureuse mais pas malvenue, et lui mord la gorge près de la clavicule. Chloé se laisse faire quelques secondes, jusqu'au premier sang, et s'écarte brusquement. Ce n'est pas une fuite, elle se contente de reprendre ses distances, n'essuie pas l'effilé rouge qui tache son décolleté, provoque toujours. Le mix de Yuksek cède la place à un autre et elles restent à se tourner autour le temps de plusieurs morceaux.

Olivier croise non loin de là, en périphérie, et cherche à attirer l'attention d'Amel. Elle joue à ne pas le voir. Peut-être le prendra-t-il mal, ne comprendra-t-il pas, il ne sera pas le premier à ne pas comprendre, ne pas la comprendre. Six mois avec lui, c'est bien et c'est assez. Elle le voit s'éloigner. Il en trouvera une autre, plus facile, elles sont si nombreuses à pouvoir se satisfaire de sa façon d'être au monde. Léger malaise tout de même, il s'en va mais ce n'est pas ça, son départ la renvoie à sa propre dérive, sans fin.

Chloé perçoit son trouble. Elle ramasse leurs sacs, l'attrape par le coude et leur fraye un chemin vers le loft. À l'intérieur, d'un sourire, elle chope une bouteille de vodka derrière le bar et, après avoir bousculé un couple devant l'ascenseur, elle pousse Amel à l'intérieur. « Ton mec…

— C'est pas mon mec.

— Bon, ton ex.

— Sextoy.

— T'es toujours aussi pénible ? Il t'en a filé un peu ? »

Amel acquiesce.

« J'espère que c'est pas celle qu'il vend. »

Elles entrent dans la chambre de tout à l'heure. Chloé referme, les isole du vacarme de la fête. La pièce est décorée sobrement, avec le goût assuré du fric, elle est prolongée par une salle de bains et des chiottes, derrière des portes coulissantes entrouvertes. Rien de personnel, c'est un lieu de passage. Le dessus-de-lit est froissé. Personne n'a dormi là mais on s'y est beaucoup assis. Sur le chevet, un exemplaire du magazine *Artpress*. Il est de traviole et sa couverture est couverte d'une fine pellicule claire.

« Donne ta C. »

Amel tend le ballon de coke à Chloé. Celle-ci s'installe devant une console, prépare une dizaine de traits à même le plateau et récupère une courte cannisse argentée dans un élégant porte-cigarettes. Elle la tend à la journaliste. « T'es clean ?

— Et toi ? » Amel se fait deux lignes avec la paille, renifle fort, ça dégouline après lui avoir dégagé les sinus. Un relent d'essence lui remonte dans le nez et elle se sent tout de suite mieux. Oublié son coup de blues, elle sourit à Chloé et lui caresse le front. Pendant que sa nouvelle copine sniffe, elle se sert de la vodka et s'affale contre la tête de lit pour la siroter.

CdM s'assied devant la journaliste. Sans lui prendre son verre des mains, elle le guide jusqu'à sa bouche et boit une longue gorgée. Elle a les yeux qui brillent.

« Je t'ai vue ici, tout à l'heure.

— Tu as vu quoi ? »

Haussement d'épaules d'Amel.

« Tu fais quoi ? »

Sourire. « Je sors la nuit et je mords les jolies filles. »

Auquel répond un autre sourire. Chloé n'a toujours pas lâchéle verre ni les mains d'Amel. Elles se dévisagent et c'est la chute,lentement amortie, sans fin, au rythme de la musique loin, là-bas, dehors. Elles s'embrassent légèrement alcoolisé, gourmand, empressé, la porte est verrouillée, « pour avoir la paix », et Chloé se met à jouer avec les doigts d'Amel, les attire en elle, sans prendre le temps de se déshabiller, besoin de se les enfoncer fort et profond, vite, « vite, j'ai envie de jouir ! ». Elle vient en quelques minutes mouillées. Après seulement elle fait voler leurs fringues. Elle éteint les lumières, pas toutes, elle veut de la douceur mais se voir, la voir, les voir. Amel a de beaux seins, Chloé le lui dit et l'embrasse encore, parcourt Amel, caresse Amel, sa langue s'occupe d'Amel. Jusqu'à ce qu'elle vienne elle aussi, dans sa bouche. Et elle retourne Amel, lèche l'anus d'Amel tout en jouant du pouce avec le clitoris d'Amel, appuie fort, à l'orgasme. Et Amel tente de la repousser, c'est trop sensible, mais Chloé résiste, ne se laisse pas faire, enfouit son visage dans ses fesses, s'enfonce. Et Amel jouit encore. Coke. Elles s'embrassent, se dévorent les lèvres, s'excitent des langues, troisième round, se font du bien. Plusieurs fois on vient frapper à la porte. Pour acheter ou participer. À tour de rôle, elles envoient se faire foutre, se marrent. Le temps passe, elles continuent, nouveau round. Les dernières lignes sont franchies, brouillées, effacées depuis longtemps, la vodka est descendue, pas trop, leurs orgasmes s'apaisent, il est plus de quatre heures. Amel va rentrer.

Chloé aimerait qu'elle reste ici avec elle, c'est possible, le proprio est un ex, il ne dira rien, « et c'est un bon client ». Elle montre une de ses bonbonnes. « T'as déjà essayé ? »

La journaliste hésite, elle a la trouille mais elle est tellement bien, elle n'a pas envie de partir. Partir c'est fuir, elle le perçoit dans le regard de Chloé, et si elle fuit maintenant, elle risque de ne plus la recroiser. Ce n'est peut-être pas plus mal. *Reste éloignée de lui.* Le brave Ponsot, toujours là. Mais Amel ne veut plus fuir, elle a trouvé un défaut à la cuirasse. « Non.

— Tu veux ? » Chloé remarque son angoisse. « Flippe pas, je me pique pas. »

Ça se prépare comme la coke, c'est légèrement brun, le grain semble plus épais, grossier, il faut bien piler la poudre. CdM sépare un premier trait minuscule et dit juste « aie confiance » quand Amel semble se vexer. Mais elle se penche quand même. Elle a peur mais elle se penche, mate Chloé, prend la paille, inspire. Et ça entre, et ça pique un peu, moins que la CC, et ça coule, dans sa bouche et sa gorge, amer sans être désagréable, avec un arrière-goût sucré. Elle attend un peu, sent venir la transpiration à la surface de sa peau, c'est chaud et c'est frais. Elle se lève, fait quelques pas incertains, à peine, et elle est submergée, *merde, merde, merde, merde,* et elle se laisse aller sur le dessus-de-lit, *il est si confort putain*, et ses yeux ont du mal à rester ouverts tellement c'est bon, et elle glisse sur les draps, « ça va », elle répond à la voix de Chloé, un petit rire inextinguible aux lèvres, et elle rigole oh oui, elle rigole, toute seule, en s'étirant. Tout dedans c'est doux, elle a plus peur, elle a plus mal. La chambre oscille lentement, elle entend Chloé renifler et rire aussi, et elle s'endort quand celle-ci vient enfin se coucher à ses côtés, la tête sur son ventre nu brûlant de vie.

La fête est finie. Dans le jardin déserté de l'hôtel particulier, une silhouette vêtue d'un manteau étrange, constitué de lanières couleur de nature, émerge d'un bosquet où elle s'était cachée. La carrure est celle d'un homme. Il se met en marche à pas mesurés vers le loft enténébré, pénètre au rez-de-chaussée, gravit sans bruit les escaliers de fer. Dans sa main droite gantée, un poignard. Sa lame épaisse, courbe, accroche un bref instant une lueur nocturne. Il s'arrête devant la porte de la chambre du troisième, il saisit la poignée, tourne, ouvre, entre, s'approche, tend son autre main et d'un geste rapide étouffe le cri d'Amel, éveillée par surprise. L'arme s'élève, menaçante, et elle reconnaît les yeux noirs perdus dans le maquillage de combat étalé sur le visage de son agresseur. Il dit « salope, tu m'as balancé » et abat son kukri.

Amel reprend conscience seule, le cœur affolé par une peine terrible, et met une dizaine de minutes à se calmer. Lui, depuis combien de temps, elle est incapable de se souvenir quand il a cessé de la visiter dans ses rêves. S'il ne déserte que rarement ses journées, il s'était résolu à lui foutre la paix la nuit, lorsqu'elle est tout à fait vulnérable. Mais pas cette fois. Elle a abusé, n'a pas bien dormi et il en a profité. *Salaud.* Une larme glisse le long de sa joue, vite essuyée. Amel se retourne sur le dos et sent que ses cheveux sont attachés. Avec son string entortillé en chouchou de fortune. Quelques mèches collent, puent le vomi. Vision fugace d'elle-même au-dessus de la cuvette des toilettes, la tronche soutenue par Chloé pendant qu'elle se vide. Plusieurs fois. Pas étonnant qu'elle ait mal au bide. Elle se souvient de paroles d'apaisement et c'est tout. Le reste ce sont des noirs et des blancs impossibles à combler. Jusqu'au cauchemar. Et au réveil.

À travers une ouverture zénithale, le soleil de midi flashe dur sur le lit défait. Dans le crâne d'Amel ça se bat à coups de piques. Nuque, épaules, bras raides et endoloris, elle peine à se mettre debout pour filer à deux à l'heure sous la douche recouvrer un semblant de vie. Juste avant de descendre, elle trouve, pliée sur son sac à main, une feuille où Chloé, d'une calligraphie soignée, à l'encre de petite fille, lui a écrit *Appelle-moi si tu veux* avec son numéro de mobile. En bas, le personnel chargé de tout remettre en ordre l'interroge sur ce qu'elle souhaite pour le petit déjeuner. L'autre jeune femme leur a donné de l'argent pour s'en occuper. L'attention touche Amel malgré elle. Elle pique une clope, urgent besoin de fumer, leur dit de tout garder et s'en va.

Deux jours plus tard, un samedi, Montana et sa maîtresse se rendent à une autre soirée, dans le dix-septième. En chemin, il lui demande si elle a de quoi faire.

« Je croyais que ton ami s'occupait de cette clique.

— On ne sait jamais. »

Chloé ferme les yeux et sourit. Satisfait, Alain

pose une main sur sa cuisse. Sous la robe sage descendant au genou, il sent la dentelle d'une jarretière.

Ils sont déposés peu après devant l'entrée de la Villa Laugier, une impasse invisible de la rue, bordée d'immeubles anciens et de maisons avec jardin. C'est dans l'une d'elles, aristo, dont tous les étages, cellier compris, ont été rénovés, qu'ils rejoignent les autres convives. Marbre dans l'entrée, parquet partout ailleurs, lumières voilées, serveurs à vestes blanches et plateaux, pas mal de beau monde, affaires et politique, un joueur du PSG, le niveau baisse. Maîtres, idoles modernes et laquais de droite et de gauche, complices dans l'intimité. Les deux sexes ne sont pas à parité, les femmes sont plus nombreuses, moins âgées pour la plupart. Chloé reconnaît quelques têtes, un pote de patron de FMI à barbe de trois jours et tonsure de moine, il la dévisage lorsqu'elle le frôle, insistant, un ex-présentateur de journal télévisé baiseur de jeunes plumes, d'autres encore.

Alain lui offre une coupe de champagne et l'entraîne dans les salons, à l'étage dans les chambres, redescend, à la cave, ils regardent, disent bonjour, conversent, regardent encore, s'attardent. De temps en temps, il lui adresse un discret signe de tête et elle tend son poignet gracile pour recevoir un baisemain et lâcher une récompense dans la paume du galant. Quelques-uns la touchent, sans aller plus loin, en amateurs avertis. Alain couve, attentif, c'est ce qu'il aime. Chloé laisse faire, elle s'en fout, plane, elle a gobé un truc avant de venir. Quand elle l'accompagne à ce genre de réception, sa réification fait partie du jeu. Et s'exhiber lui plaît.

Ils vont s'asseoir dans un canapé, elle pose la tête sur son épaule et ils profitent du spectacle des approches, des corps et des jouissances. Montana est à l'affût, Chloé le sait parce qu'il a sorti cette pochette au cuir tanné par les ans dans laquelle il transporte haschich, tabac de qualité et papier à cigarettes. Il se roule un joint avec dextérité. Les premières fois, cette petite manie, héritée de ses nombreux séjours professionnels sur le continent africain, l'a surprise et même fait rire, elle ne cadrait tellement pas avec le personnage. Mais elle a fini par en comprendre le but ; jusque dans le vice, Alain se contrôle et contrôle les autres. La pochette n'apparaît que dans les situations où il a besoin de maîtriser ses humeurs et se montrer *vulnérable*. Elle, ça l'impressionne et ça l'excite. Et elle se sent protégée. Parce qu'il est toujours dangereux. Ici, ce soir, le plaisir de son amant proviendra peut-être de ce qu'elle va subir dans les bras d'autres hommes, lui ne participe jamais, mais bien plus sûrement de ceux qu'il va voir, de ce qu'ils vont lui permettre d'entrevoir et des portes qu'ils vont ouvrir sans le savoir.

Un grand, bronzage de star et crinière blanche, s'assoit à côté de Chloé. Déjà, il place une main à l'endroit même où Alain a mis la sienne dans la voiture. Elle attend l'assentiment de ce dernier, il vient, et à ce moment-là seulement, elle se tourne vers son nouveau voisin. Il commence par faire remonter sa robe, s'arrête quand est révélée la lisière du bas, s'attarde à caresser la jambe gainée de Chloé, glisse sur la soie, met du temps à revenir vers sa peau dénudée entre l'aine et le milieu de la cuisse. C'est agréable qu'il ne soit pas pressé. Alain les ignore, il fume, les yeux mi-clos. Un doigt se risque le long des agrafes de sa guêpière, vers son pubis. Chloé le sent jouer un moment avec l'élastique de sa culotte et s'insinuer plus profond, encouragé par l'humidité qu'il décèle. Elle prend ses aises dans le canapé, avance son bassin, soupire de plaisir. L'homme est plus rude que la fille de l'autre soir, marrant qu'elle pense à elle, mais il est doué, il sait faire, il apprécie. L'image d'Amel envahit l'esprit de Chloé et le souvenir de ce moment avec elle, qu'elle a beaucoup aimé, la détend un peu plus. L'autre s'enhardit, vient lui parler à l'oreille. « J'ai de la cocaïne. Je voudrais que vous la prisiez sur ma queue. » *Vous, priser* et *queue* dans la même phrase, c'est tentant. La C fait hésiter Chloé, elle n'aime pas mélanger et dernièrement elle a mélangé à l'excès, mais elle lui dit d'accord, pas trop. Il se lève, se place devant elle et baisse la braguette de son pantalon de costume. Son pénis est fin, long, bien droit, dur. Avec précaution, il trace une courte ligne sur le dessus, le long d'une veine proéminente. La came est très tamisée, elle vérifie, et elle l'aspire d'un coup à l'aide de sa paille. Les résidus, elle les lèche à même le sexe et se met à sucer le mec.

Du coin de l'œil, Chloé surveille Alain – il les observe maintenant – et les mateurs. Ils ont attiré l'attention de plusieurs couples. Entre deux va-et-vient, elle scrute les visages, jouit de leur désir. Et elle l'aperçoit. Guy. Il est avec une femme, autre, jeune. Ils se régalent avec l'assistance. D'une main, sa compagne lui masse l'entrejambe. Chloé manque de s'étouffer, elle repousse aussitôt le grand con, crache et se lève d'un bond. Elle voit Alain la regarder faire et elle jurerait qu'il ricane. Il ne la suit pas quand elle se barre et bouscule son père, debout sur son passage.

Chloé se précipite hors de la maison, dans l'allée, dans la rue. Elle repère leur voiture et gueule un truc au chauffeur. Il apparaît parmi ses collègues, surpris, et vient lui ouvrir la portière. Elle s'engouffre, réalise qu'elle a oublié sa veste dans sa fuite. Tant pis, elle n'y retourne pas. L'attente dure, Montana ne vient pas. *Il reste ?* Chloé se demande s'il savait. Bien sûr, il sait toujours. Toujours dangereux. Pas avec elle, il n'a pas le droit. Elle se blottit contre la vitre et se retient de pleurer. Un quart d'heure passe, elle dit au conducteur d'y aller, s'énerve quand il hésite, il n'aura qu'à revenir.

17

PERTES COALITION	Juin 2008	Tot. 2008 / 2007 / 2006
Morts	46	123 / 232 / 191
Morts IED	25	75 / 77 / 52
Blessés IED	90	327 / 415 / 279
Incidents IED	330	1648 / 2677 / 1536

1er JUILLET 2008 – LES TALIBANS DÉFAITS PAR LA COALITION à Sperah, dans la province de Khost. Une soixantaine d'insurgés auraient été tués dans la nuit de lundi à mardi après l'intervention d'hélicoptères d'attaque américains appelés en renfort par les autorités afghanes. Les militants, plus d'une centaine, ont lancé un assaut à l'arme automatique et au RPG contre le quartier général de l'ANP vers deux heures du matin. Les policiers ont dans un premier temps réussi à les repousser avant d'être submergés lors d'un second assaut. Deux officiers sont morts au cours de celui-ci et un troisième a été capturé. L'ISAF est ensuite intervenue avec des moyens terrestres et aériens. Plusieurs bombardements ont frappé un bâtiment dans lequel les talibans avaient trouvé refuge [...] Les combats se sont poursuivis une partie de la nuit. Au petit matin, les terroristes survivants sont allés se cacher dans les villages environnants, au milieu des habitants, et les hélicoptères ont été renvoyés pour éviter tout dégât collatéral. Les insurgés ont profité de ce retrait pour fuir au Pakistan voisin où, selon les autorités locales, ils auraient été attaqués par l'armée pour soutenir l'action des soldats de la coalition. À l'heure qu'il est, ni l'état-major afghan ni celui de l'OTAN n'ont confirmé la réalité de cette assistance pakistanaise [...] Le cadavre du policier capturé a été retrouvé dans un hameau proche de Sperah. On lui aurait coupé la tête. Si cela s'avérait exact, les talibans se seraient alors rendus coupables de deux crimes de guerre contrevenant aux Conventions de Genève, la décapitation d'un prisonnier et l'utilisation de populations civiles en guise de boucliers humains.

2 juil. 2008 – Chloé has accepted your friend request.

Les motos pénètrent dans la ferme vers une heure du matin. Un vieillard, il n'est pas armé, a ouvert le portail et s'empresse maintenant de le refermer sous l'œil de deux talibans. Quand les phares s'éteignent, la cour est plongée dans l'obscurité totale d'une nuit sans lune. On ne distingue plus que des silhouettes à la parole rare, empressées de se déséquiper pour aller se restaurer. Une porte s'ouvre sur un intérieur faiblement illuminé et Tajmir sort de la hujra pour accueillir Sher Ali. Et Hamza. Cette escorte était pour lui, pour l'acheminer ici, dans la province de Logar, depuis Miranshah où il séjournait quarante-huit heures plus tôt. Demain d'autres prendront le relais, c'est ce que Taj annonce au jeune homme fourbu après son long trajet en deux-roues, sur des pistes défoncées. Qu'il ne s'inquiète pas, la suite du chemin sera moins éprouvante et plus courte, la capitale est proche. Ces précisions ayant été données, Hamza et les autres insurgés se dirigent vers l'étable tandis que Taj et Shere Khan rejoignent la salle commune.

Les mâles de la qalat sont là, ils entourent le vieux du portail, assis dans un coin. Trois générations d'une même famille, grands-pères, oncles et pères, et enfants. Un moudjahidine les surveille. À voir leurs regards, où se lisent désarroi, peur et colère, Sher Ali se dit que leur intrusion n'est pas la bienvenue. Dehors, il a cru apercevoir des gardes devant l'entrée d'une annexe. Les femmes doivent s'y trouver, otages dans leur propre foyer. Djihad. Taj ordonne à l'un des adultes de leur faire porter à manger. De mauvaise grâce, il envoie deux garçons chercher la nourriture et se rapproche pour servir du thé. Sher Ali le regarde, l'homme baisse les yeux. Djihad. Chacun contribue à hauteur de ses moyens. Et de son courage. Sher Ali nettoie ses mains et son visage dans une bassine d'eau claire, il se débarrasse de la poussière qui les recouvre, la poudre de Lune comme l'appellent les étrangers. Il trouve l'expression poétique. Ensuite, ils boivent le chai, mangent dès que c'est prêt, échangent peu, des phrases courtes. Tajmir remercie Sher Ali pour Hamza, se montre mécontent de la récente initiative du chef de guerre de Siraj, à Sperah, avec la complicité de Zarin. Shere Khan a perdu des hommes, il s'en excuse. Pas de réaction. Le repas est copieux, il manquera à la famille. Djihad.

« Cet Hafiz que tu guettes à Khost, où en es-tu ? »

Sher Ali termine de sucer un os de poulet sans montrer sa surprise. Il n'a jamais parlé avec Taj de son initiative, décidée à la suite des révélations de Haji Moussa Khan sous la torture. « Il passe beaucoup de temps dans la forteresse que les croisés appellent Salerno.

— Nos frères la bombardent souvent. Un jour nous l'envahirons. »

Sher Ali acquiesce, peu convaincu. Il a vu la base, elle est énorme, et il se demande où sont donc les guerriers indispensables à la conduite d'un tel assaut. Et s'ils existaient, ils mourraient certainement tous durant l'attaque. « Je sais où est sa maison.

— Il est avec Badshah Khan. »

Hochement de tête.

« J'ai rencontré Badshah Khan à plusieurs reprises ces derniers mois.

— C'est un ennemi du père de Sirajouddine.

— Il a beaucoup de fusils.

— Il ne viendra pas avec nous.

— Tu as raison. » Après quelques instants de silence, Tajmir reprend la parole. « Hafiz n'est pas le seul de son clan à travailler avec les Américains.

— Je sais déjà tout cela, pourquoi me le dis-tu ?

— En toute chose il faut avancer avec prudence.

— Et honneur.

— Réfléchir.

— J'ai bien réfléchi, le jour où tu as promis que tu m'aiderais.

— Ai-je manqué à ma parole ?

— Non. » Un temps. « C'est Dojou qui t'a rapporté tout cela ?

— Le courageux Dojou. Il t'aime beaucoup. »

Trop. Tajmir ne le dit pas mais Sher Ali le perçoit dans son intonation.

« Certaines voies me sont ouvertes à Khost. »

Les Haqqani ont beaucoup d'alliés dans la capitale provinciale mais Taj semble faire référence à d'autres relais. *Et il me surveille encore*, se dit Sher Ali. Tajmir nous surveille tous.

« Il te sera difficile de t'en prendre à lui parmi les siens. Et plus encore quand il est avec les Américains.

— Je trouverai un moyen. *Koh har qadar beland bashashad, sar-e khod raah daarad.* »

Il existe un chemin pour atteindre le sommet de toutes les montagnes, même les plus élevées. Tajmir sourit. « Je peux t'être utile. Peut-être. » Il ouvre une besace de cuir posée à côté de lui, trie un jeu de photos protégées par un journal replié. « Voici les étrangers avec lesquels Hafiz a été vu plus d'une fois récemment. »

Des clichés, de loin. Sher Ali pense ISI. *Certaines voies.* Il reconnaît des visages. Il les a fait filmer à Gardi Ghos, au lendemain de l'attaque contre la cache de Tahir Nawaz. Parmi ces hommes, il y a le grand avec une moustache grise. Il le montre. « C'est un chef, les autres lui obéissent. Ils le protègent.

— Oui.

— Ce sont des espions ?

— Je ne sais pas, ils ne sont pas toujours avec ceux des drones, à l'aéroport, ils se cachent ailleurs.

— À Jalalabad. »

Tajmir approuve, il est interrompu avant de pouvoir poser la question qui lui brûle les lèvres, *comment l'as-tu appris ?*

« Eux, ce sont des Afghans, d'autres traîtres ? » Sher Ali pointe du doigt une photo où Hafiz et Voodoo sont en compagnie de deux moudjahidines barbus, un ogre, aussi grand que l'Amrikâyi moustachu et large comme le Zadran, et son compagnon, plus petit que les trois autres. Et moins épais. Ils portent les lunettes de soleil de l'ennemi, c'est bizarre. Le petit a été pris à plusieurs reprises en compagnie d'Hafiz.

« Non. Des infidèles aussi.

— Ils ne ressemblent pas à des infidèles.

— Ils sont dangereux. »

Sher Ali saisit le cliché sur lequel apparaissent les quatre hommes. Des infidèles qui ne ressemblent pas à des infidèles. Ils peuvent venir au milieu d'eux, demeurer invisibles. Il se lève. « J'ai besoin de dormir. »

Voodoo rentre de Bagram le 3 juillet à la mi-journée, après avoir passé sa matinée avec des directeurs de Longhouse pour dresser un bilan provisoire à un mois de la fin de la première année du groupe en Afghanistan. Ce même jour, il a convoqué à la FOB Fenty l'ensemble des employés de 6N, une grosse trentaine en plus de ses prétoriens et, en fin d'après-midi, vient les retrouver au B-Hut 104 pour leur transmettre la bonne parole. Les grands chefs sont ravis du travail accompli, les objectifs ont été atteints, tant pour le volet formations que pour le volet opérations, sur tous les sites exploités par la société. Même son de cloche du côté de leurs clients et c'est bien « puisque la direction négocie depuis deux mois la reconduite de notre contrat et même son extension. Certains d'entre vous vont nous quitter cet été mais je me réjouis de savoir que, pour la plupart, vous avez émis le souhait de poursuivre l'aventure ».

La période est compliquée, l'ennemi a repris du poil de la bête, ce qui est bien pour eux, « ça veut dire qu'on manquera pas de boulot » et ils vont devoir se montrer plus performants encore pour satisfaire la demande. Cependant, ce regain de tension et le fait que « comme vous le savez tous maintenant, nos supplétifs et peut-être même des cadres de l'Agence et de 6N semblent avoir été pris pour cible par un ou plusieurs chefs talibans en Loya Paktiya, m'ont conduit à élaborer de nouvelles procédures de sécurité, dont le détail vous sera donné par Data ».

L'administratif de l'entreprise, debout à côté du patron, opine du chef.

« Mais la consigne principale demeure la même : faites confiance à votre instinct et s'il vous dit de tirer, tirez. »

Voodooisme de base, il provoque des ricanements dans l'assistance.

« On est toujours interdits de Pakistan et a priori c'est parti pour un bon moment, mais ça ne change rien pour les deals individuels et les salaires. Les personnels concernés doivent continuer la réorganisation des activités sur le territoire afghan. »

Plus question d'aller dans les régions tribales rencontrer leurs contacts, eux viennent de ce côté de la frontière, et la probabilité de se faire repérer a augmenté ; tout le monde bouge, tout le monde peut se faire voir. Recruter qui que ce soit est devenu plus difficile. Aux risques encourus s'ajoute la difficulté de se déplacer pour des mecs sans moyens de transport, dont la plupart n'ont jamais quitté leur vallée de naissance. Tiny, assis avec Fox au fond de la salle, secoue la tête. Une réaction pour la forme, la situation l'arrange. Il était mort de trouille lors de leurs dernières incursions au Waziristan. Et il se sent mal depuis la mort de Manzour et de sa famille, responsable.

« Il convient d'identifier de nouveaux points de rendez-vous potentiels et de préparer les CTPT à l'évolution des missions. Pour finir sur une note agréable, pensez à vos vacances. Faites passer vos souhaits à Data et je me débrouillerai pour tous vous arranger. Demain, journée off pour le 4 juillet, profitez-en. » Voodoo conclut et prend le temps de discuter avec les uns et les autres. Après quelques minutes, il vient tamponner Fox et lui demande de le suivre discrètement jusqu'au 103 voisin.

Data, Ghost, Gambit, Wild Bill, Rider et Viper patientent dans l'autre local de 6N. La porte est verrouillée derrière eux. Pendant quelques instants, Fox s'inquiète d'avoir été démasqué. Il est armé mais il n'est pas le seul et il se voit mal se lancer dans un duel à un contre six anciens opérateurs. Par réflexe, il cherche une issue ou une vulnérabilité dans leur dispositif. En vain. Ses *collègues* l'encerclent. Ghost a pris place derrière lui en refermant et il l'entend renifler bruyamment dans son dos. Chargé, encore. Une chose le rassure, ils n'ont sans doute pas plus envie que lui de se lancer dans un règlement de comptes dans l'enceinte de la base. Voodoo n'est pas assez con pour faire un truc pareil. Il va se faire virer manu militari, c'est l'hypothèse la plus probable. En parcourant la pièce du regard, Fox remarque une nouvelle paire de malles métalliques cadenassées posées devant le bureau du boss. Il s'arrête dessus sans faire gaffe.

« T'aimerais bien savoir ce qu'il y a dedans, hein ? »

Fox acquiesce. « C'est pas la première fois que j'en vois des comme ça. » Les autres l'observent, ne manifestent rien de particulier, impossible de deviner leurs pensées. « Tu me le diras quand t'en auras envie, j'imagine. » Il garde les yeux sur les cantines, les cadenas des cantines, des Sargent & Greenleaf 833 aux normes militaires. Plus de deux kilos chacun, difficiles à attaquer en force et longs à ouvrir sans sésame. Il le sait, il vient de passer la semaine à s'exercer sur un modèle équivalent. Avec des outils de merde.

« Combien vous avez touché, Tiny et toi, en primes exceptionnelles ?

— Moi pas loin de cinquante mille et lui vingt, je dirais.

— Bien, pour une dizaine de courses, non ? »

Pas de réaction de Fox, il attend la suite.

« Tu te rappelles quand tu m'as dit que t'étais inquiet pour l'avenir ?

— Ouais.

— Tu penses jouer aux intérimaires pour l'Agence encore combien de temps ?

— Tant que je cours assez vite. » Fox ne va peut-être pas être lourdé.

Voodoo sourit. Il s'apprête à reprendre la parole mais un long reniflement de Ghost coupe son élan. Ce con vient de taper une ligne sur le dos de sa main. Le visage de Voodoo se ferme dans l'instant. Le reste de sa garde rapprochée cache mal sa gêne. La provocation surprend Fox. Les mauvaises habitudes de Ghost constituent depuis quelques mois une source de tension avec Voodoo mais l'autre ne s'était pas encore permis de se lâcher ainsi en public.

« Je suis pas d'accord, mec.

— On en parlera tranquille, tous les deux, dans l'avion.

— J'ai pas confiance. Je vous l'ai dit. »

Voodoo se tourne vers Fox. « Je vais me casser trois jours. Tu prends la relève pendant mon absence.

— J'ai pas confiance, putain !

— Tais-toi. »

Ghost s'avance au milieu du B-Hut. « Quoi, on peut plus discuter ? On est tous là, c'est pas le moment d'en profiter ? Lui, je le sens pas. » Il montre Fox. « Et je me suis pas fait chier pour prendre un risque pareil. » Il s'adresse aux autres. « Pas vous ?

— Hé Ghost, arrête quoi. » Data essaie de le calmer.

« La ferme, toi ! Pour qui tu te prends ?

— Sors. » Voodoo s'est mis debout.

« Je veux pas me planter maintenant, mec. » Un sanglot parasite la voix de Ghost. « Je peux plus, tu comprends ? » Personne ne vient à sa rescousse. Ses mains tremblent et ses yeux se remplissent de larmes. Les regards sont neutres, ou durs, sauf celui de Viper, l'éternel pote. Mais il ne bouge pas non plus. Sur un dernier *je peux pas* marmonné, Ghost ouvre la porte et disparaît dehors.

L'entrevue s'est achevée là-dessus. Quoi que Voodoo ait voulu dire ou proposer à Fox, et celui-ci a sa petite idée sur la question, il a préféré s'abstenir après l'incident. Si c'est lié au pognon qui circule et aux malles, il est temps de vérifier le contenu de celles-ci et de confirmer ou infirmer les soupçons de Pierce. L'arrêt des opérations d'infiltration au Pakistan est bien tombé, Fox a pu se préparer. Maintenant, il a juste besoin d'un moment seul dans les bureaux pour ouvrir les cantines en paix. Il doit agir vite et discrètement. Le principal problème, ce sont les cadenas. Les péter ou les crocheter est hors de question, pas discret et il n'aura pas le temps. Il y a toujours du passage devant leur B-Hut et la

Police militaire est juste à côté. Il lui faut les clés et il n'en a repéré que trois jeux. Voodoo en a un, Ghost le second – pour l'instant – et Data le troisième. Voodoo et Ghost, faut oublier, ils lâchent jamais leurs trousseaux. Data est le maillon faible. Fox a observé qu'il laissait toujours le sien dans sa piaule au moment d'aller prendre sa douche. Sans doute a-t-il peur de le paumer. Il prend soin de le dissimuler, mais le nombre de cachettes est limité dans leurs cagibis. Et de toute façon, Fox a réussi à voir l'endroit avant-hier, en risquant un œil discret par la fenêtre au moment où il le planquait. Data est un homme de routines, il va se laver en quittant le bureau de 6N – sa toilette dure dix minutes, pas plus, pas moins – après il bouffe et il va lire au pieu. Il aime pas être dehors, sauf accompagné par les mecs de la boîte. Il a peur des attaques de talebs, deux intrusions dans le périmètre ces derniers mois, et plus encore des chutes intempestives de roquettes.

La nuit est déjà tombée lorsque Fox voit Data sortir de son baraquement. Il le laisse s'éloigner puis fonce à l'intérieur. Sa chambre est protégée par une serrure mili classique, facile à déjouer. Fox a la même. Il a bien fait mumuse avec avant de venir. Faiblement éclairé, le couloir central du préfabriqué mesure une dizaine de mètres de long pour un de large, et dessert toutes les turnes, quatre seulement dans ce bâtiment-ci. Ses occupants ont de la chance, souvent c'est plus. Fox prend le temps d'écouter. Un des voisins de Data est présent, il a mis de la musique, range des trucs et ne semble pas l'avoir entendu arriver. Il se met au travail, le plus silencieusement possible, avec le guide et le gratteur qu'il a fabriqués. Trente secondes plus tard, il est entré.

Il n'allume pas, se dirige au jugé vers la planque des clés, tâtonne et chope ce qu'il est venu récupérer.

Fox s'apprête à repartir quand on frappe à la porte. Il se fige, le cœur emballé, mais finit par piger que l'emmerdeur est là pour le type d'à côté. Les parois sont très fines, les sons se propagent facilement, trompeurs. Les deux mecs se mettent à parler de leurs petites vies de *Fobbits*. Le terme, péjoratif, est une contraction de FOB et hobbits. Il désigne les gens qui ne quittent jamais les bases. Ça dure et ça dure et ça dure encore, et c'est chiant. Et ça devient dangereux, Data ne va plus tarder. Fox illumine le cadran de sa Suunto, plus de six minutes se sont écoulées depuis son arrivée, et commence à envisager de se barrer par la fenêtre. Risqué si quelqu'un passe mais il n'a plus le choix. Il débloque les battants et les pousse légèrement. Des pas s'éloignent dans le couloir. Les pipelettes se barrent, ensemble. Fox referme tout, sort, verrouille à nouveau la chambre et quitte le B-Hut. Dehors, il tombe sur Data, de retour de son décrassage quotidien, surpris de voir Fox dans le coin. L'excuse est prête et plausible, il est venu le voir pour lui demander de quoi fumer. Data n'a plus rien, *désolé*, et ils se séparent.

Cinq à six minutes maxi, Fox ne s'accorde pas plus de temps pour son effraction suivante. Il lui en faut moins de deux pour parcourir au petit trot les allées familières de leur secteur, plongé dans les ténèbres, s'arrêter avant d'arriver au 103, observer. Personne à l'horizon. Hair Force One roupille. Entre le boucan de la base, ce soir ça décolle à tout-va, et l'habitude des allées et venues, il n'aboiera pas. Gentil toutou. Fox colle son oreille à la porte, pas de bruit à l'intérieur, et la déverrouille avec une première clé identifiée à l'avance sur le trousseau de Data. Il est dans la place. Les malles sont toujours là. Pas prudent mais la réalité est qu'ils n'ont pas grand-chose à craindre. Tous les volets sont fermés et il risque la frontale, filtrée de rouge. Il repère la seconde clé dont il a besoin, celle de l'un des cadenas. Pas compliqué, il y en a deux identiques gravées chacune du logo de la marque Sargent & Greenleaf. Il l'essaie sur la cantine du dessus, elle ne marche pas. Il essaie la seconde, c'est bon. Déblocage, retrait de la barre métallique, ouverture. Briques, enveloppées de gaffeur, Fox soupèse, un kilo par unité. À en juger par le volume du contenant, une centaine. Héroïne. Plus de doute. Sur le dessus du chargement, il y a un sachet translucide. Dans la lumière écarlate, difficile de se faire une idée de ce qu'il contient. Des trucs durs, en morceaux, cristaux plutôt, irréguliers, sombres, opaques mais qui brillent légèrement. Pierres précieuses. L'Afghanistan en produit beaucoup et en trafique presque autant. Surtout dans le coin. Il en évalue le poids à une livre environ. *Sacré Voodoo, tout est bon à prendre.*

Fox récupère un appareil numérique dans l'une de ses poches cargo, le passe en mode nuit, fait plusieurs photos, s'autorise un coup de flash. Il remballe tout. Il a encore une minute et s'attarde un peu pour fouiller les bureaux. Bordel sur les plateaux, tiroirs fermés, il n'ose pas forcer les serrures ou allumer les ordis. Le seul truc qui l'interpelle, comme ça, à l'instinct, c'est une série de notes de frais, maintenues ensemble par un élastique, posées sur le clavier du PC de Data. Toutes du même hôtel, à Dubaï, le Radisson Blu. Elles sont au nom du boss. Rien de surprenant, Data ne bouge jamais d'ici. Fobbit. Nouveaux clichés. *Grouille.* Il est en retard, accélère le mouvement pour tout remettre en ordre. Dernière vérification alentour, Fox ressort.

Il abandonne le trousseau sur le sol du bloc sanitaire où Data a ses habitudes. Nouveau coup d'œil à sa montre. L'autre a dû s'apercevoir de la disparition de ses clés. Et il va flipper, hésiter et enfin prévenir Voodoo. C'est peut-être même déjà fait. Ils vont foncer au bureau, ne verront rien d'anormal, ça les rassurera à moitié. Data l'a croisé, il va avoir des soupçons, la bande risque de venir le voir. Fox décide donc de se débarrasser de tout ce qui peut le compromettre. Les baraquements de la base sont construits sur de courts pilotis d'une trentaine de centimètres de haut. Au cul de l'un d'entre eux, proche des douches, il trouve un espace entre le sol et le plancher, et y glisse appareil photo et outils de crochetage. Et il retourne normalement à sa chambre.

Ghost et Wild Bill l'attendent devant son B-Hut. Ils demandent à Fox d'où il vient et il leur répond *qu'est-ce que ça peut vous foutre ?* Il n'essaie pas de se justifier, ce serait plus suspect qu'autre chose.

« T'es armé ? » Wild Bill.

« Pourquoi ? »

« Mauvaise réponse. » Ghost. Il enchaîne par un direct au foie.

Fox se plie en deux. Il est fauché, plaqué au sol sur le ventre, fouillé. Son Glock et son Spyderco lui sont retirés, ses clés perso sont prises par Ghost qui s'empresse de filer dans sa turne. Il veut se remettre debout et suivre, mais Bill lui dit de rester assis par terre. Il proteste pour la forme. Bordel à l'intérieur, Ghost met tout sens dessus dessous. Rapidement, la voix de Tiny se fait entendre, il interroge son camarade, veut savoir ce qui se passe, où est Fox, se fait jeter, n'aime pas ça et s'énerve. Le ton monte et quelques secondes plus tard Ghost vole dehors. Il chope son tomahawk. Wild Bill siffle la fin de la récré, ils ont attiré l'attention d'autres gens. La hachette disparaît.

« T'as trouvé quelque chose ?

— Non. T'es un porc, Fox, jamais tu ranges ?

— Ça va ? » Tiny s'est rapproché de son pote.

« J'ai pas pu ouvrir son armoire forte. Faut une combinaison.

— C'est quoi le problème, Wild Bill ?

— T'occupe Tiny, ça te regarde pas. Le code ?

— Va te faire enculer. Si tu veux que je l'ouvre, tu me dis d'abord ce qu'il y a. »

Évidemment, c'est à cause de Data.

« Il t'a dit pourquoi j'étais allé le voir ? »

Pas de réponse.

Fox perçoit les doutes de Wild Bill. « Venez. » Il se lève, les emmène dans sa piaule, déverrouille le coffre où il garde ses flingues. Pas de clés. « Contents ? »

Ghost s'approche, menaçant. « Toi, je vais te déboîter un jour.

— T'attends quoi ? »

Bill embarque Ghost et jette le pistolet et le couteau avant de se barrer. L'incident est clos. Non Tiny, pas question d'aller voir la Police militaire. Voodoo ? Peut-être, demain. Là, Fox en a plein le cul, est crevé, veut être tranquille. Il ne le dit pas mais il se sent merdeux, il n'aime pas ce qu'il a fait ce soir. Après avoir remercié Tiny, il s'enferme, constate l'étendue des dégâts. Un champ de bataille. Comme d'habitude. Le poster du Joker est toujours là, à l'arrière de la porte. Dix mois qu'il le nargue. *Why so serious ?* Fox le déchire et commence à mettre de l'ordre.

Il y a un peu plus d'un an, l'aérodrome militaire de Jalalabad était rebaptisé base opérationnelle avancée Fenty, en mémoire du lieutenant-colonel Jo Fenty, commandant du troisième escadron du soixante et onzième régiment de cavalerie de la dixième division de montagne de l'armée des États-Unis, décédé en 2006, avec neuf autres militaires, dans le crash du Chinook qui les transportait tous. Je n'ai pas connu le lieutenant-colonel Fenty mais j'ai pu rencontrer quelques personnes l'ayant côtoyé et toutes m'ont dit qu'à son contact, on ne pouvait que chercher à se dépasser. Cet officier respecté, toujours préoccupé par le bien-être de ses hommes et aimé de ces mêmes hommes, a laissé derrière lui une femme et une fille, née peu avant sa mort tragique. En ce jour de fête de l'Indépendance, mes premières pensées sont pour elles…

Le grand chef de la FOB est debout derrière un pupitre installé au nord de la piste d'envol, près d'un hangar, sur une aire de stationnement d'avions dégagée pour l'occasion. Autour de lui, une bonne partie des personnels de la base, regroupés par unités, écoute son discours dans un silence recueilli. Tous les mecs de 6N y assistent également, parmi les civils, en retrait.

Le traité fondateur de notre grande nation a été signé il y a deux cent trente-deux ans par cinquante-six braves. Un engagement courageux à défendre des idées révolutionnaires, chargées d'espoir, à l'origine d'un élan de liberté qui a inspiré par la suite des millions de personnes, dans notre pays et dans le reste du monde. Pourtant, sans la force d'âme des combattants de notre Armée continentale, dont le lieutenant-

colonel Fenty est le digne héritier, le texte de notre Déclaration d'Indépendance aurait été balayé par l'histoire. Et aujourd'hui, alors que le peuple américain s'apprête à célébrer cette liberté, il ne doit pas oublier ceux, hommes et femmes, qui encore et toujours la protègent : vous…

La troupe rassemblée est bigarrée, très jeune. Une nécessité au moment où l'essentiel des ressources militaires conventionnelles se trouve toujours en Irak. L'expérience du combat manque, au moins autant que les moyens, et ce n'est pas nécessairement un ardent patriotisme ou une volonté de se venger de la *lâche agression terroriste du 11 septembre 2001* qui a amené la plupart de ces recrues ici. Pour beaucoup, c'est un premier déploiement. Endosser l'uniforme a été une façon d'obtenir la nationalité américaine, ou de payer ses études, ou de nourrir sa famille. Ou simplement de se sortir d'une situation difficile. Néanmoins, Fox en est sûr, il le voit aux visages, aux regards, pour la quasi-totalité d'entre eux, le drapeau flottant au-dessus du tarmac a fini par devenir un symbole assez fort pour penser au-delà de soi, se battre pour autre chose que soi et peut-être en crever. Ne serait-ce que parce que le copain à droite et celui à gauche portent aussi une putain de bannière étoilée agrafée à leur manche de treillis. Quand ils montent au feu, cette différence entre eux et les cons d'en face, et la camaraderie née d'avoir pataugé ensemble dans la même merde, rendent plus facile de savoir qui défendre et qui descendre. Une conception peut-être naïve des choses, aveugle, limitée, mais éminemment respectable dans sa générosité tordue, mal rétribuée et létale, minoritaire au sein d'une génération avant tout préoccupée par ce qu'a chié Lady Gaga la veille.

Passer ce 4 juillet en votre compagnie est un privilège. Je suis flatté de servir à vos côtés, vous qui, pour la défense de l'Amérique, affrontez avec dignité ce conflit difficile. Nous ne pouvions refuser de faire la guerre au terrorisme, chez nous ou ici, en Afghanistan. Et il me semble préférable de la faire ici. Parce que nous avons su agir, ce territoire n'est plus un refuge pour Al-Qaïda et ses alliés dans l'horreur, leurs camps d'entraînement ont été détruits, trente millions de personnes libérées et le peuple afghan a élu démocratiquement un gouvernement qui ne prône plus la terreur mais la combat.

Ce que Fox perçoit chez tous les mecs autour de lui, il ne l'a pas en lui. Ou plus depuis longtemps. Il doute comme jamais, n'a pas dormi de la nuit. Insomnie de l'épuisement après six années d'amertume, de colère, de fuite et de bagarre. Le vide n'aide pas. À nouveau, il pense beaucoup à sa famille. Elle lui manque, son père surtout. Si l'éloignement et les épreuves traversées lui ont permis de pouvoir enfin saisir tout le drame de ce dernier, ils sont chaque jour plus difficiles à supporter. Il éprouve lui aussi la douleur de cet abandon contraint d'un pays d'origine qui ne le comprenait plus et qu'il ne comprenait plus, et l'arrivée sur une terre n'ayant jamais souhaité l'accueillir vraiment, dont il est en quelque sorte le prisonnier. Fox n'a pu être là dans les derniers instants de son vieux et il ne se le pardonne pas. Il aurait aimé pouvoir lui dire son amour et demander pardon, de n'avoir pas été à l'écoute, indulgent, compréhensif. Robert Ramdane, né dans un camp de transit, n'a jamais douté d'avoir sa place au sein la République française, il la vénérait cette pute, s'était engagé dans l'armée chargée de la défendre pour devenir officier, malgré les difficultés liées à ses origines. Le trouble paternel l'énervait, il le prenait pour un manque de bonne volonté mâtiné d'ingratitude. Ignorante stupidité payée au prix fort, l'exil sans retour possible, l'annihilation totale de son identité et de son histoire. Robert est devenu Fennec et ensuite Fox, des pseudonymes de pseudonymes, des identités faussées, des non-personnes. Hors sol. Jusqu'au bout, son père a dû avoir peur et mal pour lui, il en est certain, non pas à cause des mensonges, et il a dû en entendre de beaux, sur sa soi-disant crise de folie, sa participation à l'élaboration d'un attentat, mais de voir ainsi *son grand* frappé du sceau infâme des traîtres à son tour, telle une malédiction à laquelle ne pourraient échapper les enfants de harkis, et de le savoir condamné à mourir ou courir. Sans fin.

Nous devons être patients, courageux, prêts à tous les sacrifices si nous voulons la victoire. Déjà, nous avons perdu beaucoup d'hommes et de femmes de valeur, et ce 4 juillet est l'occasion rêvée de leur rendre hommage, à eux et à leurs familles endeuillées. Ils sont dans notre cœur, ils sont dans nos prières et nous devons nous engager à les honorer en parachevant la mission pour laquelle ils ont payé le plus lourd des tributs. Je veux les remercier et vous remercier pour ce que vous avez fait et ferez encore pour votre patrie. Que Dieu vous bénisse et ne cesse jamais de veiller sur les États-Unis d'Amérique.

Oh say, can you see, by the dawn's early light…

Fox observe les soldats et les civils réunis ce matin, fiers, émus, lorsque retentissent les premières notes de leur hymne national. Par réflexe, il se redresse à son tour mais son cœur et son âme refusent de communier avec les leurs. Il ne se bat pas pour la même chose que ses nouveaux *compatriotes*. Ils ont un pays, lui un passeport. On le lui a donné en douce et on pourrait le lui retirer sans faire beaucoup plus de bruit. Et pour survivre, il doit à tout prix le conserver.

Oh, say does that star-spangled banner yet wave…

À la différence des autres Américains, Voodoo ne chante pas, il ne regarde pas le drapeau, il dévisage Fox.

O'er the land of the free and the home of the brave ?

La musique s'arrête et le contact visuel entre les deux hommes est rompu. Un officier disperse le rassemblement. Voodoo a un bref échange avec Ghost et rattrape Fox et Tiny sur le chemin de l'ancien centre de loisirs soviétique de la base, la prison talibane reconvertie en cantonnement de l'ANA, avec sa carcasse de Mig. Pas mal de gens avancent dans la même direction. Des tournois sportifs vont avoir lieu là-bas. Tiny pige vite qu'il est de trop et prend du champ.

« Le trousseau de clés, il a été retrouvé. » Voodoo attend. Rien. « Dans les douches. Un Afghan l'a rapporté à la Police militaire. »

Fox devrait être content, son stratagème a fonctionné, mais le ton de Voodoo le gêne. Et il n'est toujours pas réconcilié avec ce qu'il a fait.

« Je te présente mes excuses pour Ghost et Wild Bill.

— Tu n'as pas à t'excuser.

— Je sais. »

Oui, il sait, Fox en est convaincu. « Je les ai volées. »

Voodoo se tait.

« Je voulais savoir. » Fox n'a pas avoué par peur, il n'a pas peur. Il rationalise en se racontant qu'il a bien senti le truc, nier était inutile, il doit gagner du temps, il a des preuves à transmettre. Ne pas se couper tout à fait de Voodoo, pas tout de suite. *Arrête, c'est des conneries.* En réalité, il n'a aucune idée de ce qui l'a poussé à se confesser.

« Tu en as parlé à quelqu'un ?

— Non. » Fox manque d'ajouter *pas encore*, se reprend de justesse. Il n'a pas appelé Pierce cette nuit. Ou envoyé de mail. Ni ce matin. N'a pas prévu de le faire. Autre mystère. Ses photos constitueraient pourtant un bon moyen de négocier un second passeport pour Storay, au moins une carte verte. Sans s'en rendre compte, il sourit en pensant à elle.

Voodoo interprète mal cette émotion. « Combien, pour ne pas en parler ?

— Pourquoi tu m'as convoqué hier ?

— Tu esquives.

— Toi aussi. » Silence. « Pas prudent de garder tout ça dans le bureau. »

La remarque est accueillie par Voodoo avec un rire triste. « On s'habitue à n'être comptable de rien dans notre boulot. » Nouveau silence. « Je pars demain matin.

— Je prends toujours le relais ?

— Dois-je m'attendre à être emmerdé ?

— Si je te dis aie confiance, tu vas trouver ça suspect. Et si je ne te dis rien, tu ne seras pas rassuré non plus.

— Alors ?

— Alors j'en ai plein le cul ! Et si tu veux me suicider, démerde-toi pour faire ça bien. »

Voodoo encaisse la brusque colère de Fox et sa réaction est inattendue. « Longhouse a décidé de diluer le capital de 6N. Ils ont nommé un nouveau vice-président, un colonel des Forces spéciales passé au privé. Ils vont l'installer au conseil d'administration, pour conquérir d'autres marchés et qu'on gagne tous plus de fric. Officiellement. Et il ne sera pas au-dessus de moi. » Il y a une grande lassitude dans sa voix. « Mais je ne serai pas au-dessus de lui non plus. » Voodoo sait ce qu'il est, où il en est, et il sait que Fox le sait aussi. Peut-être gardait-il au fond de lui l'espoir d'avoir eu tort de choisir cette voie. Dans ses mots, il y a des remords et des regrets, pas des lamentations. « Je t'avais dit qu'ils finiraient par me baiser. »

Une odeur de barbecue sature maintenant l'air chaud et poussiéreux. Ils approchent, aperçoivent les premiers Américains en short, et avec eux les premières Américaines. Moins nombreuses mais dans les mêmes tenues. Et les soldats afghans, pour l'essentiel cantonnés en périphérie des réjouissances, sauf s'ils sont chargés de cuire les steaks. Certains rient du spectacle offert par les Occidentaux, ils l'apprécient ou se moquent. La majorité affiche un air sévère. Ils adressent des regards noirs à toute cette chair femelle surexposée, à la fois voyeurs et choqués, excités et méprisants. Les talibans marquent des points, sans rien faire.

Fox et Voodoo contournent une partie de baseball. Plus loin se trouve le terrain de basket-ball improvisé dans la piscine à l'abandon qui, en d'autres temps, a fait la joie des soldats russes et, six ou sept ans après le départ de ceux-ci, le bonheur des bourreaux du Mollah Omar. C'était pratique ce grand trou pour exécuter les ennemis. Sur les parois craquelées, quelques taches suspectes, des impacts demeurent. Ils ne semblent pas déranger les Kobe Bryant amateurs.

Voodoo s'éclipse discrètement. Fox reste seul dans la foule, au bord du grand bassin. Tiny, joyeux, finit par l'y retrouver. Il le convainc de se joindre à une tablée de mecs de 6N. Les têtes habituelles ne sont pas là. Pendant qu'on s'amuse, les accrochages continuent. Fox voit des Apache s'élever dans les airs et filer à l'est, suivis par un Blackhawk d'évacuation sanitaire avec sa croix rouge sur fond blanc sur le nez. À la frontière, ça chie. Des gosses, moudjahidines et GIs, se tirent dessus et crèvent. La guerre est mère de toutes les commémorations mais c'est une mauvaise mère, elle ne respecte rien, ni les grandes idées, ni les hommes, elle les dévore et leur survit. Toujours.

À l'heure où un feu d'artifice est tiré au-dessus de la FOB Fenty pour clore les festivités, Voodoo et Ghost sont à bord du C130 de Mohawk. Ils ont déjà plusieurs fuseaux horaires de décalage avec l'Afghanistan, viennent de redécoller de Sharjah et volent vers Pristina.

L'atmosphère est pesante. Aux démons qui tourmentent Ghost s'ajoute l'humeur de Voodoo. Il paraît inquiet. Malgré les précautions déjà prises par ailleurs, plus aucun stockage dans les locaux de leur filiale à Bagram, transfert systématique des caisses hors du pays par une autre compagnie aérienne, étrangère, sans lien avec Longhouse, beaucoup moins pratique en termes de logistique et payée à prix d'or pour ne pas poser de questions, il a précipité leur départ de vingt-quatre heures. Une décision pour laquelle il n'a fourni aucune explication. Ce n'est pas nécessaire. *Putain de Fox.* Ghost se tord dans son siège en toile et se penche vers Voodoo pour se faire entendre par-dessus le vacarme de la carlingue. « Laisse-moi m'occuper de Fox, au retour. » Sa demande ne provoque pas la moindre réaction de son voisin. « Mais qu'est-ce que t'as avec lui ? »

La question interpelle Voodoo, elle n'est pas dénuée de sens, mais il est incapable d'y répondre précisément. Il pense *je l'aime bien* mais c'est un peu court alors il temporise. « On a déjà assez d'emmerdes comme ça.

— Quelles emmerdes ?

— On est toujours dans le collimateur de quelqu'un.

— Le journaliste qui s'est barré ? »

Voodoo secoue la tête.

« Qui ? »

L'interrogation se perd dans le vide.

« Je suis sûr que c'est l'ancien boss de Fox, celui de Langley. Comment il s'appelle ? Hein, comment il s'appelle ?

— Fous-moi la paix. »

Blessé par l'attitude de Voodoo, Ghost s'énerve, réplique qu'il n'y est pour rien.

« Peut-être mais tes conneries aident pas vraiment non plus.

— Je t'ai dit que j'allais arrêter, putain !

— Quand ?

— Là, tout de suite, mec. C'est en cours, je te jure.

— Tu t'écoutes me prendre pour un con ? T'as tapé combien de fois depuis Bagram ? »

Les yeux de Ghost fuient. Il reste silencieux pendant une dizaine de minutes avant de reprendre la parole. Voodoo ne s'en rend pas compte tout de suite à cause du boucan et parce que Ghost ne s'est pas tourné, il monologue droit devant lui. Il faut se rapprocher pour entendre.

« Toutes les nuits, il me fout plus la paix, aucune

nuit, jamais, il revient dès que je m'endors, je sais plus comment faire, non je sais plus comment faire, je suis fatigué mais je veux plus dormir, il est là tout le temps, tout le temps, tout le temps, avec ses grands yeux qui me matent droit comme ça ! » Ghost pointe son index et son majeur vers ses propres yeux.

Le geste est enragé et Voodoo craint un instant qu'il ne s'automutile.

« Des fois on devient potes mais je le tue quand même. Ou c'est vous qui le tuez et je pige pas, on s'engueule. Les autres fois, c'est un ennemi et je le tue. Il veut te buter et je le tue. Il veut se faire mes parents et je le tue. Il me suit partout, je le tue. Je le découpe et je le massacre, encore et encore et encore, ça gicle partout et je vois ses yeux, là, je le tue et ils sont sur moi quand même et il se marre. Dans tous mes rêves, toutes les nuits, tu m'entends », Ghost s'accroche à Voodoo, « toutes les nuits, je tue ce gosse avec mon tomahawk. Dix fois j'ai jeté cette merde, tu y crois à ça ? Dix fois ! Et dix fois je suis allé la récupérer dans les poubelles. Je suis même allé à l'incinérateur de la base un jour. J'en peux plus, j'arrive pas à m'en débarrasser ! ». Ghost examine ses mains. Elles tremblent. Il finit par se les passer dans les cheveux plusieurs fois, à se les arracher, par saisir sa tête avec, par se cacher derrière. Par pleurer, recroquevillé vers l'avant.

Voodoo entoure d'un bras ses épaules, l'attire à lui, le laisse sangloter et retient ses propres larmes. Il n'a pas le droit. La crise est longue, près d'une heure. Sans échange. Il s'en veut d'avoir réagi si tard. La machine donnait, il a pris, en évitant de se poser des questions. Englué dans leurs manigances, Voodoo a perdu l'essentiel de vue, ses mecs. Ils se sont tous perdus de vue, oubliés. Lorsque Ghost paraît calmé, il lui parle doucement à l'oreille. « Les saloperies que tu prends, elles te bouffent la cervelle mais on va te remettre d'aplomb. Un avion t'attend à Pristina, il va t'emmener dans un endroit où tu pourras te reposer.

— Où ?

— En Suisse. Dans une clinique.

— Pourquoi ?

— Tu t'en sors pas tout seul, mon frère. »

Et j'ai plus le choix. Sans appel, Ghost le sent. « Combien de temps ? » Il se redresse dans son siège, s'essuie les yeux, le nez, renifle.

« Un mois, tes vacances.

— Je tiendrai pas.

— Si tu te barres, les médecins me préviendront. »

Voodoo n'a pas besoin d'ajouter *ce ne sera pas la peine de revenir*, Ghost l'a bien pigé. « Les autres, ils…

— Ils ont tous payé.

— Même Viper ? »

Voodoo acquiesce.

Trahi par ses potes. Ghost se remet à chialer.

À l'arrivée à Pristina, Ghost change d'avion, repart en jet privé et Voodoo, escorté par Isak Bala, le copain des services secrets, est conduit dans une maison de la banlieue *chic* de la capitale kosovare. Les cinq malles ont été réceptionnées, tout le monde est content. Montana le rejoint plus tard dans cette même villa, un bunker entouré d'une statuaire blanc plâtre, ostentatoire et dépourvu de grâce, à l'intérieur pensé pour des nababs sans goût pressés de claquer leur fric dans un délire marbré, planté de colonnades en stuc et garni de meubles où le chrome le dispute au doré, au verre et au cuir ivoire. Un décor de film de boules. Voodoo est penché sur un PC portable *Toughbook* à la coque renforcée et consulte des photos lorsque Alain paraît dans le living-room. Il vient s'asseoir à côté de lui.

« Ta connexion est locale ?

— Non. » Voodoo montre un terminal satellite posé à côté de son ordinateur.

« Était-il avisé de venir avec tous ces trucs ?

— Tu n'as plus confiance en nos amis ?

— Et toi ? » Un temps. « Après les craintes que tu as exprimées sur les systèmes de surveillance de ta CIA, j'aurais préféré que tu ne laisses pas de trace ici, en ma compagnie.

— Tout est chiffré, la ligne est sécurisée, passe par des proxys sans lien avec l'Agence. Personne ne sait rien de ce téléphone. La bécane s'éteint si je rabats l'écran et il faut un code et mes empreintes pour la redémarrer. »

Montana sourit. « J'ai toujours admiré votre confiance aveugle en la technologie.

— Et moi votre capacité à vous débrouiller sans. Presque. »

Les remarques ont agacé Voodoo, il a répondu sèchement, sans chercher à le masquer, ça interpelle Montana. Coup d'œil sur le moniteur. Il affiche un cliché de l'Américain avec des mecs en armes. Ses chiens de guerre. « Où est le bar ?

— La mappemonde à côté de l'écran plat. » Voodoo tend un verre vide.

Montana l'emporte sans rien dire. Il y a un single malt parmi la sélection d'alcools, un Oban très quelconque. Il leur en sert deux généreuses doses et revient prendre place dans le canapé. « Tu as l'air fatigué. »

Soupir, silence puis : « Je m'inquiète pour un de mes gars.

— Qui ?

— Lui. » Voodoo montre l'écran de son PC, Ghost.

Montana se penche en avant, examine le visage mangé de barbe aux yeux cachés par une paire de lunettes de soleil. Une caricature de combattant des forces spéciales US. « Quel est le problème ? » Pendant que Voodoo expose la situation, le regard de Montana passe sur les voisins de premier rang de Ghost. Grand black, petit trapu, viking à tonsure et moustaches tombantes, autre surfeur barbu, plus sec, immense Paki, barbu. Et un Arabe. Barbu aussi. Au second plan, il y a d'autres types aux looks similaires, une grosse vingtaine. La photo est datée du 3 juillet. Avant-hier. « Les drogués, c'est pas fiable. Et dangereux.

— Je l'ai envoyé en désintox. »

Montana acquiesce, sans enthousiasme.

« Tu n'y crois pas.

— Tout le mal de ce monde vient de ce qu'on n'est pas assez bon ou pas assez pervers. Ce n'est pas de moi, c'est de Machiavel. À son époque, l'Italie vénérait autre chose que des footballeurs, des pédés créateurs de mode et des starlettes à gros seins. » Montana marque une pause, son attention à nouveau sur l'Arabe. « Nous ne sommes pas des hommes bons, Gareth.

— Il me suit depuis Bragg.

— Je comprends. Nos amis d'ici s'en chargeront si c'est trop dur. Ce pourrait être mal perçu néanmoins, et la guerre reste une scène de crime idéale. »

Fraternité, fidélité, être là pour la famille qu'il s'est choisie. Elle ne l'a jamais déçu, elle. Jusqu'à Ghost et sa came. Il les a bien plantés. Tous. Voodoo s'en veut et il lui en veut aussi. Beaucoup. Assez ?

« Ils sortent tous de la Delta ? » Montana revient au cliché. Quelque chose de familier le dérange chez le bougnoule mais il ne veut pas éveiller les soupçons de son ami, il semble déjà suffisamment perturbé. Alors, il biaise et écoute les courts pedigrees des hommes de Voodoo, tout particulièrement celui de l'*ex-NOC* qui l'intrigue. Ex-agent sous couverture non officielle de la CIA, ex-clandestin, ainsi lui est-il présenté.

« Avant de débarquer en Irak, aux Activités spéciales, il y a cinq ans. Enfin je crois, j'ai pas réussi à avoir de détails sur son job avant qu'il rejoigne les rangs des paramilitaires. NOC, ça colle.

— Il est bon ?

— Protégé pendant longtemps par un grand ancien de Langley dans ton genre, mais oui, il est bon.

— *Muslim* ?

— Nos Pachtounes l'aiment bien, il les comprend. Je l'ai jamais vu prier quand il est pas avec eux, par contre. Il t'intéresse ?

— Il devrait ? »

Dois-je lui dire mes doutes ? Voodoo décide de se taire. Un mec à problèmes, c'est un aléa ennuyeux mais admissible. Deux, cela frise une incompétence peu pardonnable. Et il n'est toujours pas sûr que Fox soit un mec à problèmes. Leur trajet jusqu'ici s'est déroulé sans encombre et il a été très attentif à Bagram, Sharjah et Pristina. A priori, ils n'ont pas été suivis ou surveillés. Personne ne semble être au courant de leur commerce parallèle. Fox a fermé sa gueule. Pour le moment.

« Tu me connais, je suis curieux », poursuit Montana, « et je me méfie des Arabes.

— Il est américain.

— Ça change tout. »

L'ironie aux accents français de Montana amuse Voodoo.

Ils sont interrompus par l'apparition d'une fille en string et nuisette, montée sur des talons de compétition translucides, bien foutue mais trop maquillée. Elles sont plusieurs à poireauter dans une pièce voisine. Des gamines, la plus vieille n'a pas vingt ans, cadeaux de leurs hôtes. Elle se dirige vers la cuisine et son sourire las et vulgaire fait éclater de rire Montana. Un instant, l'image saugrenue de cette pétasse arpentant l'Élysée et ses salons à l'élégance surannée, où il travaillera bientôt, de son pas perché et mal assuré, lui a traversé l'esprit.

« Que se passe-t-il ?

— Rien, je pensais à ma femme. À propos de femme, où en es-tu avec la tienne ?

— Je devrais avoir les papiers à mon retour. Je lui laisse tout.

— C'est-à-dire rien. »

Voodoo se marre brièvement et son regard glisse vers deux cantines, assez semblables à celles dans lesquelles ils transportent leur héroïne. Elles contiennent cent quatre-vingt-deux kilos ou litres – l'équivalent de l'eau, à quelques grammes près, un pour un – d'euros, sept millions, une partie du prix de la dernière livraison, en billets de dix, vingt et cinquante. Une petite part de cent et de deux cents aussi. Aucun de cinq cents. Ils seraient plus pratiques, moins volumineux, mais s'en procurer attire l'attention ou coûte cher. Entre cinq cent vingt et cinq cent trente euros le bifton, ça réduit les marges. Ces cent quatre-vingt-deux kilos vont bientôt s'envoler vers d'autres cieux.

À l'instar de nombreux commerces, le trafic de stupéfiants est dépendant d'une chaîne logistique, transport et stockage, complexe. Les consommateurs achetant rarement leurs fixes en quantité industrielle, à l'aide de cartes de crédit ou de grosses coupures, les réseaux se retrouvent avec des tombereaux de dollars ou d'euros impossibles à déposer tels quels sur des comptes bancaires. Un inconvénient majeur quand on sait que têtes pensantes, organisateurs et bénéficiaires les plus importants ne se trouvent en général pas dans les pays où la vente finale s'effectue. Il faut donc centraliser, protéger et acheminer. Discrètement. Ce transport de cash souterrain est devenu un véritable bizness et les routes qu'il emprunte coïncident, pour partie, avec celles parcourues par la dope. Dans l'autre sens.

Les amis kosovars de Montana et Voodoo, à la fois semi-grossistes et détaillants dans différents pays d'Europe, tels la France, l'Italie et l'Allemagne, utilisent plusieurs stratagèmes pour éviter autant que faire se peut d'avoir à déplacer physiquement l'argent gagné. Ils essaient de dématérialiser leurs profits le plus tôt possible en les faisant entrer dans le circuit légal via des activités officielles grosses consommatrices de liquide. Ils ont racheté, à travers des entités juridiques diverses, afin de garder profil bas, des bars, des restaurants, des bureaux de change, des cercles de jeu et des casinos, pour en gonfler le chiffre d'affaires en y glissant les produits de leurs activités illicites. Ils font ainsi d'une pierre deux coups en limitant les mouvements de billets, d'un compte bancaire à l'autre volent seulement des zéros et des uns, et en lançant la première phase de n'importe quel cycle de blanchiment, qui consiste à replacer l'argent du deal dans le circuit légal sans se faire trop remarquer.

Voodoo et ses mecs et, dans une moindre mesure, Montana ne peuvent user des mêmes méthodes. Grossistes, ils touchent par à-coups des sommes importantes. La dernière livraison effectuée leur a ainsi rapporté sept millions et demi d'euros, la production enfle, les cours chutent, et représente plus que le volume total des deux malles de cent litres du salon. Un petit tiers, moyennant commission, passera par des dépôts en espèces dans des banques du cru et de l'Albanie voisine, contrôlées par leurs complices, peu regardantes sur l'origine des fonds, en contravention totale avec les normes et conventions internationales en matière de surveillance des flux financiers. Après, il filera à l'étranger, à différents endroits. Le reste rejoindra Sharjah, aux Émirats arabes unis, avec Voodoo. Ce reliquat de cinq millions et des poussières voyagera à bord du C130 N-8183G de Mohawk, invisible cargaison illégale dissimulée dans une autre, elle-même *sensible*, d'armes et de munitions. Il sera embarqué, après passage de détecteurs de micros et caméras espions, c'est systématique, par des amis du SHIK à la clairvoyance sélective – pas besoin d'enveloppe, de sac plastique ou de mallette ici, le cadeau est inclus dans les bulletins de paie et les primes annuelles – pour, à destination, être confié, avant que quiconque puisse soupçonner son existence, aux mains expertes d'un intermédiaire d'origine indienne connu de l'Américain sous le nom de Mr Rajiv.

Installé à Dubaï avec l'un de ses trois frères, Mr Rajiv exerce plusieurs métiers. Il fait du commerce et possède des sociétés à la fois dans les Émirats et à l'extérieur des Émirats. Mais pas trop loin, au cœur des très pratiques et permissives zones franches de Sharjah et Jebel Ali. Les premières produisent des choses, biens et services, les secondes exportent et importent. Ses différentes entreprises travaillent avec des banques dubaïotes et les succursales d'enseignes étrangères implantées localement, qui toutes ont des bureaux dans et hors des zones franches en question. C'est important, elles ne sont pas tenues d'obéir aux mêmes règles dedans et dehors, et cela simplifie la vie de Mr Rajiv. Accessoirement, Mr Rajiv est l'un des deux cents hawaladars licenciés de Dubaï et, en marge de cette charge, qui lui permet de faire circuler de l'argent à travers le monde en toute opacité, il est à la tête de plusieurs négoces d'or et de pierres précieuses.

Quand Alain l'a présenté à Voodoo, il lui a expliqué que Mr Rajiv nettoyait entre deux et trois cents millions de dollars par jour et pas seulement pour d'honnêtes trafiquants d'armes, de drogue ou, dans une moindre mesure, d'êtres humains. Parmi ses bons clients, il a aussi des terroristes, Al-Qaïda, le réseau Haqqani, d'autres. Montana a demandé si c'était un problème. Ce n'en était pas un, évidemment.

À nos paramilitaires, Mr Rajiv propose un service global, du placement à l'intégration, cher mais très efficace. Les zones franches ont besoin d'énormément de cash. Les boîtes qui y sont implantées, pour divers motifs pratiques et fiscaux, effectuent beaucoup de transactions en espèces. Mr Rajiv propose donc à ces structures de l'argent liquide sale contre des virements bancaires moins cracra sur des comptes légaux. Il utilise également le système de la hawala. Il transfère, compense, achète des choses ensuite valorisées et revendues de façon tout à fait casher, ou en l'occurrence halal, dont les bénéfices ont pour principales qualités d'être très officiels, répartis un peu partout dans le monde et susceptibles de virements. Il lui arrive aussi de ne pas s'emmerder et de déposer des grosses sommes directement aux guichets de banques *amies*. La période est propice. Avec la crise financière, elles sont en manque et tueraient père et mère pour un shoot de liquidités.

Si cette première opération du Saint-Esprit informatique rend plus présentables tous ces vilains billets en les métamorphosant en très chers bits, il convient néanmoins de faire oublier au plus vite leurs origines douteuses. Cette seconde phase a pour nom division ou empilement. Il s'agit de multiplier les transactions, les allers-retours, les tours de planète en réseau, bref de faire en sorte qu'une chatte n'y retrouve plus ses petits. Mr Rajiv travaille d'abord tout seul, dans son coin, par l'intermédiaire de ses sociétés d'import-export perso et de celles des copains du Golfe, d'Inde, du Pakistan. Il surfacture, sous-évalue, ou le contraire, ou vend du vide, des marchandises qui ne bougent pas ou n'existent pas – on contrôle rarement si, derrière le paiement d'un bordereau, il y a vraiment eu échange de quelque chose – il promeut de l'immobilier ici et ailleurs, contracte des prêts pour acheter des biens très onéreux, les solde vite avec du fric à peine savonné après avoir revendu lesdits biens moyennant profit, et l'argent rosit plus encore. Il réalise par ailleurs des bénéfices puis des pertes équivalentes grâce à son commerce de lingots et de diamants. Il récure à fond, il polit. Et à un moment donné, il fait appel à ses autres frères.

L'un d'entre eux est avocat. Installé aux Caraïbes,

dans ces îles Caïmans aux trois cents banques et aux centaines de millions de milliards de dollars d'avoirs, il est aussi l'un des associés d'un autre cabinet juridique établi au Vanuatu, paradis fiscal du Pacifique. Il crée des sociétés, holding ou non, à l'actionnariat non identifié, le plus souvent au porteur – il suffit de détenir physiquement les titres des boîtes en question, ne comportant aucun patronyme, pour en être propriétaire – travaille avec des spécialistes des trusts, ouvre des comptes, les fait suivre, les porte, les héberge, discute beaucoup avec Mr Rajiv et leur quatrième frère. Qui habite New York et bosse dans la finance. Nous tairons le nom de son employeur, il est américain et cette information n'a au fond pas grande importance. D'où qu'ils viennent, les établissements dont l'objet consiste à gérer de l'argent appliquent en grands schizos des règles déontologiques à géométrie et géographie variables. Cet ultime frangin, le petit dernier, un gamin, une tronche, fait dans le *swap* de taux, de devises et aussi dans l'achat à effet levier, pour s'amuser. On ne rentrera pas dans les détails, ça a déjà fait chier Voodoo pourtant concerné au premier chef, et on se contentera de dire qu'en une heure de temps et de clavier, ce genre d'opérations permet à tout ce pognon devenu à peu près bon de se perdre définitivement dans une forêt d'écritures. Avec, si l'on n'est pas mauvais, et le cadet de Mr Rajiv ne l'est pas, des profits au passage. Il faut bien commencer à réinvestir son fric bien propre, non ?

Ça, c'est l'intégration, la dernière étape. Quand enfin on capitalise, on spécule, en titres, en pierre, en œuvres, en trucs qui valent et rapportent légalement, nets d'impôt ou presque, éviter d'exagérer, ce serait suspect, pour commencer à se refaire la cerise après avoir dû accepter d'être ponctionné de vingt à trente pour cent sur sa sale fortune, tout dépend de la gourmandise mensuelle des blanchisseurs, afin de pouvoir en jouir peinard. Voodoo et ses mecs en sont à plusieurs dizaines de millions de dollars de patrimoine et ils se retireront du jeu avec un matelas plus confortable encore dans une grosse année. En théorie. Montana, c'est moins simple. Il touche du côté des Américains et il prend aussi aux Kosovars pour d'autres raisons, très officieusement. L'essentiel n'est pas pour lui, même s'il en profite bien. Il stocke l'huile des rouages secrets des affaires de l'État français, ou de grosses boîtes nationales. D'ailleurs, il n'escamote pas l'intégralité du cash reçu, il reste des circonstances politiques ou géopolitiques dans lesquelles les mallettes format XXL s'avèrent très utiles. Elles achètent des renseignements, des gens, des services, des contrats. Et lui valent d'être toujours fort apprécié dans quelques cercles. Jusqu'au jour où il ne le sera plus. Ou ne souhaitera plus l'être. Il le sent approcher mais il n'est pas inquiet, il a de quoi voir venir, en informations croustillantes et en espèces trébuchantes. Cette histoire de conseiller au conseiller national du renseignement est une vaste blague, on cherche à le dégager de PEMEO pour de bon, en douceur. Ils ne savent pas ce qu'ils font en le plaçant si près du sommet du pouvoir exécutif, ce sera son dernier tour de piste, un petit, du plaisir, juste du plaisir.

Après s'être resservi un whisky, Montana se lance dans un compte rendu de leur situation financière actuelle, livre quelques recommandations et transmet de nouveaux codes à fournir, pour le cas où Voodoo et ses mecs souhaiteraient accéder à leur fortune. En milieu d'après-midi, ils ont terminé, se séparent pour aller profiter d'un massage avec *happy ending* inclus, se reposer et prendre une douche. Vers vingt heures, une fanfare de klaxons annonce l'arrivée de l'escorte de la soirée et trois Mercedes se garent sur le parking de la villa. Dritan Pupovçi descend de la première et vient les chercher à l'intérieur. La petite cinquantaine, d'une taille proche de celle de Voodoo et très sec, il a des yeux noirs attentifs capables de devenir en l'espace d'une seconde de terrifiants abîmes de cruauté. Il trottine jusque dans le hall, pressé de saluer ses amis. L'Américain surtout. Il le voit rarement, à la différence de Montana, qu'il croise fréquemment à Paris. Dritan, fidèle du Premier ministre, y est l'un des représentants occultes du tout jeune Kosovo indépendant. Les trois hommes se tombent dans les bras, échangent des vannes de vieux camarades et quittent la maison. La nuit va être longue et tumultueuse.

18

L'avenue est cabossée, étouffée par la poussière, bordée d'arbres aux troncs gris de crasse. Il y a du monde, beaucoup, des camions, des voitures, des motos, des piétons, ça trompette, ça crie, ça rit, ça parle, ça vit, il est tôt, les gens vont au boulot. Des marchands ambulants ont déjà déployé leurs étals dans l'espoir d'attraper le premier client du matin. *Un fruit, des cigarettes, du chewing-gum, du thé, tout, on a tout, même le journal étranger.* Une file de visiteurs s'est formée de l'autre côté de la rue, le long d'un mur bétonné. Ils patientent, pleins d'espoir, avec des papiers, des enveloppes, des cartables ou des sacs de toile, hommes et femmes, couvertes, et enfants.

Lui aussi attend, à l'intérieur du Toyota. Il s'est garé près du trottoir. Coup d'œil nerveux à l'horloge de bord, vite, vite, il fait un tour d'horizon pour voir si on le mate. Vite, au nom d'Allah. Il a peur, il n'est pas loin du ministère de l'Intérieur, il voit des gardes et des policiers partout, et il ne veut pas se faire prendre. Mais personne ne lui accorde la moindre attention. Hamza accroche le regard d'un gamin qui passe, affecté d'une légère claudication, ils se sourient, le petit boiteux poursuit son chemin, lui aperçoit furtivement ses propres yeux dans le rétroviseur. Ils sont doux, ses yeux, quoi qu'il fasse, ceux d'une fille, on le lui a toujours dit, on l'a souvent moqué, il était à chaque fois très en colère. Il va leur montrer.

L'horloge, à nouveau. Une minute est passée. Il serre très fort le volant, ses paumes glissent, la sueur. Il examine l'avenue, rien, meuble le temps qui s'étire douloureusement en se concentrant sur l'habitacle. La bagnole n'est pas neuve mais c'est la plus belle qu'il ait jamais conduite. Il trouve cela presque dommage, regrette de n'avoir pas pu mieux apprécier le trajet jusqu'ici. De la ville, il n'aura finalement rien vu. Il fallait faire attention, ne pas se perdre, ne pas être en retard, ne pas avoir d'accident. Ne pas être en avance, pas trop.

L'avenue, l'horloge de bord, les piétons, les arbres à l'écorce sale, motos, horloge, klaxons, marchands, horloge, la folle circulation. Horloge. Les deux voitures de l'ambassade. Hamza met le contact. Elles approchent. La main d'Hamza glisse vers la console centrale. Il débraie, première, et entame une prière. Les deux voitures ralentissent, dépassent la file de visiteurs qui patientent, avec leurs papiers, leurs enveloppes, leurs cartables, leurs sacs de toile, leur espoir. Les doigts d'Hamza se referment sur l'interrupteur posé devant le levier de vitesse, il le tire vers lui en douceur, pour ne pas rompre le câblage. Les gardes afghans devant le portail bloquent le trottoir. Ils surveillent la circulation. Les soldats indiens apparaissent derrière le portail. Hamza les distingue à travers la partie centrale, ajourée. Ils vont ouvrir. *Ouvrez.* Le pied d'Hamza met un coup de gaz dans le vide, il n'a pas fait gaffe. *Ouvrez.* Les deux voitures n'ont pas bougé. Les gardes afghans semblent impatients, surpris de ce contretemps. Un des chauffeurs baisse sa vitre, il n'a pas l'air content. *Ouvrez.* Un Indien, derrière le portail, regarde en direction d'Hamza. *Ouvrez !* Le chauffeur se retourne et le regarde. Les Afghans le regardent. Le portail ne va pas s'ouvrir. Ils sont méfiants, la sécurité a été renforcée. C'est pour cela qu'ils ont dû renoncer à l'attaque frontale avec d'autres *fedayin.* Tant pis. Hamza embraie. Il doit faire quelque chose, il s'est porté volontaire. Hamza accélère. Le Toyota bondit, fonce, traverse, percute.

Allahû Akbar !

7 JUILLET 2008 – UNE VOITURE EXPLOSE DEVANT L'AMBASSADE INDIENNE : 40 morts. Ce matin, à Kaboul, aux environs de huit heures et demie, un kamikaze a précipité son véhicule piégé contre le portail de l'ambassade de la République d'Inde tuant quarante personnes. On dénombre quatre ressortissants indiens parmi les victimes. L'explosion, qui s'est produite à une heure d'affluence au cœur même de la capitale a pulvérisé l'enceinte du bâtiment et dispersé des débris et des corps sur plusieurs centaines de mètres. Elle a été entendue dans toute la ville et a projeté vers le ciel une colonne de fumée visible à des kilomètres à la ronde. Toutes les vitres du quartier ont été brisées [...] Son excellence Jayan Prasad, ambassadeur d'Inde, est indemne mais il y a de nombreux morts parmi les personnels chargés de la sécurité du consulat, Afghans et Indiens, et un groupe de demandeurs de visas qui attendait à l'extérieur au moment du drame. Selon une première estimation établie par le ministère de la Santé, l'attentat aurait fait plus d'une centaine de blessés [...] Le porte-parole des talibans, Zabiboullah Moujahid, a démenti l'implication de son mouvement dans cet incident : « Nous n'avons pas fait cela. » Il est cependant courant de la part de l'organisation criminelle du Mollah Omar de refuser d'endosser la responsabilité des attaques sanglantes [...] **8 JUILLET 2008 – ATTENTAT CONTRE L'AMBASSADE INDIENNE : HAMID KARZAÏ condamne les adversaires du rapprochement entre l'Inde et l'Afghanistan.** Alors que ne cesse de s'alourdir le bilan des victimes de l'explosion d'hier devant la représentation diplomatique indienne à Kaboul, le président Karzaï a eu des mots très durs pour les « monstres » qui ont perpétré cet acte terroriste contre d'« innocentes victimes ». Il a également insisté sur la solide amitié liant les deux pays, une amitié que rien ne saurait entamer. Les bonnes relations de l'Afghanistan avec l'Inde, qui contribue à l'effort de reconstruction à hauteur d'un milliard de dollars par an et collabore directement au développement des infrastructures locales, sont très mal vues par les autorités du Pakistan. Malgré les dénégations d'Islamabad, beaucoup accusent déjà l'ISI, le renseignement militaire pakistanais, d'être le commanditaire de l'attentat [...] Zabiboullah Moujahid a continué à réfuter toute accusation à l'encontre des talibans mais a tenu à préciser que les Indiens « ont envoyé en secret des experts militaires... pour former l'armée afghane. Si nous avions mené cette attaque, nous l'aurions revendiquée avec fierté parce qu'elle est tout à fait justifiée ». **10 JUILLET 2008 – OMAR, FILS DE JALALOUDDINE HAQQANI, TUÉ lors d'un accrochage.** Les forces de la coalition ont effectué aujourd'hui une série d'opérations autour de Satto Kandao, à l'est de l'Afghanistan. Au cours de celles-ci, elles sont parvenues à neutraliser plusieurs cadres insurgés parmi lesquels se trouvaient Abou al-Hassan al-Sa'idi, un Yéménite, chef de la cellule locale d'Al-Qaïda en charge des camps d'entraînement de Loya Paktiya, et Mohammed Omar Haqqani, sixième et plus jeune fils de la grande figure du djihad contre les Russes, tout juste âgé de 18 ans. Omar, frère de Nasirouddine, était un enfant de l'épouse afghane de Jalalouddine, par ailleurs marié à une autre femme originaire des Émirats arabes unis [...] Cette offensive est intervenue trois jours après l'attentat-suicide perpétré à Kaboul contre l'ambassade indienne. Selon les divers renseignements d'ores et déjà recueillis par le NDS, les services secrets afghans, des éléments venus du Waziristan du Nord, pilotés depuis le Pakistan par l'ISI, auraient mené cette attaque.

Amel est à poil. Le mur en guise de tuteur, elle avance dans un couloir inconnu. *C'est pas permis d'être aussi noir mais attention, chut, je dois pas allumer.* Son pas est irrégulier, elle se méfie du parquet sous la plante de ses pieds, chaque interstice est peut-être une crevasse sans fond. La tête lui tourne, elle a mal au ventre. Ridiculement long ce tunnel. Il lui faut un temps dingue, *au moins une heure*, pour atteindre le hall d'entrée et, en face, le grand salon juste éclairé par la nuit parisienne, à travers d'immenses portes-fenêtres. Ses affaires sont là. *Je crois.* Et son salut. Au pied du canapé, dans le canapé, sur la table basse, parmi les verres et les bouteilles et les pots de Ben & Jerry's en train de fondre. Parfums décomposés sucrés, liqueur et tabac froid, un cocktail écœurant. Elle retourne toutes leurs fringues pendant dix minutes, plusieurs fois les mêmes, au même endroit, en s'affalant par terre à trois reprises, elle ne tient pas très bien sur ses jambes, et met enfin la main sur son sac. Laborieuse, Amel remonte sur le divan en s'aidant des coudes. Elle s'installe confortablement, dos avachi dans un coussin, en tailleur, ça lui évitera de se casser la gueule à nouveau et, tout en oscillant légèrement du buste, la nausée au fond de la gorge, se met à fouiller. Elle tombe d'abord sur son mobile et un coup d'œil à l'écran lui révèle qu'il est quatre heures passées. Elles sont rentrées depuis deux heures, parties tôt de la fête où Amel avait rejoint Chloé, elles étaient pressées. Un sourire stupide envahit le visage de la journaliste. Elle doit avoir l'air conne à se réjouir toute seule dans l'obscurité, mais elle ne peut pas se retenir. C'était si cool de la revoir. *Putain, sois sérieuse deux secondes, t'as vu où t'es, là ?* Le sourire disparaît un instant, et réapparaît, idiot. Elle glousse et ses ricanements percent le silence de l'appartement. *Chut.* Elle ne parvient pas à s'arrêter. *Chut, chut*. L'image de Chloé, quand elles se sont captées dans les jardins de Bagatelle, à son arrivée, s'invite dans la caboche d'Amel. Un regard d'une telle intensité, ça se trafique pas, un désir pareil, *c'est ouf*. Elles s'attirent ces deux-là, tout le monde s'en est aperçu, et tout le monde en voulait un bout lorsqu'elles se sont mises à bouger très salopes sur un remix de Nina Simone. *Oh sinnerman, where you gonna run to ?* Il s'élargit ce bêta petit sourire, au souvenir des lèvres légèrement vodka, vaguement gloss, et d'une langue à la curiosité humide, bienvenue. *Hey rock ! Don't you see I need you, rock ?* Mon Dieu, mon Dieu. Mon. Dieu.

En pleine sarabande, Amel a détaché l'étole fleurie que Chloé portait autour de la taille pour être dans le ton de la soirée, Barbecue Hawaïen by l'Institut Bonheur, et s'est emparée de chaque extrémité pour l'attirer à elle. Chaud, bon, leurs corps l'un contre l'autre. *Elle a vingt-quatre ans, t'en as trente, t'es grave.* Ça glousse encore.

Et ça glisse.

Reste éloignée de lui.

D'un sursaut, Amel reprend conscience dans le canapé. Commissures baveuses, elle s'essuie d'un geste gras, tailleur bancal, elle se redresse, téléphone toujours en main, elle regarde. Une grosse demi-heure plus tard. Son bide est à l'agonie, tout contracté. L'héro. Et l'angoisse.

S'il débarque, là, tu fais quoi ?

Dehors, le spectacle au ralenti de la nuit qui pâlit pour céder la place à un samedi d'été n'est pas d'un grand secours.

T'as vu où t'es ?

Amel ne voulait pas venir, elle a été embarquée. Malgré elle, aimerait-elle croire. Ce serait si simple. CdM n'a rien dit de l'endroit. Amel a suivi, tentée, fascinée, excitée, terrifiée, tout en sachant très bien où elle risquait d'atterrir. Pas chez les parents de Chloé, il y a un problème de ce côté-là elle l'a bien senti, et pas dans un hypothétique chez Chloé. Dans la très grande garçonnière de l'amant de Chloé, son pervers Pygmalion. De lui, Chloé n'a pas révélé grand-chose, il travaille avec son père, il a un métier compliqué, c'est un homme qui connaît pas mal de gens, beaucoup à l'étranger, d'horizons très divers. Certains ne sont pas clairs. *Pas clairs comment ?* Chloé n'a rien répondu. Elle a embrassé Amel, baiser léger, et s'est éloignée pour aller parler à un mec de la soirée, le troisième ou le quatrième depuis son arrivée, ils ont disparu et elle est revenue, seule, pour embrayer sur un autre sujet, elles. Ex, exclu, explorer, liberté, *ça t'ennuie que je vive chez quelqu'un ? On y va ?* Baiser mouillé. *Où ?* À peine le seuil franchi, les craintes et les espoirs d'Amel ont été confirmés. De l'haussmannien solide, masculin, partout, dans la rénovation, les couleurs et l'ameublement, sobre, anguleux, de bois nobles assombris. Aucun excès de vieillesse et guère plus de jeunesse. L'intérieur exsude une maturité assumée et sûre d'elle, celle des hommes de pouvoir. Les touches de Chloé sont discrètes, cantonnées à des originalités de déco, des affaires de cours négligemment arrangées dans les rayons inférieurs de la grande bibliothèque du salon, une sélection de romans qui tachent au milieu des Pléiades, des ouvrages d'histoire et des éditions anciennes. Chloé n'existe véritablement que dans la chambre, le dressing, un fantasme de *fashionista* de luxe, et la salle de bains principale, envahie de féminin. Une courtisane. En transit ou en sursis dans cet appartement, Amel ne le sait pas encore.

Bouge-toi.

Elle replonge dans son sac, trouve ce qu'elle veut dans une boîte de fond de teint et étire deux traînées blanches sur ce livre relié cuir dont elles se sont déjà servies plus tôt, un *Prince* de Machiavel magnifique, chopé parmi les autres tomes de prix avec un air de défi. Elle se rappelle sa pensée en voyant faire Chloé, *Montana a quelque chose à payer, intéressant*, puis oublie, et fouille des yeux les ruines de la table du salon à la recherche de la paille magique. Elle la trouve derrière un verre, se l'enfonce dans le pif après avoir soufflé dedans. Au moment d'inspirer, Amel se voit faire. Cette posture et cette gestuelle répétées trop de fois, signes d'une urgence caricaturale et pas rock' n' roll pour un rond, *je souffre donc je sniffe*. Con. Première narine. Ça pique. Conne. Seconde. Vapeurs gasoil et nez anesthésié, la coke s'infiltre, descend, rencontre la nausée. Sa poitrine s'affole. Trop tard pour les chiottes, Amel se précipite vers une baie vitrée, ouvre, vomit par-dessus la rambarde filante. Dégringolade liquide cinq étages plus bas, à moitié sur une bagnole. Elle reste là, courbée, dans l'air frais du petit matin, jardin du Luxembourg en vis-à-vis, le temps que cessent les hoquets. Ça *tachycarde* encore pendant de longues minutes et elle a peur, hésite à gueuler pour réveiller Chloé, s'effondre à genoux, les muscles pétrifiés et douloureux. Mais finit par aller mieux. Un peu. Son regard se perd dans la rue Guynemer, où personne ne circule, revient sur le balcon, avec son guéridon en fer et ses chaises pour un verre des beaux jours, et ses fenêtres. Les fenêtres. La fenêtre. L'esprit dégrisé, à peine, elle recommence à s'y intéresser. Elle donne sur un bureau, fermé à l'intérieur, avec une serrure de sécurité – discrètement, plus tôt, elle l'a vérifié en se rendant aux toilettes – mais dont les volets ne sont pas clos. Amel se remet debout, flageolante. Coup d'œil anxieux pour voir si quelqu'un mate son cul et elle s'approche. Les rideaux sont écartés. Chloé a laissé entendre que c'était celui du propriétaire de l'appartement, cet *ami de la famille* si prévenant. Amel connaît son Montana, il n'est copain avec personne et certainement pas avec sa relève. D'une façon ou d'une autre, il ne se contente pas de se taper la fille de son remplaçant, il exerce un contrôle, il manipule, sa délectation va au-delà d'une paire de fesses juvéniles. *T'es juste le bonus, ma pauvre Chloé.*

Les mains en visière collées à la vitre, Amel scrute la pièce. Une table industrielle en métal occupe la moitié droite. Dessus est posé un PC portable relié à un large écran plat. Un meuble bas, à tiroirs, sert de support à une imprimante. À côté, il y a un destructeur de documents électrique. Dans une alcôve située derrière le plan de travail, elle distingue les contours d'une haute armoire forte d'époque, à la surface en acier dépoli sombre. Sur sa gauche, Amel avise une série d'étagères encombrées par des objets souvenirs, anciens et exotiques. Il est étrange de regarder l'intérieur de Montana sans qu'ilen sache rien, l'idée est vertigineuse, enivrante. *Il ne sait pas queje suis là !* Un frisson traverse Amel, vite suivi par une sensationde toute-puissance. C'est la première fois qu'elle s'approche aussi près de lui, a le courage de le faire, pour l'observer sans être vue, l'examiner, l'espionner. Il deviendrait dingue s'il l'apprenait. Dingue et dangereux. Le frisson, à nouveau. Amel se couvre le buste des deux bras et recule d'un pas. Elle aperçoit son reflet dans la porte-fenêtre, dénudé, vulnérable.

« Amel ? »

La voix s'échappe du salon. Amel rentre, se fait choper sur le seuil, enlacer sans attendre. Chloé se blottit contre elle, fort, en quête d'un abri, le visage encore strié du rimmel dilué par leurs jeux nocturnes. Privée de ses atours, une gamine. Sa peau est douce, légèrement fiévreuse. Elle lui demande où elle était, a eu peur qu'elle ne se soit barrée. C'est annoncé d'une façon surprenante, touchante de détresse sincère.

« Je ne serais pas partie sans rien dire. » Le genre de conneries que débitent les mecs d'habitude, bien creuses. Amel pense *je suis son mec*. Puis *non*. Chloé se colle un peu plus, soupire dans son cou.

Embrasse. Une main d'Amel descend sur le cul de Chloé, mâle, tire Chloé vers elle. Irrésistible. Cuisse dans l'entrecuisse de Chloé, humide comme les lèvres de Chloé qui s'ouvrent. Son haleine est très légèrement amère de la nuit. Amel prend Chloé sur le canapé, avec un doigt, deux doigts, trois doigts, elle lui fait de la lèche. C'est rapide, Chloé jouit et se rendort peu après. Sur sa poitrine.

Pas la journaliste. Le repos la fuit. Elle vogue à la surface de sa conscience et de sa parano, de moins en moins rassurée à l'idée que Montana puisse débarquer à tout instant. Son appart', sa maîtresse. Et peut-être son héroïne. Deux ou trois mots de Chloé échappés entre les lignes, entre les absences et les abandons, sur celui qui la fournit. Et cette enveloppe, au 1728. Peut-être. *T'as rêvé, tu délires.* Coincer Montana, se le faire, se venger, le venger, creuser, se libérer, dingue, prouver. Dangereux. Le regard d'Amel dérive en direction du hall d'entrée. Elle ne peut pas le voir, il est caché par le dossier contre lequel elle repose, alors elle reste sur les moulures du plafond et tend l'oreille. Au premier bruit dans la cage d'escaliers, elle sursaute. Pas rester ici. Au suivant, une porte qui se ferme un peu fort, au-dessus, elle se met à avoir trop chaud. Chloé, dont l'ardente léthargie épouse le corps d'Amel, n'aide pas. Le soleil de juillet qui se jette à présent sur la façade non plus. Les minutes passent, à nouveau la nausée. L'ascenseur monte et descend. Claquements et pas se font plus fréquents, l'immeuble s'éveille au fil du matin. Et cet ascenseur qui n'arrête pas de monter. Son cœur bat. L'inconfort grandit. *Dégage.* Montana va entrer, il va la voir, il s'en prendra à elle et à tous ses proches. Elle s'est mise à trembler. *T'as vu où t'es là ?* Trop d'agitation, ça pète de partout, comme des coups de feu. Amel fixe le bras accroché à sa taille, abandonné, lourd sur son ventre. Un laiteux piqueté de grains noirs, parcouru d'un fin duvet brun. Translucide. On peut suivre les veines. Le bras tremble avec elle, ça va réveiller Chloé. Partir. Pour ne pas se faire prendre, ne rien avoir à expliquer. Amel se lève, le plus doucement possible, et trébuche sur son sac, fout sans le vouloir un coup de pied dedans, pour se dégager et éviter de tomber, le répand.

Merde.

Chloé ouvre les yeux. « Tu vas où ? »

Coincée. « Prendre une douche. Je dois filer. »

Elle couvre Chloé avec sa veste en jean de la veille, abandonnée sur le sol, et file vers la salle de bains. Quand elle revient, le buste couvert d'une serviette, ses affaires ont été rangées grossièrement en pile sur le divan. Son sac est posé à côté. Sur le dessus, sa carte de presse.

« Je n'ai pas fouillé. Elle était par terre au milieu de tes trucs. »

La drogue, c'est mal.

Chloé sirote un espresso appuyée contre le chambranle de l'une des portes-fenêtres, avec un débardeur pour tout vêtement. Il laisse voir les aréoles de ses petits seins et tombe sur ses hanches, surlignant son pubis épilé. « Tu m'as dit que tu bossais dans la com'. » Elle dévisage Amel d'un air neutre.

La journaliste acquiesce. À l'heure du *storytelling*, ce n'est plus vraiment un bobard. « Elle est pratique, cette carte, pour plein de choses, j'allais pas la refuser. » Amel se rhabille. En vitesse.

« Tu veux un café ?

— J'ai pas le temps. » Un vrai mec.

Amel n'est pas à l'heure pour le dîner. Elle a dormi tout l'après-midi, s'est réveillée plus tard que prévu et il lui a fallu ensuite retrouver figure humaine avant de partir. Pas question d'aller voir ses parents avec une gueule nuit blanche.

Se rendre chez eux est long quand on vit dans le centre de Paris. Dina et Youssef Balhimer habitent un pavillon au Plessis-Trévise, leur maison de toujours, avec son jardin paysagé, dans laquelle ils ont placé l'intégralité de leurs économies. À l'heure de la retraite, ils continuent à la bricoler, à l'arranger, ça les occupe. Ça et leurs deux petits-enfants, les fils de sa sœur, Myriam. Elle a comblé toutes leurs attentes dans ce domaine et dans d'autres également, en se trouvant un mec bien, Nourredine, qui l'adore, traditionnel juste ce qu'il faut. Ensemble, ils pratiquent avec modération une foi en accord avec celle, plus apaisée aujourd'hui, de ses parents. Sa mère s'est calmée à propos de Dieu, elle vieillit. Myriam et son mari ont une bonne situation, bossent dans l'immobilier, très dur, en parfait couple témoin d'une intégration à la française réussie. Amel a failli faire mieux, elle s'était dégotée un gentil petit Sylvain, banquier, mais elle s'est plantée. Elle a divorcé et ne va pas se remarier de sitôt, une source inépuisable de reproches, un grand déshonneur. Par bonheur, tous évitent maintenant de lui poser trop de questions sur sa vie privée. Quand cela se produit malgré tout, elle évoque ses neveux, la diversion rêvée. Un sujet consensuel. Et elle les aime beaucoup.

Amel termine à pied, besoin de marcher en sortant du RER. Tant pis pour l'horaire, quelques minutes de plus ou de moins ne lui éviteront pas les réflexions. Elle marque un temps d'arrêt avant de franchir le portillon, un réflexe pas si vieux qui se répète à chaque nouvelle visite. Troublée par des émotions contradictoires, elle examine la baraque, mastoc, en L, avec son avancée vers la rue où se trouve le garage, sa façade blanche et son toit de tuiles marron, ni moche ni jolie, ni vieille ni moderne. Quelconque. À côté de l'appart' où elle a passé la nuit, pauvre, minable. C'est injuste, dégueulasse. Mais Amel se dit aussi qu'une bicoque pareille, dans une banlieue pareille, ne peut pas constituer un horizon, une ambition de vie, il y a forcément autre chose. Dans la seconde, elle s'en veut de ces pensées. Revenir ici est toujours un problème, elle n'y a plus sa place, du moins est-ce ainsi qu'elle l'entrevoit. Elle aspire à une existence différente et elle n'y arrive pas, elle n'est pas à la hauteur. Elle est encore moins à la hauteur de la réussite toute simple de ses parents, ou de sa sœur. Eux n'accumulent pas les échecs, ne font honte à personne, ne culpabilisent de rien.

Amel pénètre dans le jardin oppressée, rejoint le seuil, frappe, entre. Les hommes sont dans le salon, elles les entend, et elle entend aussi les voix de sa mère et Myriam plus loin, dans la cuisine. Elle pose son sac, avance. Nourredine discute avec son beau-père, de trucs sérieux, ses garçons jouent à la console. Mais ils se lèvent tous quand elle paraît. Pas la moindre remarque, des sourires et des accolades, et des baisers, empressés de la part des gamins, affectueux de son père, respectueux pour Nourredine. Amel ne les mérite pas. Elle doit prendre sur elle pour ne pas fondre en larmes, sent une chape de plomb s'abattre sur son cœur. Elle aimerait être ailleurs, s'échapper d'elle-même. Elle repense à Chloé et à sa poudre magique, juste une petite ligne pour se sentir loin. Sa sœur arrive, heureuse de la voir. Dina l'appelle, elle ne se déplacera pas alors Amel cède, va la retrouver aux fourneaux, l'embrasse sur la joue, se fait immédiatement rappeler à l'ordre, *apporte ça à table*, *aide-moi*, *va demander à Myriam ce qu'il faut faire*. Elle sait, Myriam.

Pas d'apéritif, personne ne boit d'alcool, on commence le dîner sans attendre et tant pis si Amel n'a pas faim. Elle doit se forcer. La nausée revient. L'abondance n'aide pas. Sa mère s'est surpassée et tout le monde pioche d'un bon appétit dans les briouates, les salades d'aubergines, d'épinards, de carottes au cumin, de tomates et concombres, servies pour accompagner une épaule d'agneau. Amel picore, cela ne passe pas inaperçu, déclenche les premières piques maternelles. Elle esquive, se concentre sur Nourredine, son job. Ils vendent bien, malgré la crise, pour le moment, ne sont pas vraiment affectés, *hein, Myriam ?* Sa sœur à la rescousse. Deuxième round, Dina ne lâche pas, c'est le travail d'Amel qui la fatigue autant, elle a l'air épuisée, *et ta peau, tu devrais prendre mieux soin de toi, aucun homme ne voudra de toi dans cet état-là.*

« Laisse-la tranquille, *yéma*. Tu le vois qu'elle n'est pas bien. »

Sa mère insiste, une terrible déception au fond des yeux, et Myriam protège, encore. Youssef s'en mêle, pas méchant, pour ramener le calme, soutenir sa femme, et Nourredine aussi, par solidarité peu convaincue avec le patriarche. Les choses s'enveniment, Amel se tait. Il n'est bientôt plus question d'elle, les enjeux sont ailleurs, chamailleries de famille, pénibles mais pas graves. Les neveux comptent les points, rigolent des clins d'œil en douce de leur tante. Et puis, le trop-plein d'énergie dissipé on parle d'autre chose, les congés qui arrivent, tout le monde s'en va la semaine prochaine, sauf Amel mais personne n'insiste, attention sur la route, il y a encore eu un gros accident de car à cause des départs en vacances, et puis *t'as vu la chanteuse anglaise, là, Amy machin, elle va pas bien, elle boit trop, non, elle est droguée, non, elle boit parce qu'elle a arrêté, tout ça c'est haram*, et puis dessert, et puis thé, et puis Amel va se faire un trait de C, il lui en reste peu, de quoi ne pas piquer du nez, survivre, et puis elle sort sur la terrasse pendant que sa mère et sa sœur débarrassent. Elle s'en fout de se faire engueuler.

Elle se love dans le grand fauteuil en osier de son père, celui dans lequel il aime lire le journal et fumer une cigarette en cachette, aux beaux jours. Le soleil se couche sur le jardin, sa lumière rose orangé, rasante, transperce les arbres et fait scintiller leurs feuillages. Des enfants jouent dans le terrain du voisin, leurs piaillements ont remplacé ceux des oiseaux. Un parfum de viande grillée flotte dans l'air du soir. Amel se demande où est Chloé, ce qu'elle fait. Elle repense à sa fuite de ce matin, à sa trouille. À Montana. Il l'a hanté toute la journée. Il hante toutes ses journées. *Reste éloignée de lui.* Ponsot a raison. Elle n'a pas la carrure.

La porte-fenêtre de la salle à manger glisse derrière elle et son père se pointe. Elle se lève pour lui laisser la place, il ne veut pas mais elle insiste alors il s'assied et elle s'installe à ses pieds. Ils restent un long moment à regarder la nuit prendre ses quartiers.

Youssef offre une cigarette à sa fille. « N'en veux pas à ta mère. » Il la lui allume, en prend une.

« C'est elle qui m'en veut.

— Elle s'inquiète, c'est sa manière. Tu travailles beaucoup ? »

Amel hoche la tête. Elle perd surtout trop de temps à pisser du verbiage inutile.

« Des choses intéressantes ?

— Je gagne ma vie.

— Ça ne t'a jamais suffi, Méli. »

Son père est le dernier à appeler Amel par ce diminutif. Sa mère n'y arrive plus, elle ne sait plus comment s'adresser à elle. Le mariage avec un homme qui n'était pas marocain, Dina a eu du mal à l'accepter. Le divorce, c'était au-dessus de ses forces. Particulièrement après cette année 2001 où sa fille préférée a complètement changé, quand elle est subitement devenue une jeune femme troublée, perdue, incapable de s'ouvrir, presque une étrangère, donnant l'impression de ne plus vouloir faire confiance à ses parents, de ne plus pouvoir lui faire confiance à elle.

« Je ne sais rien de ton métier. J'aimerais bien t'aider mais je ne peux pas.

— Ça va, je t'assure. » Amel s'agace toute seule d'être si peu crédible.

« Peter, il le connaît. »

Cueillie par surprise et touchée plein cœur, Amel mord. « On ne parle pas de lui ! »

Youssef l'ignore, tire calmement sur sa clope. « Je l'aimais bien. » Sa voix est triste.

Peter aussi appréciait son père. La façon dont elle l'a quitté les a privés l'un de l'autre. Encore de sa faute. « Pardon, *baba*. » Amel prend la vieille main paternelle et l'embrasse, la frotte contre sa joue.

« Tu ne devrais pas rester seule.

— Je ne suis pas seule, j'ai mes amis. Et je vois Daniel, tu le sais. »

Youssef considère sa fille d'un air malheureux, il n'est pas dupe. Et même s'il se fie à Ponsot, le policier ne suffira pas non plus. Il guide une paume d'Amel vers le côté gauche de son torse. « Tu es seule, là. »

Non baba, tu te trompes. Elle sourit sans joie. *Là il n'y a plus assez de place.*

La cigarette est terminée. Une dernière caresse et Youssef rentre, il doit faire la prière.

Se connecter sur Facebook, c'est la première chose que fait Amel en arrivant chez elle après le dîner. Chloé n'a pas donné signe de vie. Elle non plus et elle préfère ne pas le faire, sans réellement piger pourquoi. Mais elle aimerait bien savoir, où se passe sa soirée, avec qui. Son mur lui donnera peut-être un indice. Le choc est rude, Chloé l'a virée de sa liste d'amis. Petite pointe de chagrin et un premier réflexe, envoyer un SMS, ou appeler. Elle s'abstient, l'orgueil, en dépit du manque ressenti, très vif, surprenant en si peu de jours, après tous ces mois d'anesthésie émotionnelle.

Amel tourne longuement autour de la page de Chloé, zéro mise à jour ce samedi, et s'interroge sur les raisons de son éviction. Son attitude de ce matin ou la carte de presse, plus vraisemblablement la seconde hypothèse. Avec son sésame de journaliste, elle a eu son nom. Impossible que Montana n'ait pas un peu déteint sur elle. Si, suspicieuse, Chloé a fait un tour sur le Net, elle n'a pu manquer de découvrir des articles signés par Amel. Nombreux. Aucun n'ayant pour sujet la com'. Et parmi les plus anciens, ses meilleurs, une majorité de papiers traitant de politique intérieure, de géopolitique, de guerre, de dessous des cartes, autant de thèmes liés aux activités de son protecteur. Amel n'a pas assez réfléchi à l'opportunité de son mensonge, être découverte était inévitable, dans des délais très brefs. Elle n'a pas réfléchi. Et maintenant elle espère que Chloé ne dira rien à Montana. Après le chagrin et l'absence, la peur, familière et incontrôlable, qui la fait se lever et marcher en boucle, dans son petit appartement. *T'es vraiment trop conne, tu croyais quoi ?* Et l'envie subite, à se plier le bide et se tordre les os, d'un petit trait de brune pour se barrer à nouveau. *Ponsot te l'avait dit*. Elle appelle Chloé, même si son instinct hurle à la connerie, et c'est la messagerie, direct. Elle commence, coupable, elle n'aime pas sa duplicité, par évoquer Facebook, elle a vu, mais change brusquement de registre. « J'étais chez mes parents ce soir. Très famille je vous hais. Chaque fois que je vais là-bas, j'ai cette sale impression d'être une petite merdeuse. Je ne sais pas pourquoi je te dis ça. Excuse-moi. » Amel raccroche et la fatigue lui tombe dessus sans prévenir. Elle va se coucher mais la trouille l'empêche de s'endormir bien. Ensuite, son sommeil est mauvais, trempé de coups de sueur et peuplé d'ectoplasmes fielleux, ses parents, Chloé, Daniel, Montana, Jean-Loup Servier, toujours à l'affût de la moindre faiblesse. Et maintenant Peter, le retour.

Djihad est leur cri de ralliement et ils guerroient sous la bannière d'Allah pour étendre son royaume. La plus noble des causes, elle ne souffre aucune discussion. Alors pourquoi Sher Ali ne se sent-il pas à son aise dans la hujra qu'il vient de réquisitionner pour la nuit, avec Dojou et une vingtaine de combattants, rejouant cette scène entrevue trop souvent au cours des derniers mois, celle où ils envahissent une ferme à la faveur de l'obscurité, isolent les femmes et prennent le pouvoir sur les hommes dans leur propre foyer. À la gloire de Dieu, disent-ils, et personne ne l'ouvre. Mais Allah n'est pas dans les regards terrifiés et remplis de colère qui se posent sur Shere Khan lorsque ses yeux sont ailleurs. Allah n'est pas non plus dans les paroles de ses moudjahidines quand, entre deux escarmouches, pensées et mots affranchis, ils évoquent les vraies raisons de leur conflit. Certains disent défendre une vallée, un clan, un village, une famille, le peu qu'ils possèdent de cultures et de bêtes, des femelles, contre l'envahisseur étranger ou le pouvoir central apostat, pilleur et violeur. D'autres, plus jeunes ou plus pauvres encore, aspirent à une existence meilleure et veulent gagner de quoi faire vivre leurs proches, ou plus généralement s'acheter ou s'arroger de force une gamine à engrosser et un lopin à travailler. Et quand le sang coule à flots, au cœur de la bataille, quand les corps sont percés, déchirés, mutilés, quand seules hurlent les explosions, les souffrances et les rages libérées, et qu'il ne reste plus que la peur viscérale, et la survie, et l'agonie, et l'anéantissement de la vie, Dieu s'efface à nouveau. Derrière la mère, derrière l'épouse, derrière la maison ou la terre. Dans les derniers instants, le mourant n'a que faire des prières, des sourates, des aspirations démesurées et des divins paradis, son esprit retourne chez lui et appelle celle de ses femmes dont il veut se souvenir à la toute fin des choses.

Sher Ali invoque Allah lorsqu'il parle à ses hommes, il baise les pères et les mères de tous les infidèles, esquisse des plans bénis par Dieu, à l'intérieur des grandes stratégies de ses alliés, il fixe des objectifs dont il faut s'emparer, pour la guerre sainte, et des principes religieux, pour discipliner.

Toutes ces pensées occupent sa raison, occultent parfois sa douleur. Elles ne l'animent pas. Il ne se bat pas plus pour le pouvoir, ou pour sa terre, elle n'est pas menacée, ou pour Kharo et Farzana, son cœur est trop loin des leurs, ni même pour Adil. C'est une grande honte. Il a cédé aux sirènes de la vengeance, tout ce qu'il a appris sur l'honneur le lui dictait. Encore des illusions. Il ne lutte que pour une seule raison, à cause de Badraï, parce qu'on la lui a prise. Régulièrement, elle revient lui manquer, il a mal et il ne sait pas quoi faire d'autre pour apaiser sa tristesse. Pour ne pas devenir fou.

« Tu as l'air peiné, Shere Khan. »

Dans les ténèbres seulement éclairées par un foyer anémique, Sher Ali trouve les yeux inquiets de Dojou posés sur lui. « Le jour où tu as prié avec moi devant les tombes de mes enfants, ta voix m'a fait peur quand tu as évoqué ta famille. Elle était », il cherche le bon mot, « vide ».

L'Ouzbek sourit, joue avec un chapelet de perles. « Il m'arrive de les oublier. Et je suis malheureux.

— Pardonne-moi. Il est simple de voir le vide à la place du chagrin. »

Un tison claque. À l'extérieur, le vent glacé levé en fin de journée redouble de violence.

« J'étais traqué. Je les ai envoyés loin de moi et du danger. Dans un autre pays, chez des gens de confiance. Le danger les a suivis, tel un loup affamé. Et je n'étais pas là pour les protéger. » Un temps. « Je préfère ne plus me souvenir quelquefois.

— J'ai croisé ce même loup et il a dévoré ma fille. » Sher Ali s'aperçoit que Dojou s'est remis à le fixer. Peut-être devrait-il se reprendre et évoquer son fils, ou sa femme et sa fille survivante, l'Ouzbek l'a questionné une fois à leur sujet, mais il ne le fait pas.

« Allah ne nous laisse pas décider de ceux que nous aimons. Ces choses-là aussi sont écrites.

— Que crois-tu qu'il est écrit pour nous demain ?

— Nous tuerons des Américains et tu te vengeras.

— Si Dieu le veut.

— Allah est avec nous. L'homme est arrivé ce soir à Angour Adda, j'ai reçu l'appel.

— Certains mourront. » Sher Ali repense à Qasâb Gul. Il lui manque, cruellement.

Dojou acquiesce. « J'étais avec Tajmir et Siraj, avant-hier, quand le corps d'Omar a été ramené. Un de ses frères a dit qu'il ne serait pas le dernier *shahid* du clan, que tous ils aspirent au martyr, pour la gloire d'Allah, loué soit-il. C'est une belle mort.

— Tu le crois ? » Sher Ali pose sa question avec sincérité.

Il y a la même sincérité dans la réponse du guerrier ouzbek. Et une grande nervosité dans les doigts qui tripotent les perles. « Il le faut, sinon il ne me reste rien. »

19

Anwar les retrouve à l'endroit convenu en fin de matinée. C'est une petite maison de pierre abandonnée parmi les arbres, dont toute la façade ouest est tombée, ceinte d'un muret haut de un mètre. Juste deux pièces contiguës, sans toit. Elle est construite au sommet d'une colline boisée qui, sur les cartes militaires, porte le numéro 3721. Elle marque l'extrémité afghane d'une ligne de crête. À moins d'un kilomètre à l'est, en suivant les hauts, on entre dans les zones tribales. Au sud, à trois kilomètres à vol d'oiseau, un peu plus par les pistes et les sentes, se trouve la ville de Shkin, à la frontière avec le Waziristan du Sud. C'est de là, plus précisément de la base de feu Lilley, que Fox, Tiny, Hafiz et six CTPT, guidés par Akbar, sont partis sur des quads Polaris au milieu de la nuit. Après avoir effectué une large boucle pour tromper la vigilance de l'ennemi, son emprise sur la vallée de Barmal se renforce, ils se sont approchés du lieu de rendez-vous avant le lever du jour. Ils ont pris le temps de vérifier qu'aucun moudje ne les attendait ou ne les avait filés, ou ne se baladait dans le coin par hasard, et Hafiz a mis en place des binômes pour couvrir les deux accès.

Ensuite, l'attente a commencé, dans les restes de vent froid de la veille puis sous un soleil de plus en plus mordant.

Anwar lui-même a choisi ce site. Parce qu'il est isolé et domine des terrains propriété de sa famille, loués à des fermiers. Sa présence par ici ne risque pas d'éveiller les soupçons puisqu'il effectue le voyage depuis Wana tous les mois. Il appartient à cette diaspora pachtoune vivant et travaillant à cheval sur la ligne Durand, démarcation sans réalité pour les tribus locales, et c'est grâce à cela qu'un agent de la CIA, affecté à Lilley, l'a approché début 2007. Il l'a recruté et ensuite 6N a pris le relais. Le prédécesseur de Fox a fini par suivre Anwar au Pakistan pour être présenté à Manzour, son cousin médecin. Enrôlé à son tour. La suite est connue, Manzour a joué les chefs mouchards avant d'être tué par les talibans en juin, avec une grande partie de sa famille. Anwar et une poignée de proches en ont réchappé par miracle, à la fois terrorisés et consumés par leur désir de vengeance. Et celui-ci l'a finalement emporté. Il n'a pas fallu trop insister pour que le jeune homme accepte de rencontrer les paramilitaires à nouveau. Au grand dam de Tiny, rongé par la culpabilité. Il aurait préféré le laisser tranquille après le drame du mois précédent mais l'Agence n'avait que faire de ses réticences, elle a un besoin désespéré de capteurs humains dans la capitale waziri, afin de confirmer sans attendre des renseignements d'origine électronique obtenus ces dernières semaines. À trois reprises cependant, Anwar a repoussé son départ, il se croyait surveillé. Cette fois semble être la bonne, pas d'annulation de dernière minute. Vers onze heures, les guetteurs annoncent son arrivée sur les ondes. Ils ne remarquent pas de mouvement suspect autour de lui et établissent le contact au pied de la colline.

Lorsque Anwar parvient à la ruine, des politesses et des condoléances gênées sont échangées et Tiny lui offre une accolade prolongée. À l'invitation d'Hafiz, ils doivent couper court, mieux vaut ne pas traîner. Du thé est offert et un Toughbook déployé sur une pierre plate. Fox clique sur un dossier et oriente l'écran de l'ordinateur vers Anwar. Le Pachtoune découvre alors les photos de deux individus, prises à différentes époques de leurs vies.

« Celui de gauche se fait appeler Abou Khabab, c'est un Arabe. » Fox montre un homme au visage rond, très bronzé, le front creusé d'un pli important. Il a les cheveux courts, frisottés, grisés sur le devant, un épais collier de barbe descendant jusqu'à la base de son cou et une fine moustache. « L'autre est aussi arabe et on le nomme parfois Hakim ou Saleh. » Ce sont des pseudonymes. Leurs vraies identités, Fox les connaît mais il les garde pour lui. Peu de chance que ces deux-là les utilisent en dehors d'un cercle très restreint. Et inutile d'affoler Anwar, ces mecs sont très dangereux et leurs réputations les précèdent. « Regarde-les bien, surtout lui. » Fox indique à nouveau Abou Khabab, la cible prioritaire. « Nous pensons qu'ils sont en ce moment dans ou à proximité de Zera Leita. » À la sortie de Wana.

Anwar acquiesce.

« Tu peux y aller facilement ? »

Nouveau hochement, moins serein.

« Il faut les trouver, vite. Ils changent beaucoup de maisons. » Fox livre quelques infos supplémentaires. Les deux hommes sont en cavale ensemble depuis plusieurs années. Ils sont toujours en compagnie d'autres Arabes, trois ou quatre. Il s'agit donc de localiser un groupe de six étrangers vivant dans un bled à la population limitée. Par ailleurs, Hakim est un prêcheur, il ne peut pas se retenir de répandre la bonne parole partout où il va, et d'aller hanter la mosquée ou la hujra communale des villages où il réside. « Si tu nous aides pour Abou Khabab, tu gagneras de l'argent, une grosse somme. » Sa tête est mise à prix, cinq millions de dollars.

Anwar ne réagit pas et Tiny se demande s'ils ne viennent pas de commettre une erreur en l'insultant sans le vouloir, il est là pour laver l'honneur familial, rien d'autre. L'Américain n'a pas le temps de s'interroger plus avant. À la radio, un guetteur signale l'apparition de pickups transportant des militants armés à environ deux kilomètres au sud. Le relief empêche de suivre correctement leur progression mais les nuages de poussière soulevés suggèrent qu'ils viennent dans leur direction. Tiny échange un regard avec Fox et ordonne à Hafiz de faire revenir ses hommes à la maison, ils vont dégager par le versant opposé de la colline. Anwar est confié à l'un des supplétifs pour être évacué sur son engin.

Fox bascule son AN/PRC 148 MBITR – ils n'ont plus besoin de se déguiser en talibans et d'utiliser leurs Icom de merde, conséquence de l'interdiction de franchir la frontière – sur le réseau radio de Lilley et annonce que *Pilgrim*, le nom de code de Silent Assurance en opération, a été repéré et va se replier. Il demande si une couverture aérienne est disponible, pour effectuer une démonstration de force, un passage basse altitude, afin d'effrayer leurs poursuivants, le plus souvent cela suffit, et la mise en alerte de la force de réaction rapide de la base. La réponse à sa requête tombe dans ses écouteurs

Comtac alors qu'il remonte sur son Polaris. Dans l'immédiat, le seul appui est un Predator de l'armée de l'air de retour de mission, armé d'un unique missile. Il a d'ores et déjà été redirigé vers eux. Quant à la force de réaction rapide, elle vient d'être déployée à proximité du poste de combat sud, pris d'assaut par un groupe d'insurgés.

La colonne se met en route. Ils empruntent une piste sinueuse, au milieu des bois, à l'aval très abrupt par endroits. Akbar ouvre la marche, suivi par le quad transportant un CTPT et Anwar. Fox et Hafiz forment l'arrière-garde. Tiny roule en quatrième position, une place idéale pour voir une roquette voler hors de la forêt et frapper le second véhicule du dispositif, le soulever de terre et le bazarder dans la pente. Avec ses deux passagers.

Le RPG est un système d'arme rustique, redoutable, composé d'un tube lanceur de la taille d'un petit fusil – il est muni d'organes de visée d'utilisation simplissime et de deux poignées pistolet destinées à le maintenir fermement sur l'épaule – et de munitions, longues comme le bras, associant une fusée, pour la propulsion, et une ogive, pour la destruction. Ces munitions, les *roquettes*, ont des charges, des formes et des diamètres variables, calibrés en fonction de l'usage désiré, antivéhicule ou antipersonnel. Elles peuvent stopper un blindé ou abattre, dans certaines conditions, un hélicoptère, même un Apache au fuselage renforcé. Il n'est donc pas difficile d'imaginer les dégâts qu'elles sont en mesure d'infliger à un être de chair et de sang. Tout d'abord, au moment de l'explosion, il y a une surpression, le blast, un appel d'air monstrueux et omnidirectionnel, assez fort pour foutre n'importe qui par terre. Son corollaire est une onde de choc propagée dans le corps, aux effets ravageurs pour les cavités non protégées, les oreilles, les sinus et, d'une façon générale, les organes les plus fragiles, en particulier les poumons. Si à ce stade un combattant n'est pas terrorisé, ou désorienté, ou K-O, ou très gravement blessé par de multiples lésions internes, ou mort, il n'est pas pour autant tiré d'affaire. L'ogive est conçue pour se fragmenter en centaines de petits morceaux de tôle chauffés à blanc, balancés tous azimuts, aux impacts potentiellement bien plus traumatiques que ceux produits par une balle. On appelle cette grêle de métal le shrapnel et elle peut sans problème sectionner un membre ou le hacher menu.

C'est ce qui arrive à Anwar lorsque la roquette frappe le quad sur lequel il est juché. Elle touche l'engin au niveau de la roue arrière droite et provoque la dislocation de l'essieu, du garde-boue et du châssis. Certains débris partent à très grande vitesse vers le haut et déchiquettent le flanc du jeune Pachtoune au moment où il est éjecté. Il est projeté dans la direction opposée à l'origine du tir, vers la gauche, et roule dans le dévers, heurtant à plusieurs reprises des souches, des rochers et des troncs, avant de s'arrêter une vingtaine de mètres plus bas. Paradoxalement, la chute du pilote est moins spectaculaire et le shrapnel l'abîme assez peu, son passager a fait écran, mais il cogne tête la première un arbre planté sur le bas-côté de la piste et meurt sur le coup.

Anwar, lui, est toujours en vie quand Tiny le rejoint. L'Américain s'est précipité sans faire attention, emportant avec lui son sac d'infirmier, l'une de ses spécialisations d'ancien *pararescue* du 24th STS, et s'empresse d'effectuer un diagnostic. Il est décourageant. Le blessé, il se force à penser à lui ainsi, pour garder la tête froide, a le bras droit tranché au-dessus du biceps, il saigne abondamment, au tempo de son cœur. Quelque chose a traversé le bas de son visage, pénétrant d'un côté au niveau de la mandibule et sortant de l'autre au milieu de la joue. Dans la bouche envahie d'une épaisse soupe cramoisie, Tiny distingue les reflets blancs de plusieurs dents brisées. Le poignet gauche, cassé, flotte librement au bout de son bras, au gré des spasmes qui agitent son corps. Sa tunique est constellée de petits trous noircis. Une jambe a perdu son pied. Au niveau de l'autre cuisse, son salwar gris souris est taché de brun. En palpant cet endroit, Tiny détecte une fracture ouverte. Et quand il vérifie l'alignement du tronc, il se met à craindre une fracture supplémentaire, aux séquelles bien plus graves, à la colonne vertébrale. Anwar est mal en point, très pâle, il respire avec peine mais y arrive encore, malgré ses voies encombrées, et il a les yeux ouverts, il essaie de parler. Tiny lui répond en pachtoune, lui dit que tout ira bien – il ne sait pas quoi dire d'autre – et s'attaque à l'urgence première, arrêter les différentes hémorragies.

Perdre son sang est la principale cause de mortalité sur le champ de bataille. Agir vite, parvenir à empêcher un individu de se vider et le maintenir en vie jusqu'à son transfert dans un hôpital de campagne augmente considérablement ses chances de survie. Même si survivre ne signifie pas nécessairement vivre normalement, entier ou de façon autonome. Tiny s'occupe d'abord du moignon droit avec un garrot de combat. Il reste trop peu de bras et il est obligé de le fixer au niveau de l'épaule. Il s'emmerde avec les déchirures de tissu détrempées, les bouts de chair, glisse à cause du sang qui poisse ses mains mais parvient à mettre fin à l'écoulement. Il pose un second garrot sur la jambe amputée. Après cela, il vérifie le pouls, il est faible, et pour maintenir le volume circulatoire et l'apport d'oxygène, Tiny plante dans le sternum d'Anwar un accessoire appelé Fast1, une poignée prolongée par plusieurs aiguilles, de la taille d'une lampe de poche, sur lequel on vient brancher une perfusion. Quand il a fini, il découpe le pantalon autour de la fracture fémorale. L'artère ne semble pas touchée et il se contente de recouvrir la plaie avec de la gaze Kerlix, un pansement imbibé de produit antihémorragique. Pour le maintenir en place, il l'entoure d'un bandage israélien spécialement conçu pour l'armée. À ce moment-là seulement, il se rend compte que Fox l'appelle.

La première roquette a été suivie de plusieurs autres. Heureusement moins précises, elles sont passées au-dessus de leurs têtes ou ont tapé trop court. L'une d'elles a même foutu le bordel parmi les tireurs et a ralenti l'offensive ennemie. Mal ajustée, elle a percuté un tronc situé à quelques pas des talibans, retournant ses effets dévastateurs contre les militants les plus proches. Leur confusion n'a pas duré et, peu après cette salve initiale, ils ont changé de tactique et commencé à arroser la troupe de 6N à la mitrailleuse et au fusil d'assaut. Le départ de Tiny a empêché la colonne de redémarrer pour forcer le passage et Fox a dû faire débarquer tous les CTPT pour les mettre à l'abri derrière l'accotement aval de la piste. Tous n'ont pas eu la présence d'esprit de prendre leurs armes. L'un des étourdis tente de retourner à son quad pour récupérer son PKM mais il est abattu en revenant se cacher.

Moins de trois minutes après le début de l'embuscade, Fox a déjà perdu deux hommes et une partie de sa capacité de combat. À en juger par le déluge de plomb qui s'abat sur eux, les insurgés sont nombreux. De brefs coups d'œil lui permettent d'évaluer l'effectif adverse à une trentaine de combattants au bas mot, difficile cependant de bien voir entre les arbres. Ils sont proches, moins de cinquante mètres, et déjà quelques-uns traversent la piste en contrebas, pour leur couper la route et les prendre à revers par le nord. De l'autre côté, Fox ne voit rien encore.

La position n'est pas tenable. Ils sont en dessous de l'ennemi, sur le point d'être débordés et pas en mesure de riposter correctement. Dégager dans leur dos vers le fond de la vallée n'est pas une solution, ils seront plus vulnérables. Il faut impérativement remonter vers le point le plus haut de la colline et, si c'est encore possible, s'emparer de la ruine pour y organiser leur défense. Dans son oreille, Fox entend l'opérateur de Lilley l'interpeller pour lui demander un rapport. Pas le temps de lui répondre, il doit faire mouvement. Rassemblant ses supplétifs, il organise une arrière-garde avec Akbar, chargée de couvrir leur progression, et se place en pointe avec Hafiz. En traçant juste sous la piste, ils éviteront les tirs insurgés, du moins l'espère-t-il, et devraient pouvoir atteindre leur destination sans trop de dégâts. Il faut juste prier pour que personne ne les attende là-haut. Fox balance une grenade sous son Polaris, son ordinateur portable s'y trouve encore et il n'est pas question de le voir tomber aux mains des talibans. Dès qu'elle a explosé, il se tourne vers Tiny et lui ordonne de se mettre en route. Il le voit hésiter, regarder Anwar et doit répéter ses instructions sur un ton plus sévère pour le faire bouger. Le géant referme son sac médical et le charge sur ses épaules.

Ensuite, le plus délicatement possible, il soulève le blessé de terre comme le ferait un mari avec sa jeune épouse. Fox l'entend dire « prenez son bras ! » mais il l'ignore, plus préoccupé de savoir comment son pote pourra se défendre ainsi encombré.

Le souffle court, le cœur à deux cents et les fringues ventousées au corps sous son porte-plaques, à cause de la chaleur, Fox prend la tête de sa troupe. Il avance avec Hafiz par bonds rapides entre les arbres, préférant la vitesse à une prudence excessive, chaque seconde compte. Les huit survivants et leur source waziri parcourent sans encombre les cent cinquante mètres jusqu'au sommet. Ils entendent toujours des rafales siffler dans leur dos mais elles s'éloignent. L'ennemi n'a pas encore compris leur manœuvre, il se concentre sur la zone où se trouvent les quads abandonnés. Fox observe la maison, ne remarque rien et marche vers le muret suivi d'Hafiz, chacun couvrant un secteur de tir. Ils franchissent l'obstacle avec prudence et, changement de perspective aidant, découvrent deux talibans en train de fouiller la construction. Ils les abattent sans leur permettre de réagir ou de se rendre.

Les détonations ont attiré l'attention d'une autre paire d'insurgés, postée un peu plus loin vers le départ de la piste. Les militants ouvrent le feu sur Fox et ses hommes. Des tirs sont échangés pendant quelques secondes, juste assez pour couvrir le passage de tous les CTPT et l'arrivée de Tiny. Personne n'est touché mais à présent ils ne bénéficient plus de l'effet de surprise, les moudjes savent à nouveau où les chercher.

Une roquette s'abat sur la ruine alors que la communication avec Lilley a repris. Le drone est au-dessus d'eux et le pilote a du mal à lire la situation, *qui est où ?* Fox ne peut répondre. L'ogive a frappé un mur proche sur sa gauche. Si elle n'est pas parvenue à le détruire, elle a précipité sur le paramilitaire une pluie de gravats. Son casque H/F Peltor est arraché, il ressent une intense brûlure sur le haut du crâne, est temporairement aveuglé. D'autres tirs de RPG suivent et tombent alentour pendant plusieurs minutes. Un supplétif est sonné, enseveli sous un pan de maçonnerie, et un autre désorienté lorsqu'il essaie de se porter au secours du premier. Il a lui aussi reçu une gerbe de torchis pulvérisé dans les yeux.

Ce déchaînement permet à l'ennemi de prendre position autour de la maison. Les talibans arrivent par l'est et le nord, plus nombreux que Fox ne l'avait initialement apprécié. Ayant recouvré ses esprits et nettoyé la poussière que sang et sueur figent sur sa gueule, il les voit se déployer à moins de cinquante pas de l'enceinte de la ruine, derrière la protection des arbres. Ils sont guidés par un insurgé au visage coupé par un bandeau noir, visible par intermittence entre les troncs. Sa voix porte, hurle des ordres, c'est un chef. Fox se redresse dans l'encadrement d'une fenêtre, cale bien son AKM et tire sur le commandant taliban. L'homme disparaît quelques secondes et réapparaît, suivi par une volée de 7.62, puis une autre, puis un véritable déluge. Fox se recroqueville à l'abri, sent les impacts de l'autre côté du mur, dans son dos, prie pour qu'il tienne. Il déclenche son strobo individuel, le jette au milieu de la pièce et rappelle Lilley pour prévenir le drone que tout ce qui se trouve à quarante mètres à l'est du clignotement est à détruire. Un seul Hellfire n'y parviendra pas mais il fera courir les insurgés, assez pour lui donner le temps de diriger une salve de mortier.

L'opérateur radio de la base lui demande de répéter ses instructions, ils sont *Danger Close*, dans la zone mortelle, et il veut une confirmation de l'ordre. Fox lui hurle de se grouiller et, peu après, entend le départ du missile dans le ciel. Juste le temps de prévenir tout le monde et ça pète. Fox ouvre la bouche, ferme les yeux, protège sa tête. Le souffle roule sur eux, précédant la dépression, une vague de chaleur qui enflamme les poumons et rend l'atmosphère irrespirable, et une averse de débris. Ça pue le cramé et la mort. La déflagration a achevé de détruire le mur déjà partiellement endommagé par une roquette, découvrant leur flanc nord. Le Predator a frappé derrière les talibans, plus loin, pour limiter la casse amie, et c'est heureux. Sa boule de feu a déclenché un incendie à proximité des positions adverses et, quand il relève le nez, Fox constate que les survivants courent pour s'éloigner du brasier. Il ordonne aussitôt la riposte pour profiter de leur désarroi et ne voyant plus le mec au bandeau se dit, un instant optimiste, que s'il a été tué ses combattants vont prendre la fuite. Il déchante bientôt. La voix, forte, sûre d'elle, résonne de nouveau dans les bois. Elle reprend le contrôle des combattants. Et ils sont encore très nombreux, il y a des silhouettes en mouvement partout.

Évaluation rapide de leur situation. Hafiz a déplacé une mitrailleuse derrière un tas de briques, à l'endroit de la cloison effondrée, pour couvrir ce côté. Il surveille également la seconde, en batterie dans la pièce voisine, dirigée vers la ligne de crête, où les forces talibanes sont concentrées. Il les fait tirer par courtes volées, pour économiser les munitions, leurs réserves diminuent à vue d'œil. Un supplétif renforce à l'est, un défend à l'ouest, où rien ne se passe pour le moment. Un troisième gît sur le sol, entre les deux salles, décalotté par du shrapnel. Une vision étrange, il est couché sur le dos, les yeux ouverts, et marmonne encore tandis que sa cervelle, violacée, se répand sur le sol avec sa chiasse. Il se vide par tous les trous, ça pue.

Akbar est blessé à l'épaule, également déchirée par un éclat. Il continue néanmoins à se battre et tue un taliban surgi de derrière le muret, à moins de dix mètres.

Ils sont trop près, putain ! Ils sont trop près. Fox allume un deuxième taleb tout à côté. Le mec s'effondre dans une gerbe de sang, une expression surprise sur le visage. Une rafale claque à proximité de sa tête, le force à se planquer. Il y en a d'autres, il faut les faire reculer. Grenade. Dégoupillée. Cuiller. Mille un. Mille deux. « Frag ! » Explosion. Une autre. Cuiller. Attendre. Jeter. « Frag ! » Boum. Cris. Lamentations. Fox sourit, se redresse, regard rapide, il se baisse, regard plus long quand rien ne vient, tour d'horizon, il vise un mec en train de fuir le bras en charpie, trois coups rapprochés, il le touche, le mec chute face contre terre. Une détonation unique retentit sur sa gauche et le servant de PKM le plus proche de lui cesse de tirer. Fox pense *Sniper*, découvre une de ses oreilles et scrute les bois, prudent. Il ne voit que des ombres mobiles sur fond d'embrasement. Hafiz secoue la tête dans sa direction, il n'a rien vu non plus. Akbar s'est jeté sur la mitrailleuse renversée, l'a replacée sur son bipied et rafale, rafale, rafale. Il leur offre un court répit, cherche à attirer l'attention du tireur isolé. Deux balles frappent l'une après l'autre une pierre tout près du jeune guide. Ça vient de la piste. Fox montre, Akbar tire, la mitrailleuse arrive en bout de bande, se tait.

Les militants recommencent à les avoiner sans discontinuer. Ils les pourrissent à coups de roquettes. Ça tape de tous les côtés, dans les murs, sur le sol, dans les arbres alentour. Fox se fait tout petit, encaisse les chocs. Puissants quand les RPG parlent, légers, rapprochés dès que les fusils prennent le relais. Dans ses écouteurs remis en place, malgré l'atténuation électronique du vacarme environnant, il perçoit à grand-peine l'opérateur de Lilley, paniqué, lui relayer les observations de l'équipage du drone. L'ennemi avance sur eux, au moins cinquante hajis, *encore ?* se dit Fox, ils vont les submerger. La base veut des coordonnées pour déclencher un appui feu. *Pourquoi faire, nous canarder ?* Il saisit aussi *Orgun-e*, *force*, *rapide*, *Blackhawk*. Orgun-e est à quarante bornes, il sera trop tard. Par-dessus le tumulte, il entend les talibans hurler sauvagement à la gloire de leur dieu. *Allahû akbar ! Allahû akbar !* Une secousse plus forte lui fait rouvrir les yeux. Ils se posent d'abord sur sa montre, il mourra donc un lundi à midi vingt-trois, et montent ensuite vers le ciel. Fox s'émerveille un instant du vert si vif du feuillage des arbres et de tout ce bleu sans un nuage. Il pense à Storay, se dit que c'est idiot, ils ne se sont jamais baladés dehors ensemble. Fox observe ses compagnons. Ils se sont abrités le mieux possible pour laisser passer l'orage, tous.

Sauf Tiny.

Lorsque le Hellfire a pété quelques minutes plus tôt, Tiny a dû interrompre ses soins et se coucher sur Anwar pour se protéger et le protéger. Cela arrive alors qu'il vient à peine de lui rincer grossièrement la gueule avec de l'eau en bouteille pour y voir plus clair et virer tous les bouts de dents et de langue qui gênent sa respiration. Le temps de se redresser au-dessus du blessé et la cavité buccale est à nouveau obstruée par du sang. Anwar est de moins en moins réactif, il glisse vers la mort. Tiny décide d'initier un massage cardiaque et commence à égrener des chiffres de toutes ses forces, un, deux, trois, quatre, cinq, pour ne pas se planter dans ses séries de compressions. Et parce qu'il a la rage. À chaque interruption, il effectue un bouche-à-bouche à pleins poumons. Plusieurs fois Anwar lui dégobille dedans, des trucs noirâtres, verdâtres, rosâtres, mais il ne s'arrête pas. Malgré toute la merde qu'il avale. Malgré ses haut-le-cœur et ses propres renvois. Malgré les balles et les explosions et les éclats et le boucan et la fumée et la poussière et la chaleur. Tout ça pour rien, *il crève cet enculé*. Mais Tiny refuse de le laisser filer, il continue à pomper et compter et pomper et chialer. *Tu me plantes pas, connard !* Il se met à cogner sur la poitrine d'Anwar d'un poing rageur et à ce moment-là, Fox et Hafiz, dans un même réflexe, le plaquent au sol. Une roquette éclate pas loin, dans un pin, les couvrant tous les trois d'aiguilles et de débris de bois, puis Tiny est relevé de force et entraîné dans la pente, vers l'ouest, du côté où l'ennemi ne les a pas attaqués. Pas encore.

Un supplétif ouvre la marche, ses deux sauveurs l'encadrent et, derrière, Tiny voit Akbar courir de guingois, un bras raidi le long du buste. Pas d'autre rescapé. Fox le presse, le pousse, crie, il pige un mot sur deux, capte *mortier*, *sur eux*, *Willie Pete*. *White*. *Phosphorus*. Phosphore. Sur leur position. Plus tard, il se souviendra avoir pensé *dans la forêt, logique, ça crame mieux* et *merde, Anwar !* Cependant, dans le feu de l'action, Tiny accélère. D'instinct. Ensuite tout va très vite. Le mec de devant chute, Hafiz trébuche sur lui, Fox s'arrête pour les relever, Akbar dépasse tout le monde, emporté par l'inclinaison du terrain et son élan. Tiny se retourne et regarde en direction du sommet. Ils ont parcouru une soixantaine de mètres, pas plus, et au-dessus d'eux, ça couine déjà.

Les premiers renforts arrivent en hélicoptère du Camp Harriman, à Orgun-e. Une dizaine de bérets verts réunis à la va-vite. Ils volent autour du site ravagé par les flammes sans parvenir à se poser ou voir grand-chose, à cause de l'épaisse nuée blanchâtre dégagée par les obus incendiaires. Ils détruisent néanmoins à coups de Minigun un pickup chargé de talibans en fuite et offrent une couverture aérienne à la force de réaction rapide de Lilley. Elle se pointe par la route, à bord de Hummers, une grosse demi-heure après le bombardement, déroutée vers Pilgrim à la minute où le commandement, grâce aux interceptions de bla-bla Icom, a compris que l'attaque du poste de combat sud de Shkin était une diversion. Les talibans voulaient anéantir le commando de 6N en paix. Ils ont presque réussi.

Les soldats retrouvent les survivants couverts de suie et de poussière, les visages striés de coulures de sueur et de sang, dissimulés dans un amas de rochers, au pied de la colline 3721, en bordure d'un oued. Ils ont eu beaucoup de chance. La première salve de mortier était trop longue, elle n'a pas atterri sur la maison, contrairement aux instructions, mais au-delà. Les deux suivantes, en revanche, corrigées par les observations de l'équipage du drone, ont fait mouche. Fox, Tiny et les autres étaient déjà suffisamment loin. Leur salut s'est joué à un coup de vent et quelques dizaines de secondes. Ils le savent, cela se lit dans leurs yeux. Ils ont le regard de ceux que la mort est venue saluer et a laissé filer, pour un temps.

Les jours suivants connaissent une intense activité. Hors de question de laisser passer une agression pareille, il faut y répondre, vite. Une première analyse des interceptions radio et des éléments récupérés sur les cadavres pas trop abîmés par le feu permet de lancer plusieurs raids punitifs de l'armée et des forces spéciales dans les environs de Shkin et Sperah. Une partie des insurgés ayant participé à l'assaut contre Pilgrim est originaire de ces deux endroits. Des recoupements sont faits grâce aux comptes rendus d'embuscades antérieures et des rescapés des événements de la colline 3721, notamment celui de Fox, où il mentionne la présence d'un *chef à l'œil couvert d'un bandeau noir*.

Le 23 juillet, dix jours après l'attaque, Voodoo vient à Chapman pour prendre connaissance des derniers développements. Les nouvelles de Bob ne l'arrangent vraiment pas. Il commence par confirmer ce dont Voodoo se doutait déjà, le fameux Shere Khan n'est pas mort au cours de l'opération No Mercy, fin mai. L'homme au bandeau, c'est lui, et il vient de monter de plusieurs crans sur la liste des cibles prioritaires. Des témoignages de fermiers persécutés par les talibans et les aveux de prisonniers l'attestent. Il participe de nouveau activement aux offensives talibanes de Loya Paktiya et semble chargé de répliquer aux initiatives de la CIA et de ses agents, voire de les éliminer pour le compte des Haqqani. Tous ces éléments viennent compléter des informations transmises par différents canaux selon lesquelles Sirajouddine et ses alliés veulent mettre en place une milice spéciale, dite armée du Khorasan, l'ancien nom de la zone englobant l'Afghanistan, une partie de l'Ouzbékistan et les régions tribales en majorité pachtounes, chargée de traquer les traîtres au service de l'Agence. Le choix du nom Khorasan n'est pas anodin et suggère la participation au projet de djihadistes étrangers d'Al-Qaïda, que l'on appelle par ici *Tanzim al-qaeda al-jihad fi al-Khorasan* ou *Qaedat al-jihad fi bilad Khorasan*, la base du djihad en Afghanistan. Cette création se heurterait pour le moment aux rivalités entre les différents chefs de guerre, dont les objectifs et les alliances ne sont pas nécessairement compatibles, en particulier vis-à-vis de l'ISI. Le guet-apens dont 6N a été victime suggère cependant qu'un embryon de contre-espionnage existe déjà. Anwar n'a pas été retourné, ils en sont presque sûrs, mais il a été suivi depuis le Pakistan. Le repli de nombreux assaillants de l'autre côté de la frontière et la découverte des corps de combattants arabes et ouzbeks après la bataille tendent à le prouver. On l'a laissé venir à la rencontre des paramilitaires, c'était un piège.

Lorsqu'il a fini avec Bob, Voodoo rejoint Fox. Il le chope au milieu d'une pause clope. « Il faut prévenir Karlanri, à Miranshah, et les mecs du deuxième groupe de Makin. Profil bas jusqu'à nouvel ordre.

— On les lâche ? » Fox est lui aussi à Chapman depuis quelques jours, en compagnie d'Hafiz et de supplétifs de son clan. Il a toujours sa barbe mais on lui a rasé la tête pour traiter l'entaille creusée au sommet de son crâne par un éclat de pierre.

Voodoo trouve qu'il a l'air épuisé. « Non, on les protège. On va sans doute devoir les reprendre en main de l'autre côté, depuis Peshawar ou Bannu. » Les nouvelles dispositions contractuelles en cours de négociation avec l'Agence prévoient l'implantation permanente d'une partie des personnels de 6N dans ces deux villes du Pakistan. D'autres sous-traitants privés y sont déjà au travail et Longhouse refuse de partager ses ressources locales, trop de temps et d'argent ont été investis dans le développement de ces réseaux pour les céder ainsi à la concurrence. Voodoo n'est pas censé en parler mais il lui faut donner des gages à Fox, très éprouvé, comme Tiny, par les récents événements et le décès d'Anwar.

« Bob t'a dit quoi, sur Sher Ali Khan Zadran ?

— Pas grand-chose de neuf. Ils ont peut-être réussi à identifier son nouveau portable. » Voodoo ne s'étend pas, garde pour lui les détails concernant les rapports de Palantir. À la suite de la tentative d'enlèvement de Rouhoullah par Tahir Nawaz, début juin, plusieurs identifiants de mobiles dignes d'intérêt ont intégré les critères de recherche. L'un d'entre eux, un abonnement récent, a été activé à l'occasion de plusieurs attaques et repéré dans des zones géographiquement pertinentes. À quatre reprises, des sources ont décrit le passage ou le séjour d'un chef taliban borgne et des sites web djihadistes pakistanais ont parlé de lui. Une vidéo de martyr est en cours de traitement. Cet identifiant est aussi au centre d'une nébuleuse de contacts correspondant peu ou prou à l'ancienne nébuleuse de Shere Khan. La probabilité que ce soit son numéro est forte. « Ils vont peut-être pouvoir anticiper certains de ses mouvements. Ils savent au moins quoi surveiller, ça va les occuper. » *Et avec un peu de bol ils arriveront aussi à retrouver Rouhoullah.* Voodoo s'abstient de verbaliser cette réflexion-là. Le trafiquant a disparu depuis un mois et demi et tous ses anciens téléphones sont inactifs. Nawaz soupçonne une fuite au Pakistan. Le chef de la Border Police a des complices au sein des Frontier Corps, pour l'aider dans ses différents trafics. Il peut faire appel à eux pour éliminer Rouhoullah mais encore faut-il qu'ils sachent où aller le chercher. Et s'il n'est pas là-bas et se planque toujours en Afghanistan, Voodoo et ses mecs se chargeront de lui. « Et vous, vous en êtes où ? » Il envoie un coup de menton dans la direction du hangar devant lequel il a retrouvé Fox.

C'est une construction de moellons et de tôle, basique, anonyme, ancienne, elle date de l'époque des Russes. Elle se situe à l'écart des installations principales de la FOB, dans la zone technique, un no man's land poussiéreux de carcasses métalliques, conteneurs et barils écrasé par le soleil, près des soutes à carburants et des ateliers. À l'intérieur, il y a quelques cellules ou plutôt des cages, dont les barreaux sont garnis de barbelés, et un cube de bois capitonné du sol au plafond. Un trou noir au milieu d'un site dit *noir* dans le jargon top secret de la CIA repris à longueur de colonnes par les médias, un secret dans le secret. Délaissé par les interrogateurs de l'Agence, ils se font discrets ces derniers temps, mais toujours utile en cas de besoin.

« On n'en tirera plus rien. »

Cinq insurgés ont été fais prisonniers le 17 juillet, à Sperah, au cours d'une opération menée par une unité secrète interarmes baptisée TF373. D'après des informations de l'Agence. Sher Ali devait se trouver dans la qalat prise d'assaut, l'objectif était de le capturer ou de le tuer. Il avait déjà filé mais plusieurs de ses combattants s'y étaient attardés. L'un d'eux avait sur lui un téléphone mobile repéré au préalable dans le voisinage de la ferme de Haji Moussa Khan, le soir où sa famille a été massacrée. En cette période électorale, aucun Américain ne voulant prendre le risque d'une *conversation amicale*, les détenus ont été confiés aux bons soins d'Hafiz et de ses potes zadrans. Ils doivent officiellement se contenter de les surveiller de près. Et depuis six jours, ils s'acquittent de cette tâche avec diligence.

Fox a laissé faire, contrecoup du 13 et de l'exécution de l'éleveur de chevaux et de son fils, toujours pas digérée. Les renseignements obtenus ont complété le profil du chef taliban déjà établi par l'Agence. Shere Khan est le nom de guerre, hérité du djihad antisoviétique, du fils cadet d'un autre moudjahidine pachtoune, Aqal Khan Zadran, proche du vieil Haqqani. Longtemps simple contrebandier et complice très occasionnel de l'insurrection, il l'a définitivement rejointe en février dernier, après la mort de deux de ses trois enfants lors d'une frappe aérienne. À Khushali Wazir. Fox et Hafiz y étaient. Mauvais karma. Cette dernière information, apprise l'avant-veille, éclaire d'une façon différente, plus personnelle, les attaques perpétrées contre les employés de l'Agence, en particulier ceux de 6N. Un éclairage auquel la CIA n'accorde pas assez d'importance. À tort, selon Fox. Ce type mène plus une vendetta qu'une guerre, il marche vraisemblablement à l'affect et à l'honneur, et l'on pourrait chercher à en profiter. Il en a parlé à Voodoo, qui en a parlé à Bob, qui a promis d'y réfléchir. En attendant, Fox devait poursuivre, encourager Hafiz et ses hommes. Non qu'ils en aient eu besoin, leur propre vengeance est une motivation bien suffisante. Badal exigeant de punir sans relâche tous les proches du responsable d'un affront, les supplétifs s'en donnent à cœur joie. Pour un résultat quasi nul après ces révélations initiales. Ils n'ont découvert qu'un seul autre élément intéressant, hier, à propos de l'épouse de Sher Ali, Kharo. Elle a déménagé avec leur seconde fille, Farzana, au Waziristan du Nord, dans les environs de Miranshah.

Depuis, les cinq talebs supplient, qu'on cesse ou qu'on leur ôte la vie, cela dépend des heures, et Fox assiste à un défouloir de moins en moins supportable. « Il faut arrêter.

— Pourquoi ? » Voodoo sourit.

Leurs Pachtounes le prendraient mal, Fox le sait mieux que quiconque.

« Barre-toi en vacances, va baiser des gonzesses au soleil. À ton retour on parlera de l'avenir.

— Je ne suis pas sûr de vouloir continuer.

— Tu aurais tort. T'es bon et j'ai besoin de toi. »

Fox tire une dernière latte sur sa Pine light, l'écrase. « On devient comme eux.

— On l'a toujours été.

— Tu le penses vraiment ?

— Ils tuent des gens, on tue des gens. On lutte pour le bien, eux contre le mal. »

Fox regarde ailleurs.

« Derrière le baratin on veut tous les mêmes trucs, pouvoir, pognon et putes. »

Silence.

« Ce monde est pas fait pour les humanistes. » Un des subalternes de Bob arrive. Il vient chercher Voodoo, ça bouge dans les FATA.

Fox les regarde s'éloigner et retourne dans le hangar surchauffé. En entrant, il voit les poings ensanglantés d'Hafiz, le fixe longuement, perçoit dans ses yeux une sauvagerie dont il aimerait ne jamais être capable. Sans se faire d'illusions. Il ressort presque aussitôt. C'est la fin de l'après-midi, il en a plein le cul, Storay lui trotte dans la tête. Un mec de

Blackwater lui prête une bécane couleur locale, il se change et file à l'anglaise, peu avant la tombée de la nuit, par la porte de derrière. Chapman, au même titre que toutes les FOB abritant des unités clandestines, en possède une, entre deux murailles Hesco arrangées pour ressembler à une enceinte normale, gardée plus discrètement mais pas moins férocement. Un code est nécessaire pour entrer et sortir par là, il le connaît. Une demi-heure de navigation prudente dans les rues de Khost, turban sur la gueule, plusieurs coups de sécurité et la maison de passe, enfin.

Quand il arrive, il salue le garde, lui donne un petit billet, dit bonjour à la vieille, un petit billet pour elle aussi et un autre, plus gros, pour Storay. Depuis un mois et demi, il a décidé de payer pour qu'elle ait la paix, beaucoup d'argent pour eux, des clopinettes pour lui, à quoi tient la valeur d'une vie. La maquerelle reçoit un bonus pour aller chercher à bouffer à tout le monde, il a faim et il sait que les filles aussi, elles crèvent la dalle tout le temps. La clientèle se réfugie de moins en moins dans leurs bras, le chaland a la trouille, la police des mœurs des talibans est à nouveau à l'œuvre, pas encore au grand jour mais pas loin.

Ça part en couilles. Fox rit de cette pensée, à cet endroit, à ce moment de sa vie. La vieille le voit faire, le prend pour elle, sourit. Elle appelle, son Étoile se pointe, ils s'isolent, font l'amour. C'est affamé, sauvage, un peu plus à chaque fois, ils se font du bien, s'offrent de l'abandon. Fox s'enivre des effluves du Chanel acheté à Storay et lorsque ceux-ci sont dissipés, quand leurs corps s'apaisent, il s'étourdit des vapeurs de sa sueur légèrement épicée. Il pourrait la reconnaître à son odeur et l'idée le réjouit, le fait marrer tout seul, encore. Elle ne comprend pas, l'interroge, il l'embrasse.

Ils se régalent du dîner rapporté par la vieille. Storay donne la becquée à Fox dans sa toute petite chambre et il en profite pour sucer les doigts de la jeune femme à la moindre occasion. Il lui rend la politesse. Elle est gênée au début mais s'y fait. Et elle aime ça. Ils se nourrissent l'un l'autre, sans paroles, juste des sourires et du chahut, ils boivent du thé, s'effleurent. Quand ils ont fini, Storay ne peut s'empêcher de toucher à nouveau son crâne rasé, de le caresser, et il voit à son visage angoissé qu'elle se concentre pour éviter son pansement. Fox lui prend la paume et y dépose un baiser. Tout à l'heure, à son arrivée, les larmes sont montées à la seconde où il a retiré son turban. Ils refont l'amour, plus doucement cette fois et Fox garde longtemps la sensation d'une main attardée sur son dos, puis sur sa hanche, puis sur sa fesse. Une main qui se crispe lorsque Storay se met à souffler plus fort dans son oreille et pousse un tout petit cri retenu à l'instant où ils jouissent. Après il s'endort et se réveille, plusieurs fois, dans ses bras.

Storay le fixe dans la pénombre. « Les femmes de ton pays, elles sont belles ? »

La question prend Fox de court. *Où donc est mon pays ?* est sa première réaction. Il glisse ensuite sur Storay et déteste sa propre façon de l'examiner, de la jauger, de la comparer, de ne voir que ses stigmates, il a gardé les réflexes cruels du monde où il est né. « Tu aimerais le voir, mon pays ? » Il biaise et, pour se faire pardonner son affront silencieux, il se croit obligé d'évoquer ce qu'il a en tête depuis quelque temps. « Quand je finirai ici, je veux que tu partes avec moi. »

Le regard de Storay se remplit de terreur et file vers la commode, où se trouve la photo de ses gamines. Elle ne les voit plus, ce serait dangereux, elles sont avec leur père. Agacé que son épouse ne lui donne que des femelles, son ex-mari s'est choisi une autre compagne. Afin de pouvoir officialiser cette nouvelle relation, il a inventé, avec la complicité de l'imam local, une histoire d'adultère pour se débarrasser de Storay. Il n'a pas tout à fait réussi mais il l'a scarifiée à vie. Et a gardé ses enfants.

« Nous les emmènerons.

— Comment ? Jamais il ne les laissera partir. C'est trop d'argent pour lui.

— Je peux les acheter.

— Il ne voudra pas. » La panique enfle. « Tu es un étranger et s'il sait pour moi, il va te tuer.

— Je n'ai pas peur.

— Il va te tuer. » Storay fuit. « Je ne veux pas les laisser. » Elle justifie et pleure, pleure, justifie, sans s'arrêter.

Fox se tait, n'argumente pas. Il la serre contre lui, plus fort que jamais, il a compris. Les mots, la voix, les tremblements, ils disent cette chose qui les avait portés jusqu'ici dans l'oubli et à présent les quitte. En lui faisant part de ses projets, il a ramené entre eux tout ce qu'ils cherchaient à fuir, verbalisé le fantasme, précipité son impossibilité. *Elle ne partira jamais, elle n'en est pas capable.* Il y a cru, c'est ridicule et pathétique.

Il part tôt le lendemain matin, à l'heure de la prière, le cœur gros, l'esprit ailleurs, et ne pense à se masquer avec son turban qu'une fois dehors. Heureusement, seul un garçonnet d'une douzaine d'années se trouve là pour le voir, une fleur jaune glissée derrière l'oreille. Fox rejoint sa moto dans une cour voisine, démarre, dégage et n'aperçoit pas le gamin récupérer une feuille dans les plis crasseux de son salwar khamis. C'est la copie du cliché de lui, Tiny et Voodoo remis par Tajmir. Sher Ali l'a donnée à l'enfant en le chargeant de recruter des petits mendiants de Khost. Pour suivre un autre Zadran, nommé Hafiz, et le prévenir s'ils voyaient cet Hafiz en compagnie des hommes de la photo, quand et à quel endroit. Jusqu'ici pas de chance, ça ne s'était pas produit. Au cours de leurs filatures, tout juste ont-ils trouvé cette maison du péché, qu'ils surveillent depuis en dilettantes, sans conviction. Les choses vont changer. Le garçon à la fleur allume le téléphone portable qu'on lui a confié, un grand honneur, et appelle son khan.

25 JUILLET 2008 – HÉROÏNE : KARZAÏ ACCUSÉ DE PROTÉGER LES TRAFIQUANTS. Un ancien spécialiste de la lutte contre le trafic de stupéfiants du Département d'État (Affaires étrangères US) vient d'accuser le président Karzaï d'obstruction aux programmes de substitution et d'arrachage du pavot, soutenant par ailleurs que le dirigeant afghan protégerait, pour des raisons politiques, les activités illicites de nombreux barons de la drogue. Selon lui, « il (Karzaï) estime préférable de tolérer un certain niveau de criminalité et de corruption plutôt que de risquer une perte d'influence en s'en prenant à certaines personnalités impliquées dans le trafic d'héroïne ». Une attitude scandaleuse, selon ce fonctionnaire à la retraite, compte tenu « des milliards de dollars investis par l'Amérique pour développer les infrastructures de ce pays, notamment la

police et la justice, et du combat mené par nos soldats contre les talibans » [...] Le gouvernement afghan a immédiatement rejeté ces allégations, qualifiées de « mensongères », et rappelé que son action avait permis de supprimer la culture du pavot dans plus de la moitié des provinces [...] Ces déclarations arrivent au moment où l'Afghanistan s'est invité une fois de plus dans la campagne électorale américaine. Alors que les appels au déploiement de troupes supplémentaires se multiplient, un porte-parole du Pentagone a déclaré hier que cette décision appartiendrait au prochain président, confirmant la faible probabilité d'un envoi de renforts vers un Afghanistan toujours plus violent avant que George W. Bush ne quitte la Maison-Blanche, en janvier prochain.
28 JUILLET 2008 – TRIBUNE : NON, MM. OBAMA ET McCAIN, L'Irak n'est pas le problème ! À l'heure où les deux candidats à l'élection présidentielle multiplient les débats stériles sur l'Irak, un État globalement stabilisé, et son avenir, une crise beaucoup plus grave se développe au Pakistan [...] L'attitude des États-Unis vis-à-vis de ce pays a toujours été désinvolte, caractérisée par son court-termisme et ses revirements, et le simple fait que personne n'en parle durant la campagne est révélateur de notre négligence en la matière. Pervez Moucharraf est parti, le tout jeune gouvernement du Premier ministre Gilani ne maîtrise rien et pendant ce temps, le chef d'état-major des armées, le général Ashfaq Kayani, continue à entretenir des relations avec des organisations terroristes locales, proches d'Al-Qaïda, dont l'influence s'étend désormais bien au-delà des régions tribales. Selon des experts de Rand Corporation, le Pakistan est en train de « se transformer en archipel de micro-émirats entérinés par des accords

de paix » [...] La situation est tellement sérieuse que, ce mois-ci, plusieurs directeurs de la CIA se sont rendus à Islamabad dans le plus grand secret pour présenter au gouvernement pakistanais des preuves de la complicité de son tout-puissant service de renseignement, l'ISI, avec des groupes terroristes installés dans les zones tribales, en particulier le réseau Haqqani, jugés responsables du regain de violence actuel chez le voisin afghan. Cette démarche, d'une rare brusquerie, est une ultime mise en garde à M. Gilani : il doit reprendre en main l'ISI et garantir à Washington son entière coopération [...] Montrer ses muscles sera-t-il suffisant et pour combien de temps ? Déjà, les bombardements par des drones dans les FATA montrent leurs limites. Ils ne peuvent constituer la seule réponse aux problèmes très sérieux auxquels est confronté le Pakistan. Le prochain occupant de la Maison-Blanche va devoir adopter sans attendre une ligne politique cohérente et durable concernant ce pays [...] **29 JUILLET 2008 – ZONES TRIBALES : UN CADRE D'AL-QAÏDA TUÉ.** Ce lundi, peu avant l'aube, plusieurs missiles probablement tirés par un avion sans pilote américain ont frappé le hameau de Zyara Leetha, près de Wana, au Waziristan du Sud. Selon des témoignages recueillis, douze personnes auraient été tuées au cours de ce bombardement. Sept ne seraient pas originaires du Pakistan [...] Une source anonyme a indiqué que Midhat Moursi al-Sayid, connu sous le nom de guerre Abou Khabab al-Masri, était la cible principale de cette frappe. Il aurait péri en compagnie d'un théologien, Abou Mohammed Ibrahim Bin Abi al-Faraj al-Masri, et d'un certain Abou Islam al-Masri, autre cadre d'Al-Qaïda. Moursi, âgé d'une cinquantaine d'années et d'origine égyptienne, était un expert en explosifs et en produits chimiques, et avait dirigé pour l'organisation terroriste plusieurs camps d'entraînement, dont le tristement célèbre camp de Darunta, proche de Jalalabad, en Afghanistan. C'est à cet endroit qu'avaient été tournées en 2001 des vidéos montrant des chiens asphyxiés par des gaz de combat. Abou Khabab est également soupçonné d'avoir personnellement recruté et entraîné Richard Reid, connu sous le sobriquet de *shoebomber*, le kamikaze à la chaussure britannique qui avait tenté de faire exploser en vol un avion assurant la liaison Paris-Miami en décembre 2001 [...] On avait par erreur annoncé la mort d'Abou Khabab en 2006, après un précédent bombardement à Bajaur [...] L'armée pakistanaise s'est refusée à tout commentaire et a déclaré ne pas être au courant d'une quelconque opération aérienne américaine. S'il était confirmé qu'un drone a tué Midhat Moursi, ce serait la sixième frappe de ce type depuis le début de l'année.

Fox se pose à Sharjah le lendemain de l'exécution de Midhat Moursi. Ils l'ont eu quand même, grâce à d'autres. Qui, il ne le sait pas, ils sont nombreux à œuvrer dans l'ombre en parallèle. La logique est un peu tordue mais la mort de l'Égyptien aide à faire passer la pilule de celle d'Anwar, elle semble moins inutile, le coup rendu ayant été en quelque sorte plus fort que celui reçu.

C'est la fin de l'après-midi et une chaleur suffocante accueille Fox à sa descente de l'avion de Mohawk. Il fait plus de cinquante degrés à en croire l'annonce du pilote avant qu'ils ne se posent. Il repart de Dubaï et Voodoo lui a proposé d'organiser son transfert d'un aéroport à l'autre avec une voiture de la boîte mais il a décliné, il préférait se démerder seul. Son boss ignore qu'il ne s'envole pas immédiatement pour rejoindre son lieu de vacances, reste sur place une nuit. Cela ne le réjouit pas, il déteste cette ville et il déteste ce qu'il doit y faire, mais Pierce ne lui a pas laissé le choix, ils devaient se rencontrer.

Les routes et les conducteurs du cru sont notoirement dangereux, et son chauffeur de taxi manque de les tuer trois fois sur le chemin de l'hôtel, malgré une circulation anormalement fluide. La ville semble désertée, tourner au ralenti. Un contraste étrange avec ses précédentes visites, et elles ont été fréquentes ces cinq dernières années, entre ses missions irakiennes et afghanes, où elle affichait une hyperactivité insolente. Là, si l'impression de décor en carton-pâte pour nouveaux riches demeure, il s'y mêle une très forte sensation de décrépitude. Fox se met à observer le panorama de gratte-ciel à travers la vitre de sa portière et prend peu à peu conscience de ce qui ne va pas. Le nombre d'immeubles en construction n'a pas diminué mais à cette heure de la journée plus personne ne travaille sur la plupart des chantiers alors qu'auparavant les ouvriers faisaient les trois-huit. Cette intuition d'assister à la fin d'une époque est confirmée par un passage dans une galerie marchande très luxueuse où Fox ne croise que de rares pouffes de l'Est et des vendeurs désœuvrés, désespérés. « C'est la crise », lui glisse le responsable d'une boutique de sportswear de luxe, un Anglais, à qui il achète une paire de pompes, une veste, une chemise et un jean présentables – tenue correcte exigée au dîner de ce soir – « beaucoup de gens ont déjà perdu leur job et sont partis dès qu'ils ont pu. Moi-même je pense à rentrer ». Le mec a l'air paniqué, ne plus avoir de boulot ici est un enfer. À la minute où vous êtes viré, votre banque est avertie et bloque vos comptes, c'est la loi. Et si vous avez des crédits ou des dettes impossibles à rembourser, vous allez en taule jusqu'à ce que le pognon tombe.

Après s'être changé à son hôtel, un établissement d'affaires du centre-ville au confort internationalement quelconque, Fox se rend à son rendez-vous. Pour une raison qu'il ne s'explique pas, Pierce l'a invité au Burj-al-Arab, un palace extravagant planté sur une île artificielle, dans la zone résidentielle de Jumeirah, sur la côte. On ne peut pas faire moins discret que cette construction impressionnante, en forme de voile de navire. De l'extérieur, elle n'est pas dépourvue d'une certaine élégance. L'intérieur, en revanche, est d'un clinquant agressif dès le hall d'entrée. Ouvert jusqu'au sommet de la tour, il est occupé par une fontaine bondissante en escaliers et une colonnade cyclopéenne couverte de feuilles d'or.

Pierce attend dans un restaurant suspendu à deux cents mètres d'altitude. Baptisé Al-Muntaha, *le plus haut*, il offre une perspective magnifique sur le golfe Persique à travers trois murs vitrés du sol au plafond. L'homme de la CIA est assis à côté d'une paroi de verre, dos à l'océan Indien, et observe Dubaï. La nuit est tombée et la ville s'est parée de ces couleurs criardes qui la font ressembler à une gigantesque boîte de nuit en plein air. On devine ses tours, perdues dans leur brume de chaleur, et elle apparaît pour ce qu'elle est, un mirage bâti à coups de dettes et de millions salis par le pétrole, la drogue et les armes. Quand Fox arrive à table, Pierce ne se lève pas, il ne se tourne même pas vers lui, son regard reste sur l'horizon urbain, à la fois fasciné et mauvais.

« Jolie vue mais j'aime pas la moquette.

— Je t'invite dans l'un des plus beaux endroits du coin et tu n'es pas content ?

— Qu'est-ce qu'on fout ici ?

— L'économie locale a besoin de soutien. » Pierce adresse une moue ironique à Fox tout en balayant la salle des yeux. Elle est presque vide, autre signe du malaise ambiant. « Et le contribuable américain paie, profites-en.

— Tu m'achètes ?

— Pas besoin, tu es déjà à moi. » Pierce fait signe au maître d'hôtel, commande un autre verre de Chardonnay. « J'adore cet endroit. » Une affirmation à prendre au premier degré, comme les deux précédentes, le ton ne laisse aucun doute. « Pourquoi le bonnet ? »

Fox porte un *beanie* de toile pour couvrir sa cicatrice. « On m'a rasé la tête, je ne voulais pas prendre froid. » À l'entrée, on a voulu le lui faire retirer mais après avoir montré sa plaie en voie de guérison, il a pu le conserver.

« Et tu t'es débarrassé de ta barbe ?

— Elle repoussera en Thaïlande.

— C'est là-bas que tu pars ?

— Tu ne le savais pas ? »

Pierce sourit. Il prend le menu qu'on lui tend et se met à le consulter. « Comment va le boulot ?

— La routine, on papote, on se fait tirer dessus. » Fox se rembrunit. Brusquement, il s'en veut d'être ici. « J'ai perdu du monde, récemment.

— C'est le jeu. » Pierce sent immédiatement que sa désinvolture n'est pas passée, il ajoute : « Désolé pour tes mecs. Tu sais ce que tu veux ? » Un silence inconfortable s'installe jusqu'à la prise de la commande. Aussitôt le maître d'hôtel parti, l'Américain repart à la charge. « As-tu enfin des choses à me dire ? »

Il y a une clé USB glissée dans la poche de jean de Fox. Elle contient les photos, prises dans les locaux de 6N, du contenu des malles, et d'autres, chopées au vol, lors de transferts de cantines dans et hors des bureaux ou lorsqu'on lui a demandé d'apporter du fric à Nawaz et ses sbires. Y sont également enregistrés divers documents rédigés de sa main, un calendrier précis des événements et un récapitulatif de toutes ses observations à ce jour. De quoi permettre d'ouvrir une enquête interne pour couvrir les miches de l'Agence. Fox a constitué ce dossier, il l'a sauvegardé et protégé, il l'a emporté avec lui mais il est de moins en moins convaincu de vouloir le communiquer à son ancien mentor.

Pierce a dû percevoir son hésitation. « N'oublie pas ce que tu me dois. » Il se reprend. « Ce que tu dois à l'Agence.

— Difficile, tu me le rappelles à chaque entrevue. » Fox s'est beaucoup interrogé sur ses obligations dernièrement. Il est vrai que la CIA lui a permis de se mettre à l'abri après son départ précipité de France au début de l'année 2002, mais « j'ai l'impression que cette dette ne sera jamais remboursée, quoi que je fasse. Tu ne trouves pas que j'ai déjà beaucoup payé ?

— Tout dépend à quel prix tu estimes ta vie.

— Encore une menace ?

— Un rappel. »

Fox pourrait aussi rappeler certaines choses. C'est notamment par la faute de Pierce, à cause de sa mission de déstabilisation de l'époque, que l'opération dans laquelle il était impliqué a failli dérailler. Si, par l'intermédiaire de divers relais *amis*, la CIA n'avait pas alerté la presse française sur leurs agissements, Alecto aurait probablement atteint son objectif en douceur. Sa hiérarchie n'aurait pas paniqué et cherché à faire de lui un bouc émissaire après l'avoir éliminé, provoquant sa fuite. Peu probable cependant que Pierce entende ses arguments, il n'en a rien à foutre. Fonctionnaire de l'espionnage, carriériste autant que sa soumission à son administration le lui permet, c'est un homme de système. Et il privilégiera toujours le système aux individus, Fox ne fait pas exception. Devant l'insistance de son interlocuteur, il louvoie. « Et Longhouse ?

— Quoi, Longhouse ?

— J'imagine qu'ils ont les moyens de réaliser un audit, moyens dont je ne dispose pas.

— Longhouse, c'est pas l'Agence.

— Vous n'êtes plus cul et chemise Zinni et toi ?

— Je sais faire la part des choses.

— Je me suis demandé si le brutal changement de l'équipe au sol de Mohawk à Bagram était lié à notre affaire.

— Tu ne me réponds pas. »

Pierce et Fox se dévisagent. Aucun des deux ne se dérobe. Le moment dure.

« Je n'ai rien vu. » La situation dans laquelle Fox se trouve aujourd'hui est le résultat d'une succession de duplicités et de trahisons, acceptées au nom de valeurs dont il ne sait pas s'il les partage encore, par servitude, ou respect, ou rejet. Toujours en réaction. Peut-être est-il vain de croire qu'il peut en être autrement mais il a décidé de sortir de l'impasse dans laquelle les Pierce de ce monde l'ont toujours enfermé. Pas pour Voodoo, il ne se fait pas la moindre illusion sur le mec, mais pour lui-même. Et malgré le vertige, malgré les risques, brûler ses navires lui fait du bien. Il se prépare à l'éventualité d'une nouvelle fuite depuis longtemps et possède d'autres passeports, ici avec lui et dans une planque, à Fenty, pour le cas où le gouvernement américain chercherait à lui confisquer son sésame officiel. Il a également du cash, dans plusieurs coffres. Lorsque l'on exerce un métier à risque dans des zones de guerre, on bosse beaucoup, pour un bon salaire, sans dépense extravagante. Particulièrement si l'on n'a ni amis, ni foyer. Ni famille. Un instant, les pensées de Fox dérivent vers Storay.

Pierce le rappelle à l'ordre. « Si Voodoo devait dégager pour une raison quelconque, sa place serait à prendre. Zinni a de grandes ambitions pour 6N.

— Je n'en doute pas.

— Me mentir serait une erreur. »

Fox jette un coup d'œil en direction de la salle de restaurant, indique une autre table. Deux hommes y dînent en buvant des sodas. « Ils sont là pour me punir ?

— Ce sont mes gardes du corps et je n'ai pas besoin d'eux. »

Fox acquiesce. « Soit Voodoo est vraiment très fort, soit il n'a rien à se reprocher. » Pendant quelques secondes le regard mauvais de Pierce reste sur lui puis l'homme se détend brutalement. Les traits de son visage se relâchent et il se laisse aller dans son fauteuil. Sa métamorphose est suffisamment spectaculaire pour interpeller Fox. Il voit Pierce terminer son second verre de vin cul sec avec un air satisfait et en demander un autre. Celui-ci arrive avec leurs entrées.

20

PERTES COALITION	Juil. 2008	Tot. 2008 / 2007 / 2006
Morts	30	153 / 232 / 191
Morts IED	8	83 / 77 / 52
Blessés IED	74	401 / 415 / 279
Incidents IED	379	2027 / 2677 / 1536

1er AOÛT 2008 – L'OTAN ANNONCE AVOIR TUÉ VINGT TALIBANS. Les combats ont eu lieu hier dans le centre-est du pays à la suite de l'explosion d'un IED ayant blessé plusieurs soldats de la coalition. Des troupes au sol sont rapidement intervenues sur place. Appuyées par des hélicoptères et des chasseurs, elles ont éliminé une vingtaine de militants [...] Cinq jours plus tôt, toujours dans l'est, un attentat-suicide a été perpétré contre le chantier de l'autoroute Khost - Gardez. Un individu s'est présenté à l'une des entrées et, comme on ne le laissait pas passer, il a déclenché son gilet d'explosifs. Zabi-boullah Moujahid, porte-parole des talibans, a indiqué dans un communiqué que cette attaque avait tué et blessé plus de trente personnes. Cette affirmation vient contredire le bilan officiel qui fait état d'un mort et six blessés. **PR#2008-3XX – UN SOLDAT DE L'ISAF TUÉ À**

KHOST. Kaboul, Afghanistan - Un soldat de la coalition a été tué le 1er août par un IED dans l'est de l'Afghanistan. « Nous adressons nos condoléances à la famille et aux amis de notre camarade », a déclaré le porte-parole de l'OTAN. « L'ISAF tient à réaffirmer son soutien aux efforts de reconstruction de l'Afghanistan, cause pour laquelle ce soldat a donné sa vie. » Conformément à son règlement, l'ISAF ne révèle jamais la nationalité d'une victime avant les autorités de son pays d'origine. **1er AOÛT 2008 – IED : CINQ SOLDATS DE L'ISAF TUÉS.** Début de mois sanglant dans l'est de l'Afghanistan où des personnels de la coalition ont perdu la vie dans deux incidents séparés impliquant des IED. Les quatre premiers soldats sont morts dans la province de Kounar, le cinquième à Khost [...] Plus de 2500 personnes ont trouvé la mort en Afghanistan depuis le début de l'année 2008. Pour l'essentiel, il s'agit de militants enrôlés dans l'insurrection talibane, très active dans le sud et l'est. Le pays fait face à une poussée de violence sans précédent depuis la chute du régime du Mollah Omar, il y a sept ans. Des régions jusqu'ici très calmes, au nord-ouest, au nord et dans le centre, notamment les provinces de Logar et de Wardak, proches de Kaboul, sont désormais le théâtre d'incidents de plus en plus nombreux. **1er AOÛT 2008 – ATTENTAT CONTRE L'AMBASSADE INDIENNE DE KABOUL, des complicités pakistanaises.** Selon plusieurs sources officielles, les agences de renseignement américaines sont en mesure de prouver que des officiers de l'ISI ont aidé les responsables de l'attaque-suicide du 7 juillet dernier qui a, rappelons-le, tué 54 personnes à Kaboul. Elles détiennent des comptes rendus d'écoutes entre des agents pakistanais et les militants ayant mis au point l'attentat. Par ailleurs, de nouveaux éléments démontrent que l'ISI fait régulièrement fuiter des détails relatifs à la campagne antiterroriste menée par les États-Unis dans l'est de l'Afghanistan et les zones tribales du Pakistan. Ces fuites ont fait échouer plusieurs opérations [...] À la Maison-Blanche on s'inquiète du double jeu des services secrets pakistanais. Il fragilise les relations entre Washington et Islamabad, et ravive les tensions avec le voisin indien. Cette semaine, la région du Cachemire, que se disputent les deux États, a connu un regain de violence [...] **2 AOÛT 2008 – KHOST : TROIS POSEURS DE BOMBE TUÉS par l'explosion prématurée de leur engin explosif.** Trois militants sont morts ce matin alors qu'ils installaient une bombe au bord d'une route. Les raisons du déclenchement anticipé de leur IED sont inconnues [...] La déflagration a également tué une femme et son fils aîné qui travaillaient dans un champ à proximité. Les corps ont été récupérés par la police et les habitants du village voisin. **2 AOÛT 2008 – DEUX OTAGES RETROUVÉS SAINS ET SAUFS.** Les deux hommes, des humanitaires français appartenant à Action contre la faim, avaient été kidnappés le 18 juillet dernier [...] L'organisation, présente en Afghanistan depuis la fin des années soixante-dix, a suspendu toutes ses activités depuis cet enlèvement [...] Des rapports récemment rendus publics révèlent que les ONG font face à un nombre croissant de menaces, de chantages et d'agressions de la part de différents groupes criminels ou insurgés. 19 humanitaires sont morts au premier semestre, contre 15 pour l'ensemble de l'année 2007. Par ailleurs, plus de deux mille accrochages et attentats ont déjà eu lieu sur le territoire afghan entre janvier et juin 2008, soit 52 % de plus que l'an dernier durant la même période.

Daniel Ponsot sirote un verre de rosé assis à l'ombre d'un parasol. Il a pris de l'avance sur sa famille et s'est installé à la table qu'ils ont réservée pour le déjeuner, sur la terrasse du restaurant Tamaricciu, à Palombaggia, près de Porto Vecchio, où ils sont en congés. Devant lui, la plage bordée par ses fameux rochers rouges, dixit les guides touristiques, dont la courbe s'étire vers la gauche sur deux kilomètres, et l'eau d'un bleu carte postale.

Nathalie est dans sa ligne de mire, debout à côté d'un transat, elle range leurs affaires avec l'aide de leur fils. Il la voit nouer une étole autour de sa poitrine pour couvrir son deux-pièces et il sourit, elle a pris un peu de cul mais il la trouve très désirable. Marie est encore à l'eau et elle va mettre des plombes à les rejoindre. Elle leur fait le coup tous les jours. Ça agace Ponsot parce qu'il faudra l'attendre pour manger, sa femme ne voudra pas commencer sans elle, c'est important ces repas ensemble, ils n'arrivent pas souvent, il faut en profiter. Leur fille est venue passer une semaine en leur compagnie, entre deux séjours avec ses copains et c'est sans doute la dernière année qu'ils partent ainsi tous les quatre en voyage. En septembre, elle habitera dans une autre ville, ils la verront moins. Après, ce sera leur fils. Le temps file. Ponsot ne peut s'empêcher de ressentir une pointe de tristesse. Elle atténue son irritation. Il termine son vin, se ressert un verre, fait tomber quelques gouttes sur son bide, envahissant sous le tissu de son T-shirt. Abdos binouzes sandwiches, muscu bureau bagnole, plus assez de terrain, corps en friche de sport. Et l'âge. Il repense à Nathalie, chacun sa graisse, et ricane de lui-même. Il joue un instant avec l'idée d'une marche en montagne puis se remet à boire, attendre, observer.

La plage est arrangée en espaces plus ou moins privatisés, selon une hiérarchie qui ferait tiquer tout sociologue féru de lutte des classes. En face du Tamaricciu, les friqués, surtout des Parisiens, comme eux, mais plus jeunes, pas comme eux. Aujourd'hui, il y en a quelques beaux spécimens, faussement cool et véritablement prise de tête. Ils ne crient pas, se contentent de parler très fort, satisfaits de se partager avec leur prochain. Vision post-snob du vivre ensemble, ce culte de l'altérité imposée. D'après ce que Ponsot a subi de leurs échanges, ils bossent tous *dans la prod'*, sauf un couple, eux vendent de l'art contemporain. Son agacement refait surface. Sa famille et lui sont installés sur le même bout de sable mais ils n'ont rien à voir avec ces gens-là. Ils sont ici parce que Nathalie paie pour tout ou presque. Son cabinet marche bien, elle avait besoin de repos et souhaitait se faire plaisir. Ils aiment tous les deux la Corse et, pour une fois, ils peuvent la vivre sans compter. Ça les oblige quand même à côtoyer des cons, le fric ne peut pas tout. Et s'il y en a de moins en moins, du fric, quand on s'éloigne de la terrasse où il picole – on passe des chaises longues de luxe, en bois, avec coussins et parasols, à celles en plastique mais toujours ombragées, au plastoc version plein soleil, au cagnard option *j'en ai plein la serviette* – Ponsot ne parierait pas sur une baisse simultanée de la concentration de connerie.

En contemplant cette foule alanguie à laquelle il se mêle chaque été par flemmardise grégaire, les obligations scolaires et professionnelles seules ne le justifient pas, il est envahi par un désagréable sentiment d'angoisse. Ponsot n'a jamais aimé les vacances et si jusqu'ici le retour au boulot l'a toujours sauvé, la récente réforme des services de renseignement l'a précipité dans des limbes plus administratifs qu'opérationnels vers lesquels il n'est pas pressé de revenir. Terminer sa carrière à Levallois va être pénible.

Nathalie, radieuse, se matérialise à côté de la table, accompagnée de Christophe. Elle lui dit quelque chose à propos de Marie. Ponsot ne l'entend pas. Impression soudaine de n'être plus bon à rien, ou à sa place, nulle part. De passer à côté de la vie. Mais de quelle vie s'agit-il ?

Le dimanche 3 août, à vingt heures passées, un taxi dépose CdM devant le portillon de la villa de Micheline, à Arcachon. Chloé a toujours dit ou pensé *la villa de Micheline*, parce que sa mère l'a héritée de sa famille, propriétaire depuis cinq générations de cette vaste demeure plantée au milieu de la Ville d'Hiver, avec ses maisons bourgeoises et leurs noms d'une autre époque, la Toledo, La Nouvelle Noce, La Sigurd, La Bayard, au détour d'une ruelle arborée longeant le Parc Mauresque. Et parce que son père déteste cet endroit où il laisse avec joie sa femme venir s'enfermer dans sa solitude. Entourée d'un jardin agrémenté de quelques cèdres du Liban, la bâtisse est un parallélépipède imposant, à la base rectangle, haut de deux étages et couvert d'un toit raide et pointu, tout en avancées. Il est prolongé sur un flanc par un beffroi carré. Des balcons courent au sommet de cette tour, sur tous les côtés, et permettent par beau temps d'admirer le voisinage et, au-delà, le bassin et le Cap Ferret. Chloé l'adore, malgré les couleurs tristes de la façade, avec ses fenêtres revêtues de dentelles de bois ton sur ton, qui lui donnent un air lugubre lorsqu'il pleut. Ses meilleurs souvenirs d'enfance sont ici et elle y a vécu ses derniers bons moments avec Micheline, avant qu'elle se résigne à ne plus être *maman*.

Cinq minutes déjà que le taxi est parti et Chloé n'a toujours pas franchi la grille. Il est tard, elle l'a fait exprès. Pour réduire les possibilités d'interaction de ce premier soir et s'offrir un sas de décompression. La perspective des prochains jours en compagnie de Micheline, Joy et du mari de cette dernière, Grégoire, ne l'enchante pas. Mais ensuite, ciao, elle repart sur la côte amalfitaine avec des amis. Repart. Elle vient juste de rentrer d'Italie et Florence semble déjà loin. Montana, officiellement au Maghreb en voyage d'affaires, lui a fait cadeau d'un séjour en Toscane, entre palaces et auberges de charme. Flâneries, escapades culturelles, shopping et une paix royale, Alain l'a peu baisée, il a préféré l'admirer, regarder faire les autres, ce fut une semaine d'agréables dérives sensuelles. Rien à voir avec ce qui l'attend ici.

Elle entre.

Sa famille est à table. Première mauvaise surprise, Guy est là. Il ne devait pas. Chloé foudroie Micheline du regard. Elle baisse les yeux, elle a piégé sa fille. Son père se lève pour l'embrasser. Esquive et bise sèche à Joy. Deuxième mauvaise surprise, Grégoire n'y est pas. Ce n'est pas le mec le plus drôle de la terre mais elle l'aime bien, il est gentil, mériterait mieux que sa sœur. Réunion strictement familiale, son pire cauchemar. Chloé songe un instant à dégager mais le chagrin qui afflige les traits de Micheline la retient. Dans la tristesse bien plus que dans la joie, sa mère et elle sont le portrait craché l'une de l'autre.

À peine assise, on lui sert à manger. Elle picore,

répond aux questions de Guy du bout des lèvres, évite au maximum de s'attarder sur lui. Ils ne se sont pas revus ni parlé depuis la partouze. Pourtant il a insisté, au téléphone, par mail, auprès de Montana, sans relâche et sans vergogne. Elle a senti dans ses nombreux messages grandir frustration et colère, non sans délectation. Maintenant, il l'a coincée et si elle n'y prend pas garde, il peut exploser. Sa voix est cassante déjà, il s'agite sur sa chaise.

Micheline s'enfonce dans la sienne.

Joy, vieille habitude, finit par se ranger dans le camp de l'ennemi. « Qu'as-tu prévu pour la rentrée ? » Le ton est ironique, son aînée continue à la prendre pour une petite conne à l'existence futile. Sa jalousie la rend toujours aveugle.

« La fac, la fête, la vie. » Chloé affiche son plus beau sourire de mondaine évaporée.

« Bosser ?

— Trop dur.

— Les parents ne seront pas toujours là.

— Joy, les parents ne sont plus là depuis longtemps. »

Guy de Montchanin-Lassée frappe la table et tout le monde sursaute avec la vaisselle.

Sauf Chloé. Elle le dévisage, s'essuie la bouche avec nonchalance et monte dans sa chambre. Où elle s'empresse de s'enfermer à clé et de fouiller son sac à la recherche de sa réserve d'héro. Ses mains tremblent quand elle étale la poudre claire sur son chevet et elle la sniffe vite, maladroite, avant de se laisser glisser sur son lit. Pendant un temps indéterminé, elle se moque de tout, refait surface par flashs, replonge, flotte, jette un œil à son téléphone, prise les résidus de came qui traînent, consulte encore son téléphone, personne ne l'a appelée mais elle s'en fout, elle essaie de lire Calaferte, n'y parvient pas, tente de joindre Montana. Portable coupé. Il l'est toujours quand il se consacre à sa femme. Chloé jette ses fringues en tas, va se doucher dans la salle de bains attenante et revient, les idées plus claires. Très angoissée. Elle tape un second trait. Celui-là l'assomme après trois ou quatre minutes, l'ensuque, doucereux, dans la torpeur d'une chambre enténébrée où un mec la baise et Montana le doigte et le mec jouit sur elle et après elle le suce et elle suce Montana et c'est Guy qui vient dans sa bouche et sur son visage quand elle se recule et qui gueule son plaisir et qui crie parce qu'elle se recule et qui tape et tape et tape sur quelque chose. Chloé est réveillée par son père peu après minuit. Il tambourine dans le couloir, énervé. Elle le menace d'appeler les flics s'il ne se tire pas. Ça hurle. Il a bu, veut tout péter mais la peur du scandale finit par avoir raison de ses méchantes humeurs. Il s'en va. Elle entend son pas lourd, aviné, s'éloigner et marteler les escaliers.

Son cœur cogne si fort, il veut se barrer de sa poitrine et elle aimerait bien s'échapper avec lui. Mais il faudrait redescendre jusqu'à l'entrée, éviter Guy et elle ne veut pas prendre le risque de le croiser. Elle a peur. Elle est crevée et elle ne va pas dormir. Parce qu'elle a peur. Et elle a la trouille de prendre un somnifère et de sombrer, d'être à sa merci s'il défonce sa porte. Une autre ligne serait si simple. Là aussi, l'appréhension est plus forte. Chloé tourne en rond, coincée dans ce domaine autrefois chéri, plus capable d'en goûter les odeurs de mobilier ancien, les craquements du parquet, les vieilles photographies sur les murs et tous ces livres qu'elle a pourtant gardés précieusement. La pièce est devenue sinistre, les lampes ne donnent pas assez de lumière. *Allumer le lustre et rappeler Montana.* Elle rappelle et rappelle, jamais il ne décroche. Il n'est là que lorsque ça l'arrange. Cette pensée la déprime et la met en colère, sa panique la met en colère, son père qui en quelques heures a bousillé la Toscane la met en colère. Et Micheline, la silencieuse complice, et Joy. Aucune des deux n'est intervenue. Chloé se met à jouer avec son nouvel iPhone, efface tous les SMS de Guy. Elle les avait gardés pour peut-être s'en servir, les montrer aux deux putes qui n'ont jamais eu que leur silence à lui offrir, les faire réagir, mais elle ne veut plus voir les mots de son père, ne veut plus les avoir, les effleurer, même du bout des doigts. Quand elle a fini, elle passe à ses sales traces vocales. Elle les écoute et les vire, les écoute jusqu'à la nausée, chaque parole la souille, et les vire, les vire, les vire. Bientôt il ne reste plus que des messages de copains. Et celui d'Amel, le dernier. Impossible de s'en débarrasser. Elle se le repasse, ce n'est pas une première. Elle aime sa voix un peu rauque, très mec, à la fois forte et pleine de failles. Chloé lui en veut d'avoir menti, de l'avoir prise pour une conne. D'avoir été conne. *J'étais chez mes parents ce soir. Très famille je vous hais. Chaque fois que je vais là-bas, j'ai cette sale impression d'être une petite merdeuse. Je ne sais pas pourquoi je te dis ça. Excuse-moi.* Elle n'a pas parlé de la journaliste à Alain, elle craignait qu'il ne l'engueule et ne la vire. Elle redoute une autre initiative d'Amel. CdM a la frousse de tout.

Un peu de brune et sa paille en argent, snif, snif, petite merdeuse.

4 AOÛT 2008 – DEUX KAMIKAZES EXPLOSENT ACCIDENTELLEMENT EN PAKTIYA [...] L'incident n'a fait aucune autre victime. **6 AOÛT 2008 – LE CHEF DU NDS ACCUSE DES PARLEMENTAIRES de complicité avec les trafiquants de drogue et les talibans** [...] Même s'il n'a voulu livrer aucun nom, se réservant le droit de le faire plus tard, c'est la première fois qu'un personnage si haut placé dans la hiérarchie des services de renseignement afghans se permet de lancer de telles accusations [...] L'Afghanistan produit 93 % de l'opium mondial, un commerce qui rapporte chaque année, d'après les estimations les plus conservatrices, 3 milliards de dollars à l'économie souterraine du pays, alimentant la corruption et finançant pour partie l'insurrection talibane.

Rouhoullah se cache au nord de Peshawar, sur le chemin de Landi Kotal, dans une campagne montagneuse et aride de villages paysans. Sa maison à la façade blanche dissimule sa modernité incongrue derrière un portail métallique aveugle, rehaussé de piques, et une enceinte de forteresse garnie de tessons de verre. Deux caméras surveillent l'accès à l'unique route, peu passante, une autre couvre l'entrée de la villa et une quatrième balaie l'arrière de la propriété depuis le toit terrasse. L'édifice, spacieux, est construit autour d'une cour intérieure et comporte un étage. Il est entouré d'un parc de taille raisonnable où, en plus d'un gazon au vert impeccable, sont plantés des banians. Les gardes ont pris l'habitude de s'abriter sous leur feuillage lorsque le soleil se fait mordant.

À son arrivée, peu après la dernière prière du jour,

Shere Khan est conduit sans son escorte au patio, où l'attend Rouhoullah. Le trafiquant fait lui-même le service du chai et, dans une économie de paroles et de gestes, ils prennent le temps d'en déguster une tasse. Une courte parenthèse pendant laquelle le Roi Lion redevient simplement Sher Ali. Dans la douceur du soir, il peut profiter de ce moment bercé par la rumeur des insectes nocturnes, il l'éloigne du conflit, de la mort, du chagrin.

« Merci d'avoir accepté de me rendre visite, Shere Khan.

— J'avais à faire par ici. » Sher Ali est venu à Peshawar pour rencontrer Tajmir. Il devait lui parler après une choura houleuse ayant réuni, quelques jours plus tôt, de nombreux commandants insurgés de Khost, dont certains proches de Bakhti Jan, le responsable militaire de Sirajouddine, un rival de Taj. Était également présent l'homme d'argent des Haqqani, Jan Baz Zadran. Et le gouverneur occulte de la province, Zakim Shah. Il assistait à cette assemblée d'importance pour représenter les mollahs de Quetta et arbitrer les querelles. Il a été question de stratégie, d'argent et de discipline, et deux camps s'affrontaient. D'un côté, ceux de Bakhti, dont Zarin fait partie. De l'autre, soutenus par Jan Baz, Sher Ali et quelques rivaux locaux. C'est à la demande de ces derniers, mécontents de la façon dont les combats sont menés en Loya Paktiya, que la rencontre a eu lieu. Les assauts contre les infidèles et leurs esclaves, mal coordonnés et coûteux en hommes selon eux, n'ont jusqu'ici permis que des gains médiocres d'un point de vue militaire. Sher Ali a illustré son propos avec l'offensive contre la garnison afghane de Sperah au début du mois de juillet, décidée au pied levé, où ils ont perdu plus de cinquante moudjahidines sans parvenir à s'emparer des armes de l'ANA ni tuer un seul des soldats américains de la FOB voisine. Le choix de cet exemple ne devait rien au hasard. Les commandants à l'initiative de cette attaque, Zarin en tête, sont venus recruter des militants dans le clan de Sher Ali, alors absent, en mettant en avant une bénédiction qu'il ne leur avait pas donnée. Un affront. Plus récemment, les mêmes se sont permis de franchir les limites de son territoire pour prélever des taxes, en rackettant les fermiers et en instaurant des barrages sur certaines de ses routes.

Aux reproches de Sher Ali on a rétorqué que lui-même lançait des opérations sans consulter qui que ce soit et que nul ne lui en avait fait grief, par respect pour son honneur. Pourtant, celles-ci n'ont-elles pas été sanglantes pour leur camp ? Plus encore pour les croisés et leurs alliés. Elles ont grandement gêné les actions des espions des Américains et beaucoup ont été tués grâce à lui, Shere Khan. Ce conflit personnel qu'il lui est reproché de mener, il en a aussi partagé les fruits avec chacun d'entre eux. Tous peuvent-ils en dire autant ?

Cette remarque-là a provoqué de vives protestations. Elle renvoyait à l'épineuse question de l'argent récolté pour la conduite de la guerre et de sa redistribution. Jan Baz a pris la parole. Il a rappelé à tous que les dîmes perçues sur les voies, les récoltes, les commerces, les projets du gouvernement et des étrangers, doivent servir bien sûr à payer les troupes mais que Miranshah avait également besoin d'en recevoir sa part. Elle est nécessaire pour obtenir des armes – leur approvisionnement est l'autre responsabilité de Jan Baz et fait de lui l'un des hommes forts du clan Haqqani – former des combattants et des artificiers, et aider les frères arabes, tchétchènes et ouzbeks en exil. Une hospitalité que ces derniers paient avec leur expertise, leur expérience et leur sang, pour la gloire d'Allah. Sur ce plan, a-t-il ajouté, on ne peut blâmer Shere Khan, il pense d'abord à tous avant de penser à lui. Et lui n'a pas perdu de vue que sans l'aide de ceux du Waziristan, il ne pourrait conduire son djihad et traquer les assassins de ses enfants. Un rappel doublé d'une menace directe, transmise sur ordre de Siraj et adressée aux mauvaises volontés – beaucoup de jeunes chefs inexpérimentés et peu obéissants, quelques bandits opportunistes convertis de la dernière heure à la cause talibane – présentes à l'assemblée : ce que nous donnons, nous pouvons le reprendre.

Sher Ali est sans illusions sur la pérennité du soutien de Jan Baz, il dépend uniquement de sa contribution aux finances du réseau, mais son intervention a fait cesser les critiques, tout en renforçant sa position. Tajmir, proche du financier du réseau, est de cet avis. L'argent, éternel nerf de la guerre. « Je vois que tu prospères même dans l'exil, Rouhoullah.

— Grâce soit rendue à Dieu d'avoir favorisé notre rencontre. Mais je suis triste de ne toujours pas pouvoir rentrer.

— Ce serait imprudent.

— Oui, même si, à Nangarhar, certains commencent à se détourner de Tahir. Y compris parmi ses soutiens. » Rouhoullah sourit. « Le bol de l'orgueil finit toujours renversé.

— Voilà qui devrait arranger ton commerce.

— Et peut-être le tien, Shere Khan. Si nous pouvons régler un ultime problème.

— Nous ? »

Ces dernières semaines, explique le trafiquant, des

complices du colonel de la Border Police ont tenté de l'assassiner à deux reprises, dans cette maison et au bazar de la ville voisine. « Ils m'ont retrouvé et je ne veux pas vivre ainsi, dans la peur, je vais devenir fou. S'il me tue, il prendra tout ce qui m'appartient. » Il laisse cette affirmation faire son chemin dans l'esprit de son interlocuteur. « Il faut éliminer Tahir.

— Et tu veux que je m'en charge ? » Sher Ali éclate de rire. « Il est toujours escorté de plusieurs dizaines de miliciens, j'y perdrais trop de moudjahidines.

— Un shahid pourrait s'approcher de lui quand il ne s'y attend pas. »

Sher Ali se crispe, le recours aux kamikazes lui déplaît. C'est pour lui une fin indigne d'un guerrier et il l'a exposé clairement à l'occasion de la réunion secrète de Khost. Il n'a pas été entendu. Certains ont même ironisé et évoqué l'épisode d'Abbas Khan Kala lors des obsèques de la famille de Haji Moussa Khan. Une attaque-suicide organisée sans son accord par un chefaillon local, pour frapper les esprits, sur les conseils de Baitoullah, dont Sher Ali n'a été mis au courant qu'après coup. La patience de Tajmir et l'autorité de Sirajouddine s'étaient alors avérées nécessaires pour l'empêcher de massacrer le fils de chienne qui avait osé se mêler de sa vengeance. Sa rencontre plus tard avec le maître de Wana n'a pas fait évoluer l'opinion de Shere Khan, qui reste très minoritaire et mal vue. Et en insistant sur la redoutable efficacité des martyrs dans de récentes opérations, tant Jan Baz que Zakim Shah lui ont rappelé à mots couverts, lors de la choura, la ligne du parti : s'il veut continuer à participer aux affaires du clan Haqqani, il doit en accepter les décisions et les tactiques. Même lorsque celles-ci impliquent d'envoyer enfants ou braves à une mort certaine. « Nawaz se déplace en secret. Peu de gens savent à l'avance où il se rend. Celui de ses hommes qui aurait pu te renseigner est mort. »

Rouhoullah balaie l'objection de son invité d'un revers de la main. « Si je pouvais te révéler à coup sûr où il va se trouver un certain jour, à une certaine heure, m'aiderais-tu ?

— Qu'aurais-je à y gagner ?

— Si sa mort est profitable pour moi, elle l'est pour d'autres. Pour toi aussi. »

Sher Ali ne prononce plus un mot pendant de longues minutes, il observe le ciel voilé. La nouvelle lune est invisible et il est soulagé, il redoute tout ce qui peut lui rappeler Badraï. « Ton cousin travaille toujours dans la base croisée de Jalalabad ? »

Deux mois enfermé dans des cellules miteuses et sans fenêtre, avec interdiction de mettre le nez dehors. Deux mois à manger de la merde trois fois par jour, sauf quand ils l'oublient pour le punir, servie d'abord par des brutes cagoulées en civil et, après son transfert, par des brutes toujours cagoulées, en uniformes dépareillés. Deux mois à ne pouvoir discuter qu'avec ces enculés de Jacqueline et Michel. Les autres ne lui adressent jamais la parole. Deux mois et seulement deux coups de fil à Mireille, négociés de haute lutte. Le premier pour savoir si tout allait bien, le second pour s'assurer que les *enculés* avaient bien respecté leur part du marché, fournir des papiers d'identité français à Irène, sa gamine, et une carte de séjour à sa femme. Deux mois d'incertitude et de trouille au ventre. Thierry Genêt ne sait pas combien de temps encore il va pouvoir tenir, et préfère ne pas penser à ce qui arrivera lorsqu'il n'aura plus rien à raconter.

Depuis le début, ils se concentrent sur Sorhab et ce qu'ils nomment son réseau. Après avoir cherché à connaître tous ses points de chute, ses canaux de communication, il leur a filé entre les doigts apparemment, les *enculés* ont recommencé par le commencement : leur rencontre. Date, circonstances, pourquoi l'Iranien et lui sont restés en contact. Ensuite, ils ont entrepris de suivre le cours de leur histoire, au fil des semaines, des mois et des années, des entrevues, des rendez-vous, des voyages, des boulots, des affaires, des investissements. Où, quand, qui, quoi, tout y passe. *Et vous étiez dans quelle ville ? Et le mec que vous avez vu, c'était à quel hôtel ? Il ressemblait à quoi ? Et c'était quoi le nom de la banque ? Et celui du banquier ? Il avait quelle gueule ?* Ils forent sa mémoire, avancent au souvenir suivant quand Genêt n'en peut plus, reculent au précédent si ça va mieux, pour approfondir, développer, confirmer, tenter de le piéger. Et ils disparaissent, un jour, plus, une semaine, plus, et ils reviennent, après avoir vérifié, recoupé, trouvé de nouvelles questions. Parfois, ils rapportent des documents à commenter.

Deux mois que ça dure.

Thierry s'est rebellé à plusieurs reprises. La première fois, il a d'abord eu droit à la matraque avant qu'on le laisse mariner tranquille, dans l'obscurité. Longtemps. Le silence et l'absolue solitude ont été pires que tout. Avec les insectes. Sa première cage en était envahie, rien de plus petit que le pouce. Genêt déteste les insectes. Depuis qu'on l'a changé de taule, il en voit moins, il dort un peu mieux, sans hurler toutes les nuits parce qu'un bousin énorme s'est baladé sur lui. Ils faisaient bien marrer ses premiers gardiens, ses hurlements.

Après l'incident initial, quand les *enculés* ont reparu, il leur a révélé des trucs pendant une petite semaine, en prenant son temps, à grand renfort d'anecdotes, il n'en manque pas. Histoire de faire durer. Ils ont disparu pendant quarante-huit heures, six repas, avant de reprendre leurs interrogatoires, apparemment contents. Sauf que lui avait décidé de la boucler à nouveau. Premier appel à son épouse et soulagement, elle était avec leur fille, dans un lieu pas terrible mais en bonne santé. Thierry s'est remis à parler et ils ont amené du matos, pour enregistrer, noter sur des tableaux.

Ils ont fini par se lasser de tout virer de sa petite cage à chaque fois. On l'a changé de place. Après cinquante et un repas et quatre famines, environ trois semaines d'après ses calculs. Coiffé d'un sac de toile et gavé de pilules pour l'abrutir. Pas pendant la journée, Genêt le sait à cause de la qualité de la route, asphaltée, la ville, et des bruits ambiants, absents ou très limités. Et parce qu'ils n'ont jamais décéléré pendant le trajet. Parcours urbain, pas de vie, pas de circulation, la nuit. Ils se sont déplacés dans un VAB, il lui a semblé en reconnaître le gros diesel puant. Bien qu'ancien de l'armée de l'air, il a eu l'occasion de caler ses miches à bord de quelques-uns de ces blindés en son temps. La grande muette est dans le coup, une évidence confirmée par le premier mec en treillis préposé à l'intendance, et si elle est dans le coup, on le garde maintenant, selon toute probabilité, au QG de la Force Licorne, à Port Bouët, près de l'aéroport d'Abidjan. Ses conditions de vie se sont améliorées. Il ne voit toujours pas le ciel mais il a des vraies chiottes, un tuyau d'arrosage pour se doucher et il peut marcher une heure par jour dans le couloir aveugle qui relie son nouveau cachot et leur salle de travail.

Sa révolte suivante, une trentaine de collations après son arrivée au BIMa, a permis à Thierry d'en apprendre un peu plus sur le sort de son Ivoirienne de Sylviculture. Son rêve s'est envolé. Camara, son conseil, il n'a jamais pu le voir et celui-ci n'a pas protesté plus que de raison, s'est soi-disant occupé de placer la boîte en liquidation et de foutre les employés au chômage. Il y a eu des pillages et des destructions, et les comptes ont été vidés, très rapidement. Selon les *enculés*, c'est l'avocat. Ils ont tort. Il y avait beaucoup d'argent et Genêt pense que Sorhab a tout récupéré avant de se volatiliser dans la nature, il avait procuration auprès de tous les chargés d'affaires. Remonter les virements aurait pu leur donner des infos précieuses. C'est leur problème, pas question de leur mâcher le boulot et il préfère garder cette cartouche-là pour la seule chose qui importe maintenant, que Mireille et Irène puissent refaire leur vie. Sa troisième rébellion. Il a marchandé leurs papiers et leur rapatriement en France, à la minute où il aura tout craché. Son propre sort, il s'en fout. Les *enculés* ont parlé police, procédure, procès, ici ou là-bas, en Europe, les infractions ont eu lieu dans plusieurs pays. Il n'y croit pas et ils peuvent bien lui faire ce qu'ils veulent. Mireille et Irène, rien d'autre ne compte.

La porte de la cellule de Thierry Genêt s'ouvre sur une paire de soldats. Menottes et il est poussé dans le couloir, les *enculés* l'attendent. La salle d'interrogatoire sent bon le vrai café, pas cet instantané pourri qu'on lui sert le reste du temps.

Des souvenirs de son passé mili lui reviennent en mémoire, *Solyland, le café qui fout les glandes*. Il se laisse aller à sourire en s'asseyant. Jacqueline le voit, lui rend la politesse. *Enculée*. « Je peux avoir un jus ? »

Sun 10 Aug 2008 - 23 : 04 : 15

De : friendjalalabad@gmail.com

À : pdang@lavabit.com

Sujet : …

Hello M. Dang,

Je suis à Jalalabad mais j'ai des amis au Ministère de Kaboul. Mes amis disent vous voulez rencontrer un homme des affaires dans ma ville. Je connais l'homme des affaires, je peux aider pour vous rencontrer. Répondez, s'il vous plaît.

Un ami.

La jeune femme s'appelle Kayla. Dans la culture des ancêtres de son père, un Irlandais volage parti avant sa naissance, cela signifie mince et belle, ou blonde. Blonds, ses cheveux ne le sont pas, plutôt à mi-chemin entre le roux et le châtain, infiniment plus clairs que ceux de la grande majorité des membres de son autre tribu. Ce prénom gaélique, trouvé dans un livre d'histoire, lui a été donné par sa mère dans un accès de mélancolie. Un soir de grande tristesse, elle a confié à sa fille l'avoir choisi avec l'espoir qu'il lui ramènerait son amour disparu. Il n'est jamais revenu. Kayla a également été baptisée Amahle, la superbe en zoulou. Pas simple à porter, même si l'on a comme elle reçu le meilleur de deux mondes.

Kayla Amahle Mabena – le patronyme maternel – s'est installée devant une petite dune et a posé à côté d'elle un sac de toile. Son quad est garé aux abords de la grève, un peu plus haut. Elle vient s'asseoir là tous les jours, à l'heure où la nuit se retire, et ne laisse jamais aucun caprice du ciel perturber ce rituel établi à son arrivée ici, dans la petite ville côtière de Ponta do Ouro, au sud du Mozambique, où elle a élu domicile deux ans plus tôt. Quelle que soit la météo, elle s'assied et elle attend. Et tandis qu'elle patiente, abandonnée aux coups de vent matinaux et aux picotements des embruns et du sable, elle redécouvre avec chaque aube nouvelle le tableau vivant et changeant de la baie composé, elle se plaît à le croire, pour son seul plaisir.

Sans répit, l'océan Indien jette ses rouleaux aux crêtes blanches à l'assaut du littoral. Ils claquent et craquent et parfois, si la marée s'en mêle, c'est le cas aujourd'hui, moussent haut vers ses pieds nus. Infatigable, le ressac a creusé une anse entre la pointe d'or, qui donne son nom au lieu, et la Ponta Malongane, six kilomètres au nord, sur sa gauche, avec sa crête de verdure luxuriante grisée par la brume de mer. Dans le dos de Kayla, un huppard manifeste bruyamment sa présence. Son aigle. Toujours, aux premières lueurs, il vient la saluer. Il niche à la lisière de la végétation, dans le vieil eucalyptus décapité trois décennies plus tôt par la guerre civile. L'appel du rapace la fait sourire, il la rassure et la rend heureuse. Un bonheur simple. Inespéré.

À vingt-huit ans, Kayla a déjà connu les malheurs de plusieurs vies. L'originelle blessure est ce père enfui n'ayant jamais manifesté le désir de la voir, ou de revoir sa mère, finalement morte en luttant contre l'apartheid. Un combat dans lequel elle s'était jetée à corps perdu, par dépit amoureux plus que par conviction politique. Kayla avait neuf ans à l'époque. Confiée à sa tante Zama, elle est alors partie de Durban, où elle était née, pour emménager dans le ghetto d'Alex, près de Johannesburg. Très vite, sa couleur métisse a été un problème. Ce caramel de la honte, Zama le détestait et elle n'a eu de cesse de rabaisser la petite impure. Elle a haï sa nièce plus encore lorsque son mari a commencé à lui tourner autour avant de la violer, le jour de ses treize ans. Kayla a toujours excité les mâles, au début sans le vouloir. Comprenant peu à peu la nature de son pouvoir sur eux, elle s'est mise à en abuser et un jour s'est échappée avec un *protecteur*. Le premier, d'autres ont suivi, toujours plus âgés qu'elle, toujours plus brutaux, et elle s'est égarée dans une longue série de relations abusives. Alcool, coups, came, prostitution occasionnelle, Kayla a tout accepté, provoqué ou fait. Elle aurait dû mourir, l'a peut-être désiré. La vie l'a épargnée. Conquérir ses démons a été long, douloureux, elle a tenu le coup. Il lui a fallu quatre ans, à se mettre de côté, à tout mettre de côté, avant de pouvoir s'offrir son premier bout de rêve, un petit bar rien qu'à elle. Dans le *township* où elle a vu le jour et où sa mère est enterrée, Canto Manor.

Elle pensait ne plus jamais en partir. Jusqu'à Roni. Merde, elle croyait qu'il n'y aurait plus jamais de Roni jusqu'à Roni. Se mettre à la colle avec un mec, c'était fini pour elle. Cette pensée-là aussi amuse Kayla et, instinctivement, une main venant coiffer son regard aux reflets mordorés, d'une étrangeté féline, elle se met à scruter la plage.

Roni arrive. Il court à la limite de l'eau, où le sable est plus dur, et il lui reste moins d'un kilomètre à faire avant de la rejoindre. Il avance vite, il se finit ainsi tous les matins, c'est son rituel à lui. Il appelle ça punir la machine. Quand elle lui demande pourquoi ce châtiment, il ne répond pas, affiche un air soucieux, perdu, comme s'il avait la prémonition fugace d'une sombre fatalité. Elle ne s'offusque pas de ce mutisme, ne s'en inquiète pas non plus, les silences de Roni sont nombreux. C'est un homme de peu de mots et guère plus de questions. Il est présent s'il le faut, attentionné quand il le faut, mais pas inquisiteur et très pudique. Cela convient à Kayla, elle-même discrète sur son histoire personnelle. Chacun garde ses fantômes et ne pollue pas l'autre.

Roni se tient maintenant debout devant elle, à quelques pas, la tête légèrement inclinée vers la gauche. L'imposante masse de ses dreadlocks brunes, retenues par un bandana, tombe de ce côté. Il a fini sa course sans que Kayla s'en rende compte et l'observe, avec une moue amusée, revenir de très loin. Elle lui adresse un signe de la main et il retire ses Oakley pour laisser ses yeux noirs lui répondre. Ensuite, il vire ses pompes, son baladeur, son T-shirt et va plonger dans les vagues. Il crawle vers le large pendant une dizaine de minutes et rentre avec le courant. À sa sortie de l'eau, Roni s'ébroue à la façon d'un animal. Après plusieurs années d'exposition solaire, sa peau de blanc naturellement mate a fini par prendre une teinte café au lait, proche de celle de Kayla. Il n'est pas très grand, possède une morphologie noueuse, sèche, façonnée par les efforts imposés et le passé subi. Au fil de ses errances de voisinages sordides en quartiers malfamés, la jeune femme a croisé son lot de blessés à l'arme blanche et de morts par balle. Elle peut suivre sans peine la cartographie des cicatrices de Roni et y lire la violence qui a marqué son existence. Où et quand et pourquoi, elle n'a jamais demandé. Chacun garde ses fantômes.

Séché par les bourrasques, le corps parcouru d'un frisson, c'est l'hiver ici et il ne fait pas chaud selon les normes locales, Roni Mueller remonte vers la dune et prend place à côté de Kayla. Ils s'offrent un long baiser avant de prononcer leur premier mot.

« Bonjour.

— Tu as couru longtemps.

— Je t'ai manqué ?

— Tu ne devrais pas nager la bouche ouverte, t'es salé. »

Mueller ricane, attrape la bouteille que Kayla lui tend et, tout en buvant, observe la plage. Un pêcheur, après avoir lancé sa ligne, plante une immense canne dans le sable. C'est un vieux du village, il vient régulièrement. « Hier, il a chopé un petit requin. » L'anglais aux sonorités namibiennes de Roni est plus râpeux que celui de Kayla, *made in South Africa*.

« Qui ? »

Roni montre l'ancien. « José.

— Ça va lui faire un truc à raconter pour les dix ans à venir. »

José n'attrape jamais rien. À Ponta, c'est une source inépuisable de plaisanteries.

« C'est tout le mal que je lui souhaite. » La santé du vieil homme décline, il se déplace désormais avec difficulté, est fréquemment malade. Pourtant, il est là quasiment chaque jour, fidèle au poste. « J'aime le vent », répète-t-il de sa voix hachée par la cigarette à Roni, quand celui-ci s'arrête pour prendre des nouvelles, « et je ne peux pas pêcher de chez moi, si ? ». Non, il ne peut pas.

« Tu veux un fruit ? »

Roni secoue la tête et se laisse glisser contre la dune. La séance de ce matin l'a vidé et il a mal aux genoux. Lui aussi prend de l'âge. Ses articulations et ses muscles le lui rappellent de plus en plus douloureusement. Il ferme les yeux, écoute l'air et l'eau et le sable qui crisse, goûte la chaleur timide des premiers rayons du soleil, accepte la somnolence. À ses côtés, Kayla cherche ou range un truc dans son sac, elle s'interrompt, il y a un court silence de rafales de mer à la surface de la conscience de Roni, et des doigts glissent avec légèreté sur son ventre. Roni sursaute presque, il tétanise et s'apaise aussitôt. Impression que son corps épuisé revit avec ce contact. Deux personnes peuvent s'effleurer longtemps et ne jamais se toucher. Eux, leur histoire tout entière est contenue dans un frôlement. Il a suffi d'une caresse fugitive le jour de leur rencontre pour qu'ils s'entrevoient. Ils n'avaient pas encore échangé autre chose qu'un *Hello* informel. Roni était entré par hasard dans un rade minable des faubourgs de Durban, arrivant tout droit du Zimbabwe en bécane, il cherchait son chemin. Son casque s'était cassé la gueule lorsqu'il l'avait posé, raidi de fatigue, sur un tabouret. Plus rapide, Kayla s'était penchée pour le ramasser et le lui rendre, et sa main s'était attardée sur son poignet. Un geste spontané, à peine trop appuyé, qui les avait troublés tous les deux. Roni avait accepté un café, traîné jusqu'à la fermeture, sans lui parler beaucoup, cela ne paraissait pas nécessaire ni même bienvenu, c'était confortable. Le service terminé, il ne voulait pas s'en aller, elle avait envie qu'il reste. Le lendemain, à l'heure du départ, il avait aperçu le reflet de sa propre détresse dans les yeux de Kayla. Et le manque, déjà. Ils n'ont plus passé une journée l'un sans l'autre.

21

13 AOÛT 2008 – PAKISTAN : UN BOMBARDEMENT TUE NEUF MILITANTS. Plusieurs missiles tirés par un drone ont frappé cette nuit un camp d'entraînement du Hezb-e-Islami au Waziristan du Sud. Le chef taliban Abdoul Rehman, proche de Goulbouddine Hekmatyar, serait parmi les victimes. Trois Turkmènes et plusieurs combattants arabes auraient également péri lors de ce raid aérien. On ignore s'il y a des victimes civiles [...] On estime à 157 le nombre de camps d'entraînement disséminés dans les zones tribales. Certains sont permanents, d'autres temporaires. Ils forment le gros des troupes talibanes, des artificiers, des kamikazes, des groupes terroristes envoyés au Cachemire, des agents d'Al-Qaïda destinés à porter le fer en Occident et la très secrète Garde Noire, l'armée personnelle d'Oussama Ben Laden, chargée de le protéger.

Le terrain est situé dans les faubourgs nord de Jalalabad. Il est immense, pelé, à peine ombragé par quelques arbres rachitiques disséminés le long de ses abords. Non loin de là, un oued totalement sec creuse une dépression et sert de parking à une cinquantaine de pickups. D'autres véhicules sont garés en périphérie, respectant une limite invisible qui permet à une foule déjà nombreuse de s'agglutiner autour d'éphémères arènes, tracées à même le sol. Il y a seulement des hommes, adultes et enfants, venus profiter du spectacle qu'a voulu ce matin leur offrir le gouverneur de Nangarhar. La ferveur de la plèbe monte avec le soleil et la chaleur déjà accablante de cette cuvette sablonneuse. Les cris, joyeux, enragés, bestiaux couvrent sans peine les grognements et les hurlements des chiens jetés dans les premiers combats. Les paris vont bon train. L'organique animal le dispute aux parfums de thé, de café, de grillades qui saturent l'atmosphère.

Son excellence apparaît enfin. Il est escorté par une phalange de la JSF, navigue entre les différents groupes, salue tel notable, complimente son fils, s'attarde auprès des modestes, promet une faveur et soigne son image d'homme du peuple. Le colonel Nawaz arrive peu après. Il est lui aussi entouré de ses gardes du corps. Il cherche immédiatement la silhouette massive du grand patron de la province et l'aperçoit bientôt à quelque distance, en grande conversation. L'autre l'a vu aussi, ils se lancent un regard. Bien. Cette invitation a surpris Tahir, son ancien protecteur ayant à plusieurs reprises manifesté sa colère de le voir s'émanciper de lui et mieux partager les fruits de ses lucratives charges avec des potentats rivaux de la province. Le vieux est malin et sans doute espère-t-il que les ennuis actuels du chef de la Border Police rendront possible un nouveau changement d'allégeance. Il n'a pas tout à fait tort, les *amis* de Nawaz ne lui servent à rien. Ils refusent de s'impliquer dans la résolution de ses problèmes au-delà de critiques constantes et de plaintes sans fin. Leurs profits à tous chutent et ils ne font rien, ils ne l'aident pas à ramener leurs obligés dans le rang, ne lui prêtent pas d'hommes, le renseignent très mal, se méfient les uns des autres et de lui. Pas question cependant de se montrer au gouverneur en position de trop grande faiblesse, il va le laisser venir. Après tout, il a été invité pour voir des molosses s'entretuer, son passe-temps favori, autant se faire plaisir.

Tahir se dirige vers l'une des arènes. Cela le rapproche juste assez de son hôte, à qui il concède ce premier pas. Un duel sans pitié vient de commencer entre un grand bâtard noir très puissant sur ses jambes, et un autre à la robe beige, couturé de partout, rapide et agressif. La bave et le sang coulent, abondants, les crocs déchiquettent, mettent à vif, éborgnent, estropient. Pendant quelques minutes, le temps pour le noiraud de briser le cou de son adversaire d'un dernier coup de dents, le colonel oublie toutes ses difficultés et vibre à l'unisson de ses voisins. Quand l'affrontement s'achève, il fouille des yeux l'assistance pour repérer celui qu'il est venu voir. Il ne le trouve nulle part et s'en offusque. Entouré de ses hommes, il se met à arpenter le terrain, concentré sur l'objet de ses recherches, inattentif à un adolescent malingre qui le suit. Il prend seulement conscience de sa présence lorsqu'il l'entend crier, à quelques pas de lui, qu'Allah est le plus grand.

14 AOÛT 2008 – LE CHEF DE LA BORDER POLICE DE NANGARHAR assassiné par un kamikaze. Le colonel Tahir Nawaz est mort hier matin alors qu'il assistait à des festivités organisées par les autorités de la province. Son meurtrier, dont l'identité est inconnue à l'heure où nous écrivons ces lignes, l'aurait approché pendant un bain de foule. Onze personnes ont trouvé la mort dans cet attentat et vingt-trois autres ont été blessées [...] Le gouverneur, présent sur place en début de matinée, venait fort heureusement de quitter les lieux quand l'explosion s'est produite. Il s'est dit extrêmement choqué et peiné par la perte d'« un véritable ami, officier intègre que j'ai moi-même proposé à ce poste et qui s'est toujours acquitté de ses missions avec efficacité ». **14 AOÛT 2008 – TROIS HUMANITAIRES EXÉCUTÉES AVEC LEUR CHAUFFEUR.** C'est la première fois depuis plusieurs années qu'un attentat aussi meurtrier frappe une ONG. L'incident a eu lieu hier alors que les trois femmes circulaient en voiture dans la province de Logar et rentraient à Kaboul. Selon le gouverneur de la province, elles ont été « mitraillées par les occupants d'un véhicule qui s'est porté à leur hauteur » [...] Les humanitaires étaient employées par l'*International Rescue Committee*, une organisation américaine spécialisée dans l'aide au retour des réfugiés, qui fournit abris, eau potable et veille sanitaire. « Nous sommes abasourdis et cette perte tragique nous attriste profondément », a déclaré un représentant de l'IRC [...] Deux jours plus tôt, dans la capitale afghane, une autre attaque a coûté la vie à un soldat anglais qui circulait à bord d'un convoi militaire. Une voiture a percuté le véhicule dans lequel il se trouvait avant d'exploser. Un témoin a raconté avoir « tourné la tête et (j'ai) vu une grosse boule de feu à côté de (sa) camionnette » [...] La mission britannique en Afghanistan a déjà perdu 28 hommes cette année. En 2007, 42 soldats de l'armée de Sa Majesté sont décédés et le total des pertes depuis le début de son intervention s'élève à 115 personnels. Trois civils ont été tués et douze autres blessés au cours de cet attentat. Les talibans l'ont revendiqué par la bouche de leur porte-parole, Zabiboullah Moujahid. Selon lui, le martyr s'appelait Aminoullah et venait de la province de Khost. **PR#2008-3XX – DEUX PERSONNELS ISAF MEURENT DANS L'EST de l'Afghanistan.** Kaboul, Afghanistan. Deux personnels de l'ISAF sont morts des suites de blessures reçues après une explosion d'IED et des tirs à l'arme légère contre leur patrouille, dans l'est du pays. « Nos pensées vont à la famille et aux amis de ces soldats », a annoncé un officier supérieur de l'ISAF. « Notre camp a perdu deux membres de grande valeur. Ces soldats ont péri alors qu'ils étaient venus redonner un peu de paix et de sécurité au peuple afghan. » Conformément à son règlement, l'ISAF ne révèle jamais la nationalité des victimes avant les autorités de leur pays d'origine. Une enquête est en cours concernant cet incident arrivé le 15 août 2008.

Hafiz aime s'arrêter au bordel en revenant de la FOB Salerno. Et si lorsqu'il rentre chez lui il pue encore le parfum bon marché que mettent parfois les filles, il raconte à son épouse les mœurs bizarres des Américains, tous enduits de crèmes fort odorantes, et elle le croit, il est son mari et pour elle tous ces gens sont barbares. Il vient souvent ces dernières semaines, à cause de la nouvelle débarquée de Gardez, il apprécie ses façons. Elle le lave à l'eau tiède et elle le touche et elle le tripote et elle le laisse la prendre comme il veut.

Le portier a l'air tendu ce dimanche soir quand il lui ouvre. Il a son AK47 à la main et surveille les abords en faisant entrer Hafiz en vitesse. Il est inquiet, récemment des enfants puis des hommes pas d'ici rôdaient devant la maison de passe. Ils n'ont pas eu les shabnameh encore mais peut-être vont-ils déménager, ils ont peur des talibans. Hafiz n'a rien vu à son arrivée, le quartier est désert, il le dit et se dépêche de rejoindre le hall où attend la vieille. Il aperçoit Storay disparaître au premier, tête basse, un autre client derrière elle, et interroge la matrone d'un coup de menton.

« Il n'y a plus d'argent. » Sous-entendu, l'Américain n'a pas payé. « Si elle reste, elle fait le sexe.

— Il est juste parti pour peu de temps. »

La vieille secoue la tête. « Il ne reviendra pas. Elle a mal parlé. » Elle crie en direction de l'étage.

La dulcinée d'Hafiz se montre et il indique l'autre couloir du rez-de-chaussée, planqué derrière un rideau. Au fond se trouve la rudimentaire cuisine où les prostituées font également leur petite toilette, la salle où il reçoit ses soins particuliers. En gloussant, ils s'y engouffrent ensemble.

Sitôt la porte du claque refermée, un Minivan s'est approché. Tous feux éteints, il est allé se garer dans l'obscurité d'un cul-de-sac. Il roulait au pas, personne ne l'a entendu, ou remarqué, l'absence totale d'éclairage public, voire d'électricité, et l'heure sont propices à la discrétion. Fayz conduit. Sher Ali est à côté de lui, armé. À l'arrière, sous des burqas, deux hommes de son clan et le garçon à la fleur. Ils ont suivi Hafiz depuis la base. Ses visites plus fréquentes ne sont pas passées inaperçues et ils préparent leur coup depuis une quinzaine. Le Roi Lion a voulu attendre, dans l'espoir de coincer le croisé aux airs de moudjahidine aperçu dans les parages, mais il semble avoir disparu. Ils se contenteront du traître zadran.

Je suis arrivé…

Dojou se signale sur les ondes et sa voix, chuintante, brise le silence de l'habitacle. À bord d'un second véhicule, un pickup, il a pris position derrière le bâtiment visé, pour empêcher une éventuelle fuite. Une paire de combattants supplémentaire est avec lui.

« Nous entrons. » Après avoir répondu à la radio, Sher Ali se tourne vers la banquette. « Vivant, c'est compris ? »

Les trois guerriers acquiescent sous leurs déguisements féminins et ils quittent tous le Toyota, à l'exception de Fayz. Quand ils parviennent devant le bordel, le garçon à la fleur frappe trois coups fébriles. Le portier est surpris de découvrir une gamine couverte à travers son œilleton et il déverrouille pour voir si tout va bien. À peine a-t-il entrebâillé que le chora du petit le cueille au foie, il est projeté en arrière pour être achevé et dégager le passage. Dans un ultime réflexe, son index presse la détente de son fusil d'assaut et une rafale claque contre les murs. Elle réveille la nuit.

Sher Ali rejoint le hall en premier. La vieille voit débarquer un taliban féroce, un œil barré de noir, et se met à crier. Elle meurt foudroyée par du 7.62. En haut de l'escalier, il y a les chambres et Shere Khan s'empresse de le grimper avec l'un de ses hommes débarrassé de son voile. Aux deux autres de fouiller le bas.

Une prostituée apparaît sur le palier, elle est violemment repoussée dans son alcôve et jetée au sol. Un kard l'égorge d'un geste précis et elle est abandonnée par terre, les mains autour du cou, dans une flaque brune grandissante. Sher Ali passe dans la pièce voisine tandis que son complice court vers le fond d'un corridor étroit. Deuxième fille, réveillée en sursaut, prostrée sur son lit. Seule. Une balle dans la tête. Ça tire juste à côté. Et au niveau inférieur. Cinq détonations et une volée. Un pistolet et une kalache. Sher Ali ressort précipitamment.

Son mec est au tapis, devant une porte, pas mort mais touché à l'épaule. Enragé, il ouvre le feu sur le panneau de bois, balance son pied dedans pour l'écarter et envoie une grenade à l'intérieur du réduit qu'il vient d'ouvrir.

Le Roi Lion hurle « NON ! » et juste après elle explose. Il se protège la figure du bras, laisse passer le souffle de la dépression, amplifiée par l'espace confiné, et fonce vers la piaule, sautant par-dessus le blessé. À l'intérieur, il trouve une pute au corps disloqué et criblé. Sher Ali s'attarde un instant sur son visage, miraculeusement épargné, figé en un masque de peur. Elle a quitté ce monde terrifiée, les yeux écarquillés. Il remarque une cicatrice ancienne, semblable à une coulure, sur l'une de ses joues et s'en désintéresse. Derrière elle, roulé en boule dans le noir, quelqu'un vient de gémir. Retourné sans ménagement, le client essaie de braquer un vieux Makarov mais un revers de crosse le lui fait lâcher. Il est mal en point, se vide de son sang, va bientôt mourir. Et ce n'est pas l'homme que Sher Ali recherche, il est soulagé.

Rafale. Rafale.

Au rez-de-chaussée.

Le gamin à la fleur est accroupi, près du rideau légèrement écarté, et balance une troisième fois la purée dans le couloir. À ses pieds gît son camarade, un couteau enfoncé dans la poitrine. Il a réussi à se traîner jusque-là avant de succomber mais a perdu son fusil, resté à l'entrée de la salle d'eau. Le garçon se penche pour voir et évite de peu la riposte. La porte du fond se referme et il entend des meubles être déplacés.

Sher Ali apparaît.

Aidé par la fille de Gardez, Hafiz barricade la cuisine avec tout ce qu'il trouve. Il a eu de la chance, la pute n'a pas paniqué quand elle a entendu le cri de la vieille et les premiers tirs. Et les assaillants laissés à ce niveau ont mis une bonne minute à venir par ici. Il a pu enfiler son pantalon, attraper une lame, improviser une embuscade en éteignant l'unique lampe à pétrole. Planter le premier agresseur et faire peur au second. Et à présent, il a une kalache. Et un seul chargeur, entamé. Plus le temps passe cependant, plus la fusillade attire l'attention. Son clan occupe toute cette partie de Khost, il y aura des réactions, des curieux vont venir, leur police sera prévenue. Il faut ralentir les ennemis et prendre le large.

Hafiz recule vers l'unique autre accès de la pièce, une porte solide donnant sur une courette où les femmes du bordel évacuent les eaux usées. Sa compagne de galère lui révèle que par là on peut rejoindre une impasse et la rue. Il couvre leur fuite et fait signe à la fille de soulever le loquet. Elle s'exécute prudente, regarde dehors dans le noir, y risque un pied. La voie semble libre. Elle se retourne pour prévenir et ne parvient à articuler qu'un gargouillis de mots. Le cerveau d'Hafiz enregistre l'étrangeté des sons, le reflet sous la lune du poignard qui la saigne et sa mémoire musculaire réagit aussitôt. Il braque la fille, ouvre le feu sur elle, trois coups, quatre, un homme gueule, touché par les balles qui traversent le corps derrière lequel il s'abrite dans les ténèbres. Les deux morts s'affaissent l'un sur l'autre. Dans le dos d'Hafiz, les talibans du couloir essaient de défoncer son barrage de fortune. Il reste au moins un vieux et un jeune, ils s'encouragent mutuellement, parlent de grenades.

Devant, c'est l'inconnu. Peut-être Hafiz a-t-il tué la seule sentinelle et peut-être sont-elles plus nombreuses, tenter une sortie est la seule façon de le savoir. Il n'a pas envie d'attendre ici pour crever tel un rat piégé dans son trou. L'obscurité devrait lui offrir un minimum de protection. Il scrute l'extérieur sans distinguer grand-chose, un mur en face de lui, à une dizaine de pas, un autre immédiatement sur la gauche. Sur la droite, c'est le royaume des ombres, son salut est par là et le danger aussi.

Courbé, Hafiz se rue dehors et va se coller au mur opposé. Il parcourt les premiers mètres sans problème mais la fin de sa course est accompagnée de plusieurs salves. La dernière le frappe au moment où il touche au but et le bouscule violemment contre l'enceinte de torchis. Il pousse un cri de souffrance, jure, furieux d'avoir été atteint. Le bras droit déchiré, il manque de lâcher son AK47 et parvient à le garder à la main au prix d'un effort douloureux. Ça tape à l'aplomb de sa tête. Gravats et poussière lui tombent sur le crâne.

En haut, sur sa droite, sur le toit, deux tireurs.

Hafiz voit les départs de flammes aux embouchures des canons de leurs fusils. Au jugé, de la main gauche, il réplique et glisse tant bien que mal le long de la paroi jusqu'à un renfoncement où il parvient à s'abriter. Il souffle fort, son sang ruisselle le long de son épaule, de son biceps, sur la terre battue, il faiblit, doit cligner des yeux pour les garder ouverts. Quelques secondes durant, c'est le silence, puis Hafiz perçoit des murmures, sans comprendre ce qui est dit. Quelque chose est déplacé. *Il y en a un qui descend.* L'autre se remet à tirer, pour clouer Hafiz sur place. Il se jette quand même au sol, sur le côté, le plus loin possible, balaie l'espace avec ses dernières munitions, à hauteur des jambes, et fait tomber le taliban en approche. Son arme est vide. Hafiz bondit sur l'estropié, l'attrape par le brêlage et roule, de façon à se mettre sous le blessé. Son adversaire se débat, mange un coup de tronche. Et meurt. Son pote a décidé de noyer toute la zone sous un déluge de plomb. Hafiz sent les impacts dans le cadavre affalé sur lui, une ogive pénètre dans sa cuisse, une autre creuse la chair au-dessus de sa hanche. Il hurle de rage. Et tout s'arrête d'un coup.

Hafiz entend des moteurs emballés et des éclats de voix. Un homme appelle *Dojou ! Dojou ! Il faut partir !* Quelques tirs supplémentaires sont échangés et il perd connaissance.

Trop de temps pour penser, trop de vie tout autour, trop peu de danger, de tension, rien à glander ou presque, besoin de meubler, de forcer les heures à dériver plus vite, urgence de se raconter et aucune envie de parler, seul comme jamais, Fox a passé trois semaines de repos sans dormir ou presque. Impossible de débrancher.

Le début de son séjour a été le plus dur. Cinq années de fuite et de clandestinité sur tous les fronts de la guerre à la terreur l'ont peu à peu enlisé dans l'anormal, malgré quelques allers-retours. Ses soixante-douze premières heures à Bangkok ? Des beuveries, de la boxe locale et des bagarres d'ivrognes. Non-stop. Il a pleuré les trois nuits, quand tout lui retombait dessus et qu'il était au désespoir. On lui a piqué ses thunes deux fois, sans doute des putes ou plutôt l'un de ces macs qu'il fallait partout éconduire. Ils y allaient à fond, présents dans tous les rades, avec leurs poules plus ou moins bon marché, plus ou moins frelatées, disposées à tout avaler. *Hey sexy man, pom pom pas cher ! Mon cul très bon !* Et plus on essayait de faire comprendre à Fox que c'était *cool*, pour qu'il lâche ses dollars, prenne, défonce, plus il se sentait moche et crade. Les deux journées suivantes, il a filé à Chiang Mai, loin des plages blanches et des teufs mondialisées, pas encore prêt à jouer au crevard en tongs. Et il a remis ça, bière et bastons, et cache-cache avec d'autres enculés de proxos et leurs tapins option cul plat et dents écartées.

Suffoqué, au bord de la panique, Fox est allé se planquer dans le sud musulman. Filles couvertes, pas de racolage, les maris et les frères aux aguets, tout le monde couché avec le soleil. Il n'a rien vu des dangers annoncés dans tous les guides à gogos, personne ne l'a fait chier. Il n'a pas mieux roupillé mais il a communié, tous les soirs, dans une mosquée riquiqui de tôle et de bambou. Ce lieu, il l'a découvert par hasard, y est entré sans réfléchir, est resté, a prononcé les mots, effectué les gestes, simplement. Les fidèles n'ont rien dit, il s'est senti à sa place. Un peu.

Ensuite, il est remonté vers le nord. À Surat Thani, il a dragué sans conviction une Danoise fauchée qui voulait prolonger son périple et l'a embarquée avec lui. Ils se sont barrés dans le golfe de Thaïlande, à bord d'une goélette de croisière. Le voilier faisait le tour des îles et des spots de plongée formule six jours cinq nuits, cabines privatives, pension complète et gonflage de blocs compris. Il a tout payé, pour l'illusion d'une compagnie et surtout parce que, à chaque pied à terre, la présence de la Viking dissuadait les marlous d'essayer de fourguer au *crazy farang* leurs femmes, *travs*, sœurs, filles, fils, chiens et tout ce qui pouvait se niquer. En mer, la blonde a dormi seule sur le pont inférieur pendant que Fox occupait ses insomnies sur le roof de passerelle, en compagnie d'un marin thaï ronfleur comme pas deux, à observer le ciel et profiter du vent de mer, du clapotis des vagues contre la coque. À gamberger.

Rentrer, Pierce, rester, Voodoo, trouille, son père, sa mère son frère sa sœur, partir, seul, très seul. Égaré. Bourré ou sobre, avec une infinité de minutes éveillées devant lui, le bordel dans la tête de Fox est rapidement devenu intolérable. Disparaître, sans un regard en arrière. Au milieu de son magma de réflexions en boucle, de questionnaires à choix nocturnes sans réponse adéquate, cette idée est devenue prégnante et il s'est demandé si on se lancerait à ses trousses. Si Dick Pierce se lancerait à ses trousses. Avant Dubaï, probablement. Depuis, c'est moins sûr. Pierce n'en a plus grand-chose à foutre de lui. Le soulagement observé lors de leur dîner a rassuré Fox au début, puis l'a intrigué. Rassuré, c'est un signe que son bobard a été gobé. Cependant, manifester ses émotions de façon aussi visible n'est pas dans les mœurs de son ancien mentor. À son poste actuel, Dick avait le pouvoir de déclencher une enquête en profondeur, dotée des moyens ad hoc. Il ne l'a pas fait, a préféré agir en douce, sans impliquer directement sa très chère Agence. Seule explication logique, le sort de celle-ci était à ses yeux secondaire, il voulait éviter de mettre Longhouse en porte-à-faux. Longhouse et ses énormes contrats. Longhouse où Robert Zinni s'est recasé après son passage à la direction de la CIA. Pierce envisage peut-être de rejoindre son vieil ami dans le privé et s'il prépare sa sortie, il était judicieux de procéder à des vérifications initiales sans compromettre l'avenir.

Chacun pour sa gueule.

Le deal de Fox avec 6N prend fin en octobre. Jusque-là, il restera exposé aux conneries de Voodoo et sa clique. Se barrer avant terme est tentant mais impliquerait de perdre un trimestre de salaires conséquents et un énorme bonus de fin de mission. Fox veut cesser d'être Fox, redevenir un type lambda. Pas simple. Trois semaines à sursauter au moindre bruit, à parler tout seul, à vivre avec une boule dans le bide, en ayant l'angoisse de se mettre au lit, de devenir fou à regarder le plafond, l'ont convaincu à la fois de l'urgence et de la difficulté de la tâche. Une aide extérieure sera nécessaire pour être banal à nouveau, ne plus se sentir comme un clébard isolé parmi les gens, arriver à dire, partager, faire confiance, et ça coûte cher ce genre d'assistance. Son assurance couvrira les frais tant qu'il versera ses mensualités. S'il veut avoir le temps de dénicher un boulot pépère, dans un coin pas trop pourri, correctement payé, rien d'extraordinaire, autant partir avec le maximum de fric. Trois mois à tenir, ce n'est pas si long.

Putain, il se traîne ce zinc. Fox se lève, va se dégourdir les jambes dans la carlingue encombrée de marchandises, et s'arrête devant l'un des rares hublots pour regarder défiler les déserts ravinés d'Iran, préludes à ceux plus chaotiques d'Afghanistan.

L'argent n'est pas sa seule raison. À mesure que Fox se rapproche de sa destination, impatience et appréhension grandissent. Storay lui manque beaucoup. Lors de ses premières nuits d'éveil, il a combattu ce sentiment de toutes ses forces. Il ne pouvait qu'être le produit de sa solitude, de ses névroses ou de sa pitié. Ou pire, de son orgueil. Cependant, rationaliser sans arrêt ne l'a pas chassée de son esprit. *Elle a la frousse et c'est normal.* Cette pensée l'obsède et l'a fait revenir. *La rassurer, putain. Quand t'as jamais eu le choix de rien toute ta vie, se retrouver à décider de ton destin d'un coup, c'est pas simple.* Storay doit admettre comme lui-même l'a admis à propos de ses proches, sa propre chair, son propre sang, que cette vie-ci ne sera plus vécue avec ses filles. Il va lui reparler, se mettre à poil, dire sa vérité. Elle l'entendra, il le faut, et après ils dégageront, ils iront se mettre à l'abri.

Il doit y rester longtemps scotché à son hublot, l'esprit ailleurs, parce que le chef de soute apparaît soudain à côté de lui et l'invite à retourner s'asseoir, ils arrivent. Le C130 se pose vingt minutes plus tard, vers huit heures du matin heure de Kaboul, après une ultime boucle au-dessus de Bagram, et rejoint les installations de Mohawk. La tranche arrière est abaissée et Ghost monte aussitôt à bord. C'était prévu. Il est là pour aider Fox à transporter jusqu'à Jalalabad deux énormes sacs remis à Dubaï, où il a embarqué pour la seconde partie de son trajet retour. Ils contiennent du cash à distribuer au nom de l'Agence. Ghost a changé, beaucoup, il a maigri, paraît absent. Surprenant. Et plus surprenante encore est la présence de Voodoo, debout sur le tarmac à sa descente d'avion. Il ne se déplace pas pour des tâches aussi triviales habituellement, et il fait la gueule. Mauvaise nouvelle, Hafiz a été attaqué, il est mal en point. « Ça s'est passé hier soir, c'était une embuscade. Des hajis. »

Fox est sonné. « Où est-il ?

— À l'hôpital de Salerno.

— J'y vais.

— Le fric d'abord.

— Occupez-vous-en.

— L'accès à la FOB est restreint. » Depuis hier, elle subit un pilonnage intensif, rien de bien nouveau, elle n'a pas été rebaptisée *Rocket City* par hasard, mais à l'aube, explique Voodoo, un camion piégé a aussi explosé devant l'entrée. Un deuxième suivait, il a été détruit à temps. Cependant, il y a eu pas mal de casse chez les soldats de l'ANA en charge de la sécurité extérieure du camp, trente morts et blessés, et tout le monde est sur les dents. Les interceptions radio suggèrent que l'offensive va se poursuivre. Se rendre sur place ne sera pas simple mais Voodoo promet de tout faire pour obtenir les autorisations de vol une fois de retour à Fenty.

Lorsque Fox arrive finalement à son chevet, en début d'après-midi, Hafiz a été sorti de l'hosto, où ne sont gardés que les cas les plus critiques. On l'a transféré dans un parc de tentes climatisées établi en retrait du bâtiment principal. Une découverte encourageante. Le supplétif dort dans un lit médicalisé au milieu d'une dizaine de blastés du matin. Son visage enflé porte les marques de plusieurs coups sur le côté gauche, il a une épaule bandée et, en jetant un œil sous le drap kaki qui le recouvre, Fox voit d'autres pansements au-dessus de son bassin et autour d'une cuisse. Il se dégote une chaise pour s'installer près d'Hafiz et guetter son réveil. L'esprit torturé par de noires pensées, il poireaute ainsi deux longues heures, dans une atmosphère saturée d'effluves antiseptiques, à écouter la respiration laborieuse de son ami et les gémissements de ses voisins de douleur, croisant parfois le regard d'un Afghan surpris par la présence de ce veilleur silencieux, vêtu à la façon des étrangers, avec son crâne rasé et sa barbe renaissante.

Une sourde inquiétude s'est emparée de Fox. Il essaie de l'ignorer. Voodoo l'a chargé de préciser les circonstances de l'agression d'Hafiz, de déterminer s'il s'agit d'un règlement de comptes entre clans ou d'une attaque liée à celles dont ils ont récemment été les cibles. Une question surtout brûle les lèvres de Fox, il veut savoir où s'est déroulé le drame. *Pas chez Hafiz* est la seule réponse qu'on a été capable de lui donner. Pas chez Hafiz, après le coucher du soleil. Fox lutte contre son envie de se précipiter à Khost. Il ne le fait pas. Il a reçu des consignes très strictes de la part de Voodoo. Et il n'a personne pour l'accompagner. S'y rendre seul apparaît désormais suicidaire. Il a envisagé de réquisitionner Akbar et quelques CTPT, mais Akbar est absent, il rend visite à la famille d'Hafiz et ne décroche pas lorsqu'on appelle son mobile.

Fox va fumer une clope pour essayer de se calmer. Dehors, le soleil tape fort et il se met à transpirer à peine sorti. Un dirigeable de surveillance a été déployé au-dessus du camp. Tel un cerf-volant obèse, il oscille avec lenteur au bout d'un câble, à la fois fil d'Ariane et source d'alimentation de la nacelle d'optronique fixée sous son bide. Fox se demande jusqu'où il dériverait si son amarre se rompait.

Plus tôt dans la matinée, alors qu'ils attendaient le feu vert des autorités militaires dans le bureau de 6N à Jalalabad, Voodoo a interrogé Fox sur ses projets. Ils étaient seuls.

« Pourquoi ?

— J'ai besoin de toi.

— C'est pour ça que t'étais à Bagram ?

— Je t'aime bien mais pas à ce point.

— Je suis déçu.

— J'ai une proposition à te faire.

— Avant que t'ailles plus loin, il faut que je te parle de Richard Pierce. » Fox a raconté Dubaï, sa petite enquête, ce qu'il sait et n'a pas dit, ce qu'il suppose, notamment à propos du rôle du colonel Tahir Nawaz, leur fournisseur.

Voodoo a écouté, sans confirmer ni infirmer, et lui a annoncé la mort du petit colonel, sans la moindre émotion. « Les moudjes, d'après la version officielle.

— Mais tu n'y crois pas.

— Mais je sais que c'est bidon.

— Qui ?

— La concurrence ? Certains amis à qui il avait tourné le dos ? Les deux ?

— Ça complique vos affaires.

— On s'arrangera avec son remplaçant. » Ensuite, Voodoo a longuement dévisagé Fox. « Joins-toi à nous.

— C'est beaucoup de fric ?

— Beaucoup.

— Et Ghost ?

— Il fait ce qu'on décide. »

On, la belle petite famille. « Merci mais non merci. Pas mon truc.

— Pourquoi t'as pas cafté, alors ? »

Fox a failli dire *plus mon truc* mais il a juste haussé

les épaules. Ce n'est pas sa seule raison, il craint encore une enquête parallèle de Pierce et préfère ne pas se mêler des conneries de Voodoo.

Ensuite, le téléphone a sonné et, dans l'heure, Fox volait vers Salerno à bord du Bell 412 de la boîte. Et maintenant il est là, à se poser des questions à la con sur ce putain de ballon en attendant qu'Hafiz émerge. *Joins-toi à nous.* Il est rentré depuis quelques heures et tout part déjà en couilles. Il écrase sa cigarette et retourne à l'intérieur de la tente, la peur au ventre. Un sourire triste l'accueille quand il revient auprès du lit. Avec sa grosse pogne, Hafiz lui attrape les doigts et dit *pardon, wror* d'une voix affaiblie. Nul besoin d'explication. *Pas chez Hafiz, après le coucher du soleil.* Il déglutit, respire à fond plusieurs fois pour endiguer ses larmes. Dès qu'il peut parler à nouveau, il demande : « Qui a essayé de te tuer ?

— Ils voulaient me prendre, je les ai entendus. Vivant, ils criaient.

— Qui ?

— Ils ont dit un seul nom : Dojou. »

Chabaev. Le complice ouzbek de Sher Ali Khan Zadran selon la CIA. Voodoo avait raison de suspecter un règlement de comptes. *Mais il est entre lui et nous.* « Le Roi Lion était là ?

— Je ne l'ai pas vu. »

La question suivante a du mal à sortir. « Elle a souffert ? »

Hafiz secoue la tête, il ne sait pas.

« Où va-t-on l'enterrer ? »

Hafiz détourne le regard et ferme les yeux.

C'était une petite pute, on s'en est déjà débarrassé, dans une fosse commune. La colère de Fox afflue un bref instant dans leur poignée de main puis sa tension l'abandonne et il s'assoit, vidé.

Les deux hommes restent côte à côte sans prononcer un mot jusqu'aux dernières visites médicales du jour, peu avant dix-huit heures. Fox ne peut quitter Salerno ce soir, il se rend donc au mess pour dîner et voir s'il ne croise pas une tête connue en mesure de lui trouver un pieu pour la nuit. Personne en vue, il s'installe seul à une table et avale sans appétit une bouffe de cantine industrielle. Son attention divague, il observe les soldats aller et venir, remplir peu à peu l'immense tente qui sert de réfectoire. Certains, très minoritaires, sont joyeux. Il capte des bribes de conversations sur les mères, les copines, récurrentes passions, Internet coupé à cause du *VBIED* – véhicule-suicide dans la novlangue de la violence guerrière – les Français, ce pote dont la jambe a été déchiquetée tout à l'heure en patrouille. Un mec pleure. Un autre rit à gorge déployée. Les Français. Ils sont dans la télé au-dessus de la tête de Fox, les Français, sur CNN. Le président de la République parle. Il est remplacé par des images d'hélico et de VAB. Il n'y a pas de son alors Fox se concentre sur les sous-titres défilants. Il attrape au vol *ambush*, *Uzbin*, *Kabul province*, *Hekmatyar*. *French paratroopers*. *10 KIA*. Et *20 WIA*, au moins. Fox se lève brusquement, il veut y aller. Réflexe stupide, il se rassoit. Autour de lui, les GIs les plus proches le dévisagent. Il se sent ridicule mais ce n'est pas à cause d'eux. *Tu veux aller où, pauvre con, aider qui, tes ex-compatriotes ?* Fox remarque alors la date de l'incident. Du 18 au 19. La bataille a pris fin ce matin, au moment où il atterrissait à Bagram, la tronche pleine de Storay. Qui était déjà morte. Comme les paras du 8. Encore en retard, totalement impuissant. Inutile. *Pauvre con*.

Le lendemain, Fox quitte Salerno épuisé.

Vers une heure du matin, les talibans ont à nouveau attaqué la FOB. Roquettes et obus de mortier sont tombés un peu partout à l'intérieur du périmètre de la base. Quelques-uns ont éclaté près des installations médicales, heureusement sans les toucher. Fox y est resté une partie de la nuit, le temps que l'alerte prenne fin, au cas où il aurait fallu défendre ou évacuer les patients. Le bombardement n'était qu'une diversion. Des insurgés s'étaient massés à l'ouest du camp, près des pistes d'envol, et voulaient entrer en force pour se faire sauter près des hélicoptères entreposés là. Ils n'ont pas réussi à ouvrir une brèche et la plupart d'entre eux ont péri dans l'assaut, dispersés par leurs propres gilets d'explosifs, déchirés au canon de trente par des Apache ou finis à la baïonnette par la vindicte des soldats afghans.

Après une journée sans sommeil enfermé dans sa piaule de Fenty, Fox accepte de suivre Tiny au mess. Il ne mange pas, se contente de boire bière sur bière, écoute son copain raconter ses vacances. Il est parti K-O, blessé par la mort d'Anwar, mais dix jours au contact de ses gosses l'ont regonflé à bloc. Au début, Fox s'en réjouit, éprouve un réel plaisir au récit de ces moments en famille simples et heureux, mais ce sentiment-là cède la place à d'autres, moins avouables, l'envie, la jalousie. Et même la colère. Il *monosyllabe* ses réponses quand Tiny l'interroge, plus furieux et déprimé à chaque nouvelle question. Lassé de se heurter à un mutisme agressif dont il ne pige pas les causes, Tiny se lève sur un *arrête de picoler, plein le cul de vos conneries à toi et Ghost*. La remarque fait mouche et Fox réagit. À contretemps. Il est déjà seul à table, avec sa cinquième Budweiser presque vide.

« Je vous en offre une autre ? » Une fille s'est approchée. Elle a un visage doux et juvénile, vaguement familier, porte des bottines de combat, un pantalon de treillis et un T-shirt noir beaucoup trop grand, celui d'un mec, peut-être un ex, sur lequel est inscrit *Compagnie Bravo, à l'assaut des cœurs et des esprits. Deux dans la poitrine, une dans la tête*. Bon petit soldat, elle trimballe son M4 avec elle, encombrant appendice qui pendouille le long de son corps. Gonzesses et gros flingues, une combinaison sexy pour les machos ou les féministes de tout poil. Fox trouve juste l'image obscène et ne voit rien de valorisant à rabaisser la femme au pire de l'homme.

Comprenant que le paramilitaire ne l'a pas reconnue, la fille ajoute : « Baker. Eileen. »

Toujours rien.

« Je ne vous ai jamais remercié pour le soir où… »

Où Ghost a failli la violer. Fox acquiesce, serre la main tendue sans se lever.

Baker montre la bière. « Alors ?

— Je dis pas non. »

Trois minutes et deux bouteilles plus tard, elle est assise avec Fox. « Vous êtes ici toute seule ? » Il a dit ça sur un ton genre *petite conne, t'as vraiment rien pigé*.

« Avec des amies. »

Elles sont quatre ou cinq, quelques tables plus loin. Toutes armées. Elles les matent, ricanent.

Fox reste sur elles un instant. « Elles sont sympas, vos amies ?

— Ça va. » Baker baisse les yeux. « Vous venez pas souvent.

— Jamais.

— Pourquoi ? »

Fox sourit.

Baker aussi. « Vous êtes mieux sans la barbe. » Réalisant qu'elle vient de se dévoiler, ils se sont en théorie croisés une seule fois, dans le noir, elle rougit et tente de se justifier. « En fait, je voulais vous parler plus tôt mais vous êtes toujours avec vos potes et j'avais pas envie d'en voir certains, alors vous comprenez, quoi. Enfin j'espère. Pardon. »

Le sourire de Fox s'élargit, elle l'amuse, ça lui fait du bien.

« Qu'est-ce qui vous est arrivé, à la tête ?

— La guerre.

— C'est dur ici, ils nous aiment pas. » Un temps. « Ils nous respectent pas. » Baker émet un rire bref, triste. « Les hommes de ménage arrêtent pas de me piquer des culottes.

— Et nous, on les respecte ?

— On se respecte déjà pas entre nous. » Le regard de la jeune femme s'égare à nouveau, embué. « C'est vraiment dur. »

Fox vide sa Bud. « Tu ne veux pas finir ta bière, Eileen ? »

Au milieu de la nuit, Baker se met à pleurer dans son sommeil et réveille Fox. Ils sont dans son B-Hut à lui, blottis l'un contre l'autre dans son lit minuscule. Il est à poil, ankylosé, elle porte juste un haut, son pubis est chaud contre sa cuisse. Il lui embrasse le front pour la réconforter, en a tout autant besoin. Quelques instants plus tard, il sent des cils effleurer sa joue plusieurs fois. *Elle cligne des yeux*. Suit un long soupir de détresse nocturne et Baker rapproche son bassin du sien. Fox se met à bander et il pense aussitôt à Storay, culpabilise, une boule au fond de la gorge. Elle le pousse sur le dos et il se laisse faire. Elle enserre son sexe, le compresse, et il se laisse faire. Elle le guide en elle et il se laisse faire. Elle va et vient sur lui et il se laisse faire. La première larme coule et les paumes de Fox remontent sous le T-shirt. Il caresse, c'est doux, pince tout doucement, Baker durcit sous ses doigts et mouille sur son bas-ventre. Il prend les choses en main, redescend sur ses hanches, leur imprime un rythme plus soutenu, s'agrippe au cul de Baker et elle aussi se cramponne à ses épaules, pour ne pas chavirer et sombrer, et ils tanguent ensemble et ils jouissent bientôt et elle s'effondre sur son torse et ils sanglotent tous les deux en silence et ils finissent par se rendormir sans avoir bougé. Fox n'émerge pas quand elle se tire à l'aube. Eileen se rhabille sans faire de bruit, sort de la chambre pieds nus, se rechausse sur le seuil du B-Hut. Ghost l'observe à travers la fenêtre de sa piaule, dans le préfabriqué voisin. Elle l'aperçoit au moment de se relever pour partir et se fige un instant avant de s'éloigner le plus vite possible. Jamais elle n'a vu tant de haine dans les yeux d'un homme.

27 AOÛT 2008 – CIBLE MANQUÉE : UN DRONE BLESSE QUATRE PERSONNES au Waziristan du Sud. Un missile tiré par un avion sans pilote de type Predator a raté sa cible et sérieusement blessé une femme, une fillette et deux petits garçons du village deGandhi Khel tard dans la nuit de mercredi [...] Ce bombardement visait une assemblée réunissant des anciens, des talibans et des cadres d'Al-Qaïda. Il fait suite à la destruction, le 20 août dernier, de la maison d'un certain Haji Yaqoub Wazir, un militant local proche du TTP, située à Wana, au Waziristan du Sud, et soupçonnée de servir de refuge à des terroristes étrangers. Deux missiles avaient été tirés sur l'habitation « depuis l'Afghanistan », selon des témoins, tuant une dizaine de personnes [...] **27 AOÛT 2008 – POINT DE CONTRÔLE GOUVERNEMENTAL ATTAQUÉ EN PAKTIKA : l'armée riposte** [...] Six soldats afghans ont été blessés au cours de cet accrochage qui, selon le gouverneur de la province, Mohammed Akram Khapalouak, « a eu lieu mardi dans la zone de Sarobi et a causé la mort d'une quarantaine d'insurgés. » Les militaires auraient eu recours à des frappes aériennes pour repousser l'ennemi. [...] **28 AOÛT 2008 – UN HUMANITAIRE JAPONAIS TUÉ EN AFGHANISTAN.** La police de la province de Nangarhar a annoncé hier avoir retrouvé le cadavre de l'ingénieur nippon kidnappé mardi lors de l'inspection d'un chantier d'irrigation [...] La victime, qui travaillait pour l'ONG Peshawar Kai, avait déjà été prise pour cible par des tirs à plusieurs reprises. C'est le troisième ressortissant japonais tué en Afghanistan en trois ans. **28 AOÛT 2008 – RECRUDESCENCE D'ATTAQUES SUR LES ROUTES LOGISTIQUES de la coalition.** Les talibans organisent de plus en plus d'embuscades au Pakistan, dans la passe de Khyber, en amont du poste-frontière de Torkham. « L'armée pakistanaise est sur le point de perdre le contrôle de cette route », selon un chef tribal qui a préféré garder l'anonymat pour sa sécurité, « on voit souvent des carcasses de camions éventrées à la roquette sur les bas-côtés. Elles ne restent pas longtemps, les soldats les enlèvent très vite pour donner l'impression qu'ils maîtrisent la situation, mais c'est un mensonge » [...]

Thu 28 Aug 2008 - 21 : 04 : 15

De : friendjalalabad@gmail.com

À : pdang@lavabit.com

RE : ...

Hello M. Dang,

Maintenant vous avez parlé de moi à des personnes et vous savez qui je suis et je suis une bonne personne, nous faisons le rendez-vous à hôtel Serena à Kaboul lundi 1er septembre comme discuté. Je pourrai vous dire plus de détails sur la rencontre avec l'homme des affaires vous voulez voir.

Votre ami Shah Hussein.

Sher Ali s'éveille au milieu de la nuit. Kharo est assise à côté de lui, une couverture sur les épaules. Leur fille, Farzana, ne dort pas non plus. Appuyée contre le mur du fond de leur chambre, elle écoute les ténèbres avec sa mère. Ils sont dans leur qalat sur les hauteurs de Miranshah, celle où ses deux autres enfants ont passé leur dernière matinée. « Recouche-toi. » Il pose une main sur la cuisse de sa femme et perçoit ses tremblements. Elle est terrifiée, ne parvient pas à bouger. Dehors, un drone tournoie à grand bruit au-dessus de la vallée. À cette heure avancée, dans le calme nocturne, son bourdonnement aigu et régulier, semblable à celui d'un insecte géant, est parfaitement audible.

« Tous les jours ils sont là. Pourquoi ils ne nous laissent pas en paix ? »

Ignorant l'urgence dans la voix de son épouse, Sher Ali se tourne vers Farzana. « Toi aussi recouche-toi.

— Et s'ils nous attaquent, dada ?

— S'ils jettent une bombe sur nous, tu ne l'arrêteras pas en étant réveillée.

— Tu n'as pas peur ?

— Allah veille sur nous. » *Et si nous mourons, alors c'était écrit.* Sher Ali évite de formuler la suite de sa pensée, il doit calmer ces femelles craintives s'il veut se reposer. « Les croisés ne connaissent pas cet endroit, nous ne risquons rien. Dors. »

Kharo repousse brusquement la main de son mari. « On te recherche partout et nous ne craignons rien ?

— Je vous protège.

— Et ton fils et ta fille, morts par ici, tu les as protégés ?

— Tais-toi ! » La gifle claque, brutalement sonore. Dans la seconde, Sher Ali bondit sur Kharo, tombée sur le flanc, et lui inflige une sévère correction. Son angoisse de revenir ici et sa récente frustration de n'avoir pu attraper le traître Hafiz et son maître américain attisent sa colère.

Kharo hurle. Farzana se précipite entre elle et son père, et reçoit un puissant coup de coude au visage. Elle s'effondre en se couvrant la face des deux mains. Le cri de douleur de la gamine met fin à l'agression et un silence de larmes s'abat sur la chambre. Pendant quelques instants plus personne ne bouge.

Finalement, Sher Ali se lève et marche jusqu'à la porte. Elle s'ouvre sur l'une des cours de la ferme fortifiée. Il regarde le ciel et dit : « Les avions américains sont partis. » À peine a-t-il fini sa phrase qu'une explosion retentit dans le lointain. Elle est si puissante que moins de trois secondes plus tard l'air se met à vibrer autour de lui. Kharo et Farzana gémissent de peur. Sher Ali distingue leurs silhouettes qui se sont rapprochées. Il sort et grimpe sur le toit du bâtiment où une sentinelle monte la garde. Le veilleur indique la direction de Mir Ali. On ne voit pas grand-chose jusqu'à ce qu'un second missile frappe les berges de la Tochi à une dizaine de bornes à l'ouest et fasse momentanément rougeoyer le ciel. L'agitation gagne les maisons les plus proches, situées en contrebas de la qalat. Des voix et des plaintes et des pleurs, d'hommes, de femmes, de petits se font entendre dans le noir, un moteur démarre et la radio de son moudjahidine reprend vie. Ils battent le rappel, donc des frères sont morts dans ce bombardement. Sher Ali devrait rejoindre la zone du drame avec ses combattants pour aider à établir un cordon de sécurité, le temps de retirer les corps des ruines et de les faire disparaître. Avant que les autorités ou les espions de l'ennemi ne puissent les identifier. Cependant, il ne donne aucun ordre, n'esquisse pas le moindre geste. Un grand découragement s'est emparé de lui. Il redoute le prix qu'ils devront tous payer pour terrasser un ennemi capable de laisser des machines se battre à sa place. Il craint également de perdre le peu d'honneur qu'il lui reste.

31 AOÛT 2008 – FRAPPE AMÉRICAINE AU WAZIRISTAN DU NORD. Pour la seconde fois en moins de vingt-quatre heures un drone a bombardé les régions tribales pakistanaises. Un missile a détruit une habitation de la région de Miranshah, fief du clan Haqqani. Six combattants au moins sont morts au cours de cette attaque dont plusieurs ressortissants étrangers, Ouzbeks et Arabes. Une femme et une fillette auraient également succombé « à des blessures causées par du shrapnel » selon une source locale non identifiée. La même source a déclaré qu'une dizaine de personnes avaient été blessées [...] Hier, selon les autorités pakistanaises, un autre avion sans pilote américain a déjà détruit une maison des environs de Wana qui servait de refuge a des combattants d'Al-Qaïda, tuant au moins cinq personnes. Parmi les victimes, il y aurait deux Canadiens d'origine arabe [...] Cette partie du Waziristan du Sud est contrôlée par le Mollah Nazir, un rival de Baitoullah Mehsud. Nazir est considéré comme un taliban pro-gouvernemental même s'il soutient ouvertement le djihad en Afghanistan et a toujours prétendu qu'il apporterait son aide à Al-Qaïda. « Comment dire non à Oussama Ben Laden et au Mollah Omar s'ils sollicitent mon aide en faisant appel à nos traditions ancestrales, s'ils me demandent l'hospitalité ? » a-t-il déclaré lors d'une interview en 2007.

22

PERTES COALITION	Août 2008	Tot. 2008 / 2007 / 2006
Morts	46	199 / 232 / 191
Morts IED	28	111 / 77 / 52
Blessés IED	114	515 / 415 / 279
Incidents IED	439	2466 / 2677 / 1536

Revenir à Kaboul, dont la parano sécuritaire semble sur le point de balayer les derniers espoirs de renouveau, une capitale terrorisée, militarisée, toujours noyée dans cet écœurant smog qui colle aux fringues, aux yeux et aux poumons, pour Peter Dang, c'est une question de survie. Patauger à nouveau dans la merde des autres afin de laisser derrière lui cet été où, entre les longues heures d'impuissance au chevet de sa mère à souffrir de la voir, elle autrefois si aimante et flamboyante, littéralement vidée de sa substance, et la liquidation de son passé précipitée par Debra, sa frangine, il n'a eu de répit que lors d'éphémères fuites ; une conférence et trois interventions télé aux États-Unis, pour débattre des situations irakiennes et afghanes dans le contexte de la présidentielle, et une courte parenthèse de quelques jours, en compagnie de Matt et sa famille, retrouvés à Martha's Vineyard. Une idée de Courtney. Elle avait aussi invité une amie, une fille à la peau de lait, avec des taches de rousseur sur le haut des épaules, voyageuse et rêveuse. Traquenard bienveillant auquel il ne manquait presque rien si ce n'est l'évidence. Une carence qui avait renvoyé Peter à l'absence et l'absence avait réveillé sa curiosité, *où est Amel*, *que fait-elle*, malsaine, *est-elle heureuse*, frustrée, *avec qui est-elle*, minable, *avec qui baise-t-elle*, furieuse, *pourquoi nous a-t-elle fait ça*, coupable, *peut-être aurais-je dû*. En un sens, Courtney a réussi son coup. La copine et la pause balnéaire lui ont fait temporairement oublier les seules vraies déchirures de sa vie, dont il peine à rapiécer les lambeaux. Revenir à Kaboul, pour se rassembler, raviver sa flamme, retrouver le goût des choses. Une urgence paradoxale. Ses années sur le terrain paient, ses derniers travaux ont été remarqués et ses apparitions publiques sont louées. Les offres de collaboration, demandes d'articles, invitations à venir se répandre en colloques, en cours, devant les caméras, à la radio, se multiplient, Peter se trouve exactement là où il rêvait d'être. Et il n'est pas heureux. Les deux personnes à qui il aimerait confier ses doutes, celles qui ont inspiré tous ses choix, les seules aux yeux desquelles il a toujours voulu briller, l'intellectuelle renommée et l'avocat engagé, ses parents, ne sont plus là pour l'écouter, le soutenir, le guider. Revenir à Kaboul donc, pour réussir à faire sans eux ou décider de ne plus faire du tout, et s'il faut en finir, ne pas rester sur ce qu'il considère comme un échec, miné par le sentiment de n'avoir pas terminé le boulot.

Depuis trois mois, Peter tourne autour de Longhouse, a repris tout ce qu'il sait et s'en est même ouvert à Matt pendant leur escapade insulaire, après lui avoir présenté ses excuses pour sa parano mal placée. Cela s'était passé un après-midi de juillet, assis à l'ombre du porche en bois de leur maison de location, autour d'un excellent chardonnay de Sonoma baptisé *Ma Belle Fille*, bercés par la brise de mer. Ils avaient revisité un petit bout de leur histoire et endossé à nouveau leurs tenues d'étudiants en sciences politiques pour remonter aux sources de leur amitié, l'un racontant, l'autre écoutant et critiquant. Peter s'était lancé dans une évocation de Nangarhar, du colonel Tahir Nawaz, gardien mafieux de la frontière abusant de sa fonction à la façon de ces officiels mexicains impliqués dans le bizness de la cocaïne, et de la guerre livrée aux trafiquants de la région dans le but d'accaparer le négoce de l'héroïne. Un conflit ayant conduit les ennemis de Nawaz à refiler aux militaires US un tuyau déguisé en renseignement sur les talibans, afin d'attirer leur attention sur ses petites affaires. Le coup n'avait pas réussi totalement mais il avait fait sortir un autre loup du bois, la CIA, forcée d'intervenir pour mettre un terme à un contrôle routier mené par l'armée et autoriser un camion transportant peut-être, ou peut-être pas, de l'anhydride acétique, ce précurseur si précieux, à repartir.

« Et Longhouse ? » avait demandé Matt.

La multinationale apparaissait à deux endroits. L'une de ses filiales, Oneida, était le destinataire final du conteneur acheminé par le bahut intercepté. Et c'étaient des gros bras de la boîte, appelés à la rescousse par Nawaz, qui avaient sollicité l'Agence le jour de l'incident. Parmi eux se trouvait un type baptisé Kurtz – par romantisme – et un autre – le Surfeur – avec des looks d'anciens des forces spéciales. Tous deux croisés plus tard par Peter lui-même, devant les locaux d'un autre satellite du groupe de sécurité privé, Mohawk, sa branche aviation, à l'intérieur de Bagram, la plus grosse base US en Afghanistan, dans le périmètre réservé aux barbouzes et aux activités clandestines. Un secteur où tout ce qui rentre et sort est top secret et jamais vérifié. Peter avait aussi expliqué les avions, les allers-retours réguliers et documentés au Kosovo, via les Émirats arabes unis, le premier adossé à l'Albanie, plaque tournante du trafic en Europe, débouché de la route des Balkans, les seconds épicentre du blanchiment de l'argent sale du terrorisme, du négoce des armes et de celui des stupéfiants. À la fin de son récit, il avait lâché le nom de Rouhoullah, le criminel à l'origine de l'incident de Torkham, un mec dont le témoignage pourrait s'avérer décisif.

Commentaire initial de Matt : « Beaucoup de trous, trop. » Des témoins qui ne se mouilleront plus, pas de confirmation du contenu du camion, ni de l'appel de l'antenne de la CIA à Kaboul – Peter avait essayé de le vérifier, en vain – des conjectures sur les liens entre l'Agence et Longhouse et Nawaz, aucune idée de ce que transportent les avions de Mohawk. « Il y a déjà eu des dizaines de papiers sur les mauvaises fréquentations de nos espions, sur leur proximité avec certains trafics ou criminels, parfois à raison, le plus souvent à tort. Pour le moment, tu n'apportes rien de plus. Quant à tes mercenaires, est-ce que tu sais au moins qui les emploie ? » Peter avait suggéré Oneida, Matt contré avec un « et 6N ? ». Peter ne savait toujours pas ce que c'était 6N, « probablement rien ».

Jalouse de voir son mec et son meilleur ami s'amuser avec le sérieux retrouvé de leurs années universitaires, Courtney s'était incrustée, sa copine également. Détendu, Peter leur avait livré des explications sommaires et, en un verre de blanc, l'amie résolvait le mystère du sigle abscons. Mohawk, Oneida, Cayuga, Seneca, Onondaga et Tuscarora, les six nations du peuple iroquois, dit peuple de la Maison Longue. Longhouse. « J'ai longtemps fantasmé sur les princes mohicans à demi nus de Fenimore Cooper. Et Daniel Day-Lewis ! » À cet instant, Peter avait regretté ses évidentes absences, il aurait aimé tressaillir pour cette fille à la voix malicieuse.

6N pour Six Nations, raison sociale complète, Six Nations Corp. Découverte après des recherches peu fructueuses sur le Net. Avec deux nouvelles – les seules – sources d'info. Tout d'abord, les très institutionnelles, sobres et jamais mises à jour pages de l'entreprise, où il est écrit que *Six Nations Corp. est une structure indépendante fondée par des vétérans de divers horizons opérationnels. Nous proposons toute une gamme de services de protection et de formation à des clients nationaux et internationaux, publics et privés, et nous sommes fiers de pouvoir mettre à leur disposition notre exceptionnelle capacité d'adaptation, notre réactivité et notre vaste expérience*. Un gros mensonge, 6N n'est pas indépendante. Si elle est enregistrée dans un paradis fiscal méconnu du grand public mais idéal pour dissimuler la nature véritable de ses activités, le Vanuatu, son unique adresse de contact est une boîte postale à Falls Church, en Virginie, la ville où est implanté le siège de Longhouse.

Seconde source, un récapitulatif des invités de la soirée de lancement de Six Nations, fin 2006, mis en ligne à la suite d'une maladresse. Resté peu de temps accessible via le web de la société mais récupéré juste avant son retrait par un fêlé de complots à l'affût du moindre scoop sur les SMP, qui s'était empressé de le disséminer sur plusieurs sites miroirs. Matt et Peter avaient donc pu télécharger une copie .pdf de cette liste, vérifier son contenu et en apprécier le sel en y lisant les noms de hauts fonctionnaires de plusieurs ministères, de la CIA et de la DIA, d'officiers, de représentants consulaires de divers États d'Europe de l'Est, d'Amérique du Sud, d'Afrique, du Moyen-Orient, de dirigeants d'entités financières transnationales, le FMI entre autres, ou de banques d'affaires, ou d'industriels de l'armement, ou de groupes versés dans le commerce des matières premières. Zinni figurait également dans ce document, juste au-dessus du P-DG de 6N, *D. Sullivan*, et du vice-président des opérations, *G. Sassaman*. Impossible de mettre la main sur leurs pedigrees. Quant aux photos, Peter n'en avait déniché qu'une, un très vieux cliché numérisé de l'équipe de football américain d'un lycée de la côte est, pris à la suite d'une victoire dominicale, dont l'un des joueurs, version adolescente de son colonel Kurtz, se nommait Gareth Sassaman.

« J'ai faim », avait fini par déclarer Matt pour mettre un terme à cette longue journée. Ils finissaient seuls, les filles les attendaient au restaurant, elles n'arrêtaient pas de téléphoner, un peu plus pompettes à chaque nouvel appel. « Et on est en vacances. Et tu as toujours autant de trous dans ton histoire. La promesse est belle mais ce n'est qu'une promesse. » Et sans doute une chimère. Le mot n'avait pas été prononcé mais il était là, entre eux. Ce même soir, désinhibé par le vin et l'air marin, Peter succombait au charme très David Hamilton de la peau de lait et des taches de rousseur. Une semaine durant, elles étaient parvenues à lui faire oublier sa mère, Debra, le passé en ruine et l'avenir incertain. Mais à peine rentré à Toronto, il avait tout repris dans la gueule et bientôt Kurtz, 6N, l'Afghanistan et l'inachevé redevenaient de nécessaires raisons de se barrer. Il avait tenu un temps, par amour, par respect, par culpabilité, et puis Shah Hussein s'était manifesté. Avaient suivi un échange de mails soutenu, quelques vérifications, des tractations – autant profiter de son état de grâce pour vendre à un magazine, en l'occurrence le prestigieux *Harper's*, l'idée d'un gros papier sur les nouveaux maîtres de l'héroïne et les guerres du trafic – et la remise en ordre de ses affaires, ponctuée de nombreux reproches de sa sœur qui supportait mal cette nouvelle dérobade.

Juste avant de prendre la tangente pour Kaboul, Peter est allé embrasser sa mère une dernière fois. Elle ne l'a pas reconnu et il n'a pas surpris la moindre étincelle de lumière dans ses yeux. Ses flashs de lucidité se raréfient. Elle ne saura sûrement plus jamais qui il est.

Le journaliste se lève lorsque l'expéditeur de l'étrange mail reçu le 10 août dernier s'approche de la table où il s'est installé, à l'ombre d'un parasol, sur la terrasse du Serena. Il le salue dans le respect des usages et l'invite à s'asseoir.

« Pardonnez mon retard, la sécurité. » L'anglais de Shah Hussein est meilleur à l'oral qu'à l'écrit, affecté d'une pointe d'accent *british*.

D'un hochement de tête, Peter signale qu'il comprend. Hier, à son arrivée, il a lui aussi subi le protocole mis en place depuis la réouverture de l'hôtel. Les impacts de balles ont peut-être été réparés, les murs ripolinés, les vitres et le mobilier changés, mais la peur d'un nouvel attentat plane lourdement sur le palace qui, de l'extérieur, a pris des allures de bunker assiégé. Pour franchir l'enceinte surélevée, renforcée, *vidéosurveillée*, il faut désormais se soumettre à deux contrôles successifs avec gardes armés, détecteurs de métaux et scanners à rayons X. Accéder à la réception est devenu insupportablement long, même pour les clients. Ce rituel laborieux et l'inscription de l'établissement sur les listes rouges de la plupart des ambassades et des ONG, expliquent pourquoi il a été déserté par les résidents de la capitale, Afghans et expatriés. Ni les brunchs savoureux ni la belle piscine ne justifient risques et emmerdements, et seuls les voyageurs fortunés venus brièvement pour des motifs professionnels y descendent aujourd'hui.

« Cet endroit, vous connaissez ?

— Seulement de réputation.

— Vous aimez ? »

Peter aurait préféré prendre ses quartiers dans sa maison d'hôtes habituelle mais elle était complète pour quelques jours encore et Shah Hussein semblait tenir à ce lieu de rendez-vous. « Il est très luxueux. »

L'Afghan a perçu le ton hésitant de la réponse. « Vous n'avez pas peur, oui ?

— Je n'ai peur nulle part ici, sauf s'il y a trop d'Occidentaux autour de moi. » La saillie de Peter fait rire son interlocuteur. La quarantaine, petit, tout en rondeurs sans être gras, la barbe au cordeau, il prend visiblement grand soin de lui et porte une veste de costume bien taillée sur un salwar khamis blanc. Shah Hussein est élégant, posé, son style va de pair avec le milieu dans lequel il a grandi et l'éducation qu'il a reçue, en Inde. Né dans une famille en vue de Nangarhar, il y a vécu une partie de son enfance avant de fuir, au moment de l'invasion russe. Lui et ses proches sont revenus seulement après la chute du régime taliban. Depuis, il passe l'essentiel de son temps à Kaboul, où il est bien introduit, en particulier au ministère de l'Intérieur. Tout cela, Peter l'a appris lorsqu'il cherchait à cerner son profil.

« Merci d'avoir voyagé jusqu'à moi.

— Et à vous d'être venu de Jalalabad.

— Le trajet très court.

— Votre démarche a interpellé ma curiosité.

— Et vous avez confiance, très gentil.

— On m'a dit que vous étiez un homme de parole. » Les contacts de Peter ont confirmé le sérieux de Shah Hussein, s'il prétend être en mesure d'organiser un rendez-vous, il le fera. Mais on l'a également mis en garde, sa nouvelle source n'agit que dans son propre intérêt et celui-ci fluctue au gré des saisons et des passions. Il est double ou triple ou quadruple, comme peuvent l'être tous les Afghans. « Vos raisons m'échappent toujours, cependant. » Peter l'a déjà interrogé à ce sujet au cours de leurs allers-retours épistolaires mais les réponses obtenues ne l'ont pas satisfait. Le gouverneur de Nangarhar, dont Shah Hussein se dit très proche, aurait eu vent avec retard des démarches du journaliste au sujet du regretté Tahir Nawaz et de ses amitiés, ou de ses inimitiés. Il tenait néanmoins à l'aider dans la limite de son pouvoir, inquiet de la réputation de la province, encore plus depuis la mort du chef de la Border Police.

« Beaucoup de rumeurs.

— Vous ne croyez pas à ces rumeurs ?

— Les gens, ils sont des enfants, ils aiment les contes.

— Les contes recèlent toujours leur part de vérité.

— Si elle existe, vous la trouvez.
— Auprès de notre ami ?
— Peut-être, si vous croyez.
— Et si sa vérité vous déplaît ?
— Certains, je pense, sont plus menacés par ses mots.
— Certains ?
— Nangarhar, vous savez, est très importante pour le pays, pour l'avenir. Cette vérité excite les envies ici. » Comprendre, les rivaux du gouverneur, Haji Zaher en tête. Et cet antagonisme sert Shah Hussein, il y a du mauvais sang entre les siens et le clan Arsala. Un mauvais sang qui suffit à expliquer son alliance contre nature avec le patron de la province, pièce rapportée parachutée là par Kaboul au grand dam des potentats locaux. « Les personnes de l'extérieur aussi.
— Il me semblait que le soutien du Président vous était acquis.
— Je ne parle pas de lui.
— De qui alors ? »
L'Afghan adresse un large sourire à Peter.
« J'avoue m'interroger sur la nature de la relation que vous et le gouverneur entretenez avec cet ami.
— Dans quel sens ?
— Elle pourrait être vue comme une validation des accusations de corruption et de trafic dont vous faites régulièrement l'objet.
— Les hommes forts, en Afghanistan, ils ont une mauvaise réputation, souvent c'est vrai. Pas toujours. Chez nous, la guerre a fait des amitiés à cause de la nécessité et l'honneur. Mais les gens sont honnêtes quand même.
— Donc le gouverneur est un homme honnête qui ne tourne pas le dos à ses relations, si criminelles soient-elles ?

— C'est un héros. Il a résisté aux talibans et il a combattu avec ses moudjahidines aux côtés de votre CIA et de vos commandos quand notre président est revenu dans le pays. Il est fidèle, lui.

— Pas comme les Américains, c'est ça ?

— Vous n'êtes pas toujours des amis solides.

— Je suis canadien. »

La rectification de Peter jette un froid pendant quelques secondes. Shah Hussein finit par bafouiller des excuses et annoncer une bonne nouvelle. « Notre ami a accepté de parler.

— Déjà ?

— Vous avez dit, je suis un homme de parole. J'aurai plus de détails bientôt. Ce sera sans doute à Jalalabad. » Shah Hussein se lève, l'entretien est terminé. « Il faudra venir.

— Pas de problème, j'arriverai avec Javid, mon fixer. »

L'Afghan se fige. « C'est dommage.

— Je n'irai pas seul.

— Vous n'avez pas confiance ?

— Je ne serais pas ici autrement.

— Cet homme, il est bien ? »

Peter acquiesce. Quand ils se sont parlé au téléphone, Javid a paru heureux d'avoir des nouvelles, presque soulagé, très enthousiaste à l'idée d'une collaboration prochaine et que *monsieur Peter* ne lui en veuille pas. Gardi Ghos et l'agression dont il a été victime peu après semblent oubliés. Il ne connaît pas encore le sujet de l'enquête. Peter a préféré ne pas prendre de risques, il s'est contenté de le questionner sur ses disponibilités et de lui proposer un salaire généreux, soutien du magazine aidant.

« Je vais en parler.

— Je ne doute pas que vous saurez convaincre notre ami. »

2 SEPTEMBRE 2008 – L'ISAF TUE TROIS ENFANTS EN PAKTIKA. Un tir d'artillerie ordonné pour protéger une patrouille prise à partie dans le district de Gayan, proche de la frontière avec le Pakistan, a accidentellement touché une ferme [...] Sept autres personnes ont également été blessées au cours de cet incident. C'est le dernier d'une longue série de bavures ayant causé la mort de civils afghans, bavures qui ont déjà fait plus de mille victimes pour la seule année 2008 [...] Symboliquement, ce drame n'aurait pu se produire à un pire moment, aujourd'hui marque en effet le début du mois de ramadan, le grand jeûne musulman, l'un des cinq piliers de l'Islam. **2 SEPTEMBRE 2008 – UNE CELLULE DE FABRICATION D'IED DÉMANTELÉE, sept insurgés arrêtés dans la province de Khost.** Des caches contenant des armes légères et des explosifs ont été découvertes [...] Cette opération s'inscrit dans le cadre d'une offensive qui, ce même jour, a permis l'interpellation de plusieurs très jeunes membres du réseau Haqqani dans la ville de Khost. Ils avaient participé à l'organisation d'une attaque meurtrière ayant coûté la vie à cinq femmes dans la nuit du 17 au 18 août derniers. Deux civils avaient également été tués et un autre blessé au cours de cet incident. Trois talibans étaient morts. **2 SEPTEMBRE 2008 – ENTRE SIX ET DIX MORTS AU WAZIRISTAN DU NORD après un bombardement** [...] Un drone a pris pour cible une maison du village de Datta Khel, à quelques kilomètres de Miranshah. Il visait Abou Wafa Al Saudi, un cadre d'Al-Qaïda responsable de la logistique de l'organisation. Sa mort n'a pas été confirmée. **3 SEPTEMBRE 2008 – LE PAKISTAN ACCUSE L'ISAF D'AVOIR VIOLÉ son territoire en menant une attaque terrestre à l'intérieur de ses frontières.** Selon les autorités militaires du pays, plusieurs hélicoptères auraient, juste avant l'aube, mené un assaut aéroporté sur la ville d'Angour Adda, au débouché de la vallée de Shawal. Un témoin a déclaré que des soldats ont débarqué, fouillé plusieurs maisons et tué une vingtaine de personnes, femmes et enfants inclus [...] L'ISAF et l'armée américaine ont déclaré n'avoir effectué aucune opération de cette nature dans le secteur. Une dénégation tout à fait plausible si les forces spéciales ou la CIA, dont les initiatives ne sont pas soumises à l'approbation des états-majors conventionnels, étaient à la manœuvre. **4 SEPTEMBRE 2008 – UN CADRE D'AL-QAÏDA TUÉ À MOHAMMED KHEL, au Waziristan du Nord.** Après une première tentative infructueuse ce mardi, un tir de drone a finalement permis d'éliminer Abou Wafa Al Saudi jeudi en fin d'après-midi. La maison visée a pris feu après avoir été touchée par un missile [...] Des villageois, venus à la rescousse, auraient découvert cinq cadavres dans les décombres et porté secours à trois blessés, tous étrangers. **5 SEPTEMBRE 2008 – DEUX BOMBARDEMENTS DE DRONE À MIRANSHAH.** Une dizaine de personnes auraient perdu la vie lors d'une frappe qui visait des maisons du village de Gourwak, trente kilomètres à l'ouest de Miranshah. Plusieurs combattants étrangers sont morts ainsi que deux femmes et quatre enfants [...] Trois missiles auraient été tirés par deux appareils sans pilote aperçus plus tôt dans la journée au-dessus de la région [...]

Chloé DM 9/5 16 : 04
Amel,
J'aimerais bien te revoir. Si tu n'en as pas envie, je comprends.
CdM

8 SEPTEMBRE 2008 – LES ÉTATS-UNIS CIBLENT LE RÉSEAU HAQQANI. Une escadrille de drones a tiré une dizaine de missiles sur un groupe de constructions du village de Danda Darpakhel, proche de Miranshah [...] notamment une madrasa, dirigée par Sirajouddine Haqqani. Ni lui ni son père, Jalalouddine Haqqani, n'étaient présents au moment de l'attaque [...] L'opération a causé la mort de quinze à vingt-cinq personnes parmi lesquelles se trouvaient Abou Haris, un Syrien, chef d'Al-Qaïda au Pakistan, et Zayn Oul Abou Qasim, un artificier originaire d'Égypte. Plusieurs membres de la famille du patriarche Haqqani auraient également péri au cours de cette frappe [...] Le rythme des bombardements américains au Pakistan a considérablement augmenté en 2008, il y en a eu quatorze depuis le début de l'année, dont sept au cours des huit derniers jours. Il n'y en avait eu que dix entre 2006 et 2007. Selon plusieurs sources, la CIA mettrait en place des procédures d'identification et d'autorisation de tir simplifiées. **9 SEPTEMBRE 2008 – REPRÉSAILLES DU RÉSEAU HAQQANI : LE WAZIRISTAN DU NORD scène de violents affrontements avec l'armée pakistanaise** [...] En Loya Paktiya, une série de raids audacieux ont opposé les talibans et les forces de la coalition

[...] Recrudescence des explosions d'IED depuis deux jours, trois soldats meurent après la détonation d'une bombe artisanale près de la frontière avec le Pakistan [...] La France, engagée dans les opérations menées par l'ISAF dans l'est de l'Afghanistan a tenu, sans jamais s'en prendre directement aux États-Unis, à mettre en garde contre les bombardements effectués au Pakistan. « Tout ce qui fait souffrir les civils, a déclaré un porte-parole du ministère des Affaires étrangères, renforce les difficultés auxquelles les instances internationales présentes dans cette partie du monde sont confrontées. Il est important que les populations de la région puissent nous accepter. Certaines initiatives sont contre-productives et rendent caducs tous les efforts faits dans ce sens. »

« Il branle quoi, ton enculé ?
— Il va arriver.
— Promis ?
— Ouais. »
Un temps.
« J'aime pas trop ça, mec, poireauter.
— Il va se pointer, je te dis.
— Putain, c'est long, mec, c'est long. T'as confiance ?
— Je le vois depuis que je suis ici.
— Ça craint pour ma gueule si je me fais choper.
— Hé, c'est toi qui as voulu, hein ? Moi aussi je prendrai cher s'il l'apprend. »
Un temps.
« T'es sûr que tu peux pas t'en passer ?
— J'en ai vraiment besoin, putain. Mate !
— Oh merde ! T'as la tremblote sérieux, mon frère.

— Ouais.

— Merde, je croyais que ça irait mieux après… Enfin mieux, quoi.

— Mais ça va, mec, je te jure. Ça va super. »

Un temps.

« Faut juste que je dorme. Avant la tournée.

— Pourquoi tu dors pas ? »

Un temps.

« Tu devrais laisser l'autre y aller après-demain.

— Pas question, t'entends ? T'entends ?

— Hé, cool. Je disais juste ça parce que Voodoo te l'a proposé.

— Le cash c'est mon truc, ça a toujours été mon truc et c'est le truc de personne d'autre, OK ? Je connais les trajets, je connais les mecs, ils me connaissent, Shah Hussein il m'aime bien et l'autre, là, le mec de Qadir, putain j'ai encore oublié son nom, comment il s'appelle déjà, tu dois savoir ça, toi, non, bon on s'en cogne de cet enculé, lui aussi il m'aime bien, ils m'aiment tous bien, ils ont confiance, je leur donne leurs thunes, ils sont contents, eux ils me refilent leur putain de thé de merde, là, avec des graines, t'y crois à ça, mec, avec tout le blé qu'on leur balance ils pourraient m'offrir autre chose que leur thé pourri. Putain de hajis de mes deux. »

Un temps.

« Ça me ferait mal au cul de laisser cette salope de Fox prendre ma place. »

Un temps.

« Jamais putain ! T'entends ?

— Ok, mon frère, cool. »

Un temps.

« N'empêche que jeudi, ça craint.

— C'est des conneries, mec, que des conneries. Ça craint tout le temps maintenant. »

Un temps.

« On va y aller rapide le midi, il fera chaud et ils auront bien faim, comme ça on va tous les niquer. »

Un temps.

« Bon, il est où ton enculé ? »

Dans le dos de Ghost et Data, un Afghan signale sa présence en toussotant.

« Putain, c'est Batman ton pote, il est tombé du ciel. »

L'homme s'est faufilé sans être vu entre les deux conteneurs où ils l'attendent. Il porte le genre de salwar khamis usé et cradingue qu'ont tous les civils chargés de l'entretien de la FOB. La transaction est rapide, limitée à des gestes, des grognements, aux bribes de dari et de pachto que connaît Data, au *pidgin* baragouiné par le dealeur. « Je pige jamais ce qu'il me dit, ce con. Tu pourrais pas parler notre langue, hein ? » Tout le monde rigole avec tout le monde en feignant de s'entendre. Deux cents grammes de chaars passent de l'un à Ghost, des billets d'un vert dans les mêmes tons de l'autre à l'Afghan, et à la seconde où la transaction est terminée les deux Américains s'en vont, sans voir le revendeur cracher par terre et prendre son portable.

« Que t'est-il arrivé ? » Amel tend spontanément la main pour caresser le visage de Chloé du côté où il n'est pas meurtri, mais son geste provoque un mouvement de recul.

« Un mec m'a agressée près de chez moi. » C'est faux. Dire la vérité ? Pas déjà. Peut-être jamais.

Amel prend place en face de Chloé qui arbore cet après-midi un look inédit de paumée. Elle est attifée d'un jean et d'un vieux T-shirt échancré, porte une paire de sneakers, ses cheveux blonds filandreux sont retenus en paquets avec force épingles et son maquillage à la va-vite masque mal hématomes, pâleur et fatigue des yeux. Cernés, rougis, les pupilles étrécies, ils fixent puis s'enfuient, ne veulent pas se trahir, cherchent ailleurs le salut, sur une pièce de mobilier, n'importe quel passant, le type du rade apparu dans le bocal fumeur pour prendre la commande.

Café. Café. S'il vous plaît. Merci. Il s'éloigne.

« Tu as porté plainte ?

— Ce n'est rien. » Chloé appuie son esquive d'un revers. « Les flics sont nuls de toute façon. »

La question suivante, Amel ne parvient pas à l'articuler jusqu'au bout.

Un sourire factice et le regard de Chloé s'échappe à nouveau. « Non. » Elle s'en veut de ce mensonge-là aussi. Elle n'aurait pas à raconter des conneries si elle avait été capable d'attendre que les marques s'estompent. Ou si elle ne s'était pas précipitée sur Facebook pour reprendre contact juste après l'incident, n'avait pas insisté pour revoir Amel dès sa première réaction, aujourd'hui, dans son quartier, ce onzième arrondissement où jamais elle ne vient, au prétexte d'un rendez-vous pas loin. Un bobard de plus, mais la colère, la peine, l'angoisse et les insomnies opiacées ne font pas bon ménage avec l'honnêteté et la raison. Et l'estime de soi. *Qu'est-ce que je fais là ?* Ce n'est pas la première fois que Chloé se le demande ces jours-ci. *Pourquoi je me barre pas ?* Aucune réponse satisfaisante et pourtant ça tourne dans sa tête, sans répit. « Comment s'est passé ton été ?

— Plutôt calme, j'ai bossé. »

Chloé entend à peine Amel lui raconter qu'elle a juste pris deux grands week-ends et surtout profité du long séjour de ses parents à l'étranger pour travailler sur un livre, au calme, dans leur baraque. Elle pense à son propre été, squatté par son père et déserté par Alain.

« Et le tien ? »

Impossible de verbaliser tout ce qui l'accable depuis Arcachon. Chloé est ici, dans ce bar brasserie du métro Oberkampf où elle s'est engouffrée pour se cacher et attendre Amel, elle se sentait vulnérable dans la rue, elle a voulu cette entrevue mais les mots ne sortent pas. Ne pas charger les autres avec ses problèmes, au fond ils n'y peuvent rien et ils s'en foutent, et ça leur donne l'occasion de se déverser à leur tour. Et ouvre une brèche. Cela fait tellement longtemps que ce pli-là est pris. « En Italie, dans la région d'Amalfi, avec des amis. » Décor différent, même cirque qu'à Paris. *Et pour tout oublier, j'ai bu et tapé et baisé.* « La côte est jolie. » En mémoire ne lui restent que les vagues impressions ocre et terre de Sienne de villes construites à l'aplomb de la mer, et la chaleur, assommante.

« Vous êtes restés longtemps ?

— Trois semaines. » C'était trop, Chloé a égrené les jours, elle avait envie de rentrer, de sa normalité, désespérait de revoir Alain, l'intuition d'une inéluctable rupture grandissant à mesure que la fin du mois approchait. Mi-août, il avait téléphoné une dernière fois pour lui dire au revoir, il partait une quinzaine avec sa femme, et l'apaiser. « Guy sait les limites à ne pas franchir. » Au retour de Chloé, la quinzaine écoulée, il est demeuré injoignable, absent de la rue Guynemer. Elle s'est sentie prisonnière de sa solitude comme jamais, au milieu de tous ces *potes* qui réapparaissaient les uns après les autres, la bouche pleine de leurs vacances de magazines, coincée entre les SMS intrusifs et persistants de son père, et son angoisse de rater l'appel libérateur. Amel lui a traversé l'esprit, malgré le sentiment de trahison et la peur d'avoir mal fait, mais elle a tenu bon, avec sa petite paille magique, pour clouer le bec à son instinct d'un malheur imminent. Il fallait patienter jusqu'à Alain et son pouvoir de nuisance rassurant.

Il a attendu le 4 septembre pour donner signe de vie. Un simple coup de fil, bref, au cours duquel il a surtout demandé si le lendemain midi Chloé serait à l'appartement. Sa façon à lui de vérifier la disponibilité des lieux. Quand il veut la voir, il vient sans rien dire et si elle n'est pas là, il la convoque séance tenante. La question l'a fissurée un peu plus. Elle n'a rien manifesté, peut-être aurait-elle dû, et a évoqué un fictif déjeuner galant dont il a eu l'air de se moquer totalement. « Très bien, a-t-il jeté juste avant de raccrocher, je te rappelle vite. »

Les cafés sont servis, le garçon repart. Entre Amel et Chloé le silence s'attarde, lourd.

« Pourquoi t'es là ? »

Oui, qu'est-ce que je fous ici ? La grande question du moment. Chloé se l'est posée à la seconde même où elle ouvrait sa porte d'entrée, ce jour où elle aurait dû rester loin de chez elle et respecter leur accord tacite, quand elle a entendu la voix d'Alain et celle d'un autre homme au fort accent étranger. Elle était grave cette seconde voix, faisait rouler les *R*. Chloé ne l'oubliera jamais. Alain a interrompu son interlocuteur et s'est levé pour l'intercepter dans le hall. Pas assez rapide, Chloé était déjà sur le seuil du living. Elle se souvient de cet instant, elle était à la fois soulagée de ne pas le trouver en compagnie d'une autre femme, avec le recul une pensée stupide, et toujours furieuse. Sur la table basse, il y avait les restes d'un déjeuner livré par un traiteur de luxe et la bouteille presque vide d'un Château Cheval Blanc de 1993 qu'elle leur avait acheté pour une occasion spéciale. Elle a fusillé Alain du regard et coupé court à sa tentative de la renvoyer sur-le-champ en insistant pour se faire présenter *son ami*. Grand, maigre, il avait des traits élégants et des yeux noirs pétillants de curiosité.

Chloé frissonne au souvenir de ces yeux.

Amel le voit et lui prend une main dans les siennes. « Ça va ? »

L'invité a juste donné son prénom, Dritan. Il a fait un baisemain à Chloé avant de montrer le sofa. Elle s'est assise à côté de lui, a dévisagé Alain d'un air de défi. Ce dernier a juste présenté Chloé plus en détail à son invité. Ils ont échangé quelques phrases dans une langue moche et ils ont ri. Elle n'a pas aimé leur façon de faire, leurs paroles teintées d'une sale connivence. La question est revenue, *qu'est-ce je fous ici ?* suivie de son corollaire, *pourquoi je me barre pas ?* « Je suis une petite merdeuse. »

La référence fait sourire Amel.

Pas longtemps, une larme coule sur la joue de Chloé. On ne provoque pas impunément Alain Montana. Après avoir bien rigolé avec son copain, il a proposé du champagne à tout le monde et il est même allé le chercher dans la cuisine. Elle se charge de ces choses d'habitude, mais il a insisté pour le faire lui-même. Il voulait les laisser seuls. Dritan est resté courtois le temps qu'il revienne. Ils ont bu, raconté des bêtises et ils ont bu encore. Une main a agrippé sa cuisse. Chloé n'a pas été surprise. Elle a regardé Dritan, amusée de son empressement, ses doigts remontaient déjà vers son pubis mais il ne s'occupait pas d'elle, il fixait Alain, sûr de son bon droit. Ses yeux ne demandaient pas la permission, ils guettaient une réaction. Et ils avaient vrillé. Dans l'expression d'Alain, Chloé a entrevu des regrets douloureux bientôt supplantés par un masque de dureté. Elle a commencé à paniquer. Il a hoché la tête en direction de Dritan et parlé à nouveau dans cette langue affreuse. Ensuite, il est sorti du salon. Elle a voulu le suivre mais Dritan lui a attrapé le bras et l'a ramenée en arrière de force. « Il a dit je peux jouer avec toi. » Quand Chloé a commencé à se débattre, il s'est marré et l'a giflée. La porte d'entrée a claqué, elle a hurlé et la bouteille de Ruinart lui a cogné la tempe. Elle a perdu connaissance pendant quelques instants et s'est réveillée juchée en travers du dossier du canapé, sur le ventre, sa robe déchirée remontée sous les seins, les bras attachés dans le dos avec un câble de rideau qui lui sciait la peau tant il était serré. Dritan la sodomisait. Elle s'est laissé faire pensant en finir vite. Après tout, la violence n'était pas une première, se faire enculer sans en avoir envie non plus, mais il a pris son temps et s'est amusé avec elle pendant presque trois heures, dans toutes les positions. Parfois il l'astiquait avec sa ceinture, parfois il lui mettait des baffes, par vagues, accompagnées d'insultes incompréhensibles. À un moment, il a essayé de l'embrasser. Ça il n'en était pas question et Chloé l'a mordu. Le premier coup de poing, elle l'a pris dans le nez. Pas trop fort, probablement afin d'éviter de le péter, Dritan savait doser. Il lui a quand même fait très mal. Elle a eu l'impression qu'on lui enfonçait des grosses aiguilles dans la figure. Il lui en a balancé deux autres, plus puissants, pour faire bonne mesure, sous l'œil gauche et à l'arrière du crâne, elle avait tourné la tête. Après, elle ne s'est plus rebellée du tout. Il a fini son affaire, a joui dans son cul et, sans la détacher, il s'est tiré.

« La soirée, fin juin, c'était par hasard ? » Le regard de Chloé ne fuit plus, il est braqué sur Amel.

« Non.

— Le boulot ? »

Hochement de tête.

« Moi ? »

Amel hésite, *que veut-elle ?* « Non. »

Chloé acquiesce, pense à Alain. Il est repassé rue Guynemer le jour de l'incident, en fin d'après-midi. Il l'a trouvée dans sa chambre, recroquevillée sous sa couette, une serviette entre les cuisses, elle saignait encore. Il n'a pas eu le moindre geste de tendresse, a seulement appelé un toubib, le genre très respectueux du secret, et est allé ranger le salon. Quand le médecin est reparti, Alain est venu s'asseoir à côté d'elle sur son lit. Il a simplement demandé « pourquoi ? » et, avant que Chloé puisse répondre, il a ajouté : « Je connais Dritan et je n'avais pas envie de voir la suite. » Elle s'est mise à pleurer. « Il y a des personnes à qui je ne peux rien refuser. Tu n'aurais pas dû venir. » Il a sorti de la poche intérieure de sa veste une enveloppe kraft repliée contenant les deux cents grammes d'héroïne habituels et l'a posée sur le chevet. « Il m'a donné ça pour toi. » Là, Chloé a compris qui était le mec. « Si tu as dans l'idée de parler de tout ceci, dis-toi que t'en prendre à lui, c'est s'en prendre à moi, une faute impardonnable. »

Les gens se bousculent à l'entrée de la station Oberkampf, c'est la fin de la journée, ils sont pressés de rentrer chez eux. Chloé regarde dehors, elle réfléchit, vacille, cherche la force de parler, Amel le voit à la succession d'expressions venant crisper son joli visage abîmé. La journaliste se tait, il ne faut pas la brusquer, mais elle n'est pas sûre de vouloir en apprendre plus.

« Pourquoi Alain ? »

Alain. Il est si minable ce prénom, il paraît si inoffensif. « Il m'a montré qui j'étais en réalité. » En 2002, Amel s'est rendue complice de l'assassinat d'un homme, ordonné au nom de la raison d'État. Peu importe que cet homme se soit livré à des activités condamnables, elle n'a pas accepté de se compromettre pour cela. Elle n'a pas, depuis six ans, fermé sa gueule sur la mascarade organisée alors par Montana, pour cela. Elle l'a fait parce qu'elle a eu peur. Pour sauver sa peau, elle a piétiné ses grandes idées et renié ses principes. Tué ses sentiments. « Une personne moche. »

Le trouble d'Amel n'est pas feint, il suffit à Chloé. « Mon agresseur, il le connaît. »

Assalam'aleikoum.

Wa'aleikoum as'salam. Comment allez-vous, Shah Hussein sahib ?

Je vais bien. Et vous, comment allez-vous ?

Je vais bien aussi. Le journaliste étranger est chez vous ?

Il est arrivé de Kaboul cet après-midi.

Félicitations. Je vous attendrai à l'endroit convenu.

Dès que votre chauffeur arrivera, nous vous rejoindrons.

Silence.

Vous venez, sahib ?

Oui, je préfère m'éloigner demain.

Vous avez raison. Rien n'a changé ?

Non, que vos amis ne s'inquiètent pas. Ils me visitent en premier cette fois.

Je le leur répéterai.
Ils viendront peu avant dhour.
Je le sais.

Silence.

Félicitations.
Mash'allah.
Oui, oui, remercions Dieu de nous aider à triompher de nos ennemis.

Silence.

Ce journaliste, il sera avec son esclave, toujours ?
Oui.
Je n'aime pas cela.
Si le Tadjik vous déplaît, tuez-le, seul l'étranger compte.
Je ferai ça.

Silence.

J'ai hâte de vous voir, sahib.
Puis-je faire quelque chose d'autre ?
Merci. Non.
Bien. Je vais prier pour vous.
Et moi pour vous.
La paix soit avec vous.
Wa'aleikoum as'salam.

23

Peter Dang se réveille brièvement quand Javid sort pour aller manger, très tôt comme l'exige le ramadan, puis une seconde fois lorsque son fixer revient et se prépare pour al-fajr. Dehors, un muezzin appelle. Il fait encore nuit mais le ciel grise déjà. Peter l'aperçoit par la fenêtre de leur chambre, une pièce sobrement décorée et confortable, au premier étage de la maison de Shah Hussein, dans les quartiers sud de Jalalabad. Le journaliste reste immobile durant le rituel, pour ne pas déranger Javid, et se lève dès qu'il est à nouveau seul, après la prière.

C'est un matin superbe. L'air est léger et le soleil vient rosir un panorama de brume où surnagent des toits plats, des arbres, quelques minarets et les rares silhouettes plus massives et anguleuses de constructions modernes. Loin vers le nord, le déferlement rocheux enneigé de l'Hindou Kouch délimite l'horizon.

Peter adore l'aube, ce moment des possibles. Aujourd'hui cependant, il se sent oppressé par une crainte diffuse. Le jour est particulier et il joue gros, il va rencontrer Rouhoullah. Shah Hussein est resté allusif sur les modalités du rendez-vous et a juste recommandé de se tenir prêt à partir vers huit heures. Si ce flou a déplu à Javid et à la rédaction du magazine, il n'a pas inquiété Peter au point de vouloir tout remettre en cause. Leur hôte et facilitateur est une figure de Nangarhar, proche du pouvoir provincial, il est trop malin pour l'attirer dans un piège grossier, son enjeu n'est pas de faire un coup. Plus réel est le risque de ne pas obtenir du trafiquant la matière indispensable à son enquête. Ce serait le pire des scenarii.

À l'horaire prévu, Shah Hussein ne paraît pas, ne répond pas au téléphone. L'employé qui s'occupe de sa demeure, ses gardes, les seules autres personnes avec lesquelles Peter et Javid ont eu des contacts depuis la veille, ne savent pas où il est. L'homme lige du gouverneur rentre finalement chez lui avec une heure de retard, dans un vieux Land Cruiser blanc couvert de boue. Il n'est pas seul. Au volant, il y a un garçon à peine sorti de l'adolescence, au regard métallique souligné par du khôl. Il porte la barbe drue et son pakol est de travers sur sa tête. Il dit s'appeler Fayz et doit les escorter jusqu'à l'endroit de l'entrevue, à la frontière. Peter n'avait pas envisagé de voyager si loin et lorsque Javid lui montre discrètement l'AKMS posé devant le siège conducteur, il interroge Shah Hussein.

Celui-ci tente de rassurer le journaliste. « Là-bas, je viens, il n'y a pas de problème. Je veux la sécurité pour vous. L'arme, c'est pour la sécurité. Nous partons, oui ? »

Peter hésite, c'est un périple risqué, loin de tout secours, sur une portion d'autoroute où les mines improvisées pullulent désormais. Il demande à Javid de questionner le chauffeur.

Fayz a l'air très sûr de lui quand il répond. « *No bomb today*, Allah m'est témoin. »

Shah Hussein insiste. « Nous partons, oui ? »

Peter regarde son mobile, il serait sage d'appeler New York pour exposer la situation et solliciter un avis. On lui dira sûrement d'annuler, trop d'inconnues et c'est le 11 septembre. Il n'est pas américain mais les talibans ne s'embarrassent guère de ce genre de nuance. Peter pense à ses parents, ils sont toujours allés au bout de leurs convictions. « Oui, nous y allons. » Pas question de renoncer ainsi.

Ghost s'est levé en forme, ses mains ne tremblaient pas. L'automédication par les plantes à laquelle il se livre en douce semble porter ses fruits. Autre effet secondaire, il ne rêve plus, une bénédiction. En milieu de matinée, lesté de son porte-plaques et de ses armes, il retrouve Voodoo, Data et Rider au B-Hut de 6N. Pendant une heure, ils étudient les comptes rendus d'activité de la nuit et les synthèses de renseignement, planifient les itinéraires et, vers onze heures, constituent leur convoi. Il sera formé de trois bagnoles, deux pickups et un 4 × 4 blindé dans lequel sera transporté l'argent. Leur escorte comptera quatorze supplétifs de la Jalalabad Strike Force et trois chauffeurs spécialement entraînés pour ce type de mission. Les deux paramilitaires américains rouleront avec le fric à distribuer.

Après avoir vérifié l'armement de sa troupe, Ghost réalise un essai de liaison entre les radios de bord et le PC transmissions de Fenty, et il ordonne de charger le fric dans leur tout-terrain. Deux sacs de sport identiques disparaissent dans le coffre.
« L'Agence fait la paix avec le gouverneur ?

— Tahir Nawaz n'est plus.

— Comment est le nouveau ?

— Il n'a pas encore été choisi. Ça se dispute dur. » Voodoo presse amicalement l'épaule de son camarade. « Garde les yeux ouverts. » Il ne précise pas *surtout aujourd'hui*, c'est inutile.

Ghost hoche la tête.

« Impose ta chance. »

La colonne démarre lorsque Fox arrive au bureau. Il adresse un bonjour de la main aux deux autres paramilitaires quand ils passent à côté de lui. Seul Rider lui répond.

La rue est étroite, pas goudronnée, bordée par des enceintes beiges derrière lesquelles on devine les jardins de résidences privées. Un break gris stationne contre un mur, à l'ombre d'un feuillu rachitique. À son bord, trois silhouettes masculines. L'une d'elles, assise seule à l'arrière, est celle de Sher Ali. Téléphone collé à l'oreille, il observe le débouché de la voie, trois cents mètres plus loin. À cet endroit, elle coupe une perpendiculaire baptisée Chel Metra Road, qui file plein ouest et traverse la moitié sud de Jalalabad. Au départ de l'aéroport c'est, avec l'autoroute, le chemin le plus simple pour aller au centre-ville.

Il y a une moto garée derrière le break, une Honda marron avec de grosses sacoches fermées. Dojou patiente à côté, debout près du pilote qui a les mains serrées sur le guidon. Il guette le curieux ou le passage inopiné d'une patrouille de l'ANP, et attend. Le regard du gamin assis à califourchon sur l'engin est perdu dans le vide. Il a dix-huit ans et la veille, d'une voix cassée par la frousse, il a enregistré son testament et s'est déclaré prêt à mourir pour chasser les croisés. Tout à l'heure, sur ordre du khan, il a fumé du chaars. Pas trop, il a une mission à accomplir.

Sher Ali se retourne sur la banquette et fait signe à l'Ouzbek. D'une main, celui-ci presse l'épaule du motard. La bécane hoquette puis rugit. Derniers encouragements, « sois courageux, mon frère, ne panique pas et Allah acceptera ton martyr » et Dojou rejoint l'autre véhicule.

40 Meter Road…

Le Roi Lion a mis son mobile en mode haut-parleur. Tout le monde doit entendre les informations relayées par les observateurs placés en amont de l'embuscade. Ordre est donné de brancher les Icom pour prévenir le reste de la troupe. Le moment est venu de communiquer par radio. Les stations d'écoute des Américains peuvent bien les repérer à présent, ils n'auront pas le temps de les empêcher d'agir.

Le deux-roues les dépasse et s'engage sur Chel Metra.

Chaparhar Road…

Dojou signale au chauffeur du break de se mettre en route.

Aucun incident majeur ne vient perturber le voyage jusqu'à la frontière. Pas d'IED ni d'alerte à la bombe, pas même un accrochage, la voie semble avoir été dégagée pour eux. Peter ignore Javid qui, installé à sa gauche sur la banquette arrière, marmonne sa tension et agace leur chauffeur. Il essaie de refouler sa propre angoisse en se concentrant sur le spectacle varié qu'offrent les paysages, les gorges spectaculaires, les villages monochromes reflétés par les eaux de la Kaboul lorsqu'elle se fait plus large, les chemins aux lacets égarés dans l'infini des montagnes ou les oasis cultivées surgies au détour d'un vallon rocailleux. Difficile cependant de faire abstraction des carcasses de camions calcinées abandonnées sur les bas-côtés ou des taches sombres laissées par les explosions ou les agonies collatérales. Les autres véhicules se livrent parfois à des manœuvres inutilement téméraires, rappel que le danger est partout et constant, mais la circulation reste assez fluide durant tout le trajet. Seul un contrôle de la Border Police les ralentit vraiment, interrompu aussitôt l'identité de Shah Hussein révélée. Ils ont de la chance qu'il soit avec eux. À l'approche des flics, Peter a senti la crispation instantanée de Javid, sans doute le souvenir du funeste épisode de Gardi Ghos. Devant, Fayz montrait lui aussi des signes de nervosité, la main sur le fusil d'assaut, mal dissimulé sous un patou. Réflexe de trafiquant ? Il semblait prêt à se battre et mourir. Il les aurait tous fait tuer.

Peu après onze heures trente, ils atteignent leur destination, un hameau à l'abandon situé à deux kilomètres à vol d'oiseau au nord de Torkham, au bout d'une piste cabossée qui serpente vers le Pakistan. L'endroit est idéal pour un traquenard, cerné de tous côtés par des à-pics mouchetés de buissons persistants. Le genre de terrain dont les talibans, actifs dans la région, raffolent.

Javid tremble sur la banquette arrière, il veut s'en aller. Les mots de Shah Hussein, qui lui-même manifeste quelques signes d'inquiétude, ne l'apaisent pas. Peter ne peut s'empêcher de consulter régulièrement l'écran de son téléphone. Il n'accroche plus le moindre réseau depuis qu'ils ont quitté l'autoroute. Seul Fayz est détendu. Sorti du Land Cruiser pour faire quelques pas, il observe les pentes alentour, AKMS en bandoulière.

Ils n'attendent pas longtemps. Cinq minutes après leur arrivée, une dizaine d'hommes armés de kalachnikovs et de RPG surgissent des ruines. Difficile de dire s'il s'agit de bandits ou de moudjahidines, ils se ressemblent tous, se mêlent souvent les uns aux autres. Ils donnent l'impression de connaître leur chauffeur et même de lui obéir. Un indice qui pourrait être rassurant si Fayz ne refusait pas subitement de répondre aux questions de ses passagers. Il s'entretient un moment avec ses sbires et ordonne à l'un d'entre eux de s'emparer du sac du journaliste et de tous les mobiles.

Javid ne veut pas se séparer du sien. Jeté au sol et bousculé, il doit céder. Peter, retenu de force, demande à Shah Hussein de s'expliquer. Le représentant du gouverneur paraît totalement pris au dépourvu. Il se tourne vers Fayz. Leur échange dure deux ou trois minutes. Il se conclut de façon assez vive, à l'avantage du chauffeur et, d'un geste sec de la main, il exige que ses instructions soient traduites.

« Il dit nous marchons maintenant.

— Je veux voir Rouhoullah. Où est-il ? »

Shah Hussein tend le bras vers le Pakistan. « Il faut aller le rencontrer là-bas. »

Il semble terrifié et sa peur contamine Peter. « Je ne bouge pas d'ici. »

Le claquement d'une culasse se fait entendre.

« Ils ont retrouvé sa caboche à cinquante mètres du Hummer. » Assis à la place du mort, Ghost surveille les abords de la route et les zigzags nerveux du pickup Hilux ouvreur. À intervalles réguliers, un soldat de la JSF debout derrière sa cabine braque son PKM sur un connard qui tarde à s'écarter. « Il avait encore son casque lourd et la gueule presque pas niquée. Il paraît qu'il rigolait.

— Ils ont dû flipper. »

Rider continue à parler dans le dos de Ghost mais il ne l'entend plus, ça freine devant. Ils ralentissent également. Avant de repartir. Ce n'était rien. Le convoi arrive au bout de Chel Metra Road, le premier arrêt est pour bientôt. Ghost se retourne un bref instant et fait répéter son pote.

« Je disais, les tronches des mecs sont presque toujours intactes après, c'est marrant. » Rider remarque de l'agitation devant leur 4 × 4, sur le plateau du Hilux, et un truc marron, rapide, en approche sur la droite. Il ouvre grand les yeux.

Ghost s'en rend compte, suit son regard.

Une moto de couleur foncée disparaît dans un grand flash lumineux. Le pickup de supplétifs est aussitôt submergé par un nuage noir et feu. Déformé par l'explosion et soulevé de terre, il bascule vers la gauche, éjecte plusieurs masses sombres désarticulées et retombe à l'envers sur la voie opposée.

Le tout-terrain blindé reçoit l'onde de choc de la déflagration. Dans l'habitacle, la surpression est terrible. Des débris métalliques cognent le pare-brise et il se fendille à plusieurs endroits, sans céder. Le chauffeur perd connaissance et tourne involontairement son volant. La voiture des paramilitaires traverse la chaussée à son tour et percute violemment un mur. Il y a un choc à l'arrière, un second et un troisième quand un camion vient pousser les deux premières caisses qui les ont emboutis.

La tempe de Ghost a heurté la vitre latérale, il est sonné mais pas inconscient. Du sang coule sur le côté de son visage et il entend un puissant sifflement continu. Il aperçoit la carcasse incendiée de la moto-suicide. Une silhouette floue s'en détache, consumée par les flammes. Elle fait quelques pas maladroits et s'effondre sur le dos. Il pense *ça va pas, il a la tête sur les épaules* et croit voir le sexe du kamikaze, dressé sur fond d'incandescence, cramer à la façon d'une bougie obscène.

La portière de Ghost s'ouvre et Rider apparaît. À l'aide d'un poignard, il tranche la ceinture de sécurité de son coéquipier et le tire à l'extérieur par l'une des sangles d'épaule de son porte-plaques. Ghost est traîné sur quelques mètres, le temps de réagir à la brûlure du bitume sur son cul. Rider gueule mais il ne comprend pas. Il lui montre un truc. L'autre pickup. Les survivants de la JSF tirent. Sur des bagnoles. Il y a des hommes aux visages masqués par des turbans planqués derrière. L'un d'eux vise avec un RPG.

La roquette vole droit vers l'autre Hilux rempli avec les esclaves des étrangers. Sher Ali la suit du regard. La carrosserie se déforme à l'impact, glisse d'un mètre et prend feu. Un des soldats est projeté au sol et ne se relève pas. Trois s'enfuient. Les seuls traîtres survivants.

Une grande confusion règne sur le carrefour. De nombreux véhicules sont arrêtés, une vingtaine, accidentés ou non, autour du cratère creusé par la bécane piégée. Leurs passagers paniquent. Certains courent à la recherche d'une protection, d'autres restent allongés par terre, prostrés, blessés ou morts. Un camelot éloigne avec difficulté sa carriole, ses marchandises plus précieuses que sa vie. Un réflexe de démuni.

Le Roi Lion ignore les cris et le hurlement des sirènes dans le lointain, il a peu de temps. Concentré sur les messages radio de ses moudjahidines, la direction des tirs, la place de chacun, il suit la progression des deux Américains, essaie d'anticiper leurs déplacements, entend sans tout comprendre la litanie d'instructions qu'ils se lancent l'un à l'autre. Leurs voix fortes, s'exprimant en anglais, détonnent au milieu du chaos. *Contact droite ! Vingt-cinq mètres, la voiture grise ! J'avance ! Je couvre !* Ils veulent atteindre une rue perpendiculaire. S'ils y pénètrent, il faudra se résoudre à les tuer ou les laisser filer, son opération aura échoué. Il ne peut le permettre.

À Dojou, accroupi à côté de lui, Sher Ali indique le 4 × 4 blindé. Il lui revient d'aller s'emparer de l'argent des espions. Le tireur RPG reçoit pour mission de protéger l'Ouzbek des derniers mercenaires afghans. De l'autre côté du croisement, une réserve de combattants attend ses instructions. Il se manifeste sur les ondes et ordonne de prendre les mécréants en tenaille, un groupe en direction de la voie qu'ils cherchent à rejoindre et un autre, au sud, pour couper leur retraite.

Lui-même fait mouvement vers ses proies. Le garçon à la fleur, sa dernière sonnette, celle qui a déclenché l'embuscade, le suit. Ensemble, ils glissent, prudents, d'une carrosserie à l'autre, hors de portée des ripostes de leurs ennemis. Que Sher Ali voit se rapprocher de leur objectif. Dans son Icom, il crie de tirer par terre entre eux et l'entrée de la rue et il lâche quelques rafales au-dessus de leurs têtes pour les forcer à s'arrêter et se cacher. Sa manœuvre fonctionne. Les Américains se jettent derrière une camionnette. Certains de ses hommes essaient alors d'aller au contact mais ils tombent aussitôt. Plus rapide et discret, le gamin se faufile entre les véhicules et arrive à quelques mètres des croisés. Il se tourne vers Sher Ali.

Rider et Ghost sont coincés entre un pickup et une voiture encastrés l'un dans l'autre à angle droit. Rider a un genou à terre à l'abri du bloc-moteur de la bagnole, côté sud-est. Ghost est debout à l'arrière du tout-terrain, face à l'ouest. Impossible d'accéder à la ruelle qui file plein nord à quinze mètres à peine de leur position. Dès qu'ils bougent, ces hajis de merde font la boule de feu devant eux. Ils apprennent vite, les enculés, et ils sont au moins une trentaine à leur tourner autour.

Ghost annonce : « Contact gauche ! » Sa voix, éraillée par la fumée, lui paraît étrangère. Ça siffle toujours à fond dans ses oreilles et tous les bruits sont amortis, distants. Il tire deux coups et deux coups et deux coups, sur plusieurs cibles en mouvement. Plus de balles. « Je recharge !

— Je couvre ! » Rider se lève, aligne un moudje qui sprinte dans le secteur de son pote, le fume.

Sans perdre de vue la ligne ennemie, Ghost se baisse légèrement en éjectant un premier chargeur de son 416. Un mec apparaît sur sa gauche, trop tard pour le fusil d'assaut. Il lâche son arme principale qui, à cause de sa sangle, vient lui percuter l'entrecuisse, ignore la douleur, et dégaine son TRP. Sa première ogive de .45 frappe le fils de pute à l'épaule et le fait tournoyer, ce con ouvre grand la bouche et il mange la seconde pleine poire. Gerbe de sang, il s'écrase comme une merde. Ghost en ajuste un autre mais le rate. Il parvient néanmoins à ralentir sa progression et celle de ses petits copains. Il range son pistolet, prend une grenade, « frag ! », la jette en direction des talibans. Tant pis pour les civils. Ensuite, il récupère son HK, prend un chargeur dans l'une des poches Fastmag positionnées à l'avant de son porte-plaques, le réengage en se redressant. Petite tape sur le côté du 416, la culasse repart en avant, et il vise un type qui veut se planquer. Et rafale. Et *un de moins.*

« Contact droite ! »

Ghost fait demi-tour sans chercher à comprendre, à savoir le nombre de méchants à buter. Le premier de tous les voodooismes, tu demandes pas combien, tu demandes juste où. Lui et Rider plombent un taleb surgi de derrière un break et baissent ensemble la tête quand une nuée de balles stridule au-dessus d'eux. Ils se font allumer par un barbu borgne posté derrière un camion, entre la cabine et la benne. Rider riposte, le pirate de mes deux se cache. Il n'y a personne d'autre, Ghost se retourne à nouveau, balance la purée sur un insurgé, fin de chargeur, il laisse tomber son fusil, reprend son Springfield, le vide, culasse en arrière, éjection, remplacement, culasse en avant, tourelle de char et un et deux et *merde, où il est ?*

« Je recharge !

— Je couvre ! » Ghost pivote, croise un instant le regard de Rider, ils se sourient et tout ce qu'ils ont à se dire passe dans ce sourire, *t'es mon frère et je suis content de finir ici avec toi.* Balayage du flanc est, Ghost repère le camion, le borgne qui se passe la main sur la gorge, il fait feu, le borgne esquive derrière la carrosserie, Rider commence à se relever, Ghost se retourne vers son secteur, il tire, il tire, il tire, il entend tirer derrière lui, un long staccato, puis un autre, puis plus rien, puis *je recharge !* mais maintenant ça vient aussi de son côté, pas le temps d'aider, il doit réapprovisionner son .45.

Dans la précipitation, Rider rate son puits de chargeur, ses yeux descendent vers son 416, il y a un bruit de tôle que l'on tord juste sur sa droite, il tourne la tête, voit un enfant avec une fleur derrière l'oreille allongé sur le ventre, sur le capot de la bagnole lui servant de protection, l'enfant a un couteau, le couteau lui rentre dans le cou, Rider sent une onde froide suivie d'une autre plus chaude, et doit s'asseoir, *faut que je me pose, juste une seconde.* Il lève les mains vers sa gorge et essaie de retenir le flot écarlate, n'y arrive pas.

Ils sont sur eux. « On dégage ! » Pas de réponse de Rider, Ghost jette un œil vers lui, le voit par terre, penché en avant, le menton sur son porte-plaques couvert de sang. Il n'a pas le temps de gueuler, on l'empoigne par-derrière. Coups de coude dans le bide de son agresseur et dans sa tronche d'enculé, le pif explose dans un craquement, il le fait passer par-dessus ses épaules, arrache son Hardcore Hardware de son étui et l'abat sur le crâne du moudje. Un deuxième haji bondit vers lui. Ghost dégaine le coutelas afghan de sa main gauche, grand revers, la lame entaille la poitrine, et il finit le boulot avec son tomahawk. Plusieurs insurgés courent vers lui à présent. Ils surgissent de partout et tiennent leurs kalachnikovs par le canon, pour le frapper. *Ils me veulent vivant.* Ghost bloque, perce, coupe, fend, en blesse un, tue l'autre, estropie un troisième d'un coup de hachette qui lui sectionne presque entièrement la cuisse, et ressent une vive douleur dans le bas du dos. On vient de le planter dans la fesse. Il tourne sur lui-même, bras levé pour frapper de toutes ses forces et se retrouve face à un gamin armé d'un grand couteau. La vision du petit fige Ghost sur place, il se remet instantanément à trembler, on le cogne, il vacille, on le cogne encore, il s'agenouille, on le cogne au sol, il s'évanouit.

Sher Ali se tient près de l'Américain aux longs cheveux. Il l'a vu s'immobiliser et refuser de s'en prendre à son jeune guerrier. Ce sont des lâches, ils préfèrent laisser leurs machines assassiner les enfants pour eux. Le Roi Lion ordonne à ses moudjahidines de retirer armes et équipement au croisé survivant, et de le ligoter. Une cagoule lui est enfoncée sur la tête et, roulé dans un tapis, il est transporté à bord du break gris. Il a fallu sacrifier l'autre mécréant pour capturer celui-ci mais ce n'est pas grave, il était prévu qu'ils meurent tous les deux.

Le garçon à la fleur a pris le poignard de l'étranger, il en admire la facture. Sher Ali l'a reconnu dès qu'il l'a aperçu, c'est celui de son père, égaré à Gardi Ghos. Il voit dans cette aubaine un signe de la bienveillance renouvelée d'Allah à l'égard de sa vengeance, il pourra la mener à son terme. « Conserve-le précieusement et nettoie-le, tu me le rendras plus tard. » L'image de sa fille et celle de son fils s'imposent à lui et, pour la première fois, leur souvenir est heureux.

Plusieurs rafales retentissent non loin de là. Dojou arrive vers lui en courant, des militaires et des policiers approchent. Une poignée de combattants va rester en arrière pour ralentir d'éventuels poursuivants mais il faut partir sans tarder. Le gros des assaillants reçoit l'ordre de se disperser dans les rues adjacentes et, de leur côté, Shere Khan, l'Ouzbek et leur chauffeur, un dénommé Usman, remontent dans leur voiture. En dix minutes, ils rejoignent le bazar aux épices où, malgré le jeûne et la bataille engagée à moins de deux kilomètres, une foule dense se presse encore autour des étals. Le break pénètre dans un entrepôt en retrait de la place Dand Ghara. À l'intérieur est garé un camion Suzuki de type Carry 4 × 4 dont l'arrière est bâché.

Le tapis dans lequel l'Américain est enroulé est sorti du coffre et déplié. Dojou prend une caméra vidéo et se met à enregistrer. Plus personne ne parle. Hors-champ, Usman donne des coups de pied au prisonnier pour le faire réagir. Il gémit mais ne se réveille pas. Son gilet tactique et ses armes sont également filmés. Quand ils sont satisfaits de leurs prises de vue, les moudjahidines chargent leur otage à l'arrière du Suzuki. Sher Ali tend alors la carte mémoire du caméscope au chauffeur, « tu la donnes à notre frère avant de quitter la ville, il t'attend, tu sais où » et il lui remet ensuite une sacoche en cuir, « ça tu t'en débarrasses à destination. N'oublie pas ce que je t'ai dit de faire ». Usman hoche la tête et remonte en voiture. Il s'en va.

Dojou a déjà pris place dans le camion. Le Roi Lion retire le bandeau posé sur son œil mort, met des lunettes de soleil et s'installe derrière le volant du Carry. À leur tour, ils quittent Jalalabad.

En fin de journée, Usman dépasse Pol-e Alam, la capitale de la province de Logar, au sud de Kaboul. S'il *travaille* à Jalalabad, il est originaire de cette région où ses parents habitent toujours. Il est ici pour leur rendre visite. Il poursuit sa route jusqu'au hameau situé un kilomètre avant l'entrée du village de sa famille, Baraki Barak, et se gare en retrait de la piste principale, le long du mur d'une imposante qalat. Usman quitte son break, fait le tour de la ferme à pied. Quand il revient, un homme âgé patiente près de son véhicule. C'est un ancien du nom de Ramanoullah, un ami de son grand-père. Il sourit, visiblement heureux de cette rencontre fortuite. Il lui semblait bien avoir reconnu la voiture. Ils discutent quelques minutes et Usman promet de venir partager un thé avant de repartir. En s'éloignant, il se demande si Ramanoullah l'a vu faire et râle contre tous ces vieux qui passent leur temps dehors à se promener.

Traverser la montagne a été éprouvant pour Peter et ses compagnons. Parfois bousculés par une escorte mutique sauf lorsqu'il s'agissait de les houspiller, ils ont marché plus de quatre heures, passées à monter et descendre des sentiers glissants, aux dénivelés brutaux, le long de défilés où toute chute aurait été fatale, sans faire de pause ni boire.

Ils sont prisonniers des talibans. Le doute n'a plus été autorisé après leur entrée au Pakistan, où ils ont rejoint d'autres militants. Ceux-là les attendaient à bord de pickups bâchés planqués au fond d'un vallon. À peine arrivé, Fayz a interrogé l'un de ces hommes et s'est réjoui de sa réponse. Il a poussé un grand cri de victoire, vite repris en cœur par tous les combattants. Peter n'a pas immédiatement compris pourquoi. Javid le lui a seulement révélé quand, attachés, cagoulés et couchés à l'arrière de l'une des voitures, ils se sont mis à rouler vers l'inconnu sur des pistes cahoteuses. Les moudjahidines ont parlé d'une embuscade à Jalalabad, contre des espions *croisés*. Des *frères* de Fayz sont parvenus à capturer l'un d'eux, un 11 septembre, jour maudit de la grande Amérique pour l'éternité.

Leur voyage en bagnole n'est interrompu qu'une fois, pour la prière de l'après-midi. Peter reste alors seul à bord, entravé et aveugle, Shah Hussein et Javid étant relâchés le temps de communier avec les talibans. À leur retour, ni l'un ni l'autre ne dit ce qu'il a vu. Discuter est interdit – à chaque incartade, le rappel à l'ordre est violent – et ils n'en ont pas envie. Javid est en colère de ne pas avoir été écouté, cette fois leurs ennuis sont très graves, et il est terrifié. Shah Hussein, c'est différent. Il a peur lui aussi et surtout il a honte. Par la faute de Rouhoullah, il a manqué à sa parole, un affront impardonnable.

Peter est calme. Une partie du trajet, il pense à la mort, une réflexion devenue familière ces derniers temps. Il se sent curieusement détaché, prêt à l'accueillir et seul le sort de Javid l'inquiète. Des trois otages, il a le moins de valeur, il sera le premier sacrifié. Ensuite, il s'endort.

L'explosion de la voiture piégée a résonné jusqu'à Fenty, à trois kilomètres de là. Il était presque midi, Fox et Voodoo se trouvaient ensemble dans le bureau de 6N et préparaient le programme des prochaines semaines tout en assurant la veille radio. Ils se sont regardés et ils ont su, avant même de sortir du B-Hut pour voir où était la colonne de fumée. L'alerte a retenti, ils y sont allés et, pour la première fois, Fox a vu Voodoo vaciller quand il a découvert le cadavre de Rider, affalé contre une bagnole endommagée, sur l'asphalte pourri de Chel Metra Road, la gorge ouverte d'une oreille à l'autre. Cela n'a duré qu'un instant, il fallait se ressaisir,

Ghost manquait à l'appel. Ils ont laissé Tiny avec les soldats chargés de la collecte des éléments physiques, ADN, papiers, portables, et sont rentrés à la FOB pour mettre le corps de leur frère d'armes à l'abri, téléphoner sans attendre à Bob, à Chapman, et rameuter tout le monde.

Une première analyse des communications interceptées par les unités de transmission de la base, effectuée à chaud par Fox, fait ressortir un nom : Shere Khan. Plusieurs fois interpellé par des militants au cours de l'attaque, il était vraisemblablement à la manœuvre. Les équipes de l'Agence sont aussitôt prévenues et se concentrent sur la téléphonie et les survols dans la zone. En milieu d'après-midi, on sait que le dernier portable identifié de Sher Ali Khan Zadran se trouvait sur place à l'heure de l'attaque. Resté actif deux heures, il s'est déconnecté du réseau à onze heures cinquante-huit. Bob et ses mecs déterminent également que le Roi Lion s'est enfui de Chel Metra à bord d'un break gris perdu de vue vers douze heures trente-cinq dans le marché aux épices de Jalalabad. Plus tard, une vidéo mise en ligne sur un site djihadiste est signalée à la CIA. Elle montre un homme impossible à identifier frapper Ghost, couché par terre et apparemment mal en point, mais vivant. Bob rappelle en fin de journée avec de bonnes nouvelles. Le mobile de l'enculé en chef vient de réapparaître sur les écrans radar, dans un bled appelé Taqi. Une surveillance aérienne est en route et un groupe du JSOC, en Afgha pour une autre mission, se prépare à taper aussitôt l'objectif localisé avec précision.

Voodoo, Wild Bill, Viper et Fox se rendent sur place alors que l'intervention débute. Tout est déjà terminé lorsque leur hélico se pose. Il n'y a pas eu de véritable résistance, un mec était armé, il est tombé le premier. Les opérateurs ont neutralisé la menace et sécurisé les lieux. Trois hommes adultes et un enfant ont péri dans l'assaut. Reste un vieillard, deux femmes, dont une blessée, et deux fillettes. La fouille de la maison est en cours mais on ne trouve rien, ni portable, toujours branché en théorie, ni Ghost. Les voisins commencent à s'agiter et Voodoo perd son sang-froid au téléphone. Fox se fait communiquer le numéro suspect, il appelle, ça sonne. Pas loin, dans l'une des cours de la ferme. Une sacoche de cuir est découverte derrière un tas de bois. Elle contient une dizaine d'appareils jetables, tous éteints, sauf un. Le Roi Lion les a baisés.

Amel arrive en retard chez Bofinger. Ponsot ne semble pas lui en vouloir malgré l'heure passée à poireauter au comptoir. Il lit un Parisien froissé quand elle entre, et lui sourit. Il est toujours content de la voir. *Je ne le mérite pas.* Elle lui répond d'une grimace forcée et s'il le remarque, il ne dit rien, ne le montre pas. Amel est épuisée et tendue. Chloé est chez elle depuis deux jours, aux abois, perchée et incohérente la plupart du temps, il faut rester aux aguets pour qu'elle ne se tape pas toute l'héroïne emportée avec elle. Difficile lorsque sa propre angoisse pousse à la fuite. Amel a cédé deux fois. C'était si bon d'oublier pour un temps cauchemars et culpabilité, si facile.

Leur table sera prête bientôt. Ils patientent au bar, autour d'une coupe de champagne. Une idée de Ponsot. « Pour fêter le 11 septembre », dit-il avec ironie. Une mélancolie s'est emparée de lui. S'ils se sont connus, c'est en grande partie à cause de cet événement dont les répercussions paranoïaques et violentes ont affecté le monde entier. Le policier ne regrette pas leur rencontre mais il aurait aimé qu'elle se fasse dans d'autres circonstances, plus heureuses pour elle.

Fantômes du passé et du présent viennent se glisser entre eux et le silence s'installe.

Les nostalgies à la con de Ponsot n'aident pas Amel, au bord du précipice. Chloé lui a peut-être donné de quoi flinguer Montana au moment où il rejoint le sommet du pouvoir. Elle a fini par cracher le morceau, dans un rare accès de lucidité et de courage, et livrer le récit de son viol. Amel s'est d'abord sentie impuissante. Elle serrait Chloé dans ses bras, l'écoutait pleurer et se déverser sans parvenir à trouver les bons mots. Puis, la colère est montée. Contre Montana et aussi contre elle-même. Elle n'a jamais rien fait. Sa rage est retombée à présent et elle a peur. Un pas en avant et elle se sauve, mais le pire est à craindre. Un pas en arrière, elle survit, et Montana gagne pour toujours. Amel en a marre de sa peur. « J'ai besoin d'un service. » D'abord, identifier le mec. Montana et lui font des affaires ensemble, Chloé le lui a révélé avant de refuser obstinément de dire lesquelles. Ou de lâcher un nom. Cependant, comme elle ne pensait pas droit, elle a avoué avoir noté dans son iPhone l'immatriculation de la voiture qui attendait son agresseur dans la rue. Quand il a quitté l'appartement de la rue Guynemer, elle s'est précipitée sur le balcon, pour s'assurer qu'il quittait bien l'immeuble.

Amel a fouillé. « Tu peux me dégoter l'identité du propriétaire d'une bagnole ? J'ai la plaque.

— Tu as eu un accident ?

— Non.

— Tu es sûre que ça va ?
— Oui, oui, je te jure. » Amel et Ponsot échangent un long regard, elle ne baisse pas les yeux. « Alors, tu peux ?
— Je peux. »

11 SEPTEMBRE 2008 – NEW YORK : BARACK OBAMA ET JOHN McCAIN, se sont rendus ensemble à Ground Zero, l'ancien emplacement du World Trade Center, détruit par les attentats du 11 septembre 2001. Les deux candidats à l'élection présidentielle étaient convenus de suspendre la campagne pour une journée [...] Ce matin, leurs équipes respectives ont rendu publiques des déclarations en hommage aux victimes et à leurs familles, M. McCain insistant sur l'héroïsme des passagers du Vol 93 d'United Airlines, qui ont choisi de se battre et se sont sacrifiés pour que leur avion ne s'écrase pas sur le Capitole [...] M. Obama a quant à lui rappelé que ces attentats n'étaient pas « seulement des crimes à l'encontre des États-Unis d'Amérique mais des actes de guerre. Nous l'emporterons dans cette guerre comme nous l'avons emporté par le passé. Que Dieu nous bénisse dans cette épreuve, qu'il nous défende et fasse en sorte que notre justice soit rapide et sans appel ».

FIN DU LIVRE PREMIER

Remerciements

Le temps passe mais leur inconditionnelle et patiente fidélité ne faiblit pas, merci à Joa et Valère. Après dix ans de bons et loyaux services à la tête de la Série Noire et presque autant de temps à supporter mes lubies, mes revirements et parfois mes lacunes, Aurélien Masson, mon éditeur, est également toujours à mes côtés, ainsi qu'Antoine Gallimard, P-DG des Éditions Gallimard. Leur présence est rassurante, leur soutien précieux. Ce roman, fruit d'une imagination que d'aucuns trouveront certainement laborieuse ou délirante, n'aurait pu voir le jour sans l'expertise, l'expérience, la disponibilité et l'amitié de professionnels silencieux. Pour diverses raisons, je peux uniquement citer ici certains d'entre eux : Akbar, Joël B., La Chute, Alix D., Pascal G., Hafeez, Javid, Lestat, Jose N., Manu P., Piet's Seven et les Spin *buddies*, Jacques T. et Wild Bill. Que les autres, s'ils finissent par me lire dans une langue ad hoc, soient assurés que je pense à eux. À tous, pardonnez mes éventuelles erreurs et les libertés prises avec la vérité du monde. Un proche, Tito Roche-Fondouk, a disparu depuis que j'ai commencé l'aventure *Citoyens*, il nous manque. Si j'ai rencontré de nombreuses sources pour préparer ce texte, j'ai consulté également une quantité déraisonnable de documents, d'origines et de formats divers, et j'aimerais signaler ici les auteurs les plus marquants et les plus intéressants parmi ceux qui ont éclairé mon travail : M. Aikins, J. Conrad, D. Farah, A. Gopal, L. W. Grau,

S. Junger et feu T. Hetherington, J. Kessel, T. E. Lawrence, T. Paglen, G. Peters,A. Rashid, M. Urban et J. Tapper. Il me faut enfin remercier tous ceux qui, par leurs avis, m'ont permis d'affiner la matière brute de ce livre : Caroline B., Charlotte B., Clémence B., Pierre-Yves B., Christophe C., Jérôme C., Déborah G., Barbara G., Alain L., Benoît M., Michaël S.

ANNEXES

Glossaire

5.56 : diamètre des munitions de 5.56 × 45 mm, calibre standard des fusils d'assaut de l'OTAN.

7.62 : diamètre des munitions d'un calibre militaire décliné en plusieurs versions selon qu'il s'agit des armées de l'OTAN (7.62 × 51 mm) ou de l'ex-pacte de Varsovie (7.62 × 39 mm ou 7.62 × 54 mmR), servant pour les fusils d'assaut, les mitrailleuses ou les fusils de précision.

9 : diamètre des munitions de 9 × 19 mm Parabellum, calibre de l'OTAN principalement utilisé pour les armes de poing.

.40 S&W : nomenclature américaine d'un calibre proche du 10 mm, principalement utilisé pour les armes de poing.

.45 : ou .45 ACP, dénomination américaine du calibre 11.43 mm, principalement utilisé pour les armes de poing.

12.7 : diamètre des munitions d'un calibre militaire décliné en plusieurs versions selon qu'il s'agit des armées de l'OTAN (12.7 × 99 mm) ou de l'ex-Pacte de Varsovie (12.7 × 108 mm), servant pour des mitrailleuses ou des fusils de précision.

20 mm : diamètre des obus d'un calibre de canon ou de canon automatique décliné en différentes munitions, explosive, incendiaire, antiblindage, etc.

30 mm : diamètre des obus d'un calibre de canon ou de canon automatique décliné en différentes munitions, explosive, incendiaire, antiblindage, etc.

40 mm : diamètre des munitions d'un calibre de grenades

décliné en plusieurs versions selon qu'elles seront tirées par des armes portées (40 × 46 mm) ou des armes montées sur des véhicules (40 × 53 mm).

82 mm : diamètre d'un calibre de mortier (quatre-vingt-deux).

105 mm : diamètre d'un calibre de canon d'artillerie (cent cinq).

120 mm : diamètre d'un calibre de mortier (cent vingt).

155 mm : diamètre d'un calibre de canon d'artillerie (cent cinquante-cinq).

24th STS : *Special Tactics Squadron* (24e Escadron tactique spécial), unité spécialisée de contrôle aérien tactique de l'armée de l'air des États-Unis d'Amérique, rattachée au JSOC.

75th Ranger : ou 75e Régiment de Rangers, unité d'infanterie spécialisée dans les opérations spéciales, souvent associée aux opérations du JSOC.

Afghani : devise de la République islamique d'Afghanistan.

Afridi : tribu pachtoune.

AGM-114 Hellfire : type de missile air-sol équipant les drones et les hélicoptères de combat américains.

Airburst : type d'obus explosant en l'air, juste avant l'impact, afin de répandre des éclats sur une plus grande surface.

AK47 : ou AKM ou AKMS ou AK74 ou AKSU, différentes versions du fusil d'assaut *Avtomat Kalachnikova* ou kalachnikov, tirant des munitions de calibre 7.62 × 39 mm (AK47, AKM, AKMS) ou 5.45 × 39 mm (AK74 ou AKSU).

Al-hamdoulillah : Dieu merci.

Ambush : Embuscade.

Amrikâ : Amérique.

Amrikâyi : Américain.

ANA : *Afghan National Army* (Armée nationale afghane).

ANP : *Afghan National Police* (Police nationale afghane).

ASG : *Afghan Security Guard.*

Bacha bazi : pratique traditionnelle de divertissement impliquant l'exploitation sexuelle de jeunes esclaves mâles (littéralement : « jouer avec les garçons »).

Badal : vengeance dans le code tribal pachtounwali.

Bell 412EP : modèle d'hélicoptère à vocation principalement utilitaire.
B-Hut : type de préfabriqué en bois standard des bases militaires US.
Burqa : voile intégral d'origine afghane dissimulant tout le corps, y compris les yeux (derrière une grille), différent du niqab (voile couvrant le visage, sauf les yeux).

Charas : ou *chaars*, type de haschich produit en Asie centrale et en Inde.
Charpoy : châlit de bois fréquemment utilisé en Asie centrale.
Chora : couteau traditionnel afghan.
Choura : conseil dont la composition, l'objet et la taille varient selon les circonstances.
CIA : *Central Intelligence Agency*, l'Agence, principal service d'espionnage civil américain.
Claymore : type de mine antipersonnel à effet dirigé.
COIN : *Counter Insurgency* (doctrine contre-insurrectionnelle).
Cornichon : élève de classe préparatoire à l'École militaire spéciale de Saint-Cyr Coëtquidan.
CTPT : *Counterterrorist Pursuit Teams* (Équipes de poursuite antiterroristes).

DCRG : Direction centrale des renseignements généraux.
DCRI : Direction centrale du renseignement intérieur, née de la fusion de la DST et de la DCRG, fin 2007.
Delta : ou *Delta Force* ou *1st Special Forces Operational Detachment Delta* ou *Combat Application Group*, unité spécialisée de l'armée de terre américaine, rattachée au JSOC.
DGSE : Direction générale de la sécurité extérieure, principal service d'espionnage français.
DIA : *Defense Intelligence Agency*, service de renseignement militaire dépendant du ministère de la Défense américain.
Dirham : devise des Émirats arabes unis (EAU).
DST : Direction de la surveillance du territoire, ancien service de contre-espionnage français.

Evasan : Évacuation sanitaire (*Medevac*).
EVP : Équivalent vingt pieds, unité de mesure du transport maritime.

FATA : *Federally Administered Tribal Areas* (zones ou régions tribales du Pakistan), elles sont composées de sept agences tribales (Khyber, Kurram, Bajaur, Mohmand, Orakzaï, Waziristan du Nord, Waziristan du Sud) et six régions frontalières (Peshawar, Kohat, Bannu, Lakki Marwat, Tank, Dera Ismaïl Khan).
Fedayin : Ceux qui se sacrifient, commando-suicide.
FOB : *Forward Operating Base* (Base opérationnelle avancée).
Frontier Corps : Corps des gardes-frontières du Pakistan.

Gandourah : longue tunique portée au Maghreb et dans certains pays du Moyen-Orient.
Ghairat : l'honneur de l'individu.
Ghillie : tenue de camouflage réalisée à partir d'un filet sur lequel sont fixés des lambeaux de divers matériaux aux teintes naturelles destinées à se fondre dans le paysage.
GI : sigle désignant de façon péjorative les militaires de l'infanterie et de l'armée de l'air US.
Green Zone : ou zone verte, en Irak, une partie sécurisée de la ville de Bagdad. En Afghanistan, les parcelles cultivées et verdoyantes s'étendant le long des rivières et des canaux d'irrigation.

Haji : musulman ayant effectué le Hajj, le pèlerinage à La Mecque. Terme péjoratif désignant les insurgés/talibans/moudjahidines.
Haram : illicite.
HIG : Hezb-e-Islami Goulbouddine, mouvement terroriste de Goulbouddine Hekmatyar.
HIIDE : *Handheld Interagency Identity Detection Equipment*, sorte de scanner portable utilisé pour photographier et prendre les empreintes rétiniennes et digitales d'un individu.
HK 416 : Heckler & Koch 416, fusil d'assaut d'origine alle-

mande dérivé du Colt M4 tirant des munitions de calibre 5.56 × 45 mm OTAN.

HK 417 : version du HK 416 chambrée pour recevoir des munitions de type 7.62 × 51 mm.

Hujra : salle commune où sont reçus les invités dans une habitation ou un village afghans.

Hummer : ou *Humvee*, véhicule tout-terrain militaire fabriqué par une filiale de General Motors.

IBC : *International Business Company* ou *Corporation*, type de société offshore.

Icom : marque de matériel de transmission.

IED : *Improvised Explosive Device* (Engin explosif improvisé, mine artisanale).

IMEI : *International Mobile Equipment Identity*, identifiant propre à chaque appareil mobile.

IMU : *Islamic Movement of Uzbekistan* (Mouvement islamique d'Ouzbékistan).

IR : Infrarouge.

ISA : *Intelligence Support Activity* ou *The Activity*, unité spécialisée dans le renseignement et la préparation des opérations clandestines de l'armée de terre américaine, rattachée au JSOC.

ISAF : *International Security Assistance Force*, mission de l'OTAN en Afghanistan.

ISI : *Directorate of Inter-Service Intelligence* (Direction du renseignement interservices), principal service d'espionnage du Pakistan, dépendant de l'armée.

Izhmash : manufacture d'armes russe, célèbre pour ses fusils d'assaut kalachnikov.

Izzat : la force du nom, l'honneur de la famille.

Jirga : assemblée tribale en Afghanistan, principalement composée d'anciens.

JPEL : *Joint Prioritized Effects List* (Liste interarmes d'actions prioritaires).

JIPTL : *Joint Integrated Prioritized Target List* (Liste interarmes intégrée de cibles prioritaires).

JSF : *Jalalabad Strike Force* (Force de frappe de Jalalabad).
JSOC : *Joint Special Operations Command* (Commandement interarmes des opérations spéciales, dépendant de l'USSOCOM).

Kard : couteau traditionnel afghan.
Kouchi : terme utilisé pour désigner les populations nomades d'Afghanistan.

Lifchik : nom d'un brêlage russe.

M249 : mitrailleuse américaine tirant des munitions de type 5.56 × 45 mm OTAN, fabriquée sous licence et dérivée de la Minimi belge.
M4 ou Colt M4 : évolution moderne du fusil d'assaut M16, tirant des munitions de calibre 5.56 × 45 mm OTAN.
Malik : chef de tribu.
Mehsud : tribu pachtoune.
MICH : *Modular Integrated Communications Helmet* (Casque modulaire à transmissions intégrées), casque de combat en service dans plusieurs unités de l'armée américaine.
Minigun : type de mitrailleuse à canons multiples et rotatifs, tirant des munitions de calibre 7.62 × 51 mm OTAN.
MQ1 Predator : avion d'observation sans pilote.
Mune : munition.

Nanawati : pardon, repentance dans le code tribal pachtounwali.
NDS : *National Directorate of Security* (Direction nationale de la sécurité), principal service d'espionnage d'Afghanistan.
NSA : National Security Agency (Agence nationale de sécurité), service d'espionnage civil spécialisé dans le recueil de renseignements d'origine électromagnétique.

ODA : *Operational Detachment Alpha* (Détachement opérationnel alpha), unité opérationnelle de base des bérets verts américains.

OGA : *Other Government Agencies* (Autres agences gouvernementales), surnom donné à la CIA et aux autres services de renseignements civils publics ou privés en Irak et en Afghanistan.
OTAN : Organisation du traité de l'Atlantique Nord.

Pachtounwali : code d'honneur des tribus pachtounes d'Afghanistan, rassemblant un ensemble d'obligations et de règles à respecter.
Pakol : béret traditionnel plat en laine porté en Afghanistan et au Pakistan.
Paratrooper : parachutiste.
Patou : châle.
Pentagone : siège du Département (ministère) de la Défense des États-Unis d'Amérique.
Pidgin : anglais arrangé à la sauce locale.
PKM : mitrailleuse tirant des munitions de type 7.62 × 54 mmR, de conception soviétique.
PR : Président de la République (française).
PX : *Post Exchange*, magasin militaire, supermarché.

Qalat : ou *compound*, ferme ou complexe fortifié très répandu en Afghanistan, au Pakistan et en Iran, pouvant abriter plusieurs familles.

RAS : Rien à signaler.
RC-Est : *Regional Command – East* (Région de commandement-Est), une des cinq régions militaires d'Afghanistan. Elle regroupe les provinces de Bâmiyân, Ghazni, Kapisa, Khost, Kounar, Laghmân, Logar, Nangarhar, Nouristan, Paktika, Paktiya, Panshir, Parwân et Wardak.
Roupie : devise du Pakistan.
RPG : lance-roquettes de calibre 40 mm de conception soviétique.
RPK : fusil-mitrailleur à canon rallongé et bipied tirant des munitions de calibre 7.62 × 39 mm, de conception soviétique.

SAD : *Special Activities Division* (Division des activités spéciales), forces paramilitaires de la CIA.

Salwar khamis : ensemble vestimentaire formé d'une longue chemise à col rond (khamis) et d'un pantalon bouffant (salwar) très répandu en Asie centrale.

SEAL : unités spécialisées de la marine des États-Unis d'Amérique.

SEAL Team Six : ou *Team Six* ou DEVGRU (*Development Group*), unité spécialisée de la marine des États-Unis d'Amérique, rattachée au JSOC.

SHIK : *Shërbimi Informativ Kombëtar*, services secrets du Kosovo.

Silent Assurance : nom de la mission 6N en Afghanistan.

SMP : société militaire privée.

TTP : *Tehrik-e-Taliban Pakistan* (Mouvement des Talibans du Pakistan).

UCK : *Ushtria Çlirimtare e Kosovës* (Armée de libération du Kosovo).

URSS : Union des républiques socialistes soviétiques.

USSOCOM : *United States Special Operations Command* (Commandement US des opérations spéciales).

VBIED : *Vehicle-Borne IED* (bombe dans une bagnole, quoi).

Wazir : tribu pachtoune.

Wror : frère.

Yéma : maman.

Zadran : tribu pachtoune.

Quelques personnages

AFGHANISTAN

Moudjahidines

Sher Ali Khan Zadran : chef de clan pachtoune, Zadran, alias Shere Khan, le Roi Lion.
Kharo : épouse de Sher Ali.
Adil : fils aîné de Sher Ali.
Farzana : première fille de Sher Ali.
Badraï : seconde fille de Sher Ali.
Qasâb Gul : combattant pachtoune, zadran, alias le Boucher.
Tajmir : agent d'influence pachtoune.
Dojou Chabaev : combattant ouzbek.
Fayz : combattant pachtoune, zadran.
Garçon à la fleur : combattant pachtoune.
Zarin : commandant taliban.

6N

Fox : paramilitaire, alias Majid Anthony Wilson Jr.
Tiny : paramilitaire.
Voodoo : paramilitaire, alias Gareth Sassaman.
Ghost : paramilitaire.
Wild Bill : paramilitaire.
Rider : paramilitaire.

Viper : paramilitaire.
Data : logisticien/admin, alias David Taaffe.

CIA

Bob : chef de station à la FOB Chapman, aérodrome de Khost.
Richard Pierce : directeur adjoint à l'Inspection générale de la CIA.
Hafiz : combattant pachtoune, zadran, CTPT.
Akbar : guide pachtoune, wazir, CTPT.
Haji Moussa Khan : éleveur de chevaux pachtoune.

Border Police

Colonel Tahir Nawaz : chef de la Border Police, province de Nangarhar.
Commandant Naeemi : second du colonel Tahir Nawaz.

Divers Af /Pak

Storay : prostituée.
Younous Karlanri : chef réseau FATA 6N, Miranshah, Waziristan du Nord.
Manzour : chef réseau FATA 6N, Wana, Waziristan du Sud.
Anwar : cousin de Manzour, source réseau FATA 6N.
Moulvi Wali Ahmad : chef de village, région de Sperah.
Rouhoullah : trafiquant d'héroïne de la province de Nangarhar.
Sergent Joseph Canarelli : sous-officier de la 173e brigade aéroportée affecté à Torkham.
Peter Dang : journaliste indépendant.
Javid : fixer de Peter Dang.

Liste de bases/FOB

Bagram : aérodrome, proche de Kaboul, QG de la RC-Est, principale base US d'Afghanistan.

Fenty : aérodrome, à Jalalabad, QG de 6N, importante présence de forces spéciales et ASG.
Chapman : aérodrome, à Khost, principale implantation de la CIA dans l'est.
Salerno : base militaire, à Khost, importante présence de forces spéciales et ASG.
Lilley : station d'écoute de la CIA, à Shkin, importante présence de forces spéciales et ASG.
Harriman : station d'écoute de la CIA, à Orgun-e, importante présence de forces spéciales et ASG.

RESTE DU MONDE

Afrique

Thierry Genêt : entrepreneur à Abidjan, Côte d'Ivoire.
Mireille Genêt : épouse de Thierry Genêt.
Irène Genêt : fille de Thierry Genêt.
Sorhab Rezvani : homme d'affaires originaire d'Iran, associé de Thierry Genêt.
Samuel Atuma : homme à tout faire de Thierry Genêt, originaire de Sierra Leone.
Jacqueline : agent de la DGSE.
Michel : agent de la DGSE.

France

Alain Montana : éminence grise, fondateur de PEMEO, alias le *Colonel* Montana.
Amel Balhimer : journaliste indépendante.
Youssef Balhimer : père d'Amel Balhimer.
Dina Balhimer : mère d'Amel Balhimer.
Myriam Lataoui, née Balhimer : sœur aînée d'Amel Balhimer.
Nourredine Lataoui : mari de Myriam Lataoui.
Daniel Ponsot : commandant de police, chef de groupe à la DCRI.
Nathalie Ponsot : épouse de Daniel Ponsot, avocate.

Marie Ponsot : fille aînée de Daniel Ponsot, étudiante.

Christophe Ponsot : fils cadet de Daniel Ponsot, lycéen.

Guy de Montchanin-Lassée : ancien ambassadeur, directeur général de PEMEO.

Micheline de Montchanin-Lassée : épouse de Guy de Montchanin-Lassée.

Joy de Montchanin-Lassée Verdeaux : fille aînée de Guy de Montchanin-Lassée, cardiologue.

Chloé de Montchanin-Lassée : fille cadette de Guy de Montchanin-Lassée, étudiante, alias CdM.

Kosovo

Dritan Pupovçi : homme de confiance du Premier ministre du Kosovo.

Isak Bala : agent du SHIK.

Playlist

Le 5 février 2008, les opérateurs de 6N faisaient les cons sur un mix de **Samantha Fox** (LP : Touch Me / Track : Touch Me) et le 11 mars, avant de monter au carton, ils se recueillaient en écoutant **The Rolling Stones** (LP : Black And Blue / Track : Memory Motel). Le 13 mars 2008, perdu dans les vapeurs de haschich, Fox se laissait transporter par les rythmiques capiteuses de **Khaled Arman & Siar Hashimi** (LP : Afghanistan, Sazenda / Track : Zar-Afshan). Le 16 mai, l'oreille agacée, Voodoo interrompait **The Black Angels** (LP : Passover / Track : Black Grease). Le 22 mai 2008, aux abois, Amel courait se réfugier dans les bras de **Christophe** (LP : Les Mots Bleus / Track : Señorita) puis ceux, plus inattendus, de **Jean-Pierre Castaldi** (45 tours : Paul Martin / Le Troublant Témoignage De Paul Martin). Lors d'une fête à Kaboul, le 1er juin 2008, Fox complotait au son de **The Stooges** (LP : The Stooges / Track : I Wanna Be Your Dog). Plus tard le même mois, le 26, Amel promenait un regard cynique sur une certaine jeunesse dorée parisienne guidée par la voix de **David Bowie** (LP : Aladdin Sane / Track : Lady Grinning Soul) avant de perdre la tête sur **Yuksek** (LP : Away From The Sea / Track : Tonight). Le 4 juillet 2008, Fox méditait sur ses guerres en communiant sur *The Star Spangled Banner* (dont nous retiendrons, juste pour le plaisir, la version Woodstock 1969 de **Jimi Hendrix**). Le 11 juillet 2008, Amel se la jouait *Miami Vice* avec Chloé sur un morceau de **Felix Da Housecat feat. Nina Simone** (LP : Verve Remixed 2 / Track : Sinnerman Heavenly House Remix).

DU MÊME AUTEUR

Aux Éditions Gallimard

Dans la collection « Série Noire »

PUKHTU. SECUNDO, 2016, Folio Policier n° 837.

PUKHTU. PRIMO, 2015, prix Libr'à nous 2016, prix Mystère de la critique 2016, Folio Policier n° 836.

LE SERPENT AUX MILLE COUPURES, 2009, Folio Policier n° 646.

CITOYENS CLANDESTINS, 2007, Grand Prix de littérature policière 2007, Folio Policier n° 539.

Avec Dominique Manotti

L'HONORABLE SOCIÉTÉ, 2011, Grand Prix de littérature policière 2011 (Folio Policier n° 688).

Dans la collection « Folio Policier »

LE CYCLE CLANDESTIN, I : Citoyens clandestins – Le serpent aux mille coupures, 2016, n° 815.

LA LIGNE DE SANG, 2010, n° 453.

Composition : Nord Compo
Impression Grafica Veneta
à Trebaseleghe, le 25 janvier 2018
Dépôt légal : janvier 2018
1er dépôt légal dans la collection: août 2017

ISBN 978-2-07-272894-5./Imprimé en Italie

334575